A-Z B[...]M

KU-327-267

3 80

CONTENTS

REFERENCE

Motorway	**M6**	Map Continuation **42** / Large Scale City Centre **4**	
Under Construction			
A Road	A38	Car Park	P
Under Construction		Church or Chapel	†
Proposed		Fire Station	■
B Road	B4284	Hospital	⊞
Dual Carriageway		House Numbers 'A' and 'B' Roads only	12 ... 8
One-way Street Traffic flow on A Roads is indicated by a heavy line on the driver's left	→	Information Centre	ℹ
Large Scale Pages Only	⇒	National Grid Reference	⁴12
Restricted Access		Police Station	▲
Pedestrianized Road		Post Office	★
Track / Footpath		Toilet with facilities for the Disabled	▽ / ♿
Railway	Level Crossing / Station / Tunnel	Educational Establishment	◰
Private Railway	Station	Hospital or Health Centre	◰
Midland Metro The boarding of Metro trains at stations may be limited to a single direction, indicated by the arrow.	Station	Industrial Building	◰
		Leisure or Recreational Facility	◰
Built-up Area	MOT / ST.	Place of Interest	◰
		Public Building	◰
Local Authority Boundary	— ·· — ·· —	Shopping Centre & Market	◰
Postcode Boundary	— — — —	Other Selected Buildings	◰

SCALE

Map Pages 6-169
1:18103   3½ inches to 1 mile

¼   ½ Mile

250	500	750 Metres

5.52 cm to 1 km   8.89 cm to 1 mile

Map Pages 4-5,170
1:9051   7 inches to 1 mile

0   ⅛   ¼ Mile

0	100	200	300 Metres

11.05 cm to 1 km   17.78 cm to 1 mile

Copyright of Geographers' A-Z Map Company Ltd.

Head Office:
Fairfield Road, Borough Green, Sevenoaks, Kent, TN15 8PP
Telephone 01732 781000 (General Enquiries & Trade Sales)

Showrooms:
44 Gray's Inn Road, London, WC1X 8HX
Telephone 020 7440 9500 (Retail Sales)

Ordnance Survey® This product includes mapping data licenced from Ordnance Survey® with the permission of the Controller of Her Majesty's Stationery Office. © Crown Copyright 2001. Licence number 100017302

Edition 3 2000   Edition 3A (part revision) 2001
Copyright © Geographers' A-Z Map Co. Ltd. 2001

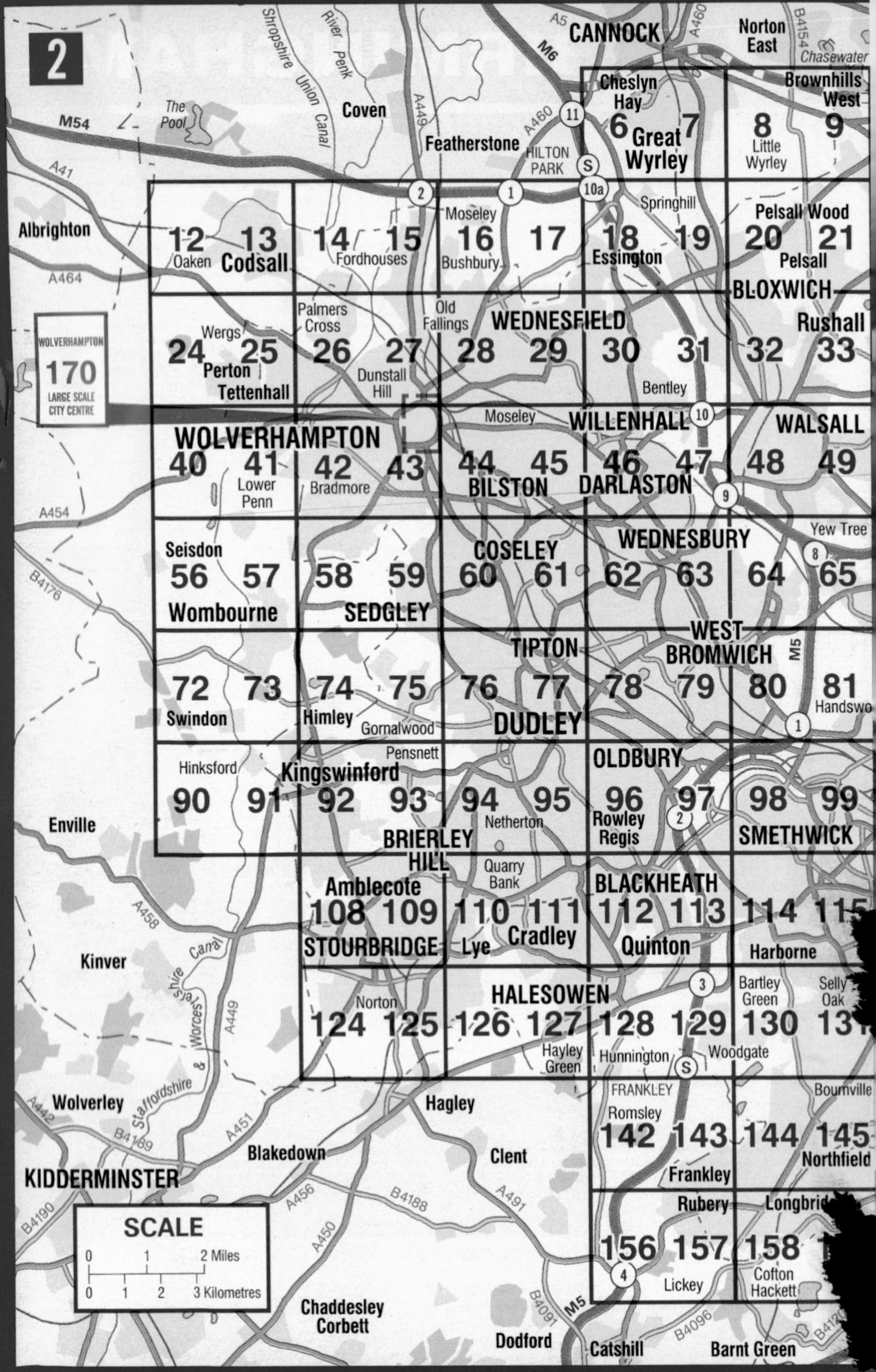

2

CANNOCK

Norton East · Chaseware

Brownhills West

Cheslyn Hay

6 Great Wyrley **7**

8 Little Wyrley **9**

Coven

River Penk

Shropshire Union Canal

M6

A5

A460

A460

A5

A4154

M54

A41

The Pool

Featherstone

HILTON PARK

Moseley

Bushbury

Springhill

Pelsall Wood

Albrighton

A464

12 Oaken **13** Codsall **14** Fordhouses **15** **16** **17** **18** Essington **19** **20** Pelsall **21**

WOLVERHAMPTON 170 LARGE SCALE CITY CENTRE

BLOXWICH

Palmers Cross

Old Fallings

WEDNESFIELD

Rushall

Wergs

24 Perton **25** Tettenhall **26** **27** Dunstall Hill **28** **29** **30** **31** Bentley **32** **33**

Moseley

WILLENHALL **10**

WALSALL

WOLVERHAMPTON

40 **41** Lower Penn **42** Bradmore **43** **44** **45** BILSTON **46** DARLASTON **47** **48** **49**

9

Seisdon

COSELEY

WEDNESBURY

Yew Tree **8**

56 **57** **58** **59** SEDGLEY **60** **61** **62** **63** **64** **65**

Wombourne

TIPTON

WEST BROMWICH M5

72 **73** Himley **74** **75** **76** **77** **78** **79** **80** **81** Handswo

Swindon Gornalwood DUDLEY

Pensnett

1

Hinksford Kingswinford OLDBURY

90 **91** **92** **93** **94** **95** **96** Rowley Regis **97** **98** **99**

Enville Netherton **2** SMETHWICK

BRIERLEY HILL

Quarry Bank

BLACKHEATH

Amblecote

108 **109** **110** **111** **112** **113** **114** **115**

STOURBRIDGE Lye Cradley Quinton Harborne

3

Bartley Green

Selly Oak

HALESOWEN

124 **125** **126** **127** **128** **129** **130** **13**

Norton Hayley Green Hunnington Woodgate

Kinver

Worcestershire Canal

A459

Wolverley Hagley FRANKLEY Romsley Bournville

B4189 **142** **143** **144** **145**

Staffordshire & Worcestershire Canal

Blakedown Clent Frankley Northfield

KIDDERMINSTER Rubery Longbrid

A451 A456 Lickey Cofton Hackett

156 **157** **158**

SCALE

0 1 2 Miles

0 1 2 3 Kilometres

Chaddesley Corbett Dodford Catshill Barnt Green M5

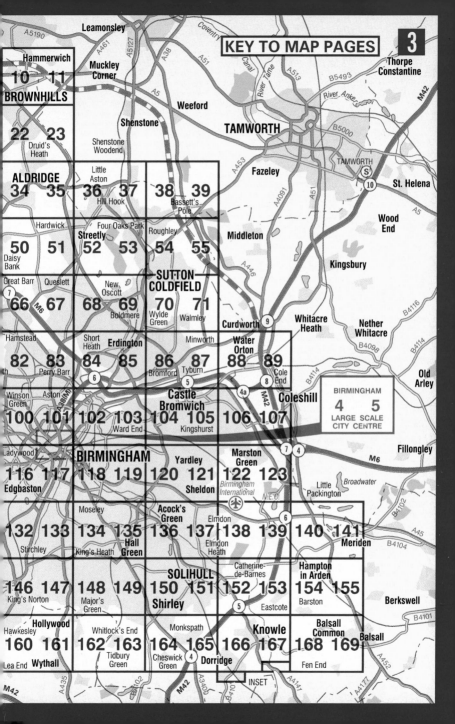

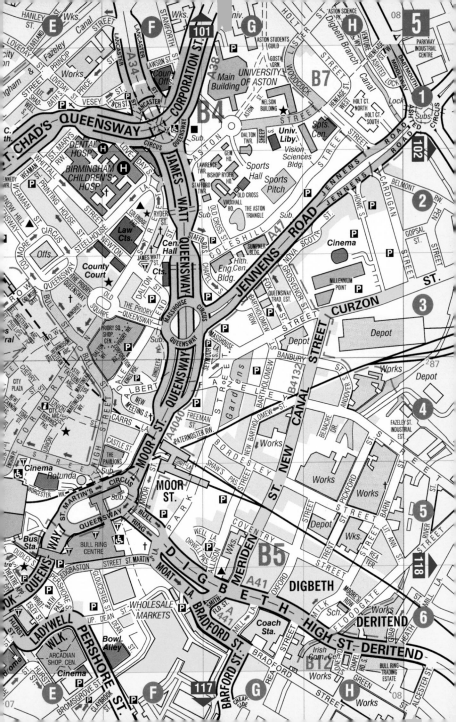

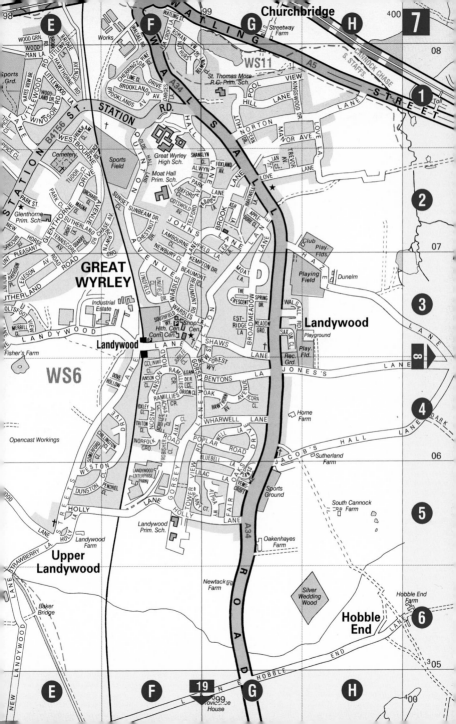

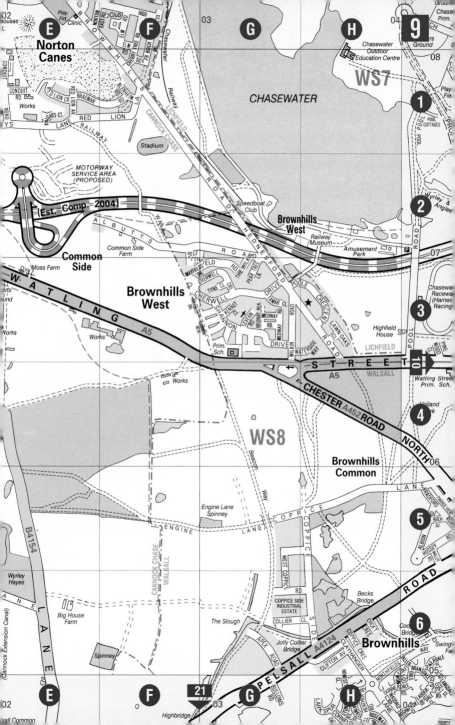

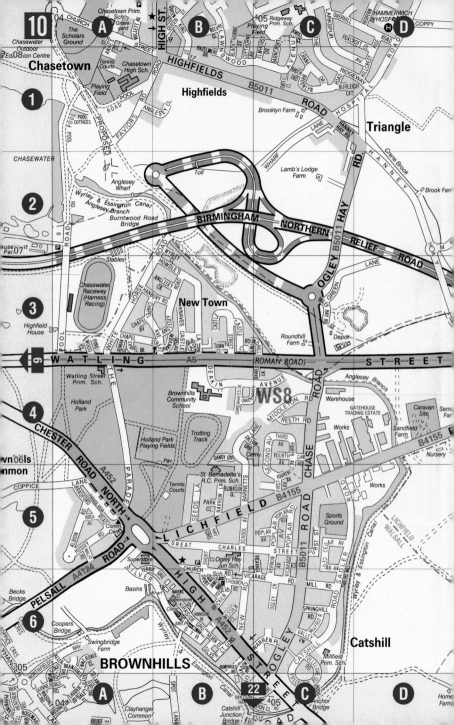

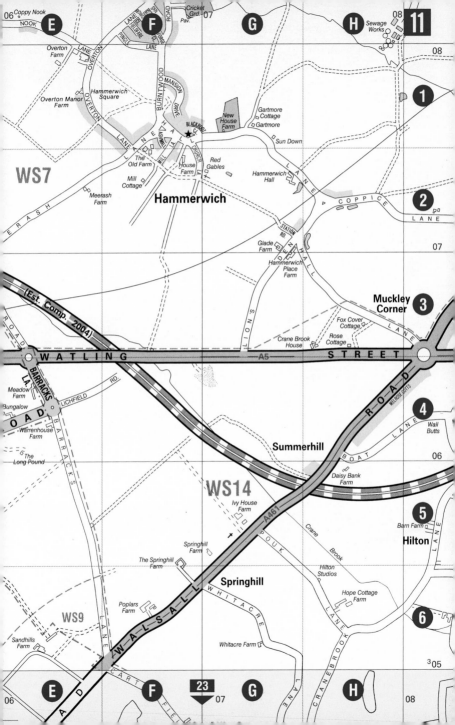

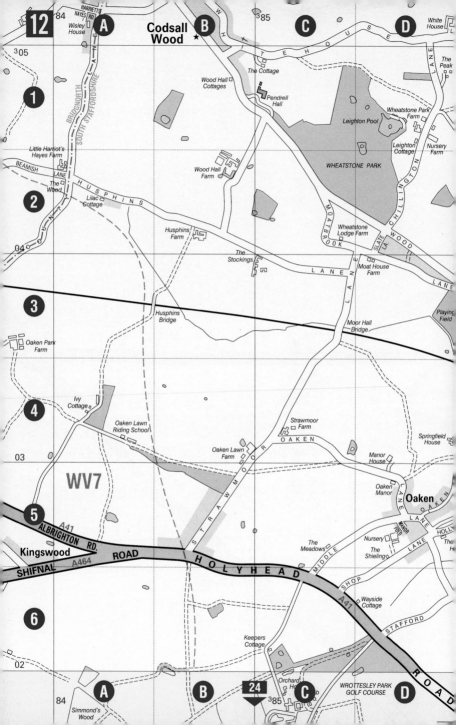

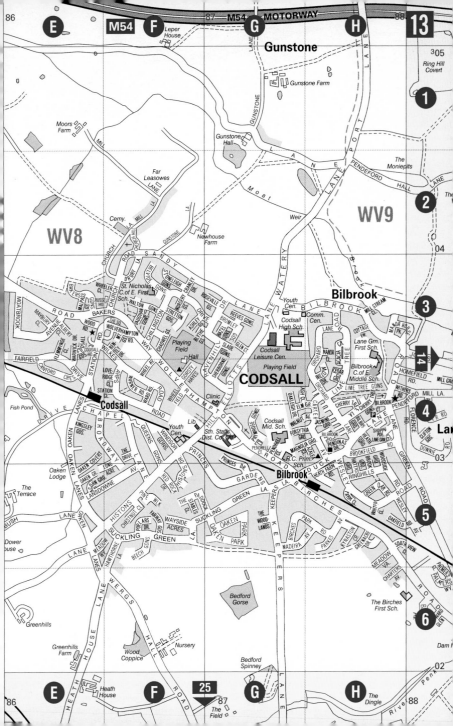

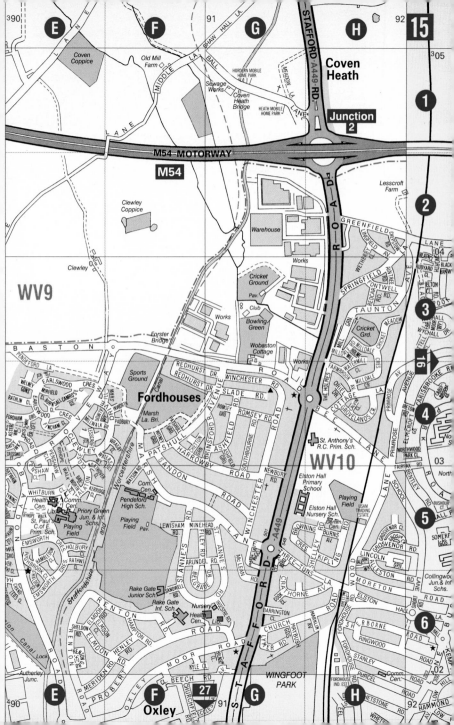

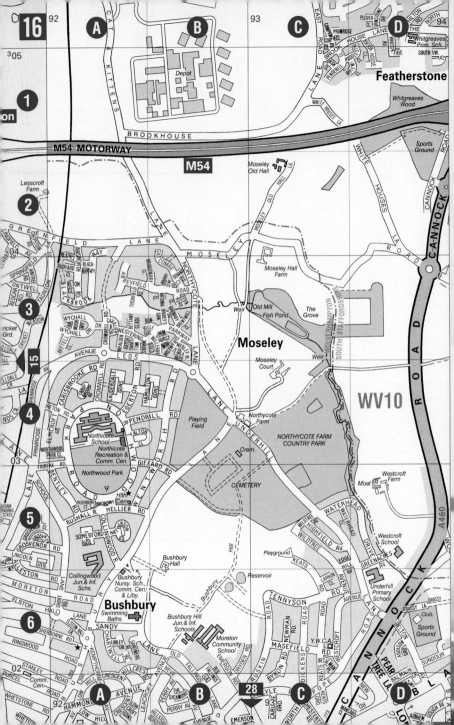

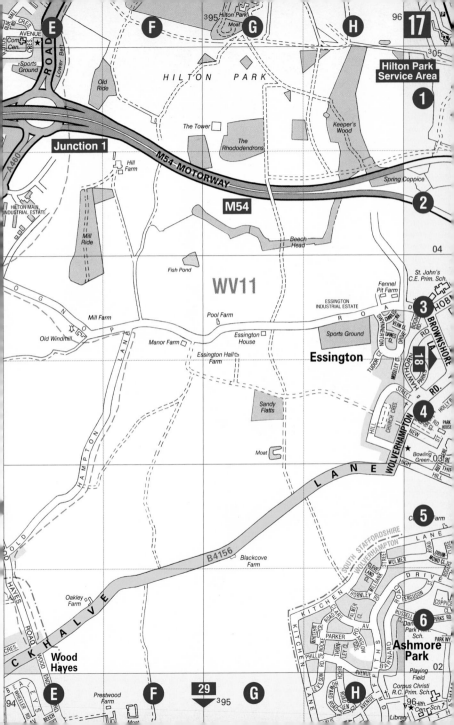

305

**Hilton Park
Service Area**

1

E

F

G

H

CRES

AVENUE

ROAD

Com.
Cen.

Sports
Ground

Lower Belt

Old
Ride

395

Hilton Park

Moat

HILTON   PARK

The Tower

The
Rhododendrons

Keeper's
Wood

Spring Coppice

2

Junction 1

A460

Hill
Farm

M54-MOTORWAY

M54

HILTON MAIN
INDUSTRIAL ESTATE

Mill
Ride

Beech
Head

04

Fish Pond

WV11

St. John's
C.E. Prim. Sch.

HOB

Mill Farm

Pool Farm

ESSINGTON
INDUSTRIAL ESTATE

Fennel
Pit Farm

3

BROWNSHORE   LA.

Old Windmill

Manor Farm

Essington
House

Sports Ground

ROAD

SWINNERTON

DANES   VERN CL.

DANES

Essington

DRIVE

18

RD.

HATTON

Essington Hall
Farm

MOSELEY CT.

TUDDLE CT.

HOLLY P

Sandy
Flatts

STREET

CHURCH   CRES

HILL

4

WOLVERHAMPTON

PARK
HOUSE

Moat

NEW

ST.

HILL

HIGH

Bowling
Green

THIR

03

HAMPTON   LANE

LANE

5

Farm

C

SOUTH STAFFORDSHIRE

WOLVERHAMPTON

LANE

ROAD

DRUM-
MOND CL.

WOLMER

B4156

Blackcove
Farm

WOLD

KITCHEN

LAND

FITZM

STREET

DRIVE

COPPICE
CL.

HAYES

Oakley
Farm

BECK   HALVE

HORNLEY   RD

ROAD

FERGUSON

RUSSELL

PERKS RD

Dark
Park Prim.
Sch.

6

CRES

WOOD END

KITCHEN   LANE

WHITLEY   CR

PARKER

NOCKE   ROAD

LEY CL

PALMER

WINSLOW

AV.

PARK WY

ROAD

BARNARD

**Ashmore
Park**

PHILLIPS

Playing
Field

02

**Wood
Hayes**

E

BEECH

Prestwood
Farm

F

29

395

G

LEVISON   RD

BIRCH

PARKER   CL

AVENUE

FRIFFITHS   LANE

HOWARD   ROAD

AVEN

Corpus Christi
R.C. Prim. Sch.

H

96

IIth.
Cen. Sch.

Library

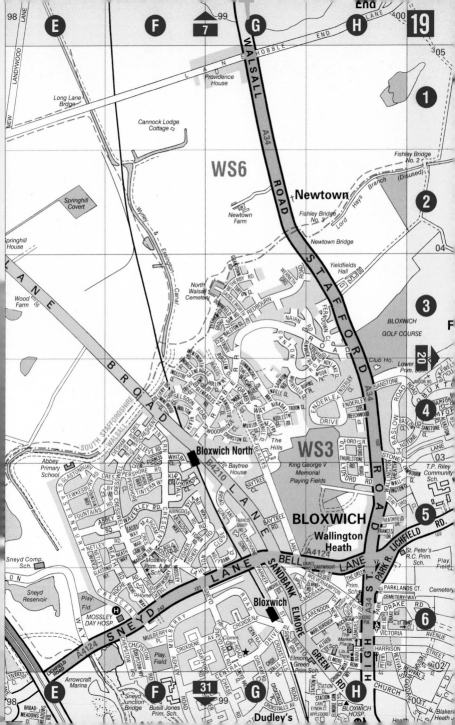

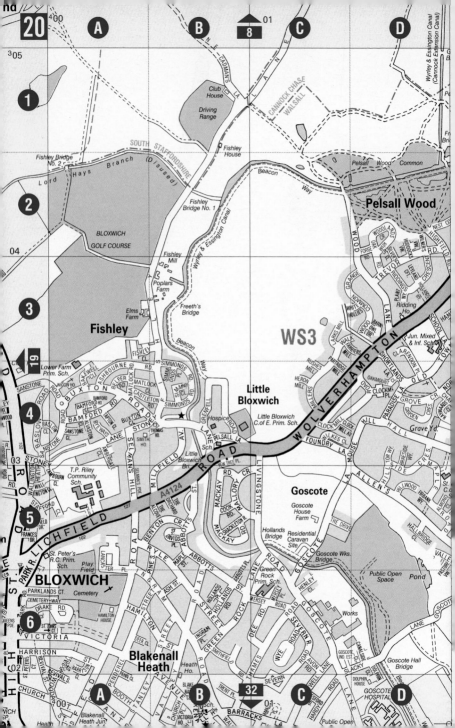

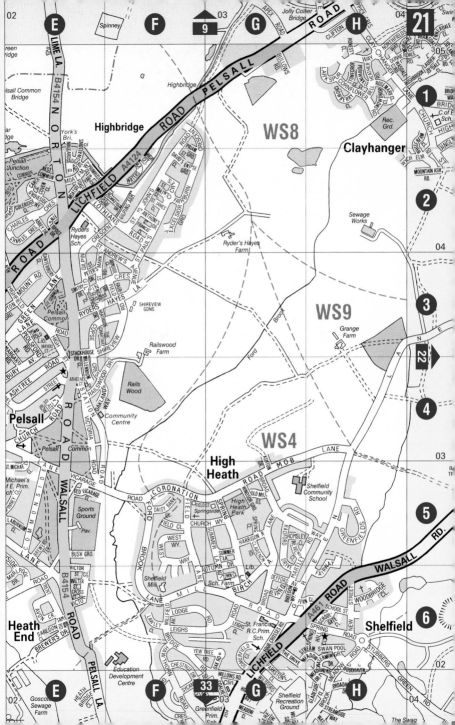

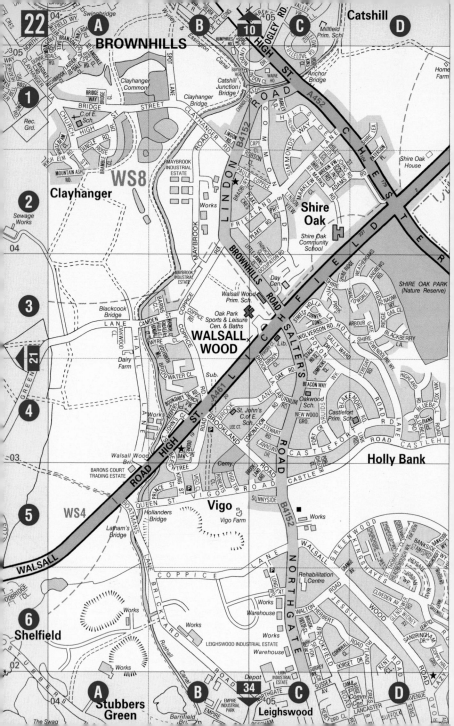

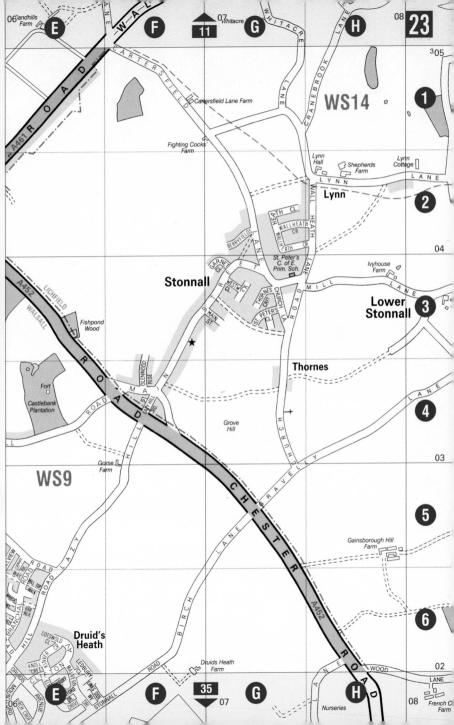

Sandhills Farm

305

1

Cartersfield Lane Farm

WS14

Fighting Cocks' Farm

Lynn Hall

Shepherds Farm

Lynn Cottage

2

LYNN LANE

Lynn

04

WALLHEATH CR

TH. CL.

St. Peter's C. of E. Prim. Sch.

Ivyhouse Farm

Stonnall

MILL ROAD

Lower Stonnall

3

A452 LICHFIELD

WALSALL

Fishpond Wood

GARNET CL.

RESTWICK CL.

THORNES CRFT

CHURCH LA.

ST. PETER'S CL.

Thornes

LANE

Fort

Castlebank Plantation

ROAD

MAIN ST.

GLENWOOD RISE

LATE HILL

HILL ROAD

CHURCH HILL

Grove Hill

GRAVELLY LANE

LANE

4

03

WS9

Gorse Farm

HILL

CHESTER ROAD

Gainsborough Hill Farm

5

BIRCH LANE ROAD

ROAD

A452

6

Druid's Heath

COTSWOLD CL.

CLIFTON

35

07

Druids Heath Farm

WOOD LANE

02

FRENCH CL Farm

Nurseries

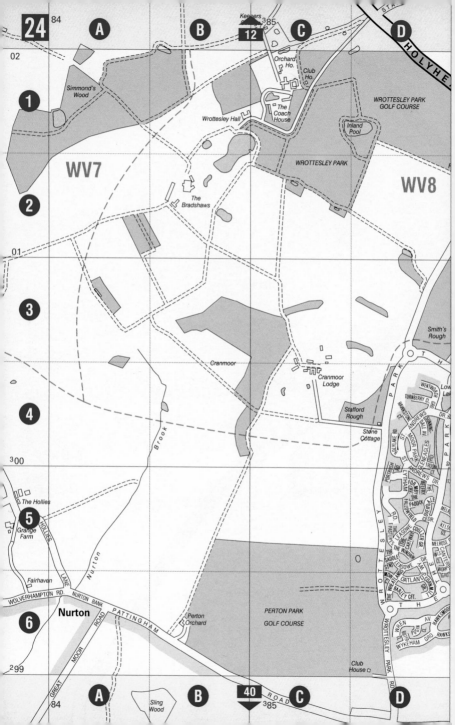

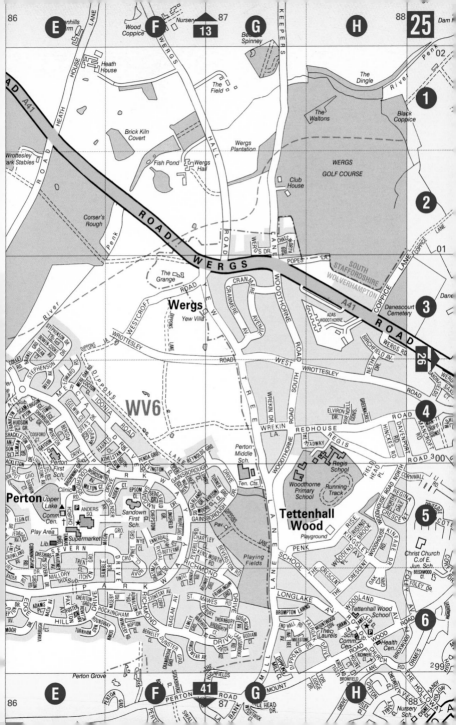

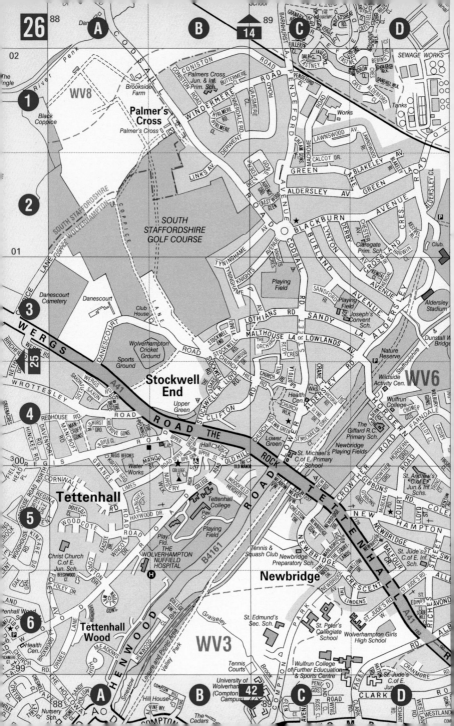

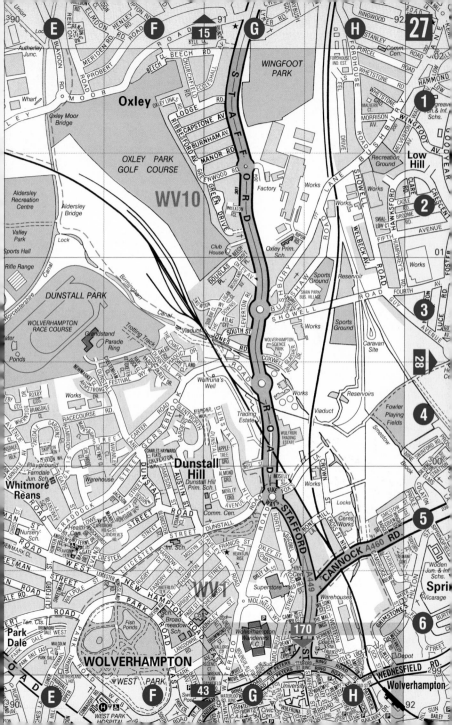

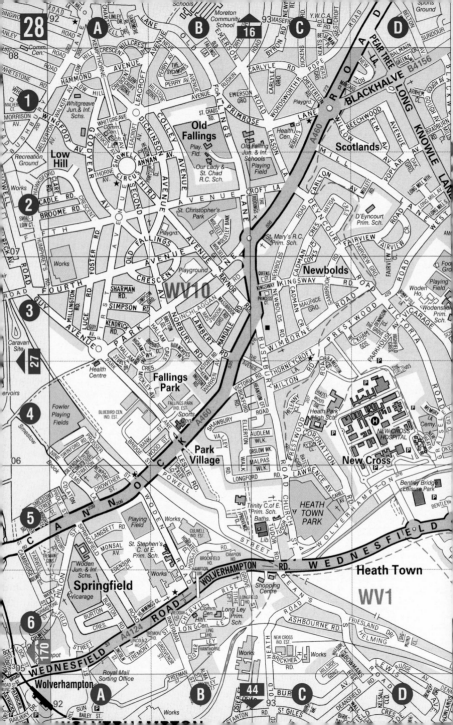

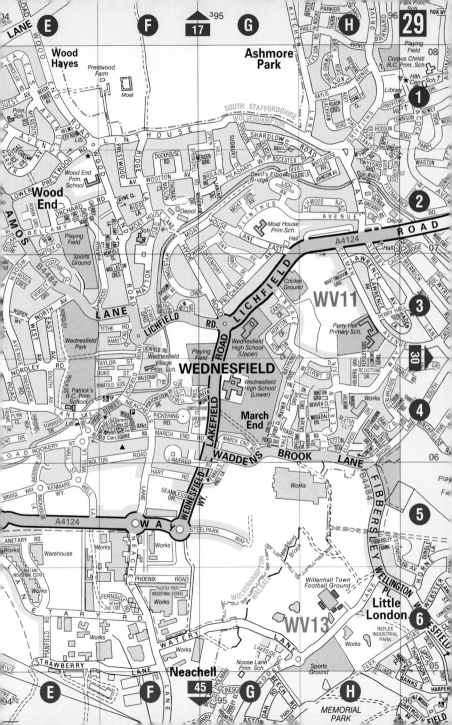

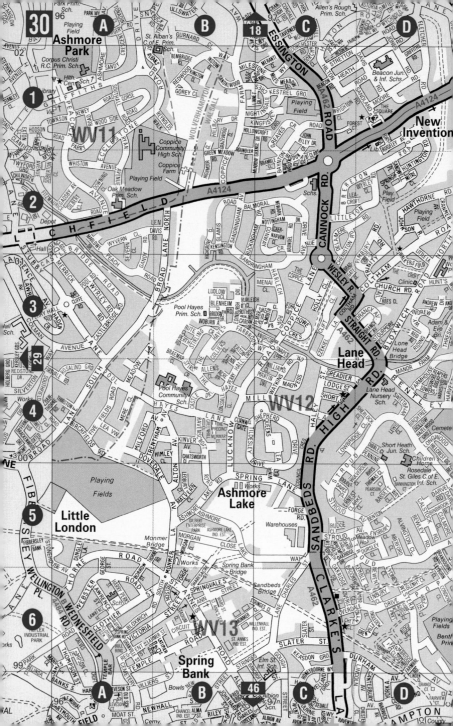

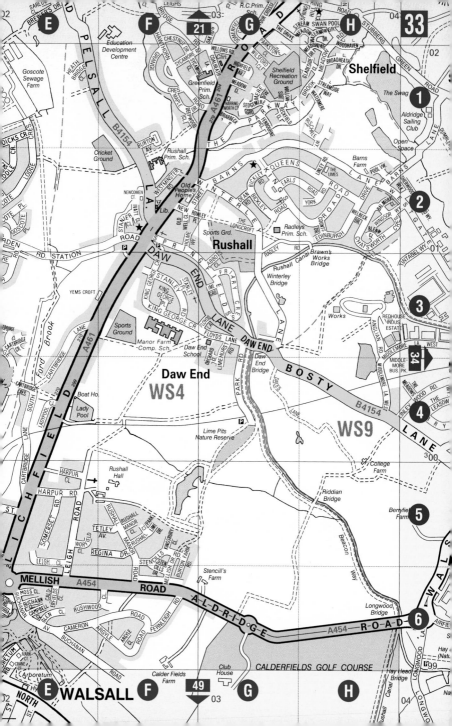

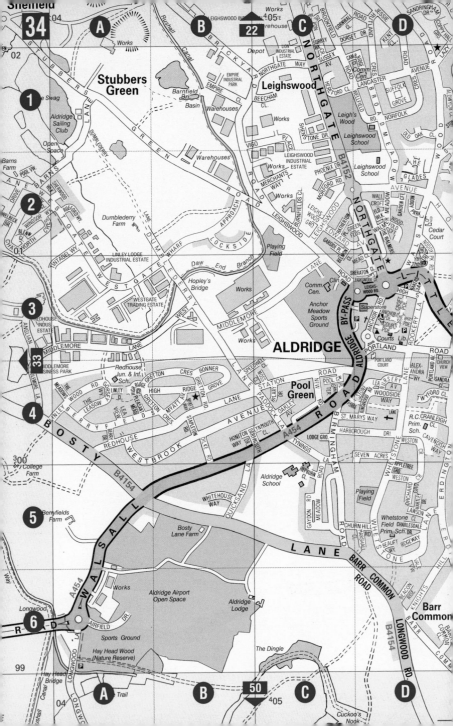

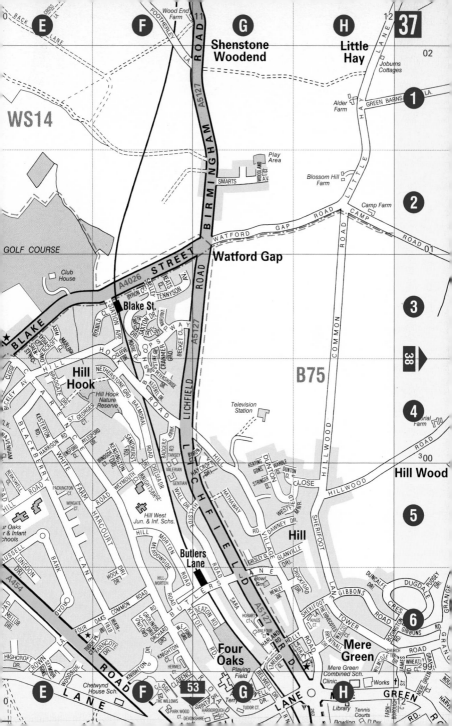

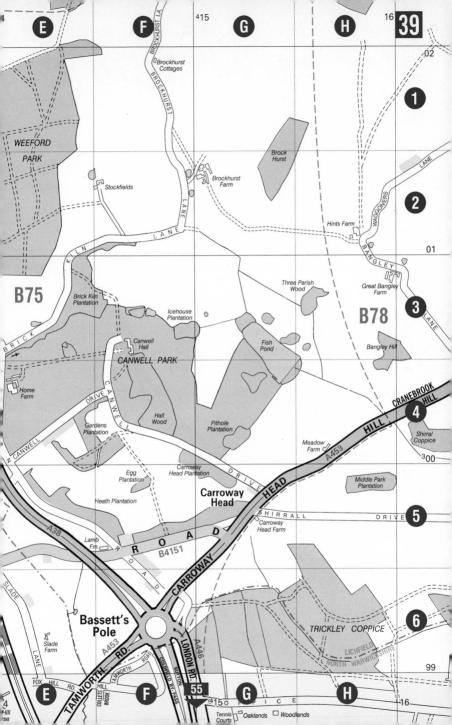

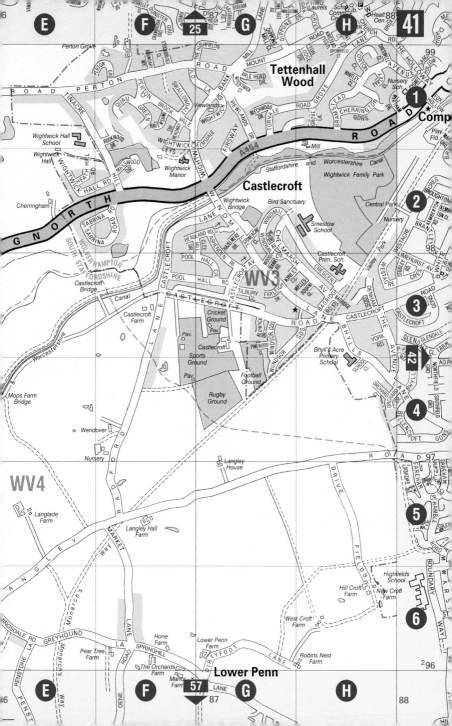

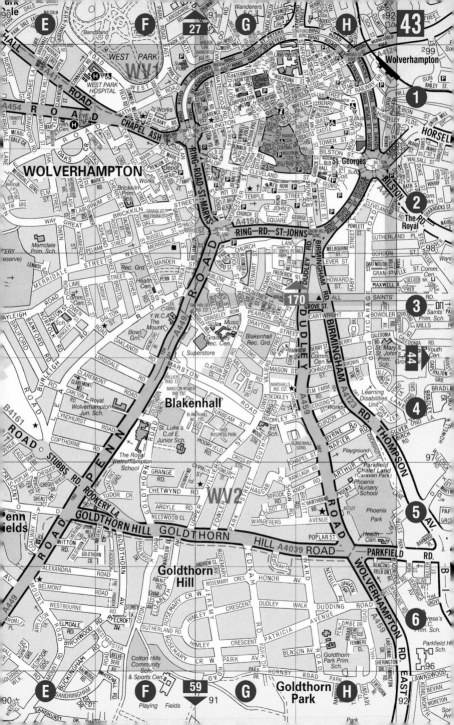

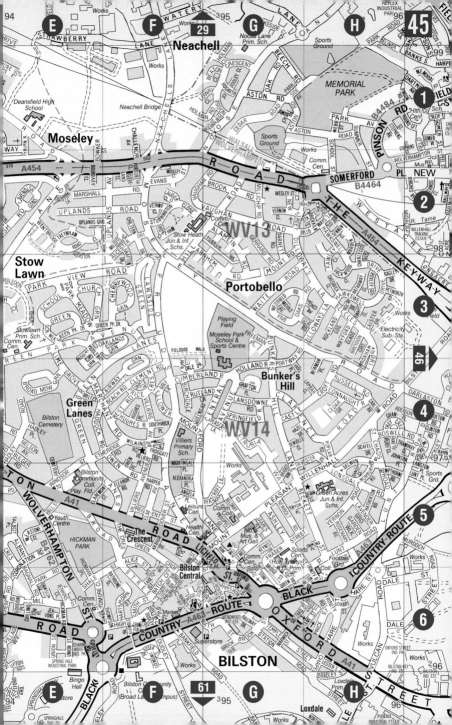

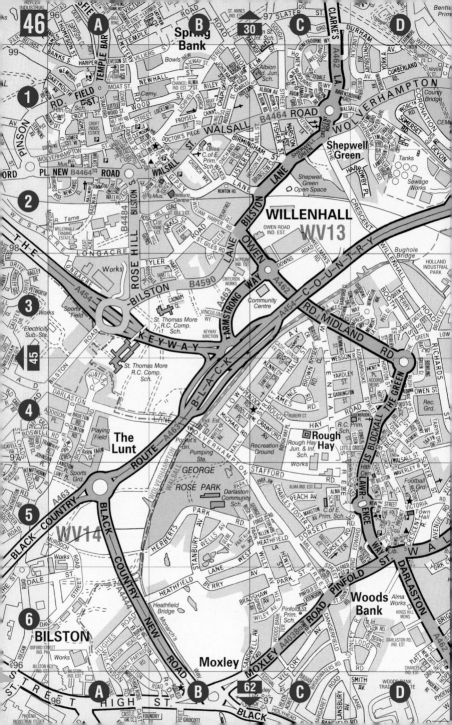

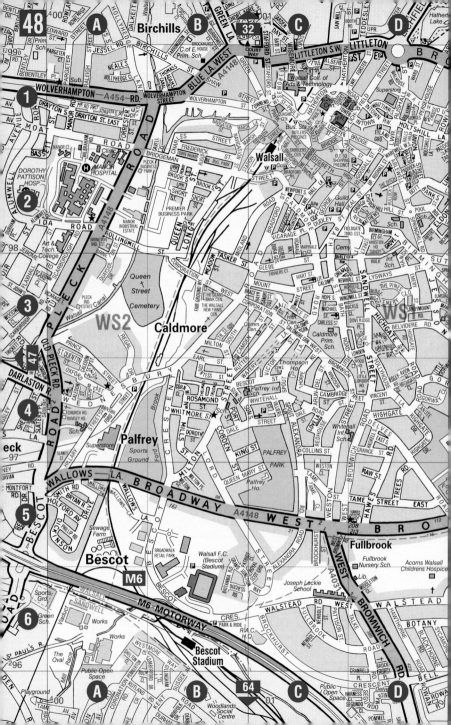

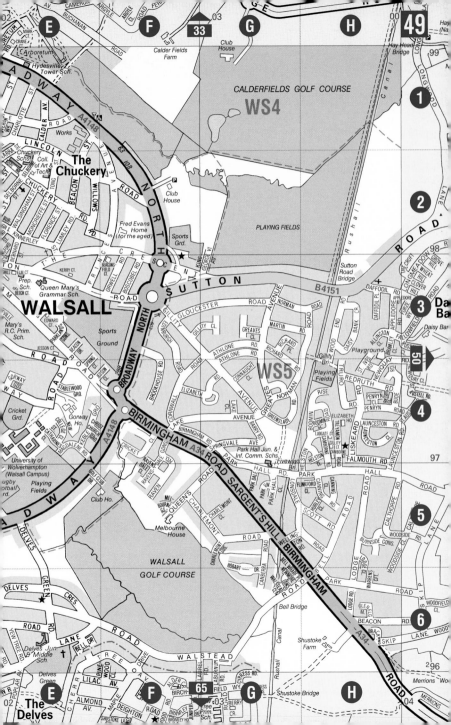

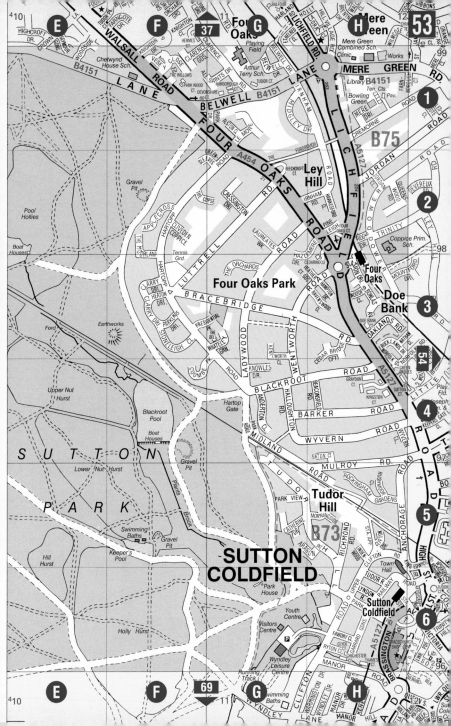

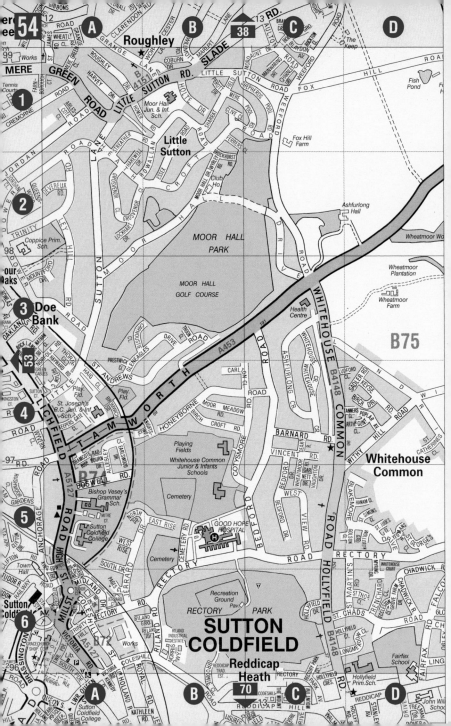

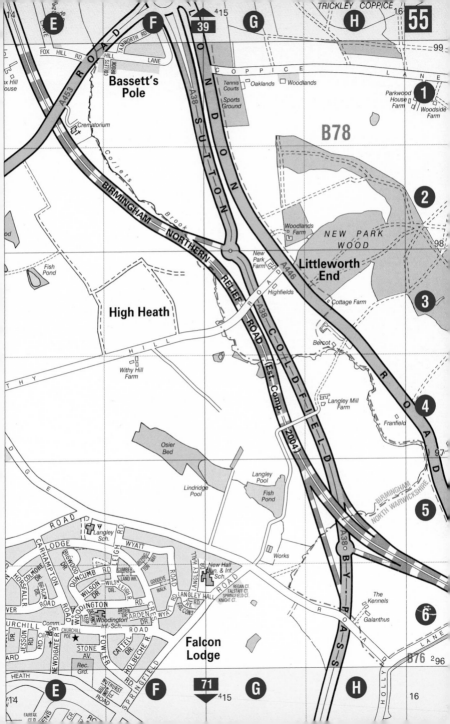

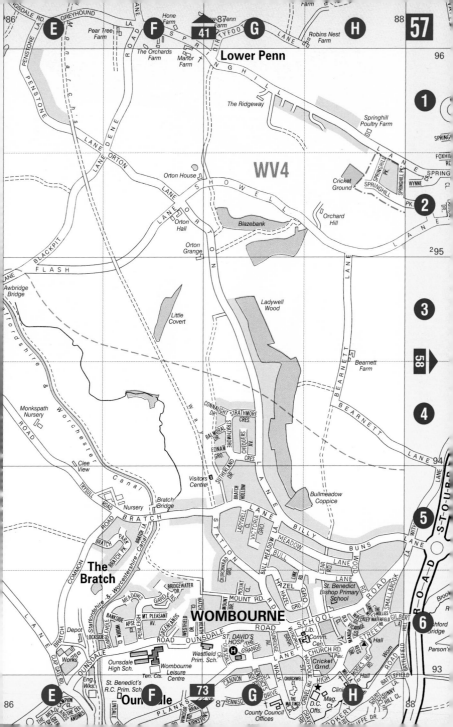

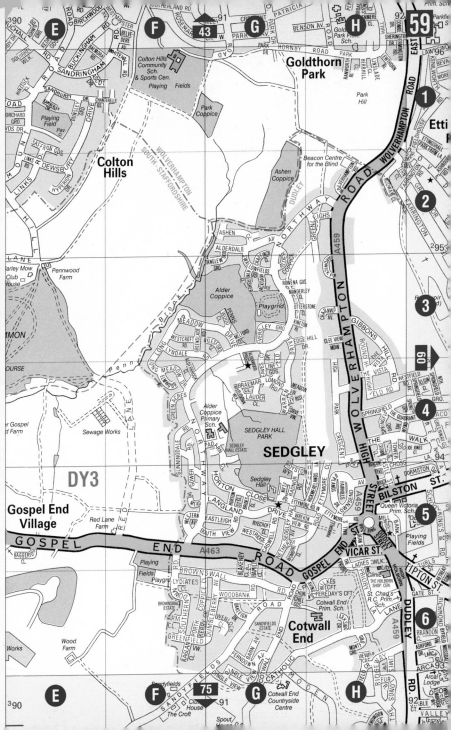

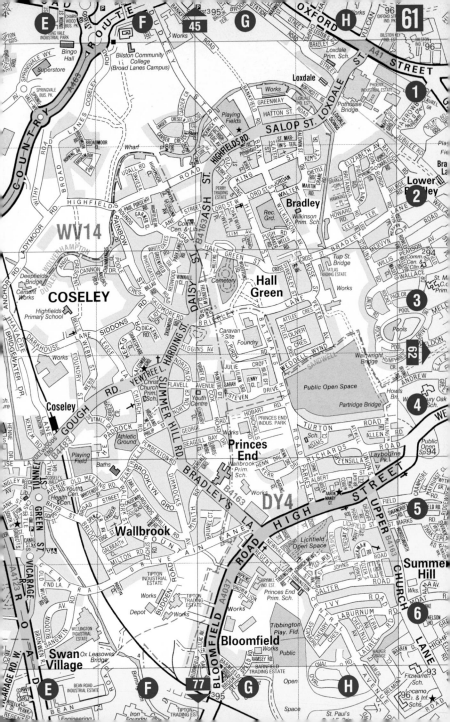

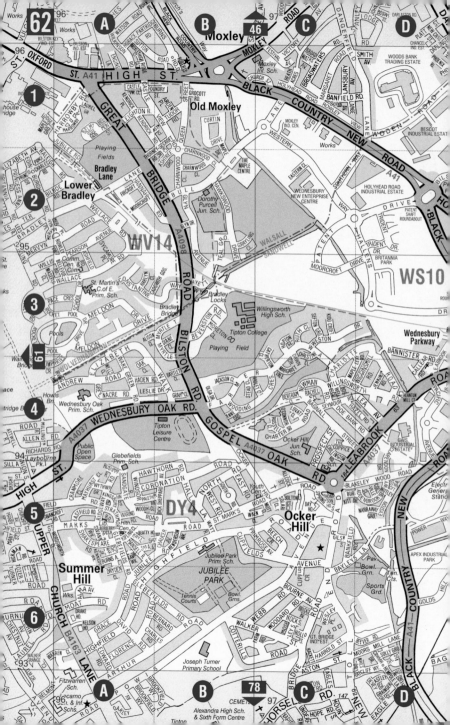

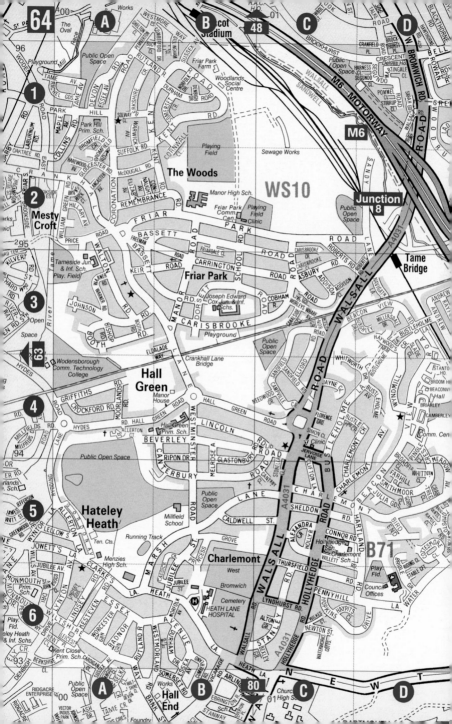

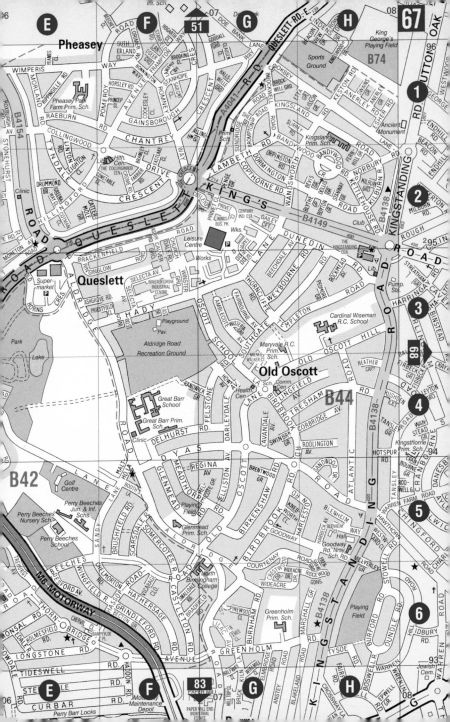

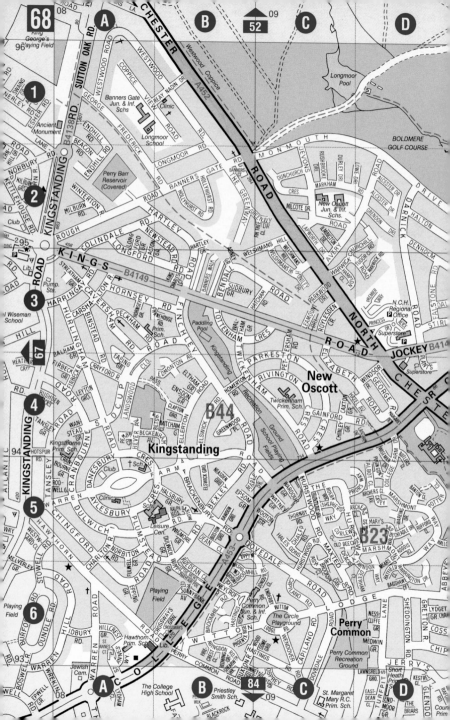

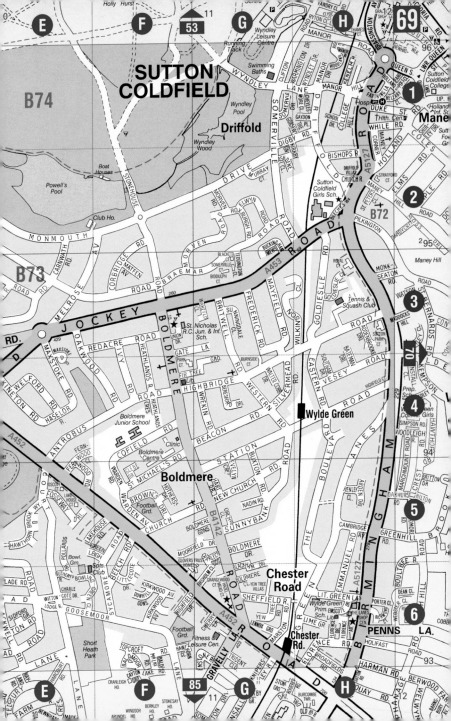

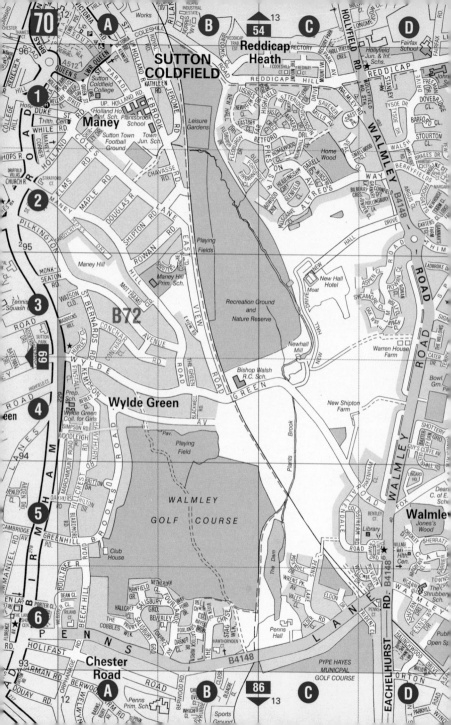

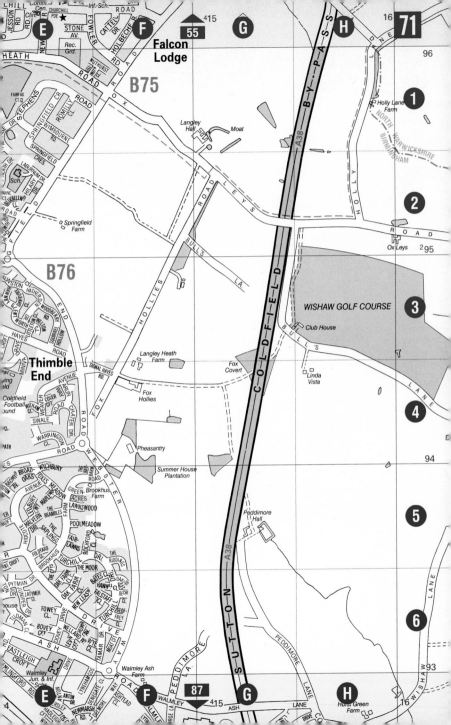

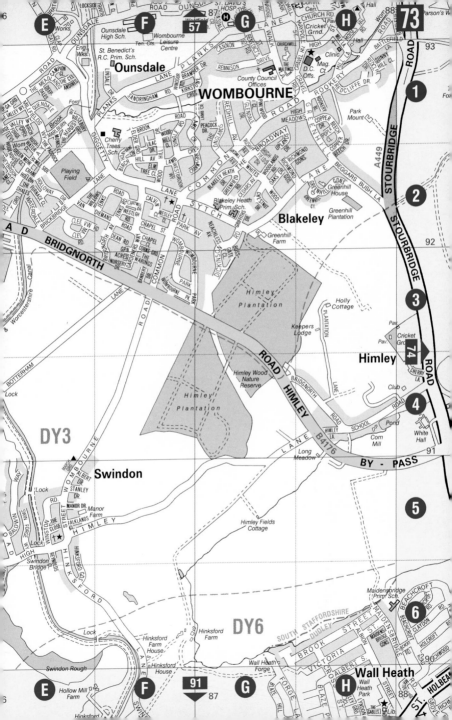

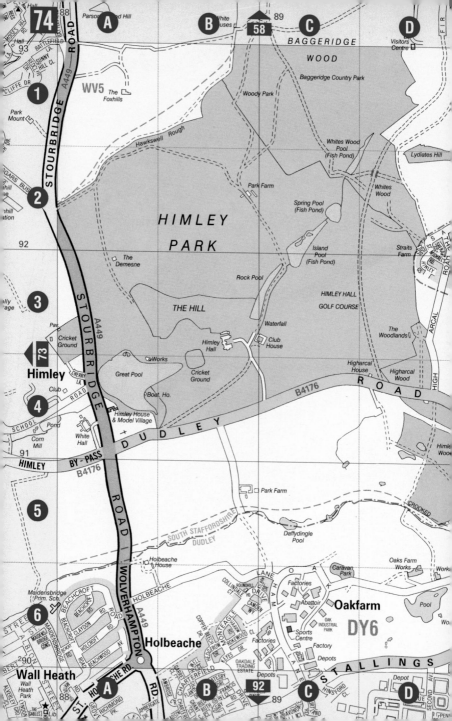

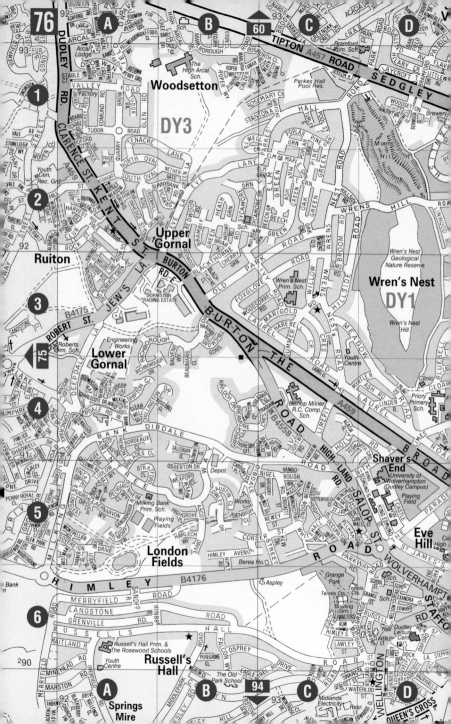

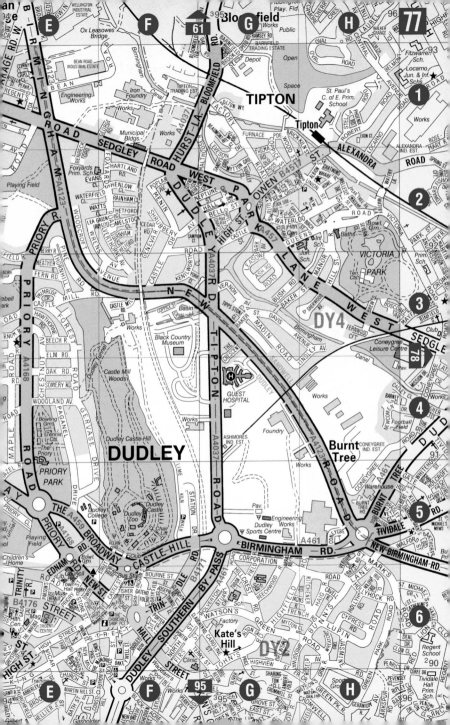

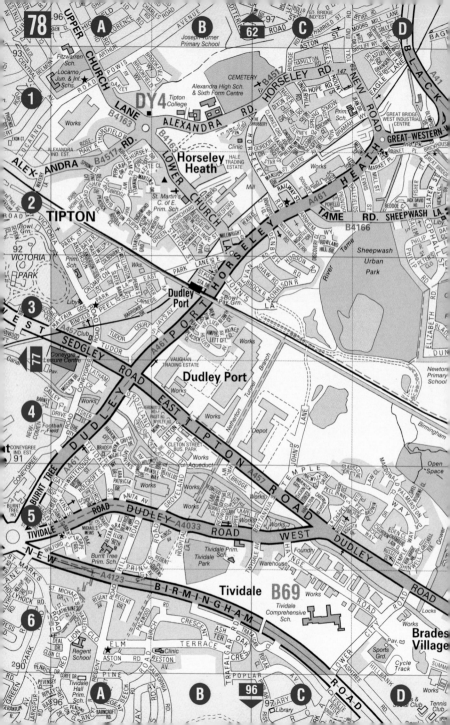

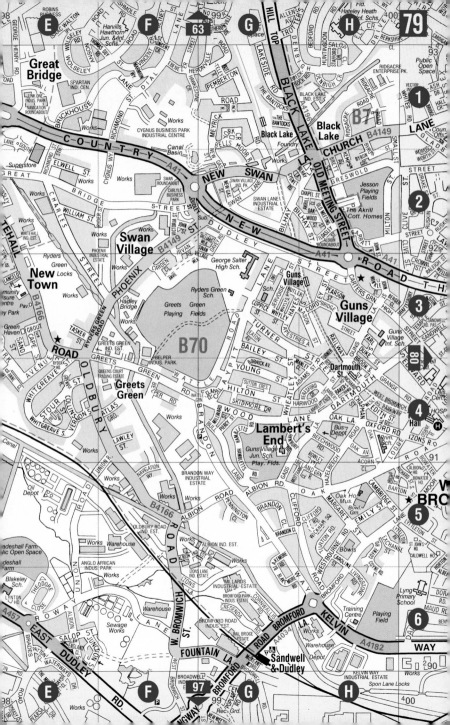

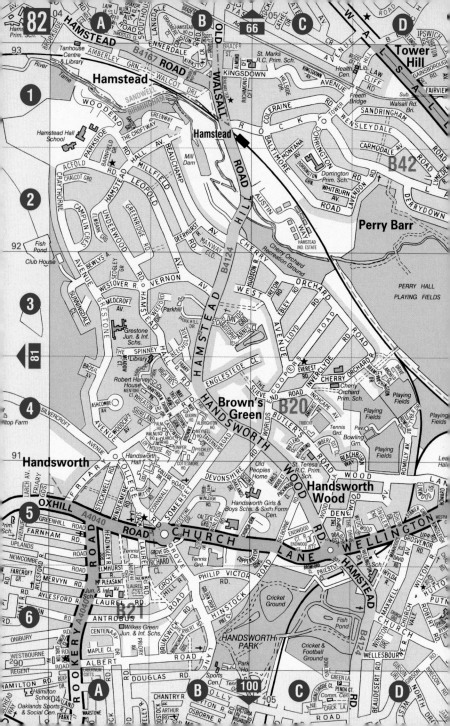

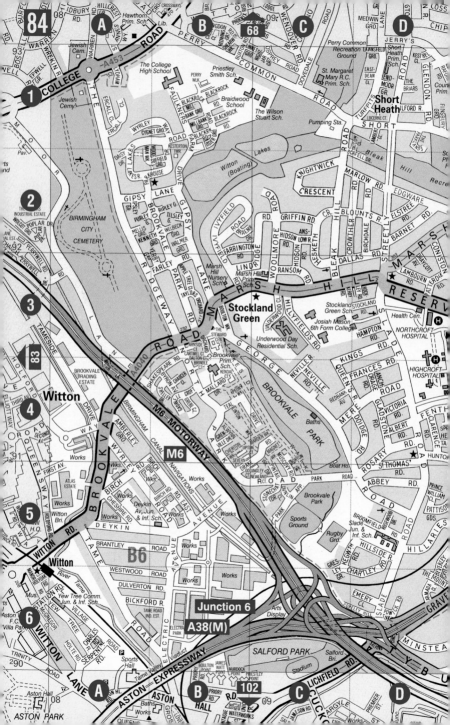

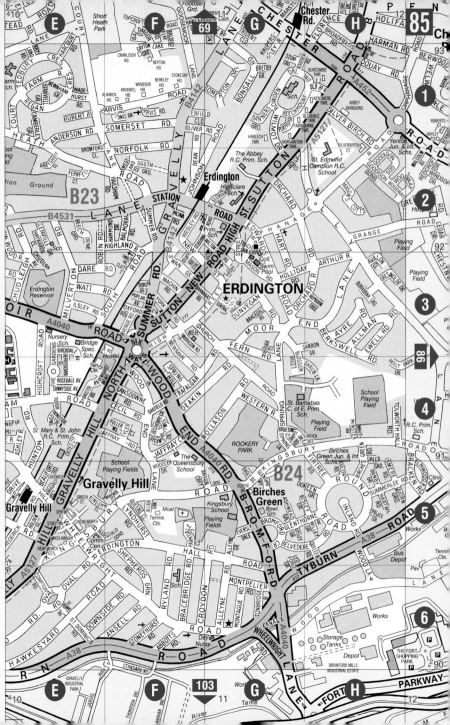

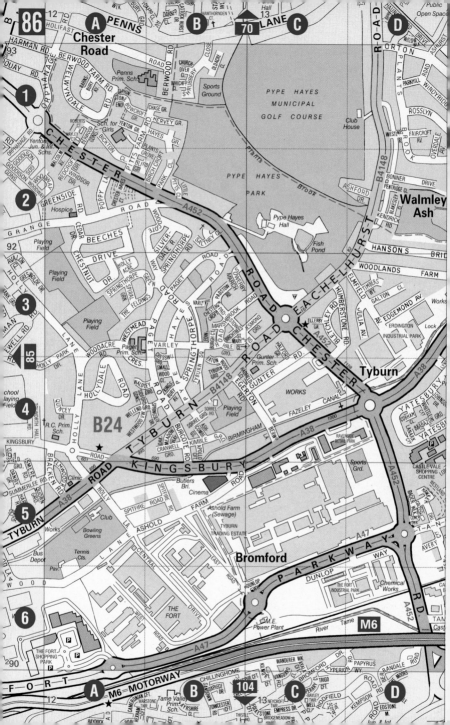

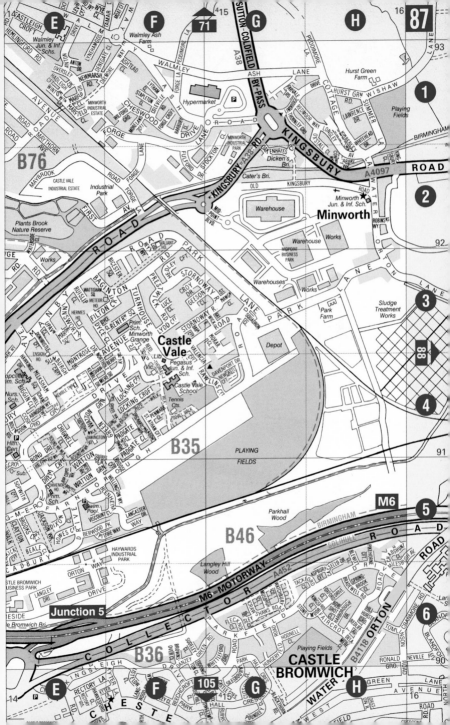

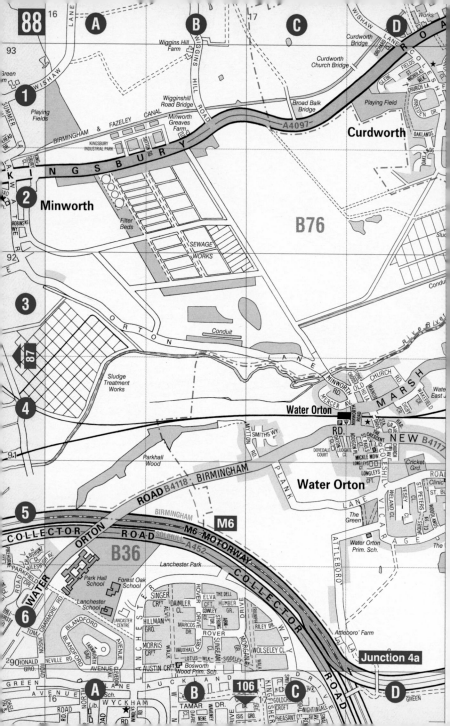

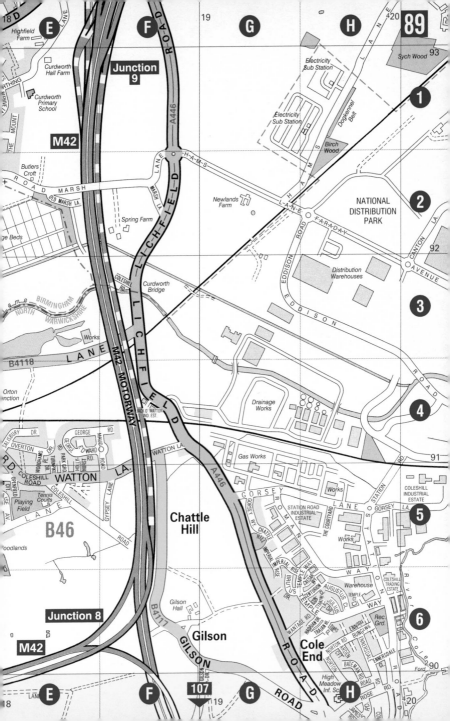

84
W 90 E
T
E

290

A   B   72   C   385   D

ROAD

HIGHGATE COMMON

COUNTRY PARK

Chasepool
Lodge

1

Nursery

Chasepool
Cottages

DY3

CHASEPOOL

My Lady's
Farm

2

Camp Farm

89

Black Lands

Square
Covert

Club
House

3

Pool
Covert

ENVILLE GOLF COURSE

Three
Cornered
Covert

Greensforge

Lodge Plantation

4

The
Gorse

88

Spittle

Checkhill Bogs

Checkhill
Farm

Brook

The
Spinney

Spittlebrook
Mill

5

Enville
Towermill

DY7

Rickyard
Piece

LITTLE CHECKHILL LANE

M
I
L
L

6

Lower Bo

RUMFORD HILL

THE   MILLION

Hanging
Covert

Cuckoo
Trees

Radway
Cottages

RADWAY HILL

87

84

A   B   385   C   D

GOTHERSLEY

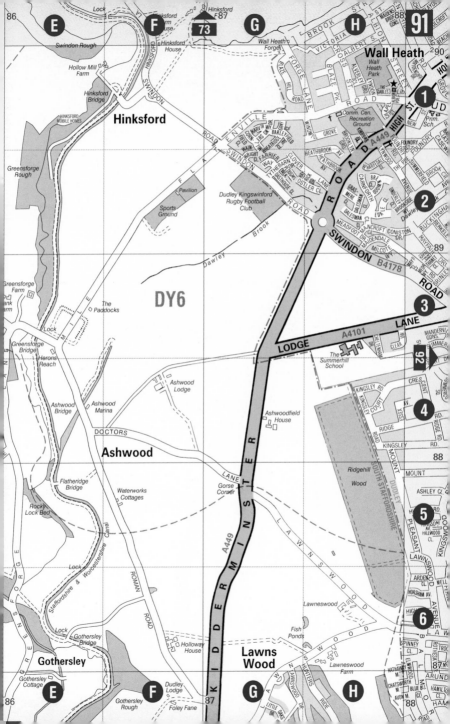

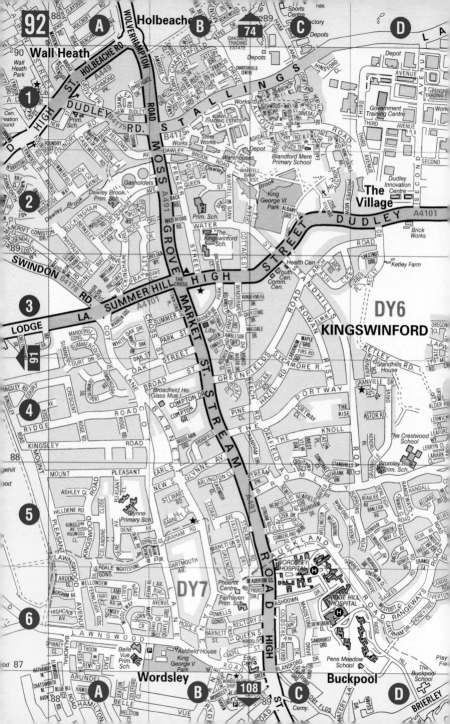

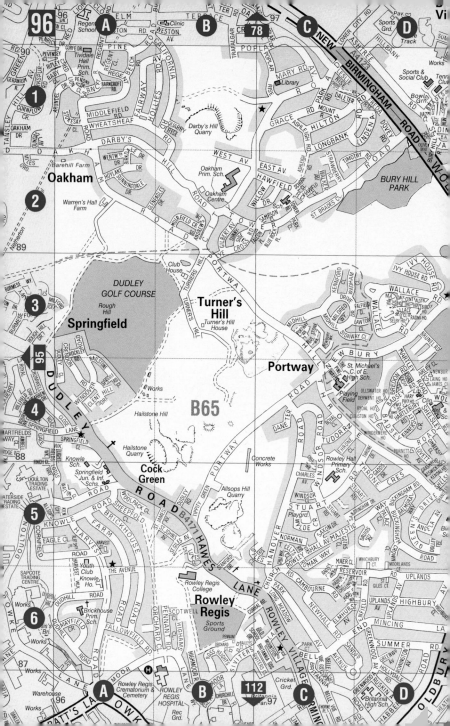

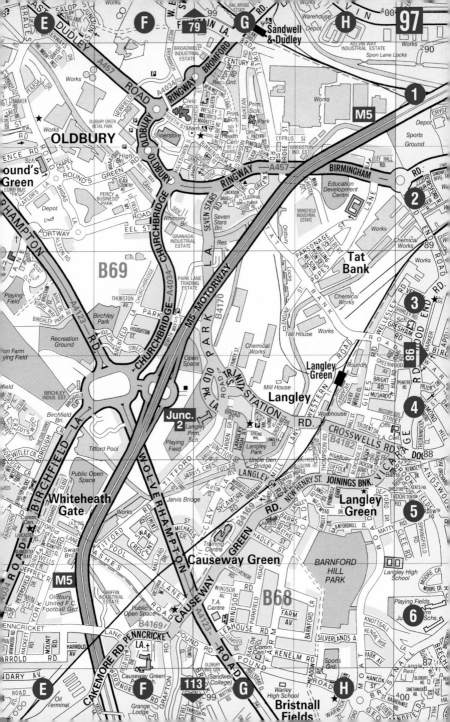

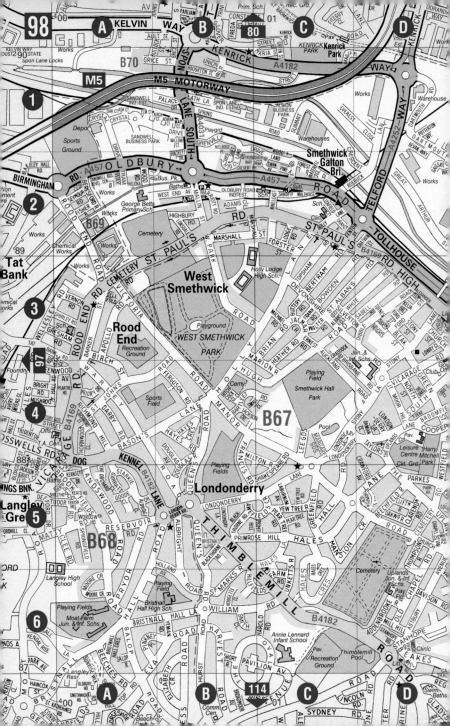

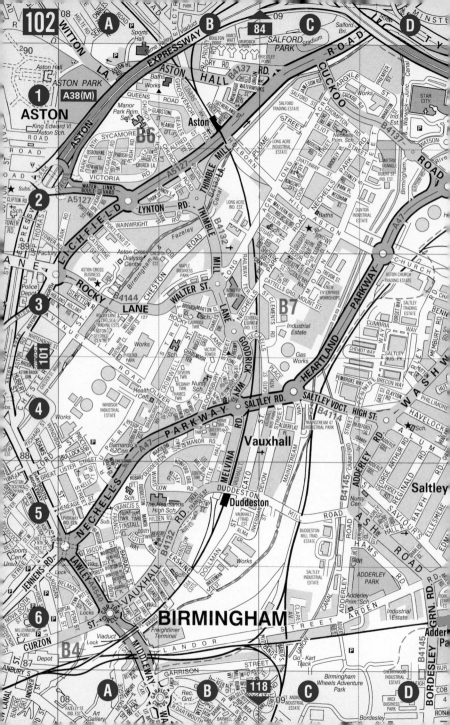

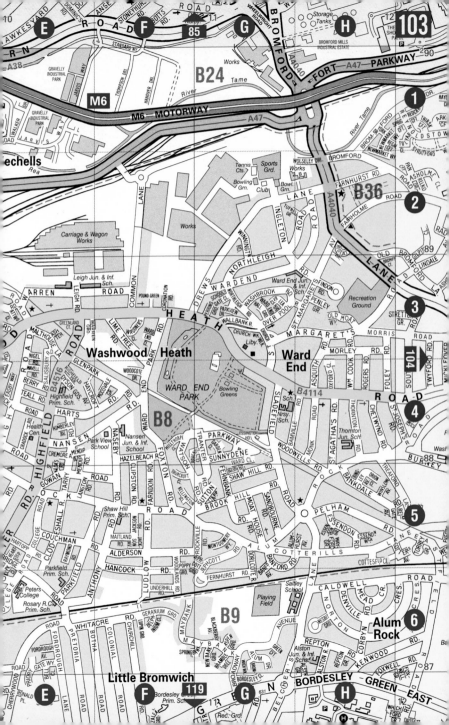

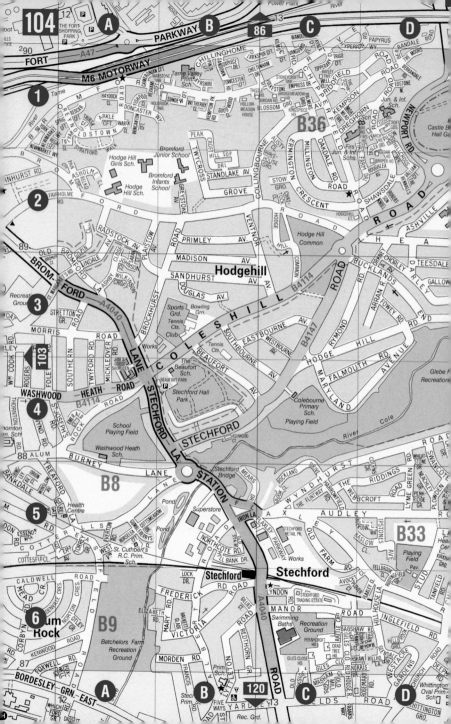

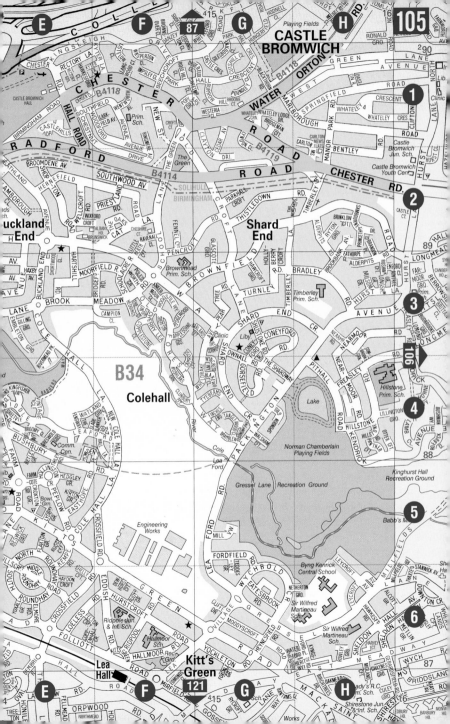

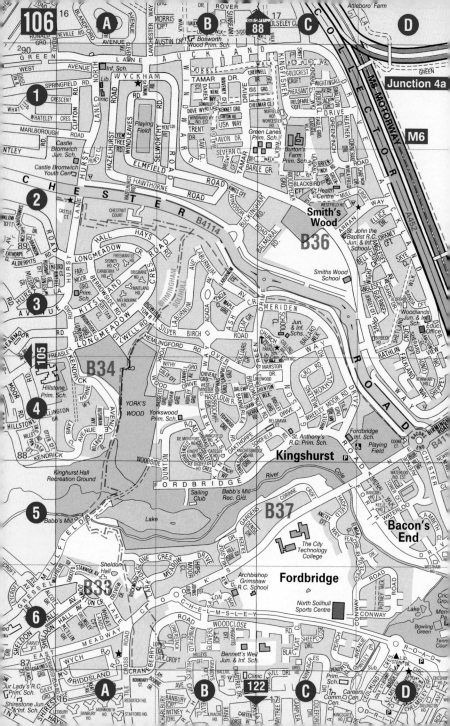

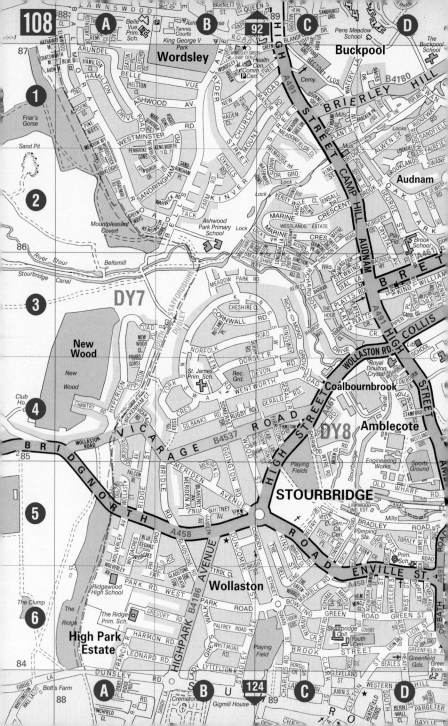

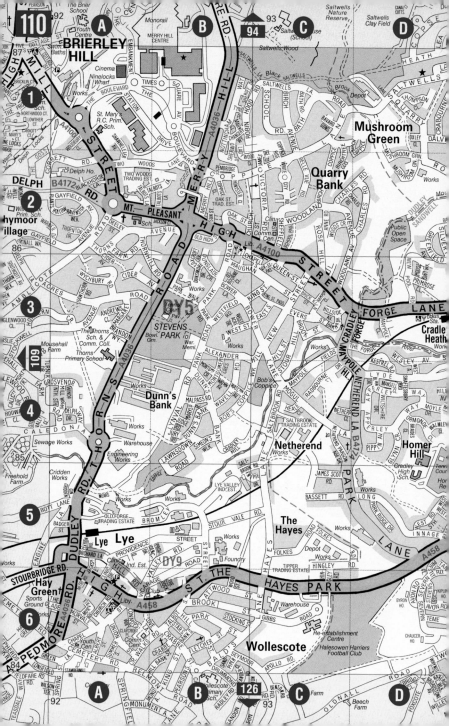

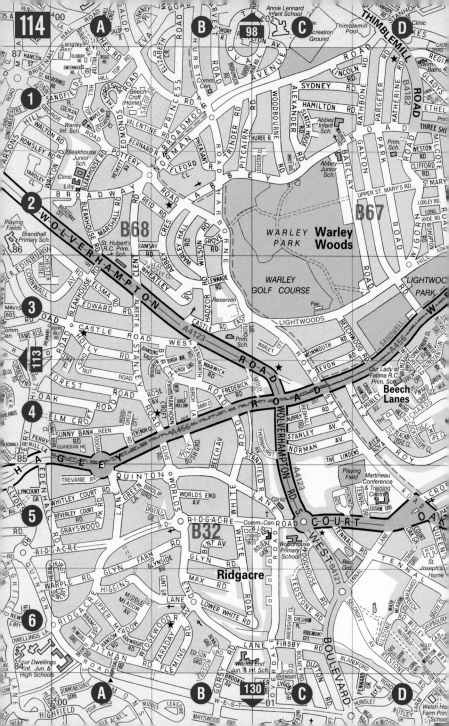

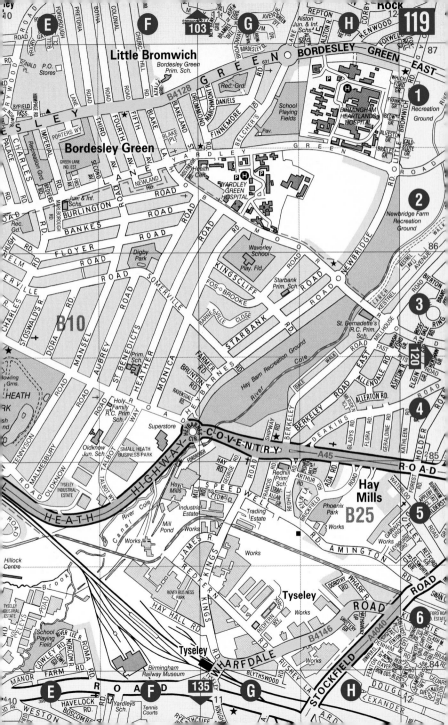

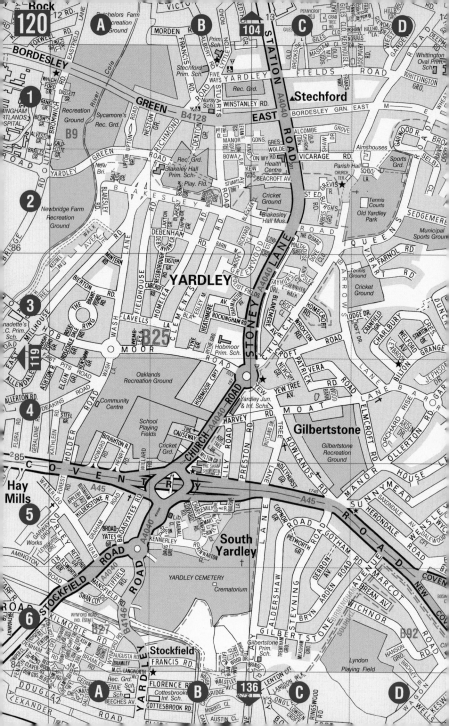

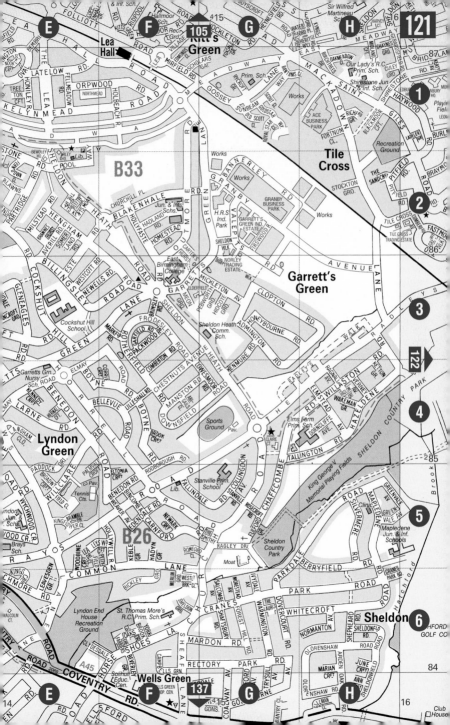

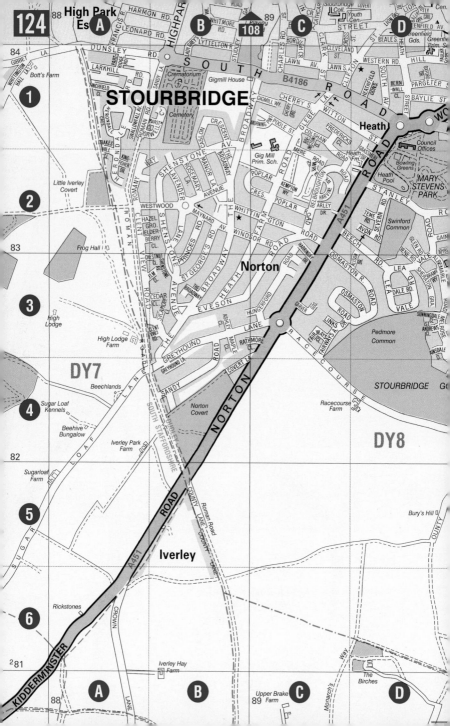

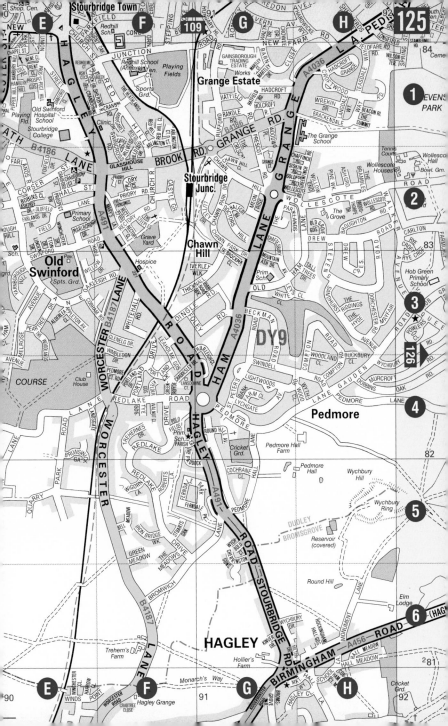

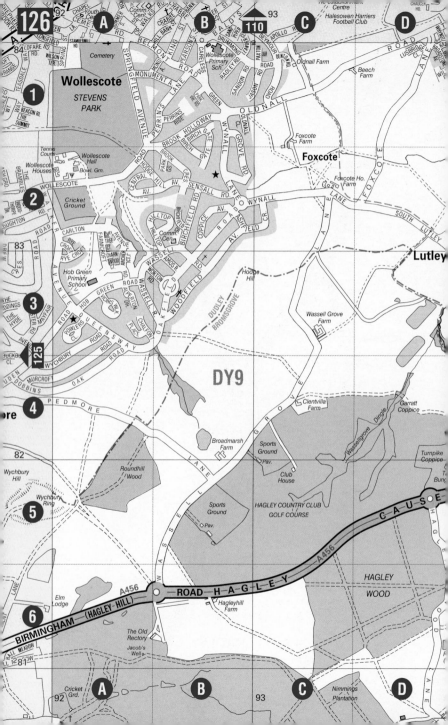

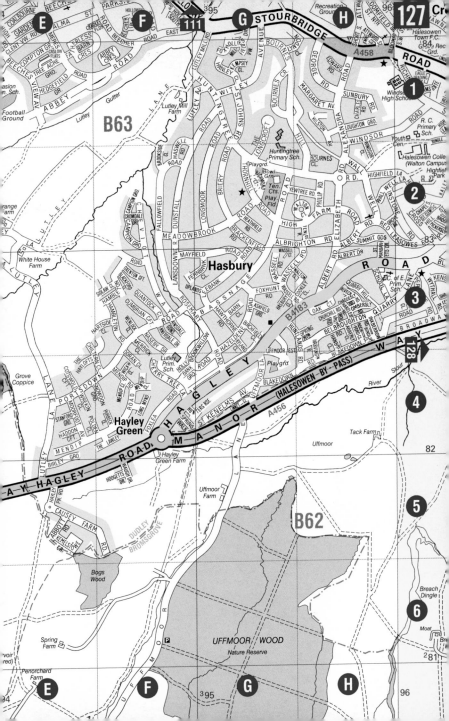

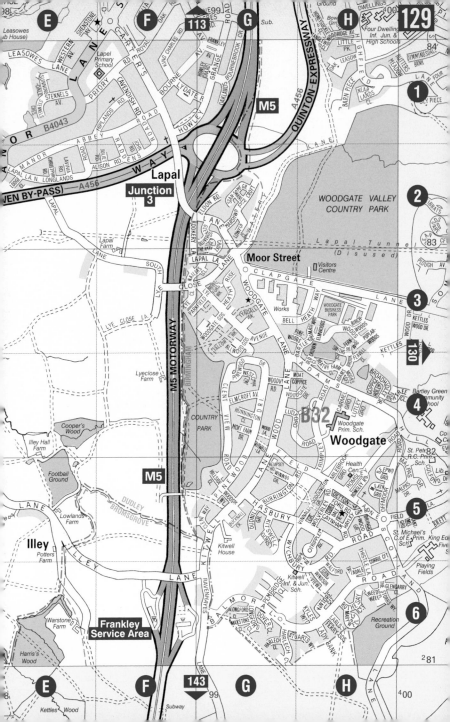

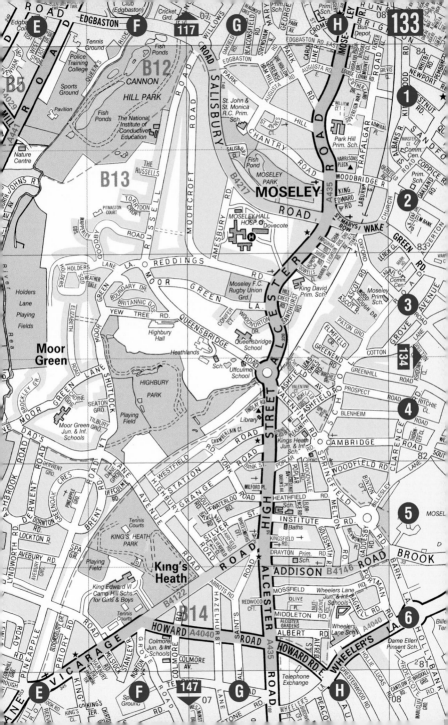

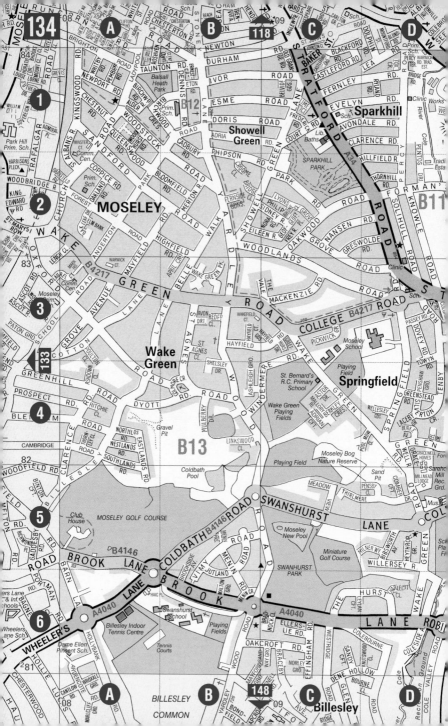

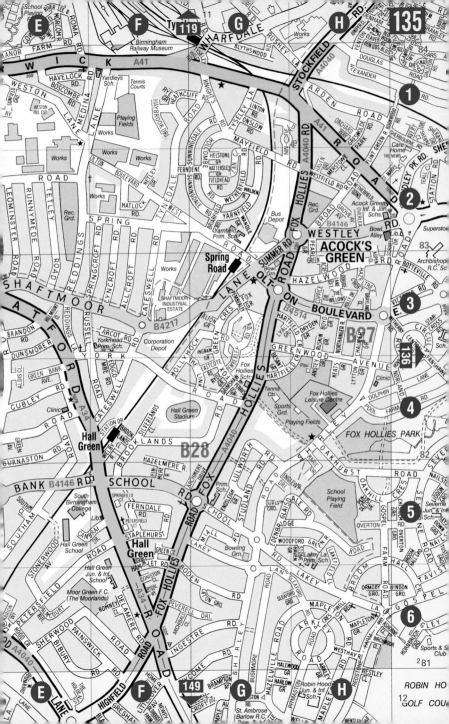

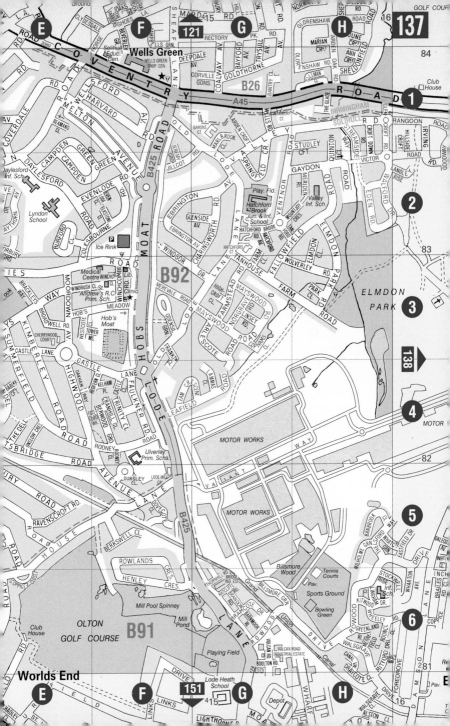

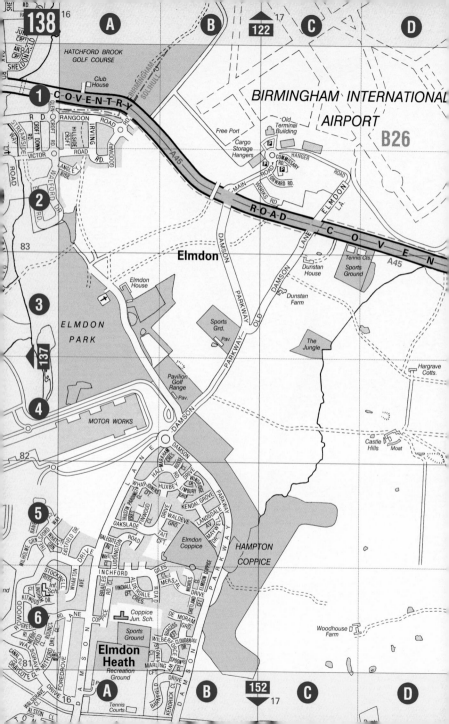

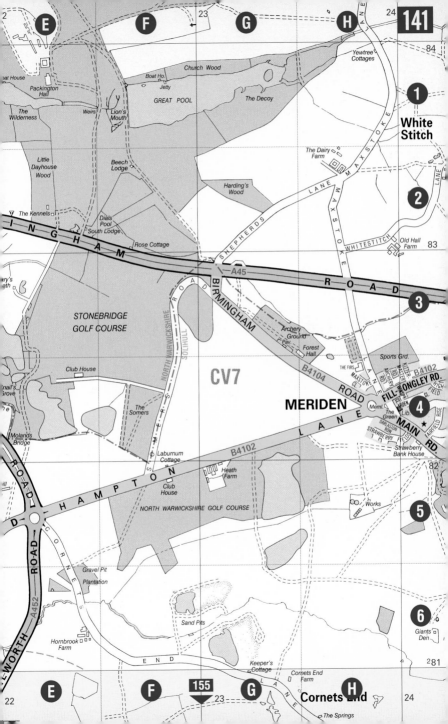

E **F** **G** **H**

84

1

White Stitch

Yewtree Cottages

Packington Hall

at House

The Wilderness

Chutch Wood

Boat Ho.

Jetty

GREAT POOL

The Decoy

Lion's Mouth

Weirs

MAXSTOKE LANE

2

Little Dayhouse Wood

Beech Lodge

Harding's Wood

The Dairy Farm

MAXSTOKE LANE

The Kennels

Dials Pool

South Lodge

Rose Cottage

WHITESTITCH

Old Hall Farm

83

I N G H A M

SHEPHERDS LANE

A45

R O A D

3

ry's th

STONEBRIDGE GOLF COURSE

NORTH WARWICKSHIRE ROAD

SOLIHULL

BIRMINGHAM

Archery Ground

Pav.

Forest Hall

Sports Grd.

B4102

Club House

CV7

THE FIRS

FILLONGLEY RD.

HIGH FIELD

ail's ove

The Somers

B4104 ROAD

Meml.

MERIDEN

The Green

Lib

MAIN RD.

HAYFIELD RISE

4

Molands Bridge

Laburnum Cottage

HAMPTON

LANE

B4102

DARLASTON ROW

Heath Farm

STRAWBERRY

Strawberry Bank House

82

Club House

R O A D

NORTH WARWICKSHIRE GOLF COURSE

Works

5

A452

CORNETS

Gravel Pit Plantation

6

Giants Den

Hornbrook Farm

Sand Pits

281

END

Keeper's Cottage

LANE

Cornets End Farm

Cornets End

The Springs

22

E **F** 23 **G** **H** 24

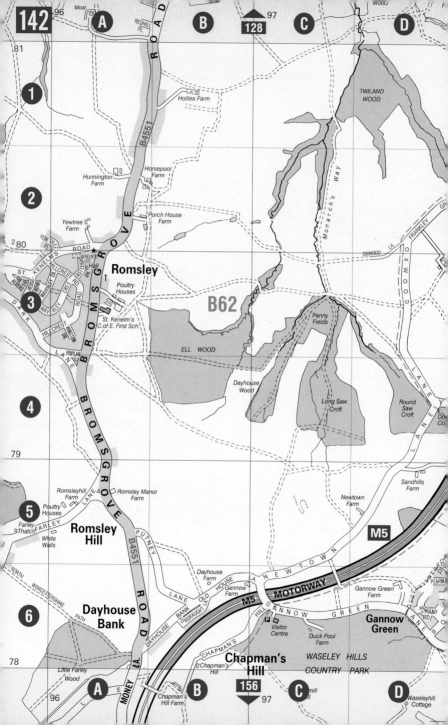

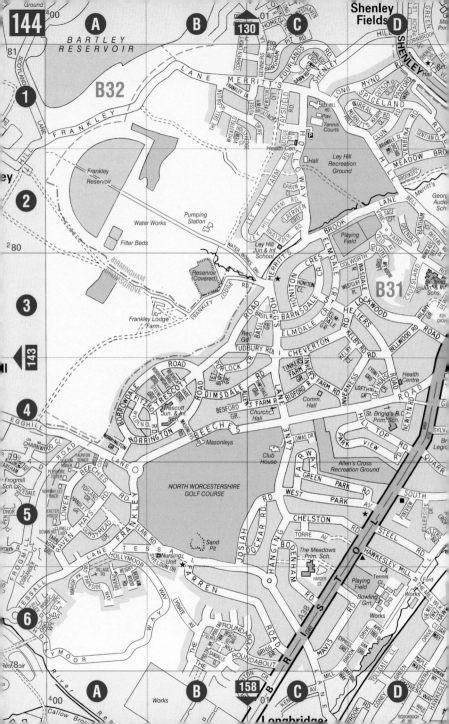

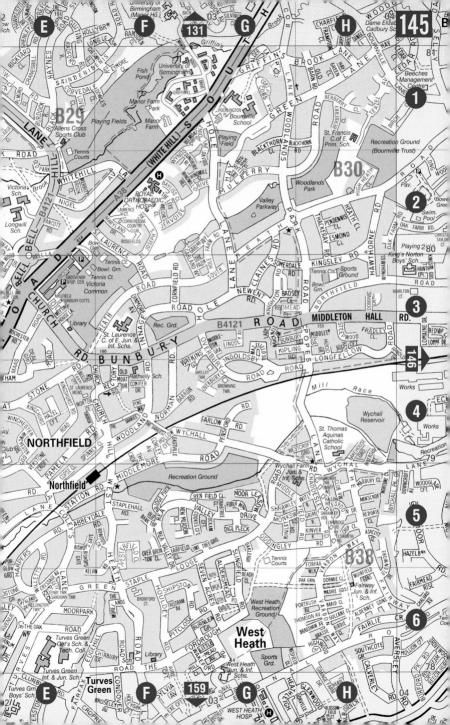

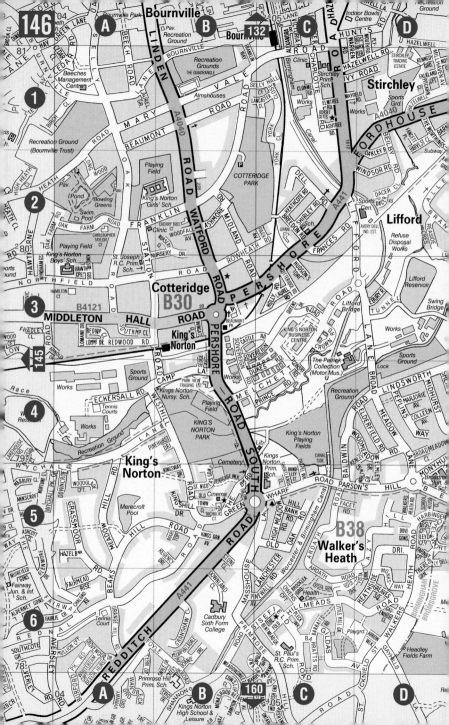

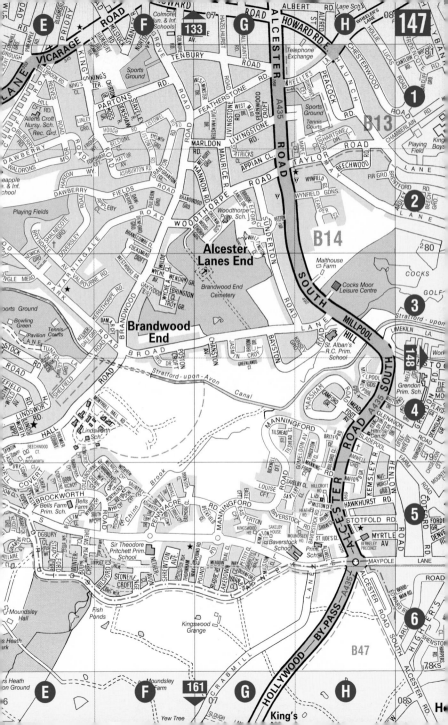

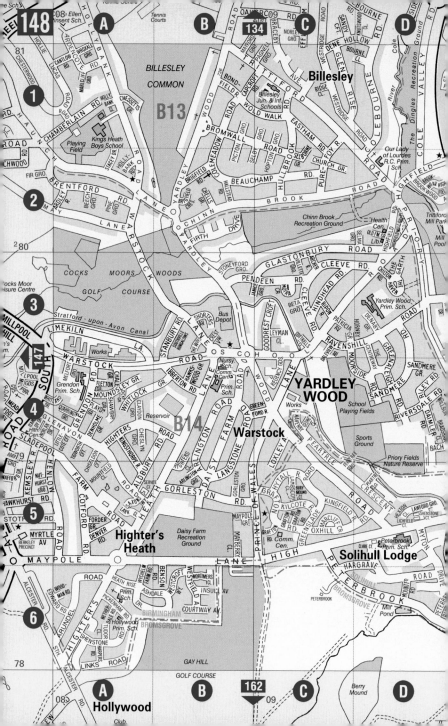

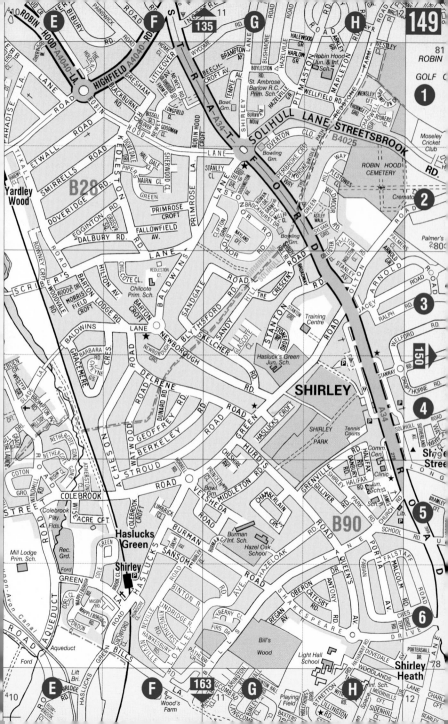

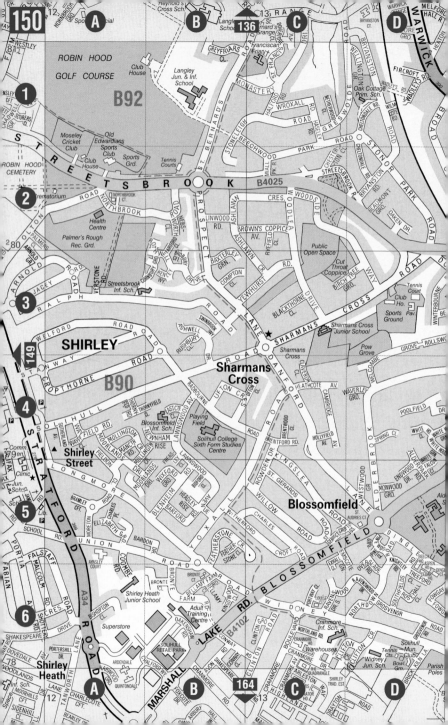

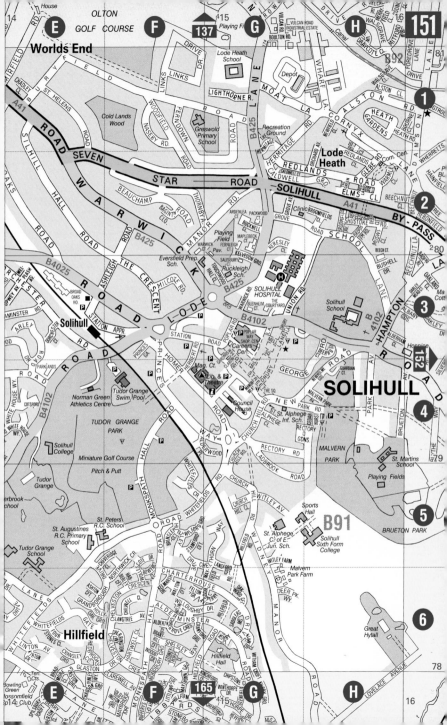

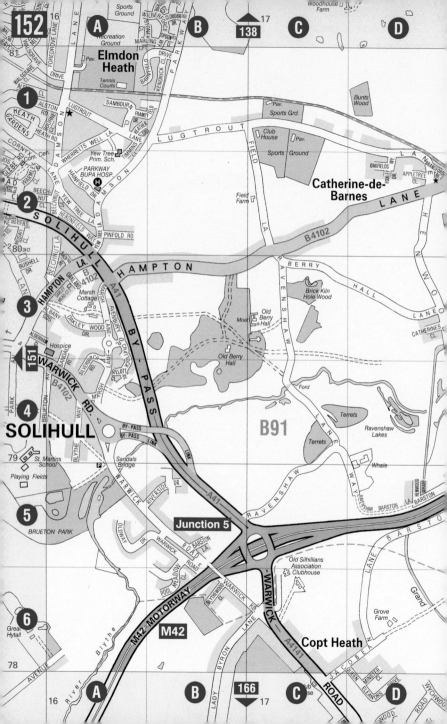

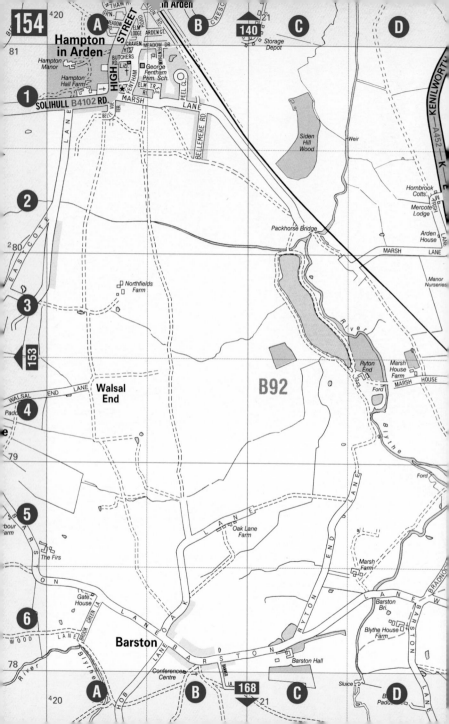

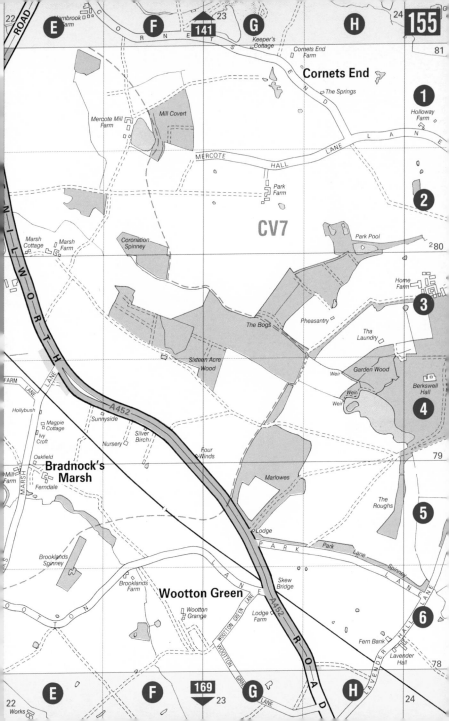

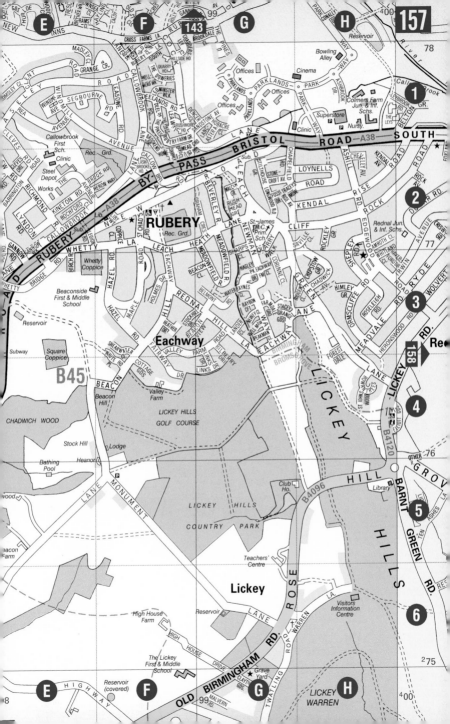

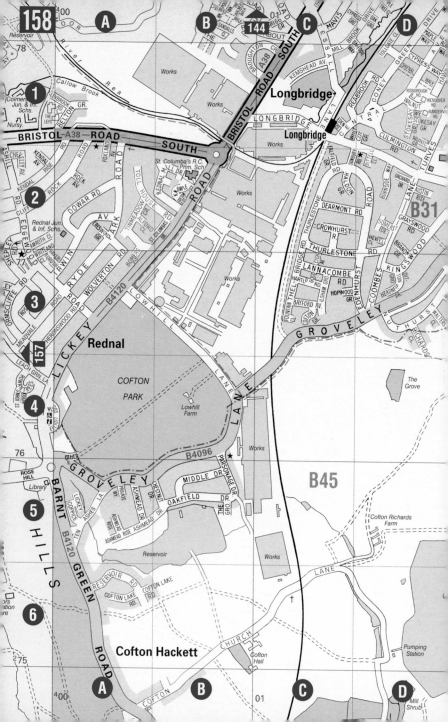

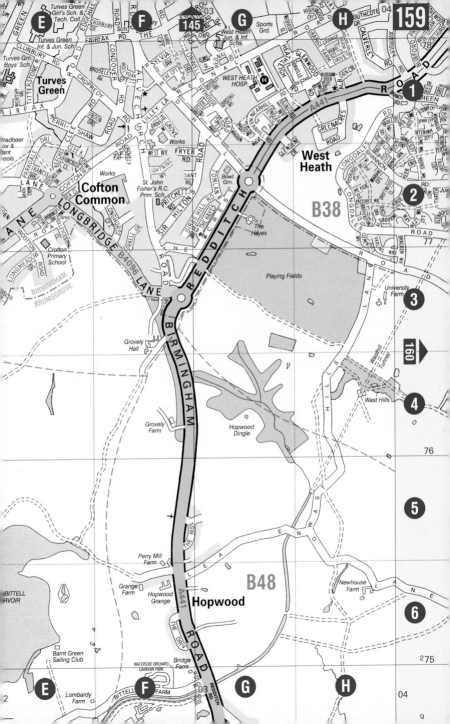

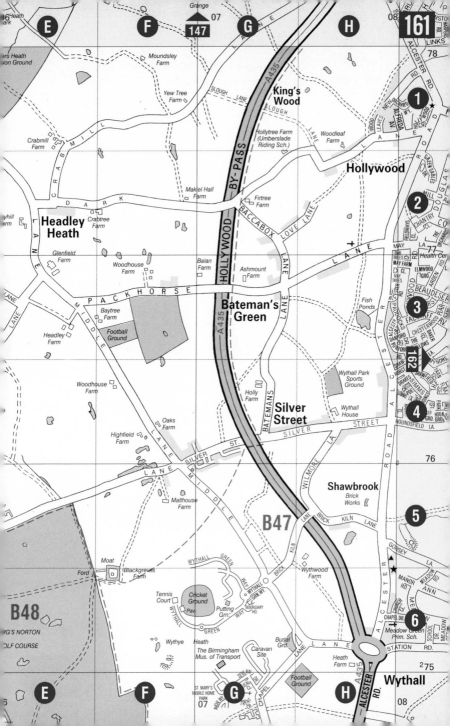

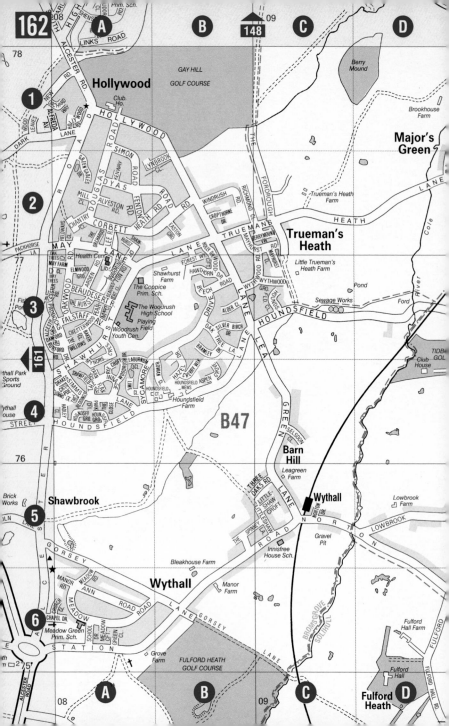

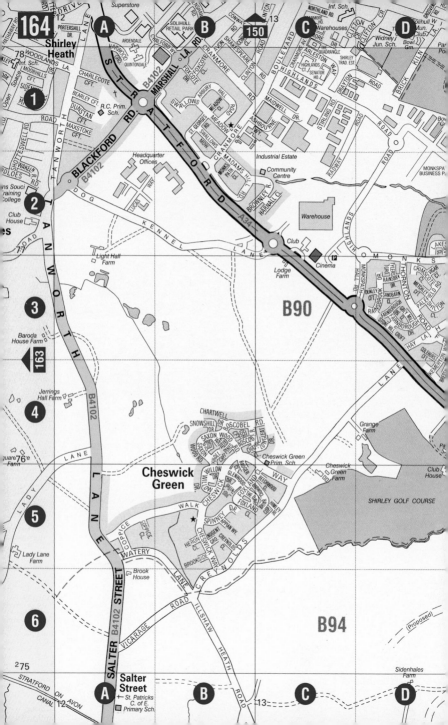

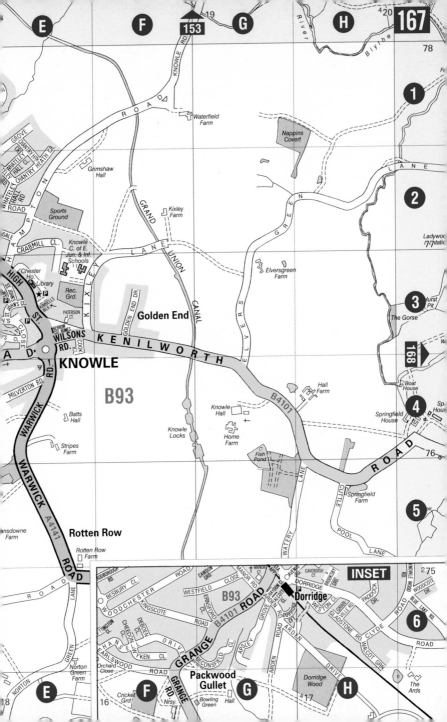

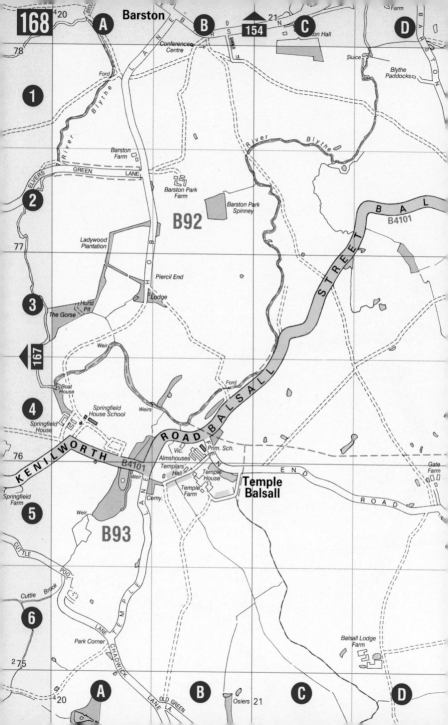

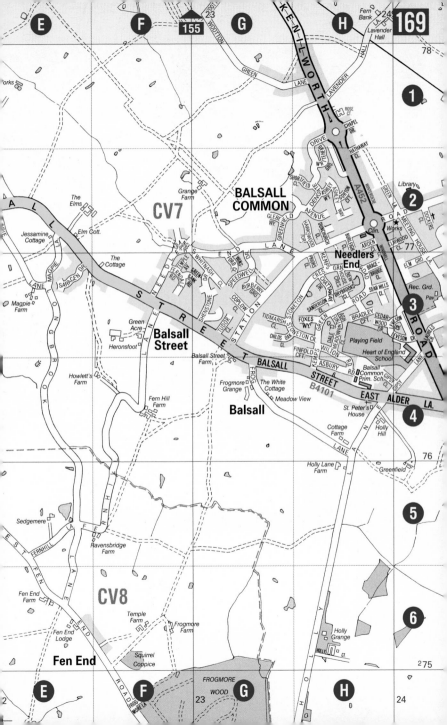

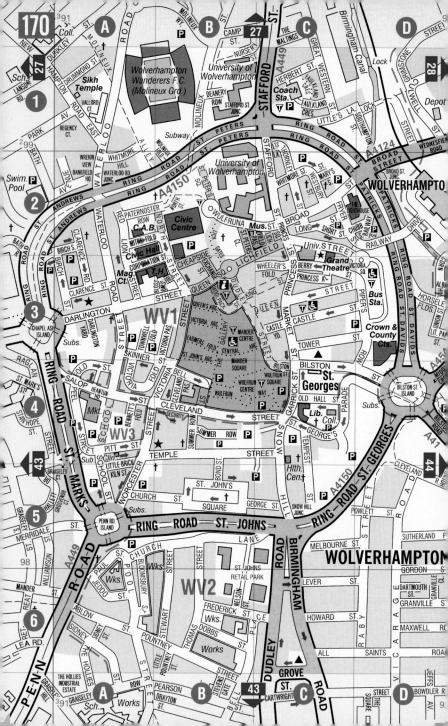

INDEX

Including Streets, Places & Areas, Industrial Estates, Selected Subsidiary Addresses
and Selected Places of Interest.

HOW TO USE THIS INDEX

1. Each street name is followed by its Postal District (or, if outside the Birmingham Postal Districts by its Posttown or Postal Locality), and then by its map reference; e.g. Abberley Rd. *O'bry* —4H **113** is in the Oldbury Posttown and is to be found in square 4H on page **113**. The page number being shown in bold type.
   A strict alphabetical order is followed in which Av., Rd., St., etc. (though abbreviated) are read in full and as part of the street name; e.g. Abbeydale Rd. appears after Abbey Cres. but before Abbey Dri.

2. Streets and a selection of Subsidiary names not shown on the Maps, appear in the index in *Italics* with the thoroughfare to which it is connected shown in brackets; e.g. *Adelphi Ct. Brie H —1H 109 (off Promenade, The)*

3. Places and areas are shown in the index in **bold type**, the map reference referring to the actual map square in which the town or area is located and not to the place name; e.g. **Acock's Green. —2H 135**

4. An example of a selected place of interest is *Aston Manor Transport Mus.* —6H **83**

5. Map references shown in brackets; e.g. Albert St. *B4 & B5* —1G **117** (4F **5**) refer to entries that also appear on the large scale pages 4, 5 and 170.

GENERAL ABBREVIATIONS

All : Alley
App : Approach
Arc : Arcade
Av : Avenue
Bk : Back
Boulevd : Boulevard
Bri : Bridge
B'way : Broadway
Bldgs : Buildings
Bus : Business
Cvn : Caravan
Cen : Centre
Chu : Church
Chyd : Churchyard
Circ : Circle
Cir : Circus
Clo : Close
Comn : Common
Cotts : Cottages

Ct : Court
Cres : Crescent
Cft : Croft
Dri : Drive
E : East
Embkmt : Embankment
Est : Estate
Fld : Field
Gdns : Gardens
Gth : Garth
Ga : Gate
Gt : Great
Grn : Green
Gro : Grove
Ho : House
Ind : Industrial
Info : Information
Junct : Junction
La : Lane

Lit : Little
Lwr : Lower
Mc : Mac
Mnr : Manor
Mans : Mansions
Mkt : Market
Mdw : Meadow
M : Mews
Mt : Mount
Mus : Museum
N : North
Pal : Palace
Pde : Parade
Pk : Park
Pas : Passage
Pl : Place
Quad : Quadrant
Res : Residential
Ri : Rise

Rd : Road
Shop : Shopping
S : South
Sq : Square
Sta : Station
St : Street
Ter : Terrace
Trad : Trading
Up : Upper
Va : Vale
Vw : View
Vs : Villas
Vis : Visitors
Wlk : Walk
W : West
Yd : Yard

POSTTOWN AND POSTAL LOCALITY ABBREVIATIONS

A Grn : Acocks Green
Alb : Albrighton
A'rdge : Aldridge
Alum R : Alum Rock
A'chu : Alvechurch
Amb : Amblecote
Aston : Aston
Bal C : Balsall Common
Bal H : Balsall Heath
B Grn : Barnt Green
Bars : Barston
Bart G : Bartley Green
Bass P : Bassetts Pole
Belb : Belbroughton
Bntly : Bentley
Ben H : Bentley Heath
Berk : Berkswell
Bick : Bickenhill
Bils : Bilston
Bstne : Bilstone
B'fld : Birchfield
Birm P : Birmingham Bus. Pk.
Birm A : Birmingham
    International Airport
B'hll : Blakenhall

Bloom : Bloomfield
Blox : Bloxwich
Bord : Bordesley
Bord G : Bordesley Green
B'brk : Bournbrook
B'vlle : Bournville
Brad : Bradley
B'mre : Bradmore
Brad M : Bradnocks Marsh
Brie H : Brierley Hill
B'frd : Brinsford
Brock : Brockmoor
Bwnhls : Brownhills
Buc E : Buckland End
Burn : Burntwood
Bush : Bushbury
Camp H : Camp Hill
Cann : Cannock
Can : Canwell
Cas B : Castle Bromwich
Cas : Castlecroft
Cas V : Castle Vale
Cath B : Catherine-de-Barnes
Cats : Catshill
Chad : Chadwich

Chase : Chasetown
Chel W : Chelmsley Wood
C Hay : Cheslyn Hay
C'bri : Churchbridge
Clay : Clayhanger
Clent : Clent
Cod : Codsall
Cod W : Codsall Wood
Col : Coleshill
Comp : Compton
Cong E : Congreaves Trad. Est.
Cose : Coseley
Coven : Coven
Cov H : Coven Heath
Crad H : Cradley Heath
Curd : Curdworth
Darl : Darlaston
Der : Deritend
Dorr : Dorridge
Dray B : Drayton Bassett
Dud : Dudley
Dud P : Dudley Port
Earls : Earlswood
Edg : Edgbaston
Elmd : Elmdon

Env : Enville
Erd : Erdington
Ess : Essington
E'shll : Ettingshall
E'shll P : Ettingshall Park
Fall P : Fallings Park
F'stne : Featherstone
Finc : Finchfield
Foot : Footherley
F'bri : Fordbridge
F'hses : Fordhouses
Four O : Four Oaks
Fran : Frankley
Fren W : French Walls
G Hill : Golds Hill
Gold P : Goldthorn Park
Gorn W : Gornal Wood
Gt Barr : Great Barr
Gt Bri : Great Bridge
Gt Wyr : Great Wyrley
Greet : Greet
Hag : Hagley
Hale : Halesowen
Hall G : Hall Green
Hamm : Hammerwich

Posttown and Postal Locality Abbreviations

INDEX

Addenbrooke St. *W'bry*
—3D **46**
Addenbrook Way. *Tip* —5D **62**
(in two parts)
Adderley Gdns. *B8* —4D **102**
Adderley Pk. Clo. *B8* —5E **103**
Adderley Rd. *B8 & Salt*
—6C **102**
Adderley Rd. S. *B8* —6C **102**
Adderley St. *B9* —2A **118**
Addison Clo. *W'bry* —3C **64**
Addison Cft. *Dud* —2E **75**
Addison Gro. *Wolv* —6D **16**
Addison Pl. *Bils* —4A **46**
Addison Pl. *Wat O* —4D **88**
Addison Rd. *Brie H* —1F **109**
Addison Rd. *K Hth* —6H **133**
Addison Rd. *Nech* —1C **102**
Addison Rd. *W'bry* —3C **64**
Addison Rd. *Wolv* —3D **42**
Addison St. *W'bry* —3F **63**
Addison Ter. *W'bry* —3F **63**
Adelaide Av. *W Brom* —6G **63**
Adelaide St. *B12* —3H **117**
Adelaide St. *Brie H* —6H **93**
Adelaide Wlk. *Wolv* —3A **44**
Adelphi Ct. Brie H —1H **109**
(off Promenade, The)
Adey Rd. *Wolv* —1H **29**
Adkins La. *Smeth* —2D **114**
Admington Rd. *B33* —3G **121**
Admiral Pl. *Mose* —1H **133**
Admirals Way. *Row R*
—1B **112**
Adrian Cft. *B13* —4C **134**
Adria Rd. *B11* —1B **134**
Adshead Rd. *Dud* —2E **95**
Adstone Gro. *B31* —6E **145**
Advent Gdns. *W Brom* —4H **79**
Adwalton Rd. *Wolv* —6F **25**
Agenoria Dri. *Stourb* —6D **108**
Aiken Ho. *Smeth* —5G **99**
Ainsdale Clo. *Stourb* —3D **124**
Ainsdale Gdns. *B24* —2A **86**
Ainsdale Gdns. *Hale* —3F **127**
Ainsworth Rd. *Wolv* —2A **16**
Aintree Gro. *B34* —3H **105**
Aintree Rd. *Wolv* —3H **15**
Aintree Way. *Dud* —4A **76**
Aire Cft. *B31* —6F **145**
Airfield Dri. *A'rdge* —6A **34**
Airport Way. *Birm A* —1E **139**
Ajax Clo. *Wals* —4F **7**
Akrill Clo. *W Brom* —2H **79**
Alamein Rd. *W'hall* —2G **45**
Albany Cres. *Bils* —5E **45**
Albany Gdns. *Sol* —3A **152**
Albany Gro. *Ess* —6C **18**
Albany Gro. *K'wfrd* —2C **92**
Albany Ho. *B34* —2E **105**
Albany Rd. *B17* —5G **115**
Albany Rd. *Wolv* —1F **43**
Albemarle Rd. *Stourb*
—3D **124**
Albermarle Rd. *K'wfrd* —4E **93**
Albert Av. *B12* —5A **118**
Albert Clarke Dri. *W'hall*
—2C **30**
Albert Clo. *Cod* —3E **13**
Albert Dri. *Hale* —3H **127**
Albert Dri. *Swind* —5E **72**
Albert Ho. W'bry —5C **46**
(off Factory St.)
Albert Pl. *B12* —6G **117**
Albert Rd. *Aston* —1G **101**
Albert Rd. *Erd* —4D **84**

Albert Rd. *Hale* —3H **127**
Albert Rd. *Hand* —6A **82**
Albert Rd. *Harb* —6F **115**
Albert Rd. *K Hth* —6G **133**
Albert Rd. *O'bry* —3A **114**
Albert Rd. *Stech* —1B **120**
Albert Rd. *Wolv* —6D **26**
Albert Smith Pl. *Row R*
—5A **96**
Albert St. *B4 & B5*
—1G **117** (4F **5**)
Albert St. *Lye* —6A **110**
Albert St. *O'bry* —1G **97**
Albert St. *Pens* —2H **93**
Albert St. *Stourb* —6D **108**
Albert St. *Tip* —5H **61**
Albert St. *W Hth* —1H **91**
Albert St. *Wals* —1C **48**
Albert St. *W'bry* —3E **63**
Albert St. *W Brom* —4H **79**
Albert St. E. *O'bry* —2H **97**
Albert Wlk. *B17* —6G **115**
Albion Av. *W'hall* —1C **46**
Albion Bus. Pk. *Smeth* —1C **98**
Albion Fld. Dri. *W Brom*
—3B **80**
Albion Ho. *W Brom* —5A **80**
Albion Ind. Est. *W Brom*
—5G **79**
Albion Ind. Est. Rd. *W Brom*
—5F **79**
Albion Pde. *K'wfrd* —1H **91**
Albion Rd. *Hand* —6H **81**
Albion Rd. *San* —1F **99**
Albion Rd. *S'hll* —6D **118**
Albion Rd. *Wals* —5A **10**
Albion Rd. *W Brom* —5F **79**
(in two parts)
Albion Rd. *W'hall* —1C **46**
Albion Roundabout. *W Brom*
—3H **79**
Albion St. *B1* —6D **100** (2A **4**)
Albion St. *Brie H* —6H **93**
Albion St. *O'bry* —6E **79**
Albion St. *Tip* —2H **77**
Albion St. *W Hth* —6H **73**
Albion St. *W'hall* —1B **46**
Albion St. *Wolv*
—1H **43** (3D **170**)
Alborn Cres. *B38* —1H **159**
Albright Ho. *O'bry* —5E **97**
(off Kempsey Clo.)
Albrighton Ho. *B20* —4B **82**
Albrighton Rd. *Alb* —5A **12**
Albrighton Rd. *Hale* —2G **127**
Albright Rd. *O'bry* —5B **98**
Albury Wlk. *B11* —4A **118**
Albutts Rd. *Wals* —2E **9**
Alcester Dri. *S Cold* —2D **68**
(in two parts)
Alcester Dri. *W'hall* —2F **45**
Alcester Gdns. *B14* —6G **133**
Alcester Lanes End. —2G 147
Alcester Rd. *B13* —3G **133**
Alcester Rd. *H'wd & Wyt*
(in two parts) —1A **162**
Alcester Rd. S. *B14* —6G **133**
(in two parts)
Alcester St. *B12*
—3H **117** (6H **5**)
Alcombe Gro. *B33* —1C **120**
Alcott Clo. *Dorr* —6G **167**
Alcott Gro. *B33* —6H **105**
Alcott La. *B37* —3B **122**
Alcove, The. *Wals* —5B **20**
Aldbourne Way. *B38* —2H **159**

Aldbury Rd. *B14* —5A **148**
Aldeburgh Clo. *Wals* —4G **19**
Aldeford Dri. *Brie H* —3H **109**
Alderbrook Clo. *Dud* —4F **59**
Alderbrook Rd. *Sol* —5D **150**
Alder Clo. *H'wd* —3B **162**
Alder Clo. *S Cold* —6C **70**
Alder Coppice. *Dud* —3G **59**
Alder Cres. *Wals* —1F **65**
Alder Dale. *Wolv* —2C **42**
Alderdale Av. *Dud* —2G **59**
Alderdale Cres. *Sol* —6A **138**
Alder Dri. *B37* —2D **122**
Alderflat Pl. *B7* —4C **102**
Alderford Clo. *Wolv* —1D **26**
Alder Gro. *Hale* —5E **113**
Alderham Clo. *Sol* —3H **151**
Alderhithe Gro. *S Cold* —6B **36**
Alder La. *B30* —1G **145**
Alder La. *Bal C* —4H **169**
Alderlea Clo. *Stourb* —3E **125**
Alderminster Rd. *Sol* —6F **151**
Alderney Gdns. *B38* —6H **145**
Alderpark Rd. *Sol* —4D **150**
Alderpits Rd. *B34* —2H **105**
(in two parts)
Alder Rd. *B12* —1A **134**
Alder Rd. *K'wfrd* —4D **92**
Alder Rd. *W'bry* —6G **47**
Aldersea Dri. *B6* —2H **101**
Aldershaw Rd. *B26* —6C **120**
Aldershaws. *Shir* —4G **163**
Aldersley Av. *Wolv* —2C **26**
Aldersley Clo. *Wolv* —2D **26**
Aldersley Rd. *Wolv* —4C **26**
Aldersmead Rd. *B31* —5G **145**
Alderson Rd. *B8* —5F **103**
Alders, The. *Rom* —3A **142**
Alderton Clo. *Sol* —6F **151**
Alderton Dri. *Wolv* —3C **42**
Alder Way. *S Cold* —3G **51**
Alderwood Pl. *Sol* —4F **151**
Alderwood Precinct. *Dud*
—3G **59**
Alderwood Ri. *Dud* —2H **75**
Aldgate Dri. *Brie H* —4G **109**
Aldgate Gro. *B19* —4F **101**
Aldis Clo. *B28* —4E **135**
Aldis Clo. *Wals* —4G **47**
Aldis Rd. *Wals* —4G **47**
Aldridge. —3D 34
Aldridge By-Pass. *A'rdge*
—4D **34**
Aldridge Clo. *O'bry* —5A **98**
Aldridge Clo. *Stourb* —3C **108**
Aldridge Rd. *A'rdge & Lit A*
—4H **35**
Aldridge Rd. *Gt Barr & P Barr*
—3E **67**
Aldridge Rd. *O'bry* —3H **113**
Aldridge Rd. *S Cold & S'tly*
—2F **51**
Aldridge Rd. *Wals* —6G **33**
Aldridge St. *W'bry* —4D **46**
Aldwych Clo. *Wals* —1D **34**
Aldwych Dri. *Wolv* —3G **41**
Aldwyn Av. *B13* —3H **133**
Alexander Hill. *Brie H* —3B **110**
Alexander Rd. *B27* —1H **135**
Alexander Rd. *Cod* —4A **14**
Alexander Rd. *Smeth* —1C **114**
Alexander Rd. *Wals* —1F **47**
Alexander Ter. *Smeth* —3D **98**
Alexandra Av. *B21* —2H **99**
Alexandra Cres. *W Brom*
—5C **64**

Alexandra Ind. Est. *Tip* —1A **78**
Alexandra Pl. *Bils* —5F **45**
Alexandra Pl. *Dud* —3D **76**
Alexandra Rd. *B5* —5G **117**
Alexandra Rd. *Hale* —1H **127**
Alexandra Rd. *Hand* —2H **99**
Alexandra Rd. *Stir* —6C **132**
Alexandra Rd. *Tip* —2H **77**
Alexandra Rd. *Wals* —4C **48**
Alexandra Rd. *W'bry* —5E **47**
Alexandra Rd. *Wolv* —6E **43**
Alexandra St. *Dud* —6D **76**
Alexandra St. *Wolv* —2F **43**
Alexandra Way. *Tiv* —5A **78**
Alexandra Way. *Wals* —4D **34**
Alford Clo. *Redn* —2A **158**
Alfreda Av. *H'wd* —1H **161**
Alfred Gunn Ho. *O'bry* —5H **97**
Alfred Rd. *Hand* —1A **100**
Alfred Rd. *S'hll* —6B **118**
Alfred Squire Rd. *Wolv*
—4E **29**
Alfred St. *Aston* —1B **102**
Alfred St. *K Hth* —6H **133**
Alfred St. *Smeth* —2G **99**
Alfred St. *S'brk* —6B **118**
Alfred St. *Wals* —6H **19**
Alfred St. *W'bry* —6C **46**
Alfred St. *W Brom* —4B **80**
Algernon Rd. *B16* —5H **99**
Alice St. *Bils* —5F **45**
Alison Clo. *Tip* —3A **62**
Alison Dri. *Stourb* —3D **124**
Allan Clo. *Smeth* —4F **99**
Allan Clo. *Stourb* —3D **108**
All Angels Wlk. *O'bry* —5H **97**
Allbut St. *Crad H* —2F **111**
Allcock St. *B9* —2A **118**
Allcock St. *Tip* —5C **62**
Allcroft Rd. *B11* —3F **135**
Allenby Clo. *K'wfrd* —4E **93**
Allen Clo. *B43* —6A **66**
Allendale Gro. *B43* —5A **66**
Allendale Rd. *B25* —4H **119**
Allendale Rd. *S Cold* —5C **70**
Allen Dri. *W'bry* —5C **46**
Allen Dri. *W Brom* —6D **80**
Allen Ho. *B43* —6A **66**
Allen Rd. *Tip* —4H **61**
Allen Rd. *W'bry* —6F **47**
Allen Rd. *Wolv* —6D **26**
Allen's Av. *B18* —3B **100**
Allens Av. *W Brom* —6G **63**
Allens Cft. Rd. *B14* —2D **146**
Allens Farm Rd. *B31* —4B **144**
Allen's La. *Wals* —5D **20**
Allen's Rd. *B18* —3B **100**
Allen St. *W Brom* —4H **79**
Allerdale Rd. *Clay* —6A **10**
Allerton Ct. *W Brom* —4A **64**
Allerton La. *W Brom* —5A **64**
Allerton Rd. *B25* —4H **119**
Allesley Clo. *S Cold* —5A **54**
Allesley Rd. *Sol* —5B **136**
Allesley St. *B6* —4G **101**
Alleston Rd. *Wolv* —5H **15**
Alleston Wlk. *Wolv* —5H **15**
Alleyne Gro. *B24* —5G **85**
Alleyne Rd. *B24* —6G **85**
Alley, The. *Dud* —4F **75**
Allingham Gro. *B43* —1G **67**
Allington Clo. *Wals* —3H **49**
Allison St. *B5* —1H **117** (5G **5**)

Ashwood Clo. *S Cold* —3G **51**
Ashwood Ct. *B34* —4B **104**
Ashwood Dri. *B37* —6F **107**
Ashwood Gro. *Wolv* —6E **43**
Ashworth Rd. *B42* —4D **66**
Askew Bri. Rd. *Dud* —4F **75**
Askew Clo. *Dud* —2A **76**
Aspbury Cft. *B36* —6H **87**
Aspen Clo. *B27* —3H **135**
Aspen Clo. *S Cold* —3D **70**
Aspen Dri. *B37* —3E **123**
Aspen Gdns. *Hand* —6D **82**
Aspen Gro. *B9* —6G **103**
Aspen Gro. *W'hall* —2E **31**
Aspen Gro. *Wyt* —4B **162**
Aspen Ho. *Sol* —5D **150**
Aspen Way. *Wolv* —2E **43**
Asquith Dri. *Tiv* —5C **78**
Asquith Rd. *B8* —4H **103**
Asra Clo. *Smeth* —1E **99**
Asra Ho. *Smeth* —1E **99**
Astbury Av. *Smeth* —6D **98**
Astbury Clo. *Wals* —3G **19**
Astbury Clo. *Wolv* —2C **44**
Astbury Ct. *O'bry* —4H **113**
Aster Wlk. *Pend* —4E **15**
Astley Av. *Hale* —5F **113**
Astley Clo. *Tip* —1D **78**
Astley Cres. *Hale* —6F **113**
Astley Pl. *Wolv* —5H **43**
Astley Rd. *B21* —6H **81**
Astley Wlk. *Shir* —2H **149**
Aston. —1H 101
Aston Bri. *B6* —4H **101**
Aston Brook Grn. *B6* —4H **101**
Aston Brook St. *B6* —3H **101**
(in two parts)
Aston Brook St. E. *B6*
—4H **101**
Aston Bury. *B15* —3H **115**
Aston Chu. Rd. *Nech & Salt*
—2C **102**
Aston Chu. Trad. Est. *Nech*
—3D **102**
Aston Clo. *Bils* —1B **62**
Aston Cross Bus. Pk. *Aston*
—3A **102**
Aston Expressway. *B6*
—4H **101**
Aston Hall. —1H 101
Aston Hall Rd. *B6* —1A **102**
Aston La. *Hand & Aston*
—5F **83**
Aston Manor Transport Mus.
—6H 83
Aston Rd. *B6* —4H **101**
(in three parts)
Aston Rd. *Dud* —1D **94**
Aston Rd. *Tiv* —6A **78**
Aston Rd. *W'hall* —1G **45**
Aston Rd. N. *B6* —3H **101**
Aston Science Pk. *B7*
—5H **101** (1H **5**)
Aston's Clo. *Brie H* —4H **109**
Aston Seedbed Cen. *Nech*
—3A **102**
Aston's Fold. *Brie H* —4H **109**
Aston St. *B4* —5H **101** (2F **5**)
(in two parts)
Aston St. *Tip* —6C **62**
Aston St. *Wolv* —3E **43**
Aston Students Guild. *B4*
—1G **5**
Aston Triangle. *B4*
—6H **101** (2G **5**)
Astor Dri. *B13* —4C **134**

Astoria Clo. *W'hall* —6D **18**
Astoria Gdns. *W'hall* —6D **18**
Astor Rd. *K'wfrd* —4D **92**
Astor Rd. *S Cold* —2A **52**
Athelney Ct. *Wals* —4E **21**
Athelstan Gro. *Wolv* —4F **25**
Atherstone Clo. *Shir* —5E **149**
Atherstone Rd. *Wolv* —1D **44**
Athlone Rd. *Wals* —3G **49**
Athol Clo. *B32* —5B **130**
Athole St. *B12* —4A **118**
Atlantic Ct. W'hall —2A **46**
(off Cheapside)
Atlantic Rd. *B44* —5H **67**
Atlantic Way. *W'bry* —4E **63**
Atlas Cft. *Wolv* —3G **27**
Atlas Est. *Witt* —5A **84**
Atlas Gro. *W Brom* —4F **79**
Atlas Trad. Est. *Bils* —3H **61**
Atlas Way. *B1* —5A **4**
Attenborough Clo. *B19*
—4G **101**
Attingham Dri. *B43* —3H **65**
Attleboro La. *Wat O* —5C **88**
Attlee Clo. *Tiv* —5D **78**
Attlee Cres. *Bils* —3G **61**
Attlee Rd. *Wals* —5E **31**
Attwell Pk. *Wolv* —4B **42**
Attwell Rd. *Tip* —4H **61**
Attwood Clo. *B8* —3E **103**
Attwood Gdns. *Wolv* —6A **44**
Attwood St. *Hale* —6H **111**
Attwood St. *Stourb* —6B **110**
Aubrey Rd. *B32* —4C **114**
Aubrey Rd. *Small H* —3F **119**
Auchinleck Sq. *B15* —2D **116**
(off Islington Row Middleway)
Aucinleck Ho. B15
—2D **116** (6A **4**)
(off Broad St.)
Auckland Dri. *B36* —1B **106**
Auckland Ho. *B32* —1D **130**
Auckland Rd. *B11* —4A **118**
Auckland Rd. *K'wfrd* —5C **92**
Auckland Rd. *Smeth* —3C **98**
Auden Ct. *Pert* —5F **25**
Audleigh Ho. *B15* —3E **117**
Audlem Wlk. *Wolv* —4C **28**
Audley Rd. *B33* —5C **104**
Audnam. —2D 108
Audnam. *Stourb* —2D **108**
Augusta Rd. *A Grn* —6A **120**
Augusta Rd. *Mose* —1G **133**
Augusta Rd. E. *B13* —1H **133**
Augusta St. *B18*
—5E **101** (1A **4**)
Augustine Gro. *B18* —3B **100**
Augustine Gro. *S Cold* —4F **37**
Augustus Clo. *Col* —6H **89**
Augustus Ct. *B15* —3B **116**
Augustus Rd. *B15* —3H **115**
Augustus Rd. *Wals* —2B **48**
Aulton Rd. *S Cold* —6C **38**
Ault St. *W Brom* —6B **80**
Austcliff Dri. *Sol* —1G **165**
Austen Pl. *B15* —3D **116**
Austen Wlk. *W Brom* —2B **80**
Austin Clo. *B27* —1B **136**
Austin Clo. *Dud* —5B **76**
Austin Cft. *B36* —6B **88**
Austin Ho. *Wals* —6D **32**
Austin Ri. *B31* —2D **158**
Austin Rd. *B21* —6G **81**
Austin St. *Wolv* —5F **27**
Austin Way. *B42 & Hamp I*
—2C **82**

Austrey Clo. *Know* —3C **166**
Austrey Gro. *B29* —5E **131**
Austrey Rd. *K'wfrd* —4E **93**
Austy Clo. *B36* —1C **104**
Autumn Berry Gro. *Sed*
—1A **76**
Autumn Clo. *Wals* —6G **21**
Autumn Dri. *Dud* —3H **75**
Autumn Dri. *Wals* —6F **21**
Autumn Gro. *Hock* —3E **101**
Avalon Clo. *B24* —3H **85**
Avebury Gro. *B30* —5E **133**
Avebury Rd. *B30* —5E **133**
Ave Maria Clo. *Crad H*
—2G **111**
Avenbury Dri. *Sol* —3A **152**
Avenue Clo. *B7* —3A **102**
Avenue Clo. *Dorr* —6C **166**
Avenue Rd. *Aston* —3H **101**
Avenue Rd. *Bils* —6E **45**
Avenue Rd. *Dorr* —6C **166**
Avenue Rd. *Dud* —3B **94**
Avenue Rd. *Erd* —3F **85**
Avenue Rd. *Hand & Nech*
—5H **81**
Avenue Rd. *K Hth* —5F **133**
Avenue Rd. *Row R* —2D **112**
Avenue Rd. *W'bry* —5D **46**
Avenue Rd. *Wolv* —1C **42**
Avenue, The. *A Grn* —1B **136**
Avenue, The. *Cas* —3H **41**
Avenue, The. *Fall P* —4B **28**
Avenue, The. *F'stne* —1D **16**
Avenue, The. *Penn* —1C **58**
Avenue, The. *Redn* —2E **157**
Avenue, The. *Row R* —6A **96**
Averill Rd. *B26* —2E **121**
Avern Clo. *Tip* —1B **78**
Aversley Rd. *B38* —6H **145**
Avery Ct. *O'bry* —4H **113**
Avery Cft. *B35* —5D **86**
Avery Dell Ind. Est. *B30*
—2D **146**
Avery Dri. *B27* —1A **136**
Avery Myers Clo. *O'bry*
—4H **97**
Avery Rd. *Smeth* —3H **99**
Avery Rd. *S Cold* —3C **68**
Aviemore Cres. *B43* —1D **66**
Avington Clo. *Dud* —6H **59**
Avion Cen. *Wolv* —5C **27**
Avion Clo. *Wals* —4D **48**
Avocet Clo. *B33* —6C **104**
Avon Clo. *B14* —6F **147**
Avon Clo. *Brie H* —3F **93**
Avon Clo. *Wolv* —6F **25**
Avon Cres. *Wals* —6E **21**
Avoncroft Ho. *B37* —1C **122**
Avondale Clo. *K'wfrd* —1C **92**
Avondale Rd. *B11* —1C **134**
Avondale Rd. *Wolv* —6D **26**
Avon Dri. *Cas B* —1B **106**
Avon Dri. *Mose* —3B **134**
Avon Dri. *W'hall* —1C **46**
Avon Gro. *Wals* —2E **65**
Avon Ho. *B15* —3F **117**
Avon M. *Stourb* —6H **91**
Avon Rd. *Hale* —6D **110**
Avon Rd. *Shir* —6B **150**
Avon Rd. *Stourb* —2D **124**
Avon Rd. *Wals* —6C **20**
Avon St. *B11* —6C **118**
Avon Way. *Wyt* —6G **161**
Awbridge Rd. *Dud* —6E **95**
Awefields Cres. *Smeth* —5B **98**
Axletree Way. *W'bry* —5G **47**

Ayala Cft. *B36* —6C **86**
Aylesbury Cres. *B44* —5A **68**
Aylesford Clo. *Dud* —3G **59**
Aylesford Dri. *B37* —4C **122**
Aylesford Dri. *S Cold* —4E **37**
Aylesford Rd. *B21* —6H **81**
Aylesmore Clo. *B32* —4A **130**
Aylesmore Clo. *Sol* —5C **136**
Aynsley Ct. *Shir* —5A **150**
Ayre Rd. *B24* —3H **85**
Ayrshire Clo. *B36* —1B **104**
Ayrton Clo. *Wolv* —5G **25**
Azalea Clo. *Cod* —4H **13**
Azalea Gro. *B9* —1F **119**
Aziz Isaac Clo. *O'bry* —4A **98**

Babington Rd. *B21* —2A **100**
Bablake Cft. *Sol* —4E **137**
Babors Fld. *Bils* —2C **60**
Babworth Clo. *Wolv* —5E **15**
Baccabox La. *H'wd* —2G **161**
Bacchus Rd. *B18* —3B **100**
Bache St. *W Brom* —6A **80**
Bach Mill Dri. *B28* —4D **148**
Backhouse La. *Wolv* —5E **29**
Back La. *Crad H* —2D **110**
Back La. *Wals* —2H **35**
Back La. *Wtgtn* —1E **37**
Back Rd. *K Nor* —5B **146**
Back Rd. *K'wfrd* —2B **92**
Bacon's End. —5D 106
Bacons End. *B37* —4D **106**
Baddesley Rd. *Sol* —3C **136**
Bader Rd. *Wals* —1F **47**
Bader Rd. *Wolv* —6E **25**
Bader Wlk. *B35* —5D **86**
Badger Clo. *Shir* —4B **164**
Badger Dri. *Wolv* —5H **27**
Badgers Bank Rd. *S Cold*
—4F **37**
Badgers Clo. *Wals* —2E **21**
Badgers Cft. *Hale* —4B **112**
Badger St. *Dud* —2A **76**
Badger St. *Stourb* —5A **110**
Badgers Way. *B34* —4E **105**
(in two parts)
Badminton Clo. *Dud* —4B **76**
Badon Covert. *B14* —5F **147**
Badsey Clo. *B31* —3G **145**
Badsey Rd. *O'bry* —4D **96**
Baggeridge Clo. *Dud* —5E **59**
Baggeridge Country Pk.
—1C 74
Baggeridge Country Pk.
Vis. Cen. —6D 58
Baggott St. *Wolv* —4G **43**
Baginton Clo. *Sol* —2F **151**
Baginton Rd. *B35* —3E **87**
Bagley's Rd. *Brie H* —5G **109**
Bagley St. *Stourb* —6G **109**
Bagnall Clo. *B25* —5B **120**
Bagnall Rd. *Bils* —6E **45**
Bagnall St. *Ock H* —4C **62**
Bagnall St. *Ock H & G Hill*
—6D **62**
Bagnall St. *Wals* —3A **32**
Bagnall St. *W Brom* —5C **80**
Bagnall Wlk. *Brie H* —2H **109**
Bagnell Rd. *B13* —6H **133**
Bagot St. *B4* —5G **101**
Bagridge Clo. *Wolv* —3H **41**
Bagridge Rd. *Wolv* —3H **41**
Bagshaw Clo. *B23* —6D **68**
Bagshaw Rd. *B33* —6C **104**
Bailey Rd. *Bils* —4D **44**

Baileys Ct. *Row R* —6B **96**
Bailey St. *W Brom* —3G **79**
Bailey St. *Wolv* —1A **44**
Baker Av. *Bils* —3B **60**
Baker Ho. Gro. *B43* —6H **65**
Baker Rd. *Bils* —2G **61**
Bakers Gdns. *Cod* —3E **13**
Bakers La. *A'rdge* —3D **34**
Bakers La. *S Cold* —6H **51**
Baker St. *Hand* —1B **100**
Baker St. *Small H* —2D **118**
Baker St. *S'hll* —1C **134**
Baker St. *Tip* —3G **77**
(in two parts)
Baker St. *W Brom* —4H **79**
Bakers Way. *Cod* —3E **13**
Bakewell Clo. *Wals* —4A **20**
Balaclava Rd. *B14* —5G **133**
Balcaskie Clo. *B15* —4A **116**
Balden Rd. *B32* —4C **114**
Baldmoor Lake Rd. *B23*
—6F **69**
Bald's La. *Stourb* —6B **110**
Baldwin Clo. *Tiv* —5D **78**
Baldwin Ho. *B19* —3G **101**
Baldwin Rd. *B30* —5C **146**
Baldwins Ho. Brie H —3B **110**
(off Maughan St.)
Baldwins La. *B28* —3E **149**
Baldwin St. *Bils* —1H **61**
Baldwin St. *Smeth* —3F **99**
Baldwin Way. *Swind* —5E **73**
Balfour Ct. *S Cold* —6G **37**
Balfour Cres. *Wolv* —5D **26**
Balfour Dri. *Tiv* —5C **78**
Balfour Rd. *K'wfrd* —1C **92**
Balfour St. *B12* —5G **117**
Balham Gro. *B44* —3A **68**
Balking Clo. *Bils* —2D **60**
Ballarat Wlk. *Stourb* —6D **108**
Ballard Cres. *Dud* —4F **95**
Ballard Rd. *Dud* —4F **95**
Ballard Wlk. *B37* —3C **106**
Ballfields. *Tip* —2D **78**
Ball Ho. Wals —1H **31**
(off Somerfield Rd.)
Balliol Bus. Pk. *Wolv* —4B **14**
Balliol Ho. *B37* —1B **122**
Balliol Rd. *Cov* H —1G **15**
Ballot St. *Smeth* —4F **99**
Balls Hill. —5G 63
Balls Hill. *Wals* —1D **48**
Balls St. *Wals* —2D **48**
Balmain Cres. *Wolv* —1D **28**
Balmoral Clo. *Hale* —4B **112**
Balmoral Clo. *Wals* —2H **33**
Balmoral Dri. *W'hall* —2B **30**
Balmoral Dri. *Wom* —4G **57**
Balmoral Rd. *Bart G* —6G **129**
Balmoral Rd. *Erd* —2F **85**
Balmoral Rd. *K'hrst* —2C **106**
Balmoral Rd. *Stourb* —6A **92**
Balmoral Rd. *S Cold* —4F **37**
Balmoral Rd. *Wolv* —6E **43**
Balmoral Vw. *Dud* —5A **76**
Balmoral Way. *Row R* —5D **96**
Balmoral Way. *Wals* —5G **31**
Balsall. —4G 169
Balsall Common. —2G 169
Balsall Heath. —6H 117
Balsall Heath Rd. *B5 & B12*
—4F **117**
Balsall Street. —3F 169
Balsall St. *Bal C* —4B **168**
Balsall St. E. *Bal C* —4G **169**
Baltimore Rd. *B42* —1C **82**

Balvenie Way. *Dud* —4B **76**
Bamber Clo. *Wolv* —3C **42**
Bamford Clo. *Wals* —4A **20**
Bamford Ho. *Wals* —4A **20**
Bamford Rd. *Wals* —4A **20**
Bamford Rd. *Wolv* —3E **43**
Bampfylde Pl. *B42* —6E **67**
Bamville Rd. *B8* —4G **103**
Banbery Dri. *Wom* —3F **73**
Banbrook Clo. *Sol* —5H **137**
Banbury Clo. *Sed* —1A **76**
Banbury Cft. *B37* —1B **122**
Banbury Ho. *B33* —1A **122**
Banbury St. *B5*
—6H **101** (3G **5**)
Bancroft Clo. *Cose* —6D **60**
Bandywood Cres. *B44*
—2H **67**
Bandywood Rd. *B44* —1G **67**
Banfield Av. *W'bry* —4C **46**
Banfield Rd. *W'bry* —1C **62**
Banford Av. *B8* —5G **103**
Banford Rd. *B8* —5G **103**
Bangham Pit Rd. *B31*
—1C **144**
Bangley La. *Hints* —3H **39**
(in two parts)
Bangor Ho. *B37* —5D **106**
Bangor Rd. *B9* —1D **118**
Bankdale Rd. *B8* —5H **103**
Bankes Rd. *B10* —2E **119**
Bank Farm Clo. *Stourb*
—4G **125**
Bankfield Ho. *Wolv*
—1G **43** (2A **170**)
Bankfield Rd. *Bils* —6F **45**
(in two parts)
Bankfield Rd. *Tip* —5C **62**
Banklands Rd. *Dud* —3G **95**
Bank Rd. *Gorn W* —4G **75**
(in two parts)
Bank Rd. *Neth* —3F **95**
Bankside. *Gt Barr* —6A **66**
Bankside. *Mose* —3D **134**
Bankside. *Wom* —6F **57**
Bankside Cres. *S Cold*
—4H **51**
Bankside Way. *Wals* —5D **22**
Banks St. *W'hall* —1A **46**
Bank St. *B14* —5G **133**
Bank St. *Brad* —2G **61**
Bank St. *Brie H* —5H **93**
Bank St. *Cose* —5D **60**
Bank St. *Crad H* —2E **111**
Bank St. *Stourb* —6B **110**
Bank St. *Wals* —2D **48**
Bank St. *W Brom* —1A **80**
Bank St. *Wolv* —4A **28**
Bankwell St. *Brie H* —5G **93**
Banner La. *Bars* —6B **154**
Bannerlea Rd. *B37* —4B **106**
Bannerley Rd. *B33* —2G **121**
Banners Ct. *S Cold* —2B **68**
Banners Ga. Rd. *S Cold*
—2B **68**
Banners Gro. *B23* —1G **85**
Banner's La. *Hale* —5F **111**
Banner's St. *Hale* —5F **111**
Banners Wlk. *B44* —3B **68**
Bannington Ct. *W'hall* —5D **30**
Bannister Rd. *W'bry* —3D **62**
Bannister St. *Crad H* —2F **111**
Banstead Clo. *Wolv* —4A **44**
Bantams Clo. *B33* —1G **121**
Bantock Av. *Wolv* —3D **42**
Bantock Gdns. *Wolv* —2C **42**

Bantock House Mus. —2D 42
Bantocks, The. *W Brom*
—1G **79**
Bantock Way. *B17* —6H **115**
Banton Clo. *B23* —5D **68**
Bantry Clo. *B26* —1G **137**
Baptist End. —3F 95
Baptist End Rd. *Dud* —4E **95**
Barbara Rd. *B28* —3E **149**
Barber Institute of Fine Arts.
—1C 132
Barbers La. *Cath B* —1E **153**
Barbourne Dri. *Brie H* —4F **109**
Barchester Rd. *B29* —4E **131**
Barcheston Rd. *B29* —4E **131**
Barcheston Rd. *Know*
—4C **166**
Barclay Ct. *Wolv* —1E **43**
Barclay Rd. *Smeth* —2C **114**
Bar Common. —6D 34
Barcroft. *W'hall* —6B **30**
Bardfield Clo. *B42* —5C **66**
Bardon Dri. *Shir* —5A **150**
Bard St. *B11* —6C **118**
Bardwell Clo. *Wolv* —1D **26**
Barford Clo. *S Cold* —1D **70**
Barford Clo. *W'bry* —3C **46**
Barford Cres. *B38* —5E **147**
Barford Ho. *B5* —4G **117**
Barford Rd. *B16* —5A **100**
Barford Rd. *Shir* —5B **150**
Barford St. *B5*
—3G **117** (6G **5**)
Bargate Dri. *Wolv* —5E **27**
Bargehorse Wlk. *B38* —2A **160**
Bargery Rd. *Wolv* —6A **18**
Barham Clo. *Shir* —4E **165**
Barker Ho. *O'bry* —1E **97**
Barker Rd. *S Cold* —4H **53**
Barker St. *Loz* —2D **100**
Barker St. *O'bry* —3A **98**
Bark Piece. *B32* —2A **130**
Barlands Cft. *B34* —3G **105**
Barle Gro. *B36* —2B **106**
Barley Clo. *A'rdge* —1G **51**
Barley Clo. *Dud* —6B **60**
Barley Clo. *Wolv* —6C **14**
Barley Cft. *Pert* —6D **24**
Barleyfield Ho. Wals —3C **48**
(off Bath St.)
Barleyfield Ri. *K'wfrd* —1G **91**
Barleyfield Row. *Wals* —3C **48**
Barlow Clo. *O'bry* —6G **97**
Barlow Clo. *Redn* —5E **143**
Barlow Dri. *W Brom* —6D **80**
Barlow Rd. *W'bry* —6G **47**
Barlow's Rd. *B15* —6H **115**
Barmouth Clo. *W'hall* —3C **30**
Barnabas Rd. *B23* —3F **85**
Barnaby Sq. *Wolv* —3B **16**
Barnard Clo. *B37* —2F **123**
Barnardo's Cen. B7 —4A 102
(off Rupert St.)
Barnard Pl. *Wolv* —5A **44**
Barnard Rd. *S Cold* —4C **54**
Barnard Rd. *Wolv* —6H **17**
Barn Av. *Dud* —6G **59**
Barnbrook Rd. *Know* —2C **166**
Barn Clo. *B30* —1D **146**
Barn Clo. *Crad H* —5G **111**
Barn Clo. *Hale* —3G **127**
Barn Clo. *Stourb* —1G **125**
Barncroft. *B32* —4C **130**
Barncroft. *Burn* —1C **10**
Barncroft. *Tiv* —1A **96**
Barncroft St. *W Brom* —5G **63**

Barnes Clo. *B37* —1A **122**
Barnes Hill. *B29* —3D **130**
Barnesville Clo. *B10* —3G **119**
Barnet Rd. *B23* —2D **84**
Barnett Clo. *Bils* —1F **61**
Barnett Clo. *K'wfrd* —5B **92**
Barnett Grn. *K'wfrd* —5B **92**
Barnett La. *K'wfrd & Stourb*
—4B **92**
Barnett Rd. *W'hall* —2G **45**
Barnetts La. *Wals* —5B **10**
Barnett St. *Stourb* —6B **92**
Barnett St. *Tip* —3A **78**
Barnett St. *Tiv* —5A **78**
Barney Clo. *Tip* —4H **77**
Barn Farm Clo. *Bils* —4A **46**
Barnfield Dri. *Sol* —1A **152**
Barnfield Gro. *B20* —2A **82**
Barnfield Rd. *Hale* —4D **112**
Barnfield Rd. *Tip* —6G **61**
Barnfield Rd. *Wolv* —1C **44**
Barnfield Trad. Est. *Tip*
—1G **77**
Barnford Clo. *B10* —2C **118**
Barnford Cres. *O'bry* —6H **97**
Barnfordhill Clo. *O'bry* —5H **97**
Barn Grn. *Wolv* —4D **42**
Barn Hill. —4C 162
Barnhurst La. *Cod & Wolv*
—4B **14**
Barn La. *Hand* —2A **100**
Barn La. *Mose* —6A **134**
Barn La. *Sol* —1C **136**
Barn Mdw. *B25* —2B **120**
Barnmoor Ri. *Sol* —6G **137**
Barn Owl Wlk. *Wals* —3D **20**
Barn Owl Wlk. *Brie H* —5G **109**
Barnpark Covert. *B14* —5E **147**
Barn Piece. *B32* —1H **129**
Barnsbury Av. *S Cold* —1A **86**
Barns Clo. *Wals* —3B **22**
Barns Cft. *S Cold* —5B **36**
Barnsdale Cres. *B31* —3C **144**
Barns La. *Wals & A'rdge*
—2G **33**
Barnsley Rd. *B17* —2E **115**
Barnstaple Rd. *Smeth* —4F **99**
Barnt Grn. Rd. *Redn* —5A **158**
Barnwood Rd. *B32* —1D **130**
Barnwood Rd. *Wolv* —6C **14**
Barons Clo. *B17* —5E **115**
Barons Ct. *Sol* —1G **137**
Barons Ct. Trad. Est. *Wolv*
—5A **22**
Barrack La. *Hale* —5D **110**
Barracks Clo. *Wals* —1C **32**
Barracks La. *Bwnhls & Wals W*
—4E **11**
Barracks La. *Wals* —1B **32**
Barracks Pl. *Wals* —1C **32**
Barrack St. *B7* —5A **102**
Barrack St. *W Brom* —5G **63**
Barra Cft. *B35* —3F **87**
Barrar Clo. *Stourb* —3C **108**
Barratts Cft. *Brie H* —6G **75**
Barratts Rd. *B38* —6C **146**
Barr Comn. Clo. *Wals* —6D **34**
Barr Comn. Rd. *Wals* —5C **34**
Barrhill Clo. *B43* —3A **66**
Barrington Clo. *Wals* —2E **65**
Barrington Clo. *Wolv* —6G **15**
Barrington Rd. *Redn* —2E **157**
Barrington Rd. *Sol* —3C **136**
Barr Lakes La. *A'rdge* —4A **50**
Barron Rd. *B31* —4F **145**

Barrow Hill Rd.—Bedford Rd.

Barrow Hill Rd. *Brie H* —6G **75**
(in two parts)
Barrows La. *B26* —3C **120**
(in two parts)
Barrows Rd. *B11* —5C **118**
Barrow Wlk. *B5* —4G **117**
Barrs Cres. *Crad H* —3H **111**
Barrs Rd. *Crad H* —4G **111**
Barrs St. *O'bry* —5G **97**
Barr St. *B19* —4E **101**
(in two parts)
Barr St. *Dud* —4G **75**
Barry Jackson Tower. *B6*
—2H **101**
Barry Rd. *Wals* —4G **49**
Barsham Clo. *B5* —5E **117**
Barsham Dri. *Brie H* —3G **109**
Barston. —6A 154
Barston La. *Bal C* —6D **154**
Barston La. *H Ard & Bars*
(in two parts) —4G **153**
Barston La. *Know* —5B **152**
Barston La. *Sol* —5D **152**
(in three parts)
Barston Rd. *O'bry* —4H **113**
Bartholomew Row. *B5*
—6H **101** (3G **5**)
Bartholomew St. *B5*
—1H **117** (4G **5**)
Bartic Av. *K'wfrd* —5D **92**
Bartleet Rd. *Smeth* —4B **98**
Bartlett Clo. *Tip* —4B **62**
Bartley Clo. *Sol* —3D **136**
Bartley Dri. *B31* —5C **130**
Bartley Green. —5B 130
Bartley Woods. *B32* —3H **129**
Barton Cft. *B28* —3F **149**
Barton Dri. *Know* —6D **166**
Barton La. *K'wfrd* —1A **92**
Barton Lodge Rd. *B28*
—3E **149**
Barton Rd. *Wolv* —1B **60**
Bartons Bank. *B6* —2G **101**
Barton St. *W Brom* —5H **79**
Bar Wlk. *Wals* —6E **23**
Barwell Clo. *Dorr* —5A **166**
Barwell Ct. *B9* —1B **118**
Barwell Rd. *B9* —1B **118**
Barwick St. *B3*
—6F **101** (3D **4**)
Basalt Clo. *Wals* —5G **31**
Basil Gro. *B31* —3C **144**
Basil Rd. *B31* —3C **144**
Baslow Clo. *B33* —5D **104**
Baslow Clo. *Wals* —4H **19**
Baslow Rd. *Wals* —4H **19**
Bason's La. *O'bry* —4A **98**
Bassano Rd. *Row R* —2C **112**
Bassenthwaite Ct. *K'wfrd*
—3B **92**
Bassett Clo. *S Cold* —1C **70**
Bassett Clo. *W'hall* —5D **30**
Bassett Clo. *Wolv* —5A **42**
Bassett Cft. *B10* —3B **118**
Bassett Rd. *Hale* —5C **110**
Bassett Rd. *W'bry* —3A **64**
(in two parts)
Bassetts Gro. *B37* —4B **106**
Bassett's Pole. —1F 55
Bassett St. *Wals* —2H **47**
Bassnage Rd. *Hale* —3G **127**
Batch Cft. *Bils* —6F **45**
Batchcroft. *W'bry* —3D **46**
Batchelor Clo. *Stourb*
—3D **108**

Bateman Dri. *S Cold* —3H **69**
Bateman Rd. *Col* —6H **89**
Bateman's Green. —3G 161
Batemans La. *H'wd & Wyt*
—4G **161**
Bates Clo. *S Cold* —6F **71**
Bates Gro. *Wolv* —4C **28**
Bate St. *Wals* —6C **32**
Bate St. *Wolv* —2C **60**
Bath Av. *Wolv*
—1F **43** (1A **170**)
Bath Ct. *B29* —6F **131**
Bath Ct. *B15* —2E **117**
Batheaston Clo. *B38* —2H **159**
Bath Mdw. *Hale* —6G **111**
Bath Pas. *B5* —2G **117** (6E **5**)
Bath Rd. *Brie H* —1C **110**
Bath Rd. *Stourb* —6D **108**
Bath Rd. *Tip* —2A **78**
Bath Rd. *Wals* —3C **48**
Bath Rd. *Wolv*
—1F **43** (2A **170**)
Bath Row. *B15* —2E **117**
Bath Row. *O'bry* —1D **96**
Bath St. *B4* —5G **101** (1E **5**)
Bath St. *Bils* —6G **45**
Bath St. *Dud* —1E **95**
Bath St. *Sed* —4A **60**
Bath St. *Wals* —2C **48**
Bath St. *W'hall* —2B **46**
Bath St. *Wolv* —2A **44**
Bath Wlk. *B12* —6G **117**
Batmans Hill Rd. *Bils & Tip*
—3G **61**
Batson Ri. *Brie H* —3E **109**
Battenhall Rd. *B17* —6E **115**
Battery Ind. Pk. *S Oak*
—3A **132**
Battlefield Hill. *Wom* —6A **58**
Battlefield La. *Wom* —1H **73**
Bavaro Gdns. *Brie H* —1C **110**
Baverstock Rd. *B14* —5G **147**
Baxterley Grn. *Sol* —3B **150**
Baxterley Grn. *S Cold* —4D **70**
Baxter Rd. *Brie H* —1G **109**
Baxters Grn. *Shir* —1G **163**
(in two parts)
Baxters Rd. *Shir* —1H **163**
Bayer St. *Bils* —5E **61**
Bayford Av. *N'fld* —3C **158**
Bayford Av. *Sheld* —1G **137**
Bayley Cres. *W'bry* —3C **46**
Bayley Ho. *Bwnhls* —1B **22**
Bayleys La. *Tip* —5C **62**
Bayley Tower. *B36* —1C **104**
Baylie St. *Stourb* —1D **124**
Baylis Av. *Wolv* —1H **29**
Bayliss Av. *Wolv* —2C **60**
Bayliss Clo. *B31* —2F **145**
Bayliss Clo. *Bils* —4E **45**
Baynton Rd. *W'hall* —2C **30**
Bayston Av. *Wolv* —3C **42**
Bayston Rd. *B14* —3G **147**
Bayswater Rd. *B20* —6F **83**
Bayswater Rd. *Dud* —4H **75**
Bay Tree Clo. *B38* —1H **159**
Baytree Clo. *Wals* —5G **19**
Baytree Rd. *Wals* —5G **19**
Baywell Clo. *Shir* —2E **165**
Beach Av. *Bal H* —6B **118**
Beach Av. *Bils* —2B **60**
Beach Brook Clo. *B11*
—6B **118**
Beachburn Way. *B20* —4C **82**
Beach Clo. *B31* —6G **145**
Beachcroft Rd. *K'wfrd* —6A **74**

Beach Dri. *Hale* —6A **112**
Beach Rd. *B11* —6B **118**
Beach Rd. *Bils* —4F **45**
Beach St. *Hale* —6A **112**
Beachwood Av. *K'wfrd* —6A **74**
Beacon Clo. *Gt Barr* —4B **66**
Beacon Clo. *Redn* —3G **157**
Beacon Clo. *Smeth* —2E **99**
Beacon Ct. *B43* —4B **66**
Beacon Ct. *S Cold* —3H **51**
Beacon Dri. *Wals* —3E **49**
Beacon Hill. *Aston* —1G **101**
Beacon Hill. *Redn* —4F **157**
Beacon Hill. *Wals* —2E **51**
Beacon La. *Dud* —4A **60**
Beacon La. *Marl & Redn*
—6D **156**
Beacon M. *B43* —4B **66**
Beacon Pas. *Dud* —5H **59**
Beacon Ri. *Dud* —4A **60**
Beacon Ri. *Stourb* —1H **125**
Beacon Ri. *Wals* —6D **34**
Beacon Rd. *K'sdng* —1A **68**
Beacon Rd. *S Cold* —4G **69**
Beacon Rd. *Wals* —6H **49**
Beacon Rd. *A'rdge & Gt Barr*
—3D **50**
Beacon Rd. *W'hall* —1C **30**
Beaconsfield Av. *Wolv* —5H **43**
Beaconsfield Ct. *Wals* —3F **49**
Beaconsfield Cres. *B12*
—6G **117**
Beaconsfield Dri. *Wolv*
—5H **43**
Beaconsfield Rd. *B12*
—1G **133**
Beaconsfield Rd. *S Cold*
—4H **53**
Beaconsfield St. *W Brom*
—2A **80**
Beacon St. *Bils* —4B **60**
Beacon St. *Wals* —2E **49**
Beacon Vw. *Redn* —3F **157**
Beacon Vw. *Wals* —1F **47**
(in two parts)
Beacon Vw. Dri. *S Cold*
—6H **51**
Beaconview Ho. *W Brom*
—4D **64**
Beacon Vw. Rd. *W Brom*
—3C **64**
Beacon Way. *Wals* —4C **22**
Beacon Way. *W Brom* —2E **81**
Beakes Rd. *Smeth* —6D **98**
Beaks Farm Gdns. *B16*
—1H **115**
Beaks Hill Rd. *B38* —6A **146**
Beak St. *B1* —1F **117** (5D **4**)
Beale Clo. *B35* —5E **87**
Beales St. *B6* —1B **102**
Beale St. *Stourb* —6D **108**
Bealeys Av. *Wolv* —1E **29**
Bealeys Fold. *Wolv* —4F **29**
(off Nicholls Fold)
Bealeys La. *Wals* —4G **19**
(in two parts)
Beamans Clo. *Sol* —1E **137**
Beaminster Rd. *Sol* —3E **151**
Beamish La. *Cod W* —2A **12**
Beamont Clo. *Tip* —1G **77**
Bean Cft. *B32* —2A **130**
Bean Rd. *Dud* —1F **95**
Bean Rd. *Tip* —1E **77**
Bean Rd. Ind. Est. *Tip* —1E **77**
Beardmore Rd. *S Cold* —5A **70**
Bearley Cft. *Shir* —1A **164**

Bearmore Rd. *Crad H*
—2G **111**
Bearnett Dri. *Wolv* —3A **58**
Bearnett La. *Wolv* —4H **57**
Bearwood. —1E 115
Bearwood Ho. *Smeth* —5E **99**
Bearwood Shop. Cen. *Smeth*
—2E **115**
Beasley Gro. *B43* —4D **66**
Beaton Clo. *W'hall* —1G **45**
Beaton Rd. *S Cold* —6G **37**
Beatrice St. *Wals* —3A **32**
Beatrice Wlk. *Tiv* —5A **78**
Beatty Ho. *Tip* —5A **62**
Beaubrook Gdns. *Word*
—6C **92**
Beauchamp Av. *B20* —2B **82**
Beauchamp Clo. *B37* —1D **122**
Beauchamp Clo. *S Cold*
—6F **71**
Beauchamp Rd. *B13* —2B **148**
Beauchamp Rd. *Sol* —2F **151**
Beaudesert Clo. *H'wd*
—3A **162**
Beaudesert Rd. *B20* —1D **100**
Beaudesert Rd. *H'wd* —3A **162**
Beaufort Av. *B34* —3B **104**
Beaufort Pk. *B36* —4B **104**
Beaufort Rd. *Edg* —2B **116**
Beaufort Rd. *Erd* —5E **85**
Beaufort Way. *Wals* —5D **34**
Beaulieu Av. *K'wfrd* —5D **92**
Beaumaris Clo. *Dud* —4B **76**
Beaumont Clo. *Wals* —3F **7**
Beaumont Dri. *B17* —1F **131**
Beaumont Dri. *Brie H* —4F **109**
Beaumont Gdns. *B18* —3B **100**
Beaumont Gro. *Sol* —2D **150**
Beaumont Pk. *K Nor* —3B **146**
Beaumont Rd. *B30* —1A **146**
Beaumont Rd. *Hale* —3E **113**
Beaumont Rd. *Wals* —3F **7**
Beaumont Rd. *W'bry* —1F **63**
Beausale Dri. *Know* —2E **167**
Beauty Bank. *Crad H* —3A **112**
Beauty Bank Cres. *Stourb*
—5C **108**
Beaver Clo. *Wolv* —4H **29**
Beaver Rd. *Tip* —6D **62**
Bebington Clo. *Wolv* —1D **26**
Beccles Dri. *W'hall* —3H **45**
Beckbury Av. *Wolv* —6A **42**
Beckbury Rd. *B29* —4E **131**
Beck Clo. *Smeth* —5E **99**
Beckenham Av. *B44* —4A **68**
Becket Clo. *S Cold* —3F **37**
Beckett St. *Bils* —5G **45**
Beckfield Clo. *B14* —5G **147**
Beckfield Clo. *Wals* —1G **33**
Beckford Cft. *Dorr* —6B **166**
Beckman Rd. *Stourb* —3G **125**
Beckminster Rd. *Wolv* —4D **42**
Beconsfield Clo. *Dorr*
—6G **167**
Becton Gro. *B42* —6F **67**
Bedcote Pl. *Stourb* —6F **109**
Beddoe Clo. *Tip* —2D **78**
Beddow Av. *Bils* —6E **61**
Beddows Rd. *Wals* —4C **32**
Bedford Dri. *S Cold* —5C **54**
Bedford Ho. *B36* —3D **106**
Bedford Ho. Wolv —5G 27
(off Lomas St.)
Bedford Rd. *Camp H* —2A **118**
Bedford Rd. *S Cold* —5C **54**
Bedford Rd. *W Brom* —6H **63**

Bentley La. Wals —5G 31
Bentley La. W'hall —4D 30
Bentley La. Ind. Est. Wals
—5H 31
Bentley La. Ind. Pk. Wals
—6G 31
Bentley Mill Clo. Wals —2F 47
Bentley Mill La. Wals —2F 47
Bentley Mill Way. Wals —2F 47
Bentley New Dri. Wals —6H 31
Bentley Pl. Wals —1H 47
Bentley Rd. B36 —2H 105
Bentley Rd. Wolv —5A 16
Bentley Rd. N. Wals —2E 47
Bentley Rd. S. W'bry —3D 46
Bentmead Gro. B38 —6C 146
Benton Av. B11 —5C 118
Benton Clo. W'hall —5D 30
Benton Cres. Wals —5A 20
Benton Rd. B11 —5C 118
Bentons La. Wals —4G 7
Bentons Mill Cft. B7 —1C 102
Bent St. Brie H —5H 93
Ben Willetts Wlk. Row R
—2C 112
Benyon Cen., The. Wals
—2G 31
Beoley Clo. S Cold —4A 70
Beoley Gro. Redn —2F 157
Berberry Clo. B30 —1H 145
Berberry Ct. Tip —5A 62
Beresford Cres. W Brom
—4H 79
Beresford Dri. S Cold —4G 69
Beresford Rd. O'bry —2A 98
Beresford Rd. Wals —1C 32
Bericote Cft. B27 —2B 136
Berkeley Clo. Wolv —6F 25
Berkeley Dri. K'wfrd —2A 92
Berkeley Precinct. B14
—5H 147
Berkeley Rd. B25 —4G 119
Berkeley Rd. Shir —4F 149
Berkeley Rd. E. B25 —4H 119
Berkeley St. Wals —4H 47
Berkley Clo. Wals —6F 31
Berkley Ct. B1 —2E 117 (5A 4)
Berkley Cres. B13 —4C 134
Berkley Ho. B23 —1F 85
Berkley St. B1 —1E 117 (5A 4)
Berkshire Clo. W Brom
—6H 63
Berkshire Cres. W'bry —1A 64
Berkshire, The. Wals —4G 19
Berkswell Clo. Dud —4A 58
Berkswell Clo. Sol —5F 137
Berkswell Clo. S Cold —5E 37
Berkswell Rd. B24 —3H 85
Bermuda Clo. Dud —1D 76
Bernard Pl. B18 —4B 100
Bernard Rd. B17 —1F 115
Bernard Rd. O'bry —1A 114
Bernard Rd. Tip —6B 62
Bernard St. Wals —3E 49
Bernard St. W Brom —3A 80
Berners St. B19 —2F 101
Bernhard Dri. B21 —1A 100
Bernwall Clo. Stourb —1D 124
Berrandale Rd. B36 —1D 104
Berrington Dri. Bils —5D 60
Berrington Wlk. B5 —4G 117
Berrow Cottage Homes. Know
—3E 167
Berrow Dri. B15 —4A 116
Berrowside Rd. B34 —3A 106
Berry Av. W'bry —6B 46

Berrybush Gdns. Sed —6A 60
Berry Clo. B19 —3F 101
Berry Cres. Wals —1G 65
Berry Dri. Wals —4A 34
Berryfield Rd. B26 —5H 121
Berryfields. A'rdge —4A 34
Berryfields. Ston —2G 23
Berryfields Rd. S Cold —2D 70
Berry Hall La. Cath B —3C 152
Berrymound Vw. H'wd
—2C 162
Berry Rd. B8 —4E 103
Berry Rd. Dud —2E 77
Berry St. B18 —3B 100
Berry St. Wolv
—1H 43 (3C 170)
Bertha Rd. B11 —6D 118
Bertram Clo. Tip —4C 62
Bertram Rd. B9 & B10
—2D 118
Bertram Rd. Smeth —3C 98
Berwick Gro. Gt Barr —1D 66
Berwick Gro. N'fld —4B 144
Berwicks La. B37 —2D 122
(in two parts)
Berwood Farm Rd. S Cold
—1A 86
Berwood Gdns. B24 —1A 86
Berwood Gro. Sol —4F 137
Berwood La. B24 —4C 86
Berwood Pk. Cas V —5E 87
Berwood Rd. S Cold —1B 86
Berwyn Gro. Wals —2F 7
Besant Gro. B27 —4G 135
Besbury Clo. Dorr —6F 167
Bescot. —6H 47
Bescot Cres. Wals —5B 48
Bescot Cft. B42 —1D 82
Bescot Dri. Wals —5H 47
Bescot Ind. Est. W'bry —1D 62
Bescot Rd. Wals —5H 47
Bescot St. Wals —4B 48
Besford Gro. B31 —4B 144
Besford Gro. Shir —3F 165
Bessborough Rd. B25
—3B 120
Best Rd. Bils —4F 45
Best St. Crad H —1H 111
Beswick Gro. B33 —5E 105
Beta Gro. B14 —4C 148
Betjeman Pl. Wolv —6C 16
Betley Gro. B33 —4E 105
Betony Clo. Wals —2E 65
Betsam Clo. B44 —4B 68
Bettany Glade. Wolv —3A 16
Betteridge Dri. S Cold —1C 70
Betton Rd. B14 —2G 147
Bett Rd. B20 —4B 82
Betty's La. Cann —1D 8
Beulah Ct. Hale —1A 128
Bevan Av. Wolv —1A 60
Bevan Clo. Bils —5H 45
Bevan Clo. Wals —6G 21
Bevan Ind. Est. Brie H
—1E 109
Bevan Rd. Brie H —1E 109
Bevan Rd. Tip —3B 78
Bevan Way. Smeth —1D 98
Beverley Clo. S Cold —6A 70
Beverley Ct. Rd. B32 —5A 114
Beverley Cres. Wolv —1A 60
Beverley Cft. B23 —6D 84
Beverley Dri. K'wfrd —2A 92
Beverley Gro. B26 —6F 121
Beverley Rd. Redn —2G 157
Beverley Rd. W Brom —4B 64

Beverston Rd. Tip —3B 62
Beverston Rd. Wolv —5G 25
Bevington Rd. B6 —6H 83
Bevin Rd. Wals —6E 31
Bevis Gro. B44 —2H 67
Bewdley Av. B12 —5A 118
Bewdley Dri. Wolv —1D 44
Bewdley Ho. B26 —2E 121
Bewdley Rd. B30 —5D 132
Bewlay Clo. Brie H —4F 109
Bewley Rd. W'hall —5D 30
Bewlys Av. B20 —3A 82
Bexhill Gro. B15 —2E 117
Bexley Gro. W Brom —6C 64
Bexley Rd. B44 —5B 68
Bhylls Cres. Wolv —4A 42
Bhylls La. Wolv —3H 41
Bibbey's Grn. Wolv —3B 16
Bibsworth Av. B13 —5D 134
Bibury Rd. B28 —6E 135
Bicester Sq. B35 —3F 87
Bickenhill. —4F 139
Bickenhill Grn. Ct. Bick
—4F 139
Bickenhill La. B37 & B40
(in two parts) —5F 123
Bickenhill La. Cath B —1E 153
Bickenhill Pk. Rd. Sol
—4B 136
Bickenhill Rd. B37 —4C 122
Bickenhill Trad. Est. B37
—6F 123
Bickford Rd. B6 —6A 84
Bickford Rd. Wolv —4B 28
Bickington Rd. B32 —4B 130
Bickley Av. B11 —5C 118
Bickley Av. S Cold —4E 37
Bickley Gro. B26 —6F 121
Bickley Rd. Bils —4A 46
Bickley Rd. Wals —2G 33
Bicknell Cft. B14 —5G 147
Bickton Clo. B24 —1A 86
Biddings La. Bils —3D 60
Biddlestone Gro. Wals —2G 65
Biddlestone Pl. W'bry —4B 46
Biddulph Ct. S Cold —3G 69
Bideford Dri. B29 —4G 131
Bideford Rd. Smeth —4F 99
Bidford Clo. Shir —5B 150
Bidford Rd. B31 —4C 144
Bierton Rd. B25 & Yard
—3A 120
Biggin Clo. B35 —4E 87
Biggin Clo. Wolv —4E 25
Big Peg, The. B18 & Hock
—5E 101 (1A 4)
Bigwood Dri. B32 —4B 130
Bigwood Dri. S Cold —5E 55
Bilberry Cres. S Cold —2D 70
Bilberry Dri. Redn —3G 157
Bilberry Rd. B14 —1E 147
Bilboe Rd. Bils —2H 61
Bilbrook. —3H 13
Bilbrook Ct. Cod —4H 13
Bilbrook Gro. B29 —3D 130
Bilbrook Gro. Cod —4H 13
Bilbrook Ho. Cod —4H 13
Bilbrook Rd. Cod —3H 13
Bilhay La. W Brom —2G 79
Bilhay St. W Brom —2G 79
Billau Rd. Bils —3F 61
Billesley. —1C 148
Billesley La. Mose —5H 133
Billingham Clo. Sol —1F 165
Billingsley Rd. B26 —3E 121
Bills La. Shir —6F 149

Billsmore Grn. Sol —6G 137
Bills St. W'bry —4E 47
Billy Buns La. Wom —5G 57
Billy Wright Clo. Wolv —5C 42
Bilport La. W'bry —5F 63
Bilston. —6H 45
Bilston Ind. Est. Bils —6A 46
Bilston Key Ind. Est. Bils
—6H 45
Bilston La. W'hall —3A 46
Bilston Mus. & Art Gallery.
—5G 45
Bilston Rd. Tip —3B 62
Bilston Rd. W'bry —2D 62
Bilston Rd. W'hall —4A 46
Bilston Rd. Wolv
—2H 43 (4D 170)
Bilston St. Dud —5H 59
Bilston St. W'bry —5D 46
(in two parts)
Bilston St. W'hall —2A 46
Bilston St. Wolv
—2H 43 (4C 170)
Bilston St. Island. Wolv
—2H 43 (4D 170)
Bilton Grange Rd. B26
—4D 120
Bilton Ind. Est. B38 —1A 160
Binbrook Rd. W'hall —5D 30
Bincomb Av. B26 —5F 121
Binfield St. Tip —3A 78
Bingley Av. B8 —5H 103
Bingley St. Wolv —3E 43
Binley Clo. B25 —5B 120
Binley Clo. Shir —1G 163
Binstead Rd. B44 —3A 68
Binswood Rd. Hale —4G 113
Binton Cft. B13 —5H 133
Binton Rd. Shir —6F 149
Birbeck Ho. B36 —3D 106
Birbeck Pl. Brie H —3F 93
Birchall St. B12 —2H 117
Birch Av. Brie H —1C 110
Birch Av. Bwnhls —5A 10
Birch Clo. B30 —1H 145
Birch Clo. S Cold —3D 70
Birch Coppice. Brie H
(in two parts) —2C 110
Birch Coppice. Wom —1E 73
Birchcoppice Gdns. W'hall
—5E 31
Birch Ct. Smeth —1B 98
Birch Ct. Wals —5E 33
(off Lichfield Rd.)
Birch Ct. Wolv —5G 27
(off Boscobel Cres.)
Birch Cres. Tiv —6A 78
Birch Cft. Chel W —2E 123
Birch Cft. Erd —2B 86
Birchcroft. Fren W —4G 99
Birch Cft. Wals —1E 35
Birch Cft. Rd. S Cold —4B 54
Birchdale. Bils —4F 45
Birchdale Av. B23 —3E 85
Birchdale Rd. B23 —2D 84
Birch Dri. Hale —2E 113
Birch Dri. Lit A —4D 36
Birch Dri. Stourb —5C 108
Birch Dri. S Cold —4D 54
Birches Av. Cod —6A 14
Birches Barn Av. Wolv —4D 42
Birches Barn Rd. Wolv
—3D 42
Birches Clo. B13 —4H 133
Birches Green. —5G 85
Birches Grn. Rd. B24 —5H 85

Blakenall Clo. *Wals* —1B 32
Blakenall Heath. —6A 20
Blakenall Heath. *Wals* —1B 32
Blakenall La. *Wals* —2A 32
Blakenall Row. *Wals* —1B 32
Blakeney Av. *B17* —4E 115
Blakeney Av. *Stourb* —5B 108
Blakeney Clo. *Dud* —6G 59
Blakenhale Rd. *B33* —2F 121
Blakenhall. —4F 43
Blakenhall Gdns. *Wolv* —4G 43
Blakenhall Ind. Est. *Wolv*
—4F 43
Blake Pl. *B9* —1F 119
Blakesley Clo. *S Cold* —2D 86
Blakesley Gro. *B25* —2B 120
Blakesley Hall. —2C 120
Blakesley M. *B25* —3B 120
Blakesley Rd. *B25* —2A 120
Blake St. *S Cold* —3E 37
Blakewood Clo. *B34* —4G 105
Blandford Av. *B36* —6A 88
Blandford Dri. *Stourb* —6C 92
Blandford Rd. *B32* —6C 114
Blanefield. *Wolv* —5C 14
Blanning Ct. *Dorr* —5A 166
Blay Av. *Wals* —1H 47
Blaydon Av. *S Cold* —6C 38
Blaydon Rd. *Wolv* —6E 15
Blaythorn Av. *Sol* —2E 137
Blaze Hill Rd. *K'wfrd* —1G 91
Blaze Pk. *K'wfrd* —1H 91
Bleak Hill Rd. *B23* —3C 84
Bleakhouse Rd. *O'bry*
—2A 114
Bleak St. *Smeth* —3D 98
Blenheim Clo. *Wals* —2C 34
Blenheim Ct. *B44* —5H 67
Blenheim Ct. *Sol* —3G 151
Blenheim Dri. *B43* —5H 65
Blenheim Rd. *B13* —4H 133
Blenheim Rd. *Cann* —1F 9
Blenheim Rd. *K'wfrd* —3D 92
Blenheim Rd. *Shir* —5B 150
Blenheim Rd. *W'hall* —3B 30
Blenheim Way. *B44* —5H 67
Blenheim Way. *Cas V* —5F 87
Blenheim Way. *Dud* —5A 76
Bletchley Rd. *B24* —3C 86
Blewitt Clo. *B36* —5H 87
Blewitt St. *Brie H* —3G 93
Blews St. *B6* —4G 101
Blithe Clo. *Stourb* —3E 109
Blithfield Dri. *Brie H* —4F 109
Blithfield Gro. *B24* —2A 86
Blithfield Rd. *Wals* —3F 9
Blockall. *W'bry* —4D 46
Blockall Clo. *W'bry* —5C 46
Bloomfield. —6G 61
Bloomfield Clo. *Wom* —1D 72
Bloomfield Dri. *W'hall* —6D 18
Bloomfield Rd. *B13* —2B 134
Bloomfield Rd. *Tip & Bloom*
—1G 77
Bloomfield St. N. *Hale*
—6H 111
Bloomfield St. W. *Hale*
—1H 127
Bloomfield Ter. *Tip* —1F 77
Bloomsbury Gro. *B30 & B14*
—6E 133
Bloomsbury St. *B7* —4B 102
Bloomsbury St. *Wolv*
—3G 43 (5A 170)
Bloomsbury Wlk. *B7* —4B 102
(in two parts)

Blossom Av. *B29* —3B 132
Blossomfield. —5D 150
Blossomfield Clo. *B38*
—1H 159
Blossomfield Clo. *K'wfrd*
—1C 92
Blossomfield Ct. *B38* —1H 159
Blossomfield Rd. *Sol* —6C 150
Blossom Gro. *B36* —1C 104
Blossom Gro. *Crad H* —2H 111
Blossom Hill. *B24* —4G 85
Blossom's Fold. *Wolv*
—1G 43 (3B 170)
Blossomville Way. *B27*
—1H 135
Blounts Rd. *B23* —2C 84
Blower's Green. —2D 94
Blower's Grn. Cres. *Dud*
—2D 94
Blower's Grn. Pl. *Dud* —2D 94
Blower's Grn. Rd. *Dud* —2D 94
Bloxcidge St. *O'bry* —5H 97
Bloxwich. —6H 19
Bloxwich Bus. Pk. *Wals*
—2G 31
Bloxwich La. *Wals* —5G 31
Bloxwich Rd. *Wals* —2A 32
Bloxwich Rd. N. *W'hall*
—3D 30
Bloxwich Rd. S. *W'hall*
—6A 30
Blucher St. *B1* —2F 117 (6C 4)
Blue Ball La. *Hale* —5E 111
Blue Bell Clo. *Stourb* —1A 108
Bluebell Cres. *Wed* —4F 29
Bluebell Dri. *B37* —1F 123
Bluebell La. *Wals* —4G 7
Bluebell Rd. *Crad H* —6G 95
Bluebell Rd. *Dud* —4D 76
Bluebell Rd. *Wals W* —4D 22
Bluebellwood Clo. *S Cold*
—2E 71
Bluebird Cen. Ind. Est. *Wolv*
—4A 28
Blue Bird Pk. *Hunn* —5A 128
Blue Cedars. *Stourb* —5A 108
Blue Lake Rd. *Dorr* —6H 167
Blue La. E. *Wals* —6B 32
Blue La. W. *Wals* —1B 48
Blue Rock Pl. *Tiv* —2C 96
Blue Stone Wlk. *Row R*
—3C 96
Blundell Rd. *B11* —6D 118
Blyth Ct. *Sol* —6D 136
Blythe Ct. *Col* —2H 107
Blythefield Av. *B43* —3G 65
Blythe Gdns. *Cod* —3F 13
Blythe Gro. *B44* —2H 67
Blythe Rd. *Col* —2H 107
Blythe Valley Bus. Pk. *H'ley H*
—6E 165
Blythe Way. *Sol* —4A 152
Blythewood Clo. *Sol* —6B 152
Blythsford Rd. *B28* —3F 149
Blythswood Rd. *B11* —1G 135
Blyton Clo. *B16* —6B 100
Board School Gdns. *Dud*
—1A 76
Boar Hound Clo. *B18* —5C 100
Boat La. *Lich* —4H 11
Boatmans La. *Wals* —5A 22
Bobbington Way. *Dud* —4F 95
Bob's Coppice Wlk. *Brie H*
—4B 110
Bodenham Rd. *B31* —5C 144
Bodenham Rd. *O'bry* —3H 113

Boden Rd. *B28* —6F 135
Bodens La. *Wals* —4C 50
Bodiam Ct. *Wolv* —6G 25
Bodicote Gro. *S Cold* —6C 38
Bodington Rd. *S Cold* —6H 37
Bodmin Clo. *Wals* —4H 49
Bodmin Ct. *Brie H* —1H 109
Bodmin Gro. *B7* —4B 102
Bodmin Ri. *Wals* —4H 49
Bodmin Rd. *Dud* —1F 111
Bognop Rd. *Ess* —3E 17
Boldmere. —5F 69
Boldmere Clo. *S Cold* —6G 69
Boldmere Ct. *B43* —6A 66
(off South Vw.)
Boldmere Dri. *S Cold* —5G 69
Boldmere Gdns. *S Cold*
—5F 69
Boldmere Rd. *S Cold* —3F 69
Boldmere Ter. *B29* —4A 132
Boleyn Clo. *Wals* —3D 6
Boleyn Mnr. Dri. *Redn*
—6G 143
Boleyn Rd. *Redn* —6D 142
Bolney Rd. *B32* —6C 114
Bolton Ct. *Tip* —5C 62
Bolton Ind. Cen. *B19* —3D 100
Bolton Rd. *B10* —3B 118
Bolton Rd. *Wolv* —4E 29
Bolton St. *B9* —1B 118
Bolton Way. *Wals* —4F 19
Bomers Fld. *Redn* —3A 158
Bond Dri. *B35* —4E 87
Bondfield Rd. *B13* —1B 148
Bond Sq. *B18* —5C 100
Bond St. *Bils* —5C 60
Bond St. *Hock* —5F 101 (1C 4)
Bond St. *Row R* —6E 97
Bond St. *Stir* —6C 132
Bond St. *W Brom* —5A 80
Bond St. *Wolv*
—2G 43 (5B 170)
Bond, The. *B5* —1A 118
Bone Mill La. *Wolv* —5H 27
Bonham Gro. *B25* —2B 120
Boningale Way. *Dorr* —6H 165
Bonner Dri. *S Cold* —2D 86
Bonner Gro. *Wals* —4B 34
Bonnington Way. *B43* —1F 67
Bonny Stile La. *Wolv* —3D 28
Bonsall Rd. *B23* —1G 85
Bonville Gdns. *Wolv* —3A 16
Booth Clo. *K'wfrd* —3E 93
Booth Clo. *Wals* —1B 32
Booth Ct. *Brie H* —1H 109
Booth Ho. *Wals* —6D 32
Booth Rd. *W'bry* —3A 64
Booth's Farm Rd. *B42* —6C 66
Booth's La. *B42* —4D 66
Booth St. *Smeth & B21*
—2G 99
Booth St. *Wals* —1A 32
Booth St. *W'bry* —3D 46
Bordeaux Clo. *Dud* —4A 76
Borden Clo. *Wolv* —1D 26
Bordesley. —2B 118
Bordesley Cir. *B10* —2B 118
Bordesley Clo. *B9* —1G 119
Bordesley Green. —1E 119
Bordesley Grn. *B9* —1D 118
Bordesley Grn. E. *Bord G &
Stech* —1H 119
Bordesley Grn. Rd. *B9 & B8*
—1D 118
Bordesley Grn. Trad. Est. *B8*
—6D 102

Bordesley Middleway. *Camp H*
—3A 118
Bordesley Pk. Rd. *B10*
—2B 118
Bordesley St. *B5*
—1H 117 (4G 5)
Borneo St. *Wals* —5D 32
Borough Cres. *O'bry* —4E 97
Borough Cres. *Stourb*
—6C 108
Borrowdale Clo. *Brie H*
—4F 109
Borrowdale Gro. *B31* —4B 144
Borrowdale Rd. *B31* —4A 144
Borrow St. *W'hall* —6A 30
Borwick Av. *W Brom* —4G 79
Bosbury Ter. *B30* —6D 132
Boscobel Av. *Tip* —3H 77
Boscobel Clo. *Dud* —4B 76
Boscobel Cres. *Wolv* —5G 27
Boscobel Rd. *B43* —3H 65
Boscobel Rd. *Shir* —4B 164
Boscobel Rd. *Wals* —3F 49
Boscombe Av. *B11* —5C 118
Boscombe Rd. *B11* —1E 135
Bossgate Clo. *Wom* —3G 73
Boston Gro. *B44* —5B 68
Bosty La. *Wals* —4G 33
Boswell Clo. *Darl* —6D 46
Boswell Clo. *W'bry* —4C 62
Boswell Rd. *B44* —1H 83
Boswell Rd. *Bils* —4H 45
Boswell Rd. *S Cold* —5A 54
Bosworth Clo. *Dud* —1B 76
Bosworth Ct. *Sheld* —6E 121
Bosworth Dri. *B37* —1B 122
Bosworth Rd. *B26* —1C 136
Botany Dri. *Dud* —2H 75
Botany Rd. *Wals* —6D 48
Botany Wlk. *B16* —1C 116
Botha Rd. *B9* —6E 103
Botteley Rd. *W Brom* —1G 79
Botterham La. *Swind* —4E 73
Bottetourt Rd. *B29* —2E 131
(in two parts)
Botteville Rd. *B27* —3A 136
Bott La. *Stourb* —5H 109
Bott La. *Wals* —2D 48
Bouchall. —5F 109
Boughton Rd. *B25* —4A 120
Boulevard, The. *Brie H*
—1A 110
Boulevard, The. *S Cold*
—5H 69
Boultbee Rd. *S Cold* —6A 70
Boulton Ho. *W Brom* —6B 80
Boulton Ind. Cen. *Hock*
—4D 100
Boulton Middleway. *Hock*
—4D 100
Boulton Pl. *Smeth* —5F 99
Boulton Point. *B6* —1B 102
Boulton Retreat. *B21* —2A 100
Boulton Rd. *B21* —2A 100
Boulton Rd. *Smeth* —3H 99
Boulton Rd. *Sol* —6G 137
Boulton Rd. *W Brom* —6B 80
Boulton Sq. *W Brom* —6B 80
Boulton Ter. *B21* —2A 100
Boulton Wlk. *B23* —3B 84
Boundary Av. *Row R* —1E 113
Boundary Clo. *W'hall* —2E 45
Boundary Ct. *B37* —1A 122
Boundary Cres. *Dud* —4G 75
Boundary Dri. *Mose* —3F 133
Boundary Hill. *Dud* —4G 75

Boundary Ho. *B5* —6E **117**
Boundary Ho. *Wyt* —6G **161**
Boundary Pl. *B21* —6G **81**
Boundary Rd. *S Cold* —4H **51**
Boundary Rd. *Wals W* —4B **22**
Boundary Way. *Comp* —1F **41**
Boundary Way. *Penn* —6A **42**
Bourlay Clo. *Redn* —5E **143**
Bournbrook. —3B 132
Bournbrook Rd. *B29* —2C **132**
Bourne Av. *Hale* —1F **129**
Bourne Av. *Tip* —6C **62**
Bournebrook Clo. *Dud* —4E **95**
Bournebrook Cres. *Hale*
—1G **129**
Bourne Clo. *B13* —1D **148**
Bourne Clo. *Sol* —1H **151**
Bourne Grn. *B32* —5C **114**
Bourne Hill Clo. *Dud* —6G **95**
Bourne Rd. *B6* —2B **102**
Bournes Clo. *Hale* —2H **127**
Bournes Hill. *Hale* —1G **127**
Bourne St. *Dud* —6F **77**
Bourne St. *Woods & Bils*
—6C **60**
Bourne Va. *Wals* —6F **35**
Bourne Wlk. *Row R* —4H **95**
Bourne Way Gdns. *B29*
—5C **132**
Bourn Mill Dri. *B6* —3G **101**
Bournvale Wlk. *B32* —2D **130**
Bournville. —6A 132
Bournville La. *B30* —6H **131**
Bourton Clo. *Wals* —2E **65**
Bourton Cft. *Sol* —5D **136**
Bourton Rd. *Sol* —5D **136**
Bovey Cft. *S Cold* —6E **71**
Bovingdon Rd. *B35* —4E **87**
Bowater Av. *B33* —2B **120**
Bowater Ho. B19 —4F 101
(off Aldgate Gro.)
Bowater Ho. *W Brom* —5A **80**
Bowater St. *W Brom* —4A **80**
Bowbrook Av. *Shir* —4E **165**
Bowcroft Gro. *B24* —1A **86**
Bowden Rd. *Smeth* —3C **98**
Bowdler Rd. *Wolv*
—3H **43** (6D **170**)
Bowen Av. *Wolv* —2C **60**
Bowen-Cooke Av. *Pert* —3E **25**
Bowen St. *Wolv* —6A **44**
Bowercourt Clo. *Sol* —6F **151**
Bower Ho. *B19* —3F **101**
Bower La. *Brie H* —3B **110**
Bowes Rd. *Redn* —2E **157**
Bowker St. *W'hall* —2E **45**
Bowlas Av. *S Cold* —3H **53**
Bowling Green. —6F 95
Bowling Grn. Clo. *B23* —6E **69**
Bowling Grn. Clo. *W'bry*
—4D **46**
Bowling Grn. La. *B20* —1C **100**
Bowling Grn. Rd. *Dud* —6F **95**
Bowling Grn. Rd. *Small H*
—2C **118**
Bowling Grn. Rd. *Stourb*
—6C **108**
Bowman Rd. *B42* —4D **66**
Bowmans Ri. *Wolv* —6C **28**
Bowood Cres. *B31* —5F **145**
Bowood Dri. *Wolv* —3B **26**
Bowood End. *S Cold* —2C **70**
Bowshot Clo. *B36* —6H **87**
Bowstoke Rd. *B43* —5G **65**
Bow St. *B1* —2F **117** (6D **4**)

Bow St. *Bils* —5G **45**
Bow St. *W'hall* —2B **46**
Bowyer Rd. *B8* —5E **103**
Bowyer St. *B10* —2A **118**
Boxhill Clo. *B6* —3H **101**
Box Rd. *B37* —3E **123**
Box St. *Wals* —2D **48**
Box Trees Rd. *H'ley H & Dorr*
—6H **165**
Boyd Gro. *B27* —3H **135**
Boydon Clo. *Wolv* —5C **44**
Boyleston Rd. *B28* —1G **149**
Boyne Rd. *B26* —4E **121**
Boyton Gro. *B44* —2H **67**
Brabazon Gro. *B35* —4D **86**
Brabham Cres. *S Cold* —5H **51**
Bracadale Av. *B24* —3G **85**
Bracebridge Clo. *Bal C*
—3H **169**
Bracebridge Rd. *B24* —6F **85**
Bracebridge Rd. *S Cold*
—3F **53**
Bracebridge St. *B6* —3G **101**
Braceby Av. *B13* —6C **134**
Brace St. *Wals* —3C **48**
(in two parts)
Brackenbury Rd. *B44* —5B **68**
Bracken Clo. *Wolv* —6C **14**
Bracken Cft. *B37* —6E **107**
Brackendale Dri. *Wals* —2F **65**
Brackendale Way. *Stourb*
—1H **125**
Bracken Dri. *S Cold* —6E **55**
Brackenfield Rd. *B44* —3E **67**
Brackenfield Rd. *Hale*
—2G **127**
Brackenfield Vw. *Dud* —1H **93**
Bracken Pk. Gdns. *Word*
—1D **108**
Bracken Rd. *B24* —5A **86**
Bracken Way. *B38* —2A **160**
Bracken Way. *S Cold* —3H **51**
Brackenwood. *Wals* —6H **49**
Brackenwood Dri. *Wolv*
—4H **29**
Brackley Av. *B20* —6E **83**
Brackleys Way. *Sol* —3D **136**
Bradburne Way. *B7* —4A **102**
Bradburn Rd. *Wolv* —1D **28**
Bradbury Clo. *Wals* —2B **22**
Bradbury Rd. *Sol* —4D **136**
Braden Rd. *Wolv* —2B **58**
Brades Clo. *Hale* —4D **110**
Brades Ri. *O'bry* —1D **96**
Brades Rd. *O'bry* —6E **79**
Brades Village. —6E 79
Bradewell Rd. *B36* —6H **87**
Bradfield Rd. *B42* —6F **67**
Bradford Clo. *B43* —6B **66**
Bradford Cotts. *Tip* —4A **78**
Bradford Ct. *B12* —3A **118**
Bradford La. *Wals* —2C **48**
Bradford Mall. *Wals* —2C **48**
Bradford Pl. *B11* —5A **118**
Bradford Pl. *Wals* —2C **48**
Bradford Pl. *W Brom* —1C **98**
Bradford Rd. *B36* —1E **105**
Bradford Rd. *Dud* —3B **94**
Bradford Rd. *Wals* —5A **10**
Bradford St. *B42* —1B **82**
Bradford St. *B5 & B12*
—2H **117** (6F **5**)
Bradford St. *Wals* —2C **48**
Bradgate Clo. *W'hall* —3C **30**
Bradgate Dri. *S Cold* —4E **37**
Bradley. —2G 61

Bradley Cft. *Bal C* —3H **169**
Bradley La. *Bils* —2H **61**
Bradleymore Rd. *Brie H*
—6H **93**
Bradley Rd. *B34* —3H **105**
Bradley Rd. *Stourb* —5D **108**
Bradley Rd. *Wolv* —4A **44**
Bradleys Clo. *Crad H* —4G **111**
Bradley's La. *Bils & Tip*
—5F **61**
Bradley St. *Bils* —1H **61**
Bradley St. *Brie H* —2F **93**
Bradley St. *Tip* —5H **77**
Bradmore. —3C 42
Bradmore Clo. *Sol* —1E **165**
Bradmore Gro. *B29* —5E **131**
Bradmore Rd. *Wolv* —3D **42**
Bradnock Clo. *B13* —6C **134**
Bradnock's Marsh. —4D 154
Bradnocks Marsh La. *H Ard*
—6D **154**
Bradshaw Av. *B38* —6H **145**
Bradshaw Av. *W'bry* —6B **46**
Bradshaw Clo. *Tip* —4A **78**
Bradshawe St. *B28* —4D **148**
Bradshaw St. *Wolv* —1A **44**
Bradstock Rd. *B30* —3E **147**
Bradwell Cft. *S Cold* —6C **38**
Braemar Av. *Stourb* —2A **108**
Braemar Clo. *Dud* —4G **59**
Braemar Clo. *W'hall* —3B **30**
Braemar Dri. *B23* —2B **84**
Braemar Rd. *Cann* —1E **9**
Braemar Rd. *Sol* —4C **136**
Braemar Rd. *S Cold* —3F **69**
Braeside Cft. *B37* —1F **123**
Braeside Way. *Wals* —4D **20**
Bragg Rd. *B20* —5F **83**
Braggs Farm La. *Shir* —5F **163**
Braid Clo. *B38* —6H **145**
Brailes Clo. *Sol* —6A **138**
Brailes Dri. *S Cold* —2D **70**
Brailes Gro. *B9* —2H **119**
Brailsford Clo. *Wolv* —1G **29**
Brailsford Dri. *Smeth* —4E **99**
Braithwaite Dri. *K'wfrd* —3B **92**
Braithwaite Rd. *B11* —4B **118**
Bramah Way. *Tip* —1C **78**
Bramber Dri. *Wom* —1F **73**
Bramber Way. *Stourb*
—3D **124**
Bramble Clo. *Aston* —2G **101**
Bramble Clo. *Col* —2H **107**
Bramble Clo. *Crad H* —5H **95**
Bramble Clo. *N'fld* —1D **144**
Bramble Clo. *Wals* —2A **22**
Bramble Clo. *W'hall* —2C **30**
Bramble Dell. *B9* —6G **103**
Bramble Dri. *B26* —5E **121**
Bramble Grn. *Dud* —2B **76**
Brambleside. *Stourb* —2D **108**
Brambles, The. *Stourb*
—2H **125**
Brambles, The. *S Cold* —5E **71**
Bramblewood Dri. *Wolv*
—3C **42**
Bramblewoods. *B34* —4G **105**
Brambling Wlk. *B15* —4E **117**
Brambling Wlk. *Brie H*
—5G **109**
Bramcote Dri. *Sol* —6G **137**
Bramcote Ri. *S Cold* —4A **54**
Bramcote Rd. *B32* —6A **114**
Bramdean Wlk. *Wolv* —5A **42**
Bramerton Clo. *Wolv* —3C **28**
Bramford Dri. *Dud* —1D **76**

Bramley Clo. *B43* —2F **67**
Bramley Clo. *Wals* —3H **49**
Bramley Cft. *Shir* —5A **150**
Bramley Dri. *Hand* —4D **82**
Bramley Dri. *H'wd* —3B **162**
Bramley M. Ct. *B27* —6A **120**
Bramley Rd. *B27* —6A **120**
Bramley Rd. *Wals* —1F **65**
Brampton Av. *B28* —1G **149**
Brampton Cres. *Shir* —1H **149**
Bramshall Dri. *Dorr* —6A **166**
Bramshaw Clo. *B14* —5H **147**
Bramstead Av. *Wolv* —1H **41**
Branchal Rd. *Wals* —6E **23**
Branch Rd. *B38* —1A **160**
Brandhall. —3H 113
Brandhall Ct. *O'bry* —1G **113**
Brandhall La. *O'bry* —2H **113**
Brandhall Rd. *O'bry* —1H **113**
Brandon Clo. *Dud* —6A **60**
Brandon Clo. *Wals* —6H **35**
Brandon Clo. *W Brom* —5G **79**
Brandon Gro. *B31* —2D **158**
Brandon Pk. *Wolv* —4C **42**
Brandon Pas. *B16* —6A **100**
Brandon Pl. *B34* —2H **105**
Brandon Rd. *B28* —3E **135**
Brandon Rd. *Hale* —2E **113**
Brandon Rd. *Sol* —6G **137**
Brandon Thomas Ct. *B6*
—1B **102**
Brandon Way. *Brie H* —3A **110**
Brandon Way. *W Brom*
—4G **79**
Brandon Way Ind. Est.
W Brom —5F **79**
Brandwood End. —3F 147
Brandwood Gro. *B14* —2F **147**
Brandwood Pk. Rd. *B14*
—2D **146**
Brandwood Rd. *B14* —3F **147**
Branfield Clo. *Bils* —4C **60**
Bransome Av. *B21* —1B **100**
Branscombe Clo. *B14* —2F **147**
Bransdale Clo. *Wolv* —4E **27**
Bransdale Rd. *Clay* —6A **10**
Bransford Ri. *Cath B* —2D **152**
Branston Ct. *B18* —4E **101**
Branston St. *B18* —4E **101**
Brantford Rd. *B25* —3A **120**
Branthill Cft. *Sol* —6F **151**
Brantley Av. *Wolv* —2A **42**
Brantley Rd. *B6* —5A **84**
Branton Hill La. *Wals* —4E **35**
Brasshouse La. *Smeth*
—3D **98**
Brassie Clo. *B38* —6H **145**
Brassington Av. *S Cold*
—1H **69**
Bratch Clo. *Dud* —6E **95**
Bratch Comn. Rd. *Wom*
—6E **57**
Bratch Hollow. *Wom* —5G **57**
Bratch La. *Wom* —5F **57**
Bratch Pk. *Wom* —5F **57**
Bratch, The. —5E 57
Bratt St. *W Brom* —3A **80**
Braunston Clo. *S Cold* —3E **71**
Brawnes Hurst. *B26* —2E **121**
Brayford Av. *Brie H* —4F **109**
Braymoor Rd. *B33* —2A **122**
Brays Rd. *B26* —5E **121**
Bray St. *W'hall* —1B **46**
Bream Clo. *B37* —1E **123**
Breamore Cres. *Dud* —4B **76**
Brean Av. *B26* —6D **120**

Broughton Rd. *B20* —1C **100**
Broughton Rd. *Stourb*
    —2H **125**
Broughton Rd. *Wolv* —2A **42**
Brownfield Rd. *B34* —3G **105**
Brownhills. —6B 10
Brownhills Common. —4H 9
Brownhills Rd. *Nort C* —1E **9**
Brownhills Rd. *Wals* —2B **22**
Brownhills West. —3G 9
Browning Clo. *W'hall* —2E **31**
Browning Cres. *Wolv* —5G **15**
Browning Gro. *Pert* —5E **25**
Browning Rd. *Dud* —3E **75**
Browning St. *B16* —1D **116**
Browning Tower. *B31*
    —4G **145**
Brownley Rd. *Shir* —2B **164**
Brown Lion St. *Tip* —6G **61**
Brown Rd. *W'bry* —4C **46**
Brown's Coppice Av. *Sol*
    —2B **150**
Brown's Dri. *S Cold* —5F **69**
Brownsea Clo. *Redn* —6E **143**
Brownsea Dri. *B1*
    —2F **117** (6C **4**)
Brown's Green. —4B 82
Browns Grn. *B20* —4B **82**
Brownshore La. *Ess* —3A **18**
Browns La. *Know* —3A **166**
Brownsover Clo. *B36* —6F **87**
Brown St. *Tip* —2H **77**
Brown St. *Wolv* —4H **43**
Brownswall Est. *Dud* —6F **59**
Brownswall Rd. *Dud* —6F **59**
Broxwood Pk. *Wolv* —6H **25**
Brueton Av. *Sol* —4H **151**
Brueton Dri. *B24* —4G **85**
Brueton Rd. *Bils* —4A **46**
Bruford Rd. *Wolv* —3E **43**
Brunel Clo. *B12* —6A **118**
Brunel Ct. *Bils* —5G **61**
Brunel Ct. *W'bry* —5F **47**
Brunel Gro. *Pert* —3E **25**
Brunel Rd. *O'bry* —3D **96**
Brunel St. *B2* —1F **117** (5C **4**)
Brunel Wlk. *W'bry* —5F **47**
Brunel Way. *E'shll* —4C **44**
Brunslow Clo. *W'hall* —2C **46**
Brunslow Clo. *Wolv* —6G **15**
Brunswick Ct. *W'bry* —2A **64**
Brunswick Gdns. *B21* —6B **82**
Brunswick Gdns. *B19*
    —2E **101**
Brunswick Ga. *Stourb*
    —4E **125**
Brunswick Ho. *B34* —2E **105**
Brunswick Ho. *B37* —3B **122**
Brunswick Pk. Rd. *W'bry*
    —2G **63**
Brunswick Rd. *Hand* —6B **82**
Brunswick Rd. *S'brk* —6A **118**
Brunswick Sq. *B1*
    —1D **116** (5A **4**)
Brunswick St. *B1*
    —1D **116** (5A **4**)
Brunswick St. *Wals* —4A **48**
Brunswick Ter. *W'bry* —2F **63**
Brunton Rd. *B10* —4F **119**
Brushfield Rd. *B42* —5F **67**
Brutus Dri. *Col* —6G **89**
Bryan Av. *Wolv* —1B **58**
Bryan Rd. *Wals* —6A **48**
Bryanston Ct. *Sol* —6D **136**
Bryanston Rd. *Sol* —1D **150**
Bryant St. *B18* —4A **100**

Bryce Rd. *Brie H* —4E **93**
    (in two parts)
Bryher Wlk. *Redn* —6E **143**
Brylan Cft. *B44* —1H **83**
Brymill Ind. Est. *Tip* —6G **61**
Bryn Arden Rd. *B26* —6C **120**
Bryndale Av. *B14* —2E **147**
Brynmawr Rd. *Bils* —2C **60**
Brynside Clo. *B14* —5F **147**
Bryony Cft. *Erd* —6B **68**
Bryony Gdns. *Darl* —4D **46**
Bryony Rd. *B29* —6F **131**
Buchanan Av. *Wals* —6E **33**
Buchanan Clo. *Wals* —6E **33**
Buchanan Rd. *Wals* —6E **33**
Buckbury Clo. *Stourb*
    —4H **125**
Buckbury Cft. *Shir* —3F **165**
Buckingham Clo. *W'bry*
    —1A **64**
Buckingham Ct. *B29* —4A **132**
Buckingham Dri. *W'hall*
    —2B **30**
Buckingham Gro. *K'wfrd*
    —2A **92**
Buckingham M. *S Cold*
    —2G **69**
Buckingham Ri. *Dud* —5A **76**
Buckingham Rd. *B36* —2B **106**
Buckingham Rd. *Row R*
    —5D **96**
Buckingham Rd. *Wolv* —1E **59**
Buckingham St. *B19* —5F **101**
Buckland End. —2D 104
Buckland End. *B34* —3E **105**
Bucklands End La. *B34*
    —3D **104**
Buckle Clo. *Wals* —3D **48**
Buckley Rd. *Wolv* —6B **42**
Bucklow Wlk. *B33* —5D **104**
Buckminster Dri. *Dorr*
    —5A **166**
Bucknall Cres. *B32* —5G **129**
Bucknall Rd. *Wolv* —6B **18**
Bucknell Clo. *Sol* —2G **151**
Buckpool. —1C 108
Buckridge Clo. *B38* —2H **159**
Buckton Clo. *S Cold* —6C **38**
Budbrooke Gro. *B34* —3A **106**
Budden Rd. *Cose* —6F **61**
Bude Rd. *Wals* —4H **49**
Buffery Rd. *Dud* —2F **95**
Bufferys Clo. *Sol* —1F **165**
Buildwas Clo. *Wals* —5F **19**
Bulford Clo. *B14* —5H **147**
Bulger Rd. *Bils* —4E **45**
Bullace Cft. *B15* —2A **132**
Buller St. *Wolv* —6A **44**
Bullfields Clo. *Row R* —4H **95**
Bullfinch Clo. *Dud* —1A **94**
Bullivents Clo. *Ben H*
    —4B **166**
Bull La. *Bils* —2B **62**
Bull La. *W Brom* —4G **79**
Bull La. *Wom* —5G **57**
Bull Mdw. La. *Wom* —5G **57**
Bullock's Row. *Wals* —2D **48**
Bullock St. *B7* —4A **102**
Bullock St. *W Brom* —1B **98**
Bullows Rd. *Bwnhls* —1G **21**
Bull Ring. *B5* —1G **117** (5F **5**)
Bull Ring. *Dud* —5H **59**
Bull Ring. *Hale* —2B **128**
Bull Ring. *W'hall* —6A **30**
Bull Ring Cen. *B5*
    —1G **117** (5E **5**)

Bull Ring Trad. Est. *B12*
    —2H **117** (6H **5**)
Bull's La. *Wis* —2F **71**
    (in two parts)
Bull St. *B4* —6G **101** (3E **5**)
Bull St. *Brie H* —1E **109**
    (in two parts)
Bull St. *Dud* —1C **94**
Bull St. *Gorn W* —5G **75**
Bull St. *Harb* —5H **115**
Bull St. *W'bry* —5E **47**
Bull St. *W Brom* —4B **80**
Bull St. Trad. Est. *Brie H*
    —2F **109**
Bulwell Clo. *B6* —2A **102**
Bulwer St. *Wolv* —6H **27**
Bumble Hole. —4G 95
Bumblehole Meadows. *Wom*
    —6F **57**
Bunbury Gdns. *B30* —3G **145**
Bunbury Rd. *B31* —3F **145**
Bundle Hill. *Hale* —1A **128**
Bungalow, The. *W Brom*
    —3F **79**
Bunker's Hill. —4G 45
Bunkers Hill La. *Bils* —3G **45**
Bunn's La. *Dud* —6H **77**
Burbage Clo. *Wolv* —3B **28**
Burberry Gro. *Bal C* —3G **169**
Burbidge Rd. *B9* —6D **102**
Burbury St. *B19* —2E **101**
Burbury St. S. *B19* —3E **101**
Burcombe Tower. *B23* —1H **85**
Burcot Av. *Wolv* —1C **44**
Burcote Rd. *B24* —4B **86**
Burcot Wlk. *Wolv* —1C **44**
Burdock Clo. *Wals* —2E **65**
Burdock Rd. *B29* —1E **145**
Burdons Clo. *B34* —4E **105**
Bure Gro. *W'hall* —1D **46**
Burfield Rd. *Hale* —5E **111**
Burford Clo. *Sol* —2E **137**
Burford Clo. *Wals* —2E **65**
Burford Pk. Rd. *B38* —1A **160**
Burford Rd. *H'wd* —3H **161**
Burford Rd. *K'sdng* —6H **67**
Burgess Cft. *Sol* —6B **138**
Burghley Dri. *W Brom* —3D **64**
Burghley Wlk. *Brie H* —3F **109**
Burgh Way. *Wals* —4G **31**
Burhill Way. *B37* —4D **106**
Burke Av. *B13* —4D **134**
Burkitt Dri. *Tip* —5C **62**
Burland Av. *Wolv* —2C **26**
Burleigh Clo. *Bal C* —2H **169**
Burleigh Clo. *W'hall* —3B **30**
Burleigh Cft. *Burn* —1C **10**
Burleigh Rd. *Wolv* —4E **43**
Burleigh St. *Wals* —2E **49**
Burleton Rd. *B33* —1A **122**
Burley Clo. *Shir* —5F **149**
Burley Way. *B38* —1G **159**
Burlington Arc. *B2* —4D **4**
Burlington Av. *W Brom*
    —6C **80**
Burlington Pas. *B2* —4D **4**
Burlington Rd. *B10* —2E **119**
Burlington Rd. *W Brom*
    —6C **80**
Burlington St. *B6* —3G **101**
Burlish Av. *Sol* —4D **136**
Burman Clo. *Shir* —5G **149**
Burman Dri. *Col* —4H **107**
Burman Rd. *Shir* —5F **149**
Burmarsh Wlk. *Wolv* —1D **26**
Burmese Way. *Row R* —3H **95**

Burnaston Cres. *Shir* —3G **165**
Burnaston Rd. *B28* —4E **135**
Burnbank Gro. *B24* —3H **85**
Burncross Way. *Wolv* —3B **28**
Burnell Gdns. *Wolv* —3C **42**
Burnel Rd. *B29* —3E **131**
Burnett Ho. *O'bry* —4D **96**
Burnett Rd. *S Cold* —1B **52**
Burney La. *B8* —4A **104**
Burnfields Clo. *Wals* —2C **34**
Burnham Av. *B25* —5A **120**
Burnham Av. *Wolv* —1F **27**
Burnham Clo. *K'wfrd* —5D **92**
Burnham Ct. Brie H —1H 109
    (off Hill St.)
Burnham Mdw. *B28* —1G **149**
Burnham Rd. *B44* —6G **67**
Burnhill Gro. *B29* —5E **131**
Burnlea Gro. *B31* —6G **145**
Burnsall Clo. *B37* —1B **122**
Burnsall Clo. *Pend* —4E **15**
Burns Av. *Tip* —5A **62**
Burns Av. *Wolv* —6H **15**
Burns Clo. *Stourb* —3E **109**
Burns Gro. *Dud* —3E **75**
Burnside Ct. *S Cold* —4G **69**
Burnside Gdns. *Wals* —5H **49**
Burnside Way. *B31* —2D **158**
Burns Pl. *W'bry* —6A **46**
Burns Rd. *W'bry* —6A **46**
Burnthurst Cres. *Shir* —2E **165**
Burnt Oak Dri. *Stourb* —6F **109**
Burnt Tree. —5H 77
Burnt Tree. *Tip* —5H **77**
Burnt Tree Ho. *Tip* —5H **77**
Burntwood Rd. *Hamm* —1F **11**
Burrelton Way. *B43* —5H **65**
Burrington Rd. *B32* —5G **129**
Burrowes St. *Wals* —6B **32**
Burrow Hill Clo. *B36* —1G **105**
Burrows Ho. Wals —6B 32
    (off Burrowes St.)
Burrows Rd. *K'wfrd* —5D **92**
Bursledon Wlk. *Wolv* —3E **45**
Burslem Clo. *Wals* —3G **19**
Bursnips Rd. *Ess* —5B **18**
Burton Av. *Wals* —1F **33**
Burton Cres. *Wolv* —6A **28**
Burton Farm Rd. *Wals* —6F **33**
Burton Rd. *Dud* —3B **76**
Burton Rd. *Wolv* —6A **28**
Burton Rd. E. *Dud* —3B **76**
Burton Wood Dri. *B20* —5F **83**
Buryfield Rd. *Sol* —1E **151**
Bury Hill Rd. *O'bry* —1D **96**
Bury Mound Ct. *Shir* —5C **148**
Bush Av. *Smeth* —4G **99**
Bushbury. —6A 16
Bushbury Ct. *Bush* —5A **16**
Bushbury Cft. *B37* —6E **107**
Bushbury La. *Wolv* —3G **27**
Bushbury Rd. *B33* —4E **105**
Bushbury Rd. *Wolv* —3C **28**
Bushell Dri. *Sol* —3H **151**
Bushey Clo. *S Cold* —1H **51**
Bushey Fields Rd. Dud
    —1A **94**
Bush Gro. *B21* —6G **81**
Bush Gro. *Wals* —5E **21**
Bushley Cft. *Sol* —1F **165**
Bushman Way. *B34* —4A **106**
Bushmore Rd. *B28* —1G **149**
Bush Rd. *Dud* —1E **111**
Bush Rd. *Tip* —3G **77**
Bush St. *W'bry* —4D **46**

Canterbury Av.—Cedar Dri.

Canterbury Av. *W'hall* —1D **46**
Canterbury Clo. *Row R*
—5E **97**
Canterbury Clo. *Wals* —3E **21**
Canterbury Clo. *W Brom*
—5C **64**
Canterbury Dri. *B37* —4C **122**
Canterbury Dri. *Pert* —5D **24**
Canterbury Rd. *B20* —6F **83**
Canterbury Rd. *W Brom*
—5B **64**
Canterbury Rd. *Wolv* —6C **42**
Canterbury Tower. B1
(off St Marks St.) —6D **100**
Cantlow Rd. *B13* —1A **148**
Canton La. *Col* —2H **89**
Canute Clo. *Wals* —4D **48**
Canvey Clo. *Redn* —6E **143**
Canwell Av. *B37* —4B **106**
Canwell Dri. *Can* —4E **39**
Canwell Gdns. *Bils* —1E **61**
Capcroft Rd. *B13* —1B **148**
Cape Clo. *Wals* —1C **22**
Cape Hill. *Smeth* —5F **99**
Cape Hill Retail Cen. *Smeth*
—5F **99**
Capener Rd. *B43* —3C **66**
Capern Gro. *B32* —6D **114**
Cape St. *B18* —5H **99**
Cape St. *W Brom* —3E **79**
Capethorn Rd. *Smeth* —6E **99**
Capilano Rd. *B23* —6C **68**
Capponfield Clo. *Bils* —2D **60**
Capstone Av. *B18* —5C **100**
Capstone Av. *Wolv* —1F **27**
Captain's Clo. *Wolv* —1B **42**
Carcroft Rd. *B25* —3B **120**
Cardale St. *Row R* —1C **112**
Carden Clo. *W Brom* —3F **79**
Carder Cres. *Bils* —1F **61**
Carder Dri. *Brie H* —1G **109**
Cardiff St. *Wolv* —3F **43**
Cardigan Clo. *W Brom* —6A **64**
Cardigan Dri. *W'hall* —3B **30**
Cardigan St. *B4*
—6H **101** (2H **5**)
Cardington Av. *B42* —4D **66**
Cardoness Pl. *Dud* —5B **76**
Careless Grn. *Stourb* —1B **126**
Careynon Ct. *Blox* —1H **31**
Carhampton Rd. *S Cold*
—5E **55**
Carisbrooke Av. *B37* —1E **123**
Carisbrooke Clo. *W'bry*
—3C **64**
Carisbrooke Cres. *W'bry*
—2C **64**
Carisbrooke Dri. *Hale* —1D **128**
Carisbrooke Gdns. *Wolv*
—4A **16**
Carisbrooke Rd. *B17* —2F **115**
Carisbrooke Rd. *Bush* —4A **16**
Carisbrooke Rd. *Pert* —6G **25**
Carisbrooke Rd. *W'bry*
—3B **64**
Carless Av. *B17* —4F **115**
Carless St. *Wals* —3C **48**
Carlisle St. *B18* —4A **100**
Carl St. *Wals* —4B **32**
Carlton Av. *B21* —6A **82**
Carlton Av. *Bils* —4H **45**
Carlton Av. *Stourb* —2A **126**
Carlton Av. *S Cold* —1H **51**
Carlton Av. *Wolv* —2C **28**
Carlton Clo. *Dud* —1E **77**
Carlton Clo. *S Cold* —4B **54**

Carlton Cft. *S Cold* —1A **52**
Carlton Gro. *S'hll* —6C **118**
Carlton M. *B36* —1H **105**
Carlton M. Flats. *B36* —1H **105**
Carlton Rd. *Small H* —2D **118**
Carlton Rd. *Smeth* —1E **99**
Carlton Rd. *Wolv* —4E **43**
Carlyle Bus. Pk. *Swan V*
—2F **79**
Carlyle Gro. *Wolv* —1C **28**
Carlyle Rd. *Edg* —2A **116**
Carlyle Rd. *Loz* —1E **101**
Carlyle Rd. *Row R* —1C **112**
Carlyle Rd. *Wolv* —1C **28**
Carmel Gro. *B32* —4H **129**
Carmodale Av. *B42* —1D **82**
Carnegie Av. *Tip* —3A **78**
Carnegie Dri. *W'bry* —2G **63**
Carnegie Rd. *Row R* —1B **112**
Carnford Rd. *B26* —5F **121**
Carnforth Clo. *K'wfrd* —2H **91**
Carnoustie Clo. *S Cold* —3A **54**
Carnoustie Clo. *Wals* —4G **19**
Carnwath Rd. *S Cold* —3E **69**
Carol Cres. *Hale* —6H **111**
Carol Cres. *Wolv* —3G **29**
Carol Gdns. *Stourb* —3D **108**
Caroline Rd. *B13* —1H **133**
Caroline St. *B3*
—5E **101** (1B **4**)
Caroline St. *Dud* —6G **77**
Caroline St. *W Brom* —5H **79**
Carpenter Rd. *B15* —4C **116**
Carpenter's Rd. *B19* —2E **101**
Carrick Clo. *Wals* —2E **21**
Carriers Clo. *Wals* —2F **47**
Carrington Rd. *W'bry* —3B **64**
Carroway Head. —5G 39
Carroway Head Hill. *Can*
—6F **39**
Carrs La. *B4* —1G **117** (4F **5**)
Carshalton Gro. *Wolv* —4A **44**
Carshalton Rd. *B44* —3A **68**
Cartbridge Cres. *Wals* —3D **32**
(in two parts)
Cartbridge La. *Wals* —4E **33**
Cartbridge La. S. *Wals*
—5E **33**
Cartbridge Wlk. *Wals* —3E **33**
Carter Av. *Cod* —4H **13**
Carter Rd. *B43* —3B **66**
Carter Rd. *Wolv* —4F **27**
Carters Clo. *S Cold* —2D **70**
Cartersfield La. *Wals* —1F **23**
Carters Grn. *W Brom* —3H **79**
Carter's Hurst. *B33* —2F **121**
Carter's La. *Hale* —6F **113**
Cartland Rd. *S'brk* —4C **118**
Cartland Rd. *Stir & K Hth*
—5D **132**
Cartmel Ct. *B23* —3B **84**
Cartway, The. *Pert* —5D **24**
Cartwright Gdns. *Tiv* —5C **78**
Cartwright Ho. *Blox* —6H **19**
Cartwright Rd. *S Cold* —6A **38**
Cartwright St. *Wolv*
—3H **43** (6C **170**)
Carver Gdns. *Stourb* —3C **124**
Carver St. *B1* —5D **100**
Casewell Rd. *K'wfrd* —1A **92**
Casey Av. *B23* —5D **68**
Cash-Joynson Av. *W'bry*
—3C **46**
Caslon Cres. *Stourb* —2A **124**
Caslon Rd. *Hale* —5E **111**
Caslow Flats. *Hale* —1E **127**

Cassandra Clo. *Brie H* —6G **75**
Cassowary Rd. *B20* —4B **82**
Castello Dri. *B36* —6H **87**
Castlebridge Gdns. *Wolv*
—2H **29**
Castlebridge Rd. *Wolv* —3H **29**
Castle Bromwich. —6G 87
Castle Bromwich Bus. Pk.
Cas V —6D **86**
Castle Bromwich Hall. *Cas B*
—1E **105**
Castle Bromwich Hall
Gardens. —1E 105
Castle Clo. *Crad H* —2B **112**
Castle Clo. *Sol* —4F **137**
Castle Clo. *Wals* —3B **10**
Castle Ct. *B34* —2A **106**
Castle Cres. *B36* —1G **105**
Castlecroft. —2G 41
Castlecroft. *Cann* —1C **8**
Castle Cft. *O'bry* —3B **114**
Castlecroft Av. *Wolv* —3G **41**
Castlecroft Gdns. *Wolv*
—3A **42**
Castlecroft La. *Wolv* —3F **41**
Castle Cft. Rd. *Bils* —4G **45**
Castlecroft Rd. *Wolv* —3F **41**
Castle Dri. *Col* —4H **107**
Castle Dri. *W'hall* —4B **30**
Castleford Gro. *B11* —1C **134**
Castleford Rd. *B11* —1C **134**
Castlefort Rd. *Wals* —4C **22**
Castle Gro. *Stourb* —2F **125**
Castle Heights. *Crad H*
—3B **112**
Castle Hill. *Dud* —5F **77**
Castlehill Rd. *Wals* —4D **22**
Castlehills Dri. *B36* —1E **105**
Castle La. *Sol* —4D **136**
Castle Mill Rd. *Dud* —3E **77**
Castle Rd. *B29* —3E **131**
Castle Rd. *B30* —3B **146**
Castle Rd. *Tip* —3F **77**
Castle Rd. *Wals* —5C **22**
Castle Rd. E. *O'bry* —3B **114**
Castle Rd. W. *O'bry* —3A **114**
Castle Sq. *B29* —4E **131**
Castle St. *B4* —1G **117** (4F **5**)
Castle St. *Bils* —5E **61**
Castle St. *Dud* —6F **77**
Castle St. *Sed* —5H **59**
Castle St. *Tip* —2G **77**
Castle St. *Wals* —3B **10**
Castle St. *W'bry* —3D **46**
(in two parts)
Castle St. *W Brom* —5G **63**
Castle St. *Wolv*
—1H **43** (3C **170**)
Castleton Rd. *B42* —6F **67**
Castleton Rd. *Wals* —4A **20**
Castleton St. *Dud* —4E **95**
Castle Vale. —3F 87
Castle Va. Ind. Est. *Min*
—2E **87**
Castle Va. Shop. Cen. *B35*
—5D **86**
Castle Vw. *Dud* —5D **76**
Castle Vw. Clo. *Mox* —1A **62**
Castle Vw. Rd. *Bils* —1A **62**
Castle Vw. Ter. *Bils* —5D **60**
Castle Yd. *Wolv*
—1H **43** (3C **170**)
Caswell Rd. *Dud* —5G **59**
Cat & Kittens La. *F'stne*
—1A **16**
Cater Dri. *S Cold* —3D **70**

Caterham Dri. *K'wfrd* —6D **92**
Catesby Dri. *K'wfrd* —1B **92**
Catesby Ho. *B37* —4B **106**
Catesby Rd. *Shir* —6H **149**
Cateswell Rd. *Hall G* —4F **135**
Cateswell Rd. *S'hll* —3F **135**
Cathcart Rd. *Stourb* —6C **108**
Cathel Dri. *B42* —6C **66**
Catherine-de-Barnes.
—2D **152**
Catherine de Barnes La. *Bick*
—1E **153**
Catherine Dri. *S Cold* —5G **53**
Catherine Rd. *Bils* —4C **60**
Catherines Clo. *Cath B*
—3D **152**
Catherine St. *B6* —2A **102**
Catherton Clo. *Tip* —3C **62**
Catholic La. *Dud* —1G **75**
Catisfield Cres. *Wolv* —6D **14**
Cat La. *B34* —2F **105**
Caton Gro. *B28* —6G **135**
Cato St. *B7* —5B **102**
Cato St. N. *B7* —4C **102**
Catshill. —6C 10
Catshill Rd. *Wals* —6C **10**
Cattell Dri. *S Cold* —6F **55**
Cattell Rd. *B9* —2C **118**
Cattells Gro. *B7* —3C **102**
Cattermole Gro. *B43* —2E **67**
Cattock Hurst Dri. *S Cold*
—6B **70**
Causeway. *Row R* —1C **112**
Causeway Green. —6F 97
Causeway Grn. Rd. *O'bry*
—6F **97**
Causeway Rd. *Bils* —5F **61**
Causeway, The. *B25* —4B **120**
Causey Farm Rd. *Hale*
—5E **127**
Cavalier Cir. *Wolv* —3A **16**
Cavandale Av. *B44* —4G **67**
Cavell Clo. *Wals* —1B **48**
Cavell Rd. *Dud* —6H **77**
Cavendish Clo. *B38* —6D **146**
Cavendish Clo. *K'wfrd* —5B **92**
Cavendish Ct. *Dorr* —6C **166**
Cavendish Gdns. *Wals* —5G **31**
Cavendish Gdns. *Wolv* —2E **45**
Cavendish Rd. *B16* —6H **99**
Cavendish Rd. *Hale* —1F **129**
Cavendish Rd. *Wals* —4G **31**
Cavendish Rd. *Wolv* —2D **44**
Cavendish Way. *Wals* —4D **34**
Caversham Rd. *B44* —3A **68**
Cawdon Gro. *Dorr* —6G **167**
Cawdor Cres. *B16* —2B **116**
Cawney Hill. *Dud* —1G **95**
Caxton Gro. *B44* —4C **68**
Caynham Rd. *B32* —5H **129**
Cayton Gro. *B23* —1F **85**
Cecil Dri. *Tiv* —5D **78**
Cecil Rd. *Erd* —4F **85**
Cecil Rd. *S Oak* —4E **133**
Cecil St. *B19* —5G **101**
Cecil St. *Stourb* —6D **108**
Cecil St. *Wals* —6D **32**
Cedar Av. *B36* —1G **105**
Cedar Av. *Bils* —6D **60**
Cedar Av. *Wals* —5C **10**
Cedar Bri. Cft. *S Cold* —3H **53**
Cedar Clo. *B30* —1A **146**
Cedar Clo. *O'bry* —3A **114**
Cedar Clo. *Stourb* —3B **124**
Cedar Clo. *Wals* —1F **65**
Cedar Dri. *B24* —2A **86**

Charlotte St. *Wals* —1E **49**
Charlton Dri. *Cong E* —4F **111**
Charlton Pl. *B8* —4D **102**
Charlton Rd. *B44* —5A **68**
Charlton St. *Brie H* —6E **93**
Charlton St. *Dud* —6D **76**
Charminster Av. *B25* —3B **120**
Charnley Dri. *S Cold* —1C **54**
Charnwood Av. *Dud* —3H **59**
Charnwood Bus. Pk. *Bils*
—6E **45**
Charnwood Clo. *Bils* —2B **62**
Charnwood Clo. *Brie H*
—4F **109**
Charnwood Clo. *Redn*
—4H **143**
Charnwood Ct. *Stourb*
—3A **126**
Charnwood Rd. *B42* —6B **66**
Charnwood Rd. *Wals* —1E **65**
Charter Cl. *Tip* —2G **77**
Charter Clo. *Cann* —1C **8**
Charter Cres. *Crad H* —3B **112**
Charterfield Cen. *K'wfrd*
—1B **92**
Charterfield Dri. *K'wfrd*
—1B **92**
Charterhouse Dri. *Sol* —6F **151**
Charter Rd. *Tip* —4C **62**
Charters Av. *Cod* —6H **13**
Charter St. *Brie H* —4A **94**
Chartist Rd. *B8* —3D **102**
Chartley Clo. *Dorr* —6A **166**
Chartley Clo. *Wolv* —5F **25**
Chartley Rd. *B23* —6D **84**
Chartley Rd. *W Brom* —1B **80**
Chartway, The. *Wals* —3E **21**
Chartwell Clo. *Dud* —1D **76**
Chartwell Dri. *Shir* —4B **164**
Chartwell Dri. *S Cold* —5D **36**
Chartwell Dri. *Wolv* —6A **16**
Chartwell Dri. *Wom* —2F **73**
Chase Av. *Wals* —2F **7**
Chase Gro. *B24* —1B **86**
Chasepool Rd. *Swind* —2C **90**
Chase Rd. *Bwnhls* —4C **10**
Chase Rd. *Dud & Brie H*
—6F **75**
Chase Rd. *Wals* —1G **31**
Chase, The. *S Cold* —6B **70**
Chase, The. *Wolv* —3F **27**
Chasetown. —1B 10
Chase Vw. *Wolv* —3A **60**
Chaseway Railway & Mus.
—2G 9
Chassieur Wlk. *Col* —1H **107**
Chater Dri. *S Cold* —4E **71**
Chatham Rd. *B31* —4E **145**
Chatsworth Av. *B43* —4G **65**
Chatsworth Clo. *Shir* —4B **164**
Chatsworth Clo. *S Cold*
—6B **70**
Chatsworth Clo. *W'hall*
—4B **30**
Chatsworth Cres. *Wals*
—2H **33**
Chatsworth Gdns. *Wolv*
—2G **25**
Chatsworth M. *Stourb* —6H **91**
Chatsworth Rd. *Hale* —4A **112**
Chatsworth Tower. *B15*
—3E **117**
Chattaway Dri. *Bal C* —3H **169**
Chattaway St. *B7* —2C **102**
Chattle Hill. —5F 89
Chattle Hill. *Col* —5G **89**

Chattock Av. *Sol* —3A **152**
Chattock Clo. *B36* —2C **104**
Chatwell Gro. *B29* —3F **131**
Chatwin Pl. *Bils* —2G **61**
Chatwin St. *Smeth* —2D **98**
Chatwins Wharf. *Tip* —2H **77**
Chaucer Av. *Dud* —2E **75**
Chaucer Av. *Tip* —5B **62**
Chaucer Av. *W'hall* —2E **31**
Chaucer Clo. *B23* —4B **84**
Chaucer Clo. *Bils* —5F **61**
Chaucer Clo. *Stourb* —3E **109**
Chaucer Gro. *B27* —3H **135**
Chaucer Ho. *Hale* —6D **110**
Chaucer Rd. *Wals* —1C **32**
Chauson Gro. *Sol* —1E **165**
Chavasse Rd. *S Cold* —2A **70**
Chawnhill. —2H 125
Chawn Hill. *Stourb* —2G **125**
Chawn Hill Clo. *Stourb*
—2G **125**
Chawn Pk. Dri. *Stourb*
—2G **125**
Chaynes Gro. *B33* —6H **105**
Cheadle Dri. *B23* —5D **68**
Cheam Gdns. *Wolv* —1C **26**
Cheapside. *B5 & B12*
—2H **117** (6G **5**)
Cheapside. *W'hall* —2A **46**
Cheapside. *Wolv*
—1G **43** (3B **170**)
Cheapside Ind. Est. *B12*
—2H **117**
Cheatham St. *B7* —3C **102**
Checketts St. *Wals* —1A **48**
Checkley Cft. *S Cold* —5D **70**
Cheddar Rd. *B12* —5G **117**
Chedworth Clo. *B29* —1E **145**
Chedworth Ct. *B29* —5A **132**
Cheedon Clo. *Dorr* —6F **167**
Chelford Cres. *K'wfrd* —6E **93**
Chells Gro. *B13* —2B **148**
Chelmar Clo. *B36* —1B **106**
Chelmar Dri. *Brie H* —3E **93**
Chelmarsh Av. *Wolv* —2G **41**
Chelmorton Rd. *B42* —6F **51**
Chelmscote Rd. *Sol* —4D **136**
Chelmsley Av. *Col* —3H **107**
Chelmsley Circ. *B37* —1D **122**
Chelmsley Gro. *B33* —6A **106**
Chelmsley La. *B37* —3B **122**
(in two parts)
Chelmsley Rd. *B37* —6B **106**
Chelmsley Wood. —1E 123
Chelsea Clo. *B32* —1D **130**
Chelsea Dri. *S Cold* —5F **37**
Chelsea Trad. Est. *B7* —3A **102**
Chelsea Way. *K'wfrd* —3B **92**
Chelston Dri. *Wolv* —5C **26**
Chelston Rd. *B31* —5C **144**
Cheltenham Clo. *Wolv* —3F **27**
Cheltenham Dri. *B36* —1B **104**
Cheltenham Dri. *K'wfrd*
—3H **91**
Chelthorn Way. *Sol* —5G **151**
Cheltondale Rd. *Sol* —1D **150**
Chelveston Cres. *Sol* —6F **151**
Chelwood Gdns. *Bils* —6D **44**
Chelworth Rd. *B38* —5D **146**
Chem Rd. *Bils* —6E **45**
Cheniston Rd. *W'hall* —3C **30**
Chepstow Clo. *Pert* —5F **25**
Chepstow Gro. *Redn* —3H **157**
Chepstow Rd. *Wals* —6F **19**
Chepstow Rd. *Wolv* —2H **15**
Chepstow Way. *Wals* —6F **19**

Chequerfield Dri. *Wolv* —5E **43**
Chequers Av. *Wom* —4G **57**
Chequer St. *Wolv* —5E **43**
Cherhill Covert. *B14* —5E **147**
Cherington Rd. *B29* —5C **132**
Cheriton Gro. *Wolv* —6E **25**
Cheriton Wlk. *B23* —4B **84**
Cherrington Clo. *B31* —6D **130**
Cherrington Dri. *Wals* —1F **7**
Cherrington Gdns. *Stourb*
—5G **125**
Cherrington Gdns. *Wolv*
—1H **41**
Cherrington Way. *Sol* —6F **151**
Cherry Cres. *Erd* —4F **85**
Cherry Dri. *B9* —2B **118**
Cherry Dri. *Crad H* —2H **111**
Cherry Grn. *Dud* —3B **76**
Cherry Gro. *Smeth* —4G **99**
(off Rosedale Av.)
Cherry Gro. *Stourb* —1C **124**
Cherry Gro. *Wolv* —2E **29**
Cherry Hill Wlk. *Dud* —1C **94**
Cherry La. *Himl* —4A **74**
Cherry La. *S Cold* —6G **69**
Cherry La. *W'bry* —3G **63**
Cherry Lea. *B34* —3F **105**
Cherry Orchard. —2A 112
Cherry Orchard. *Crad H*
—2H **111**
Cherry Orchard Av. *Hale*
—6H **111**
Cherry Orchard Cres. *Hale*
—6H **111**
Cherry Orchard Rd. *B20*
—2B **82**
Cherry Rd. *Tip* —6H **61**
Cherry St. *B2* —1G **117** (4E **5**)
Cherry St. *Hale* —6H **111**
Cherry St. *Stourb* —1C **124**
Cherry St. *Wolv* —2F **43**
Cherry Tree Av. *Wals* —1E **65**
Cherry Tree Ct. *B30* —2B **146**
Cherrytree Ct. *Stourb* —2A **126**
Cherry Tree Cft. *B27* —6A **120**
Cherry Tree Gdns. *Cod*
—4H **13**
Cherry Tree La. *Cod* —4H **13**
Cherry Tree La. *Hale* —4F **127**
Cherry Tree Rd. *K'wfrd*
—1C **92**
Cherry Tree Rd. *Nort C* —1F **9**
Cherry Wlk. *H'wd* —4B **162**
Cherrywood Ct. *Sol* —3E **137**
Cherrywood Cres. *Sol*
—1G **165**
Cherrywood Grn. *Bils* —3F **45**
Cherrywood Ind. Est. *B9*
—1D **118**
Cherrywood Rd. *B9* —1D **118**
Cherrywood Rd. *S Cold*
—2F **51**
Cherrywood Way. *Lit A*
—4D **36**
Chervil Clo. *B42* —6E **67**
Chervil Ri. *Wolv* —6B **28**
Cherwell Dri. *B36* —1B **106**
Cherwell Dri. *Wals* —3G **9**
(in two parts)
Cherwell Gdns. *B6* —1F **101**
Cheshire Av. *Shir* —4G **149**
Cheshire Clo. *Stourb* —3B **108**
Cheshire Ct. *B34* —2F **105**
Cheshire Gro. *Pert* —5E **25**
Cheshire Rd. *B6* —5A **84**
Cheshire Rd. *Smeth* —5E **99**

Cheshire Rd. *Wals* —1F **47**
Cheshunt Ho. *B37* —1D **122**
Cheslyn Dri. *Wals* —2D **6**
Cheslyn Gro. *B14* —4A **148**
Cheslyn Hay. —2C 6
Chessetts Gro. *B13* —1A **148**
Chester Av. *Wolv* —2D **26**
Chester Clo. *B37* —1C **122**
Chester Clo. *W'hall* —1D **46**
Chester Ct. *B37* —1F **123**
(off Hedingham Gro.)
Chesterfield Clo. *B31* —5F **145**
Chesterfield Ct. *Wals W*
—3B **22**
Chestergate Cft. *B24* —3B **86**
Chester Hayes Ct. *Erd* —2A **86**
Chester House. —3E 167
Chester Pl. *Wals* —2H **47**
Chester Ri. *O'bry* —3H **113**
Chester Road. —6A 70
Chester Rd. *Bwnhls &*
Wals W —2D **22**
Chester Rd. *Cas B & K'hrst*
—1E **105**
Chester Rd. *Chel W & Col*
—4D **106**
Chester Rd. *Crad H* —3E **111**
Chester Rd. *Dud* —1F **111**
Chester Rd. *Erd & Cas V*
—2A **86**
Chester Rd. *S'tly* —2H **51**
Chester Rd. *S Cold & Erd*
—4D **68**
Chester Rd. *Wals & S Cold*
—4G **35**
Chester Rd. *W Brom* —4H **63**
Chester Rd. N. *Bwnhls* —4H **9**
Chester Rd. N. *S Cold* —6A **52**
Chester St. *B6 & Aston*
—4H **101**
Chester St. *Wolv* —5F **27**
Chester St. Wharf. *B6*
—4H **101**
Chesterton Av. *B18* —5A **100**
Chesterton Av. *B12* —6B **118**
Chesterton Clo. *Sol* —2C **150**
Chesterton Rd. *B12* —6B **118**
Chesterton Rd. *Wolv* —1C **28**
Chesterwood. *A'rdge* —1H **51**
Chesterwood. *H'wd* —3A **162**
Chesterwood Gdns. *B20*
—5F **83**
Chesterwood Rd. *B13*
—1H **147**
Chestnut Av. *Dud* —4E **77**
Chestnut Av. *Tip* —6H **61**
Chestnut Clo. *B27* —1A **136**
Chestnut Clo. *Cod* —5F **13**
Chestnut Clo. *Sol* —5B **136**
Chestnut Clo. *Stourb* —3A **124**
Chestnut Clo. *S Cold* —6A **36**
Chestnut Ct. *Cas B* —2A **106**
Chestnut Ct. *Smeth* —2C **98**
Chestnut Dri. *Cas B* —1E **105**
Chestnut Dri. *C Hay* —2D **6**
Chestnut Dri. *Erd* —3A **86**
Chestnut Dri. *Gt Wyr* —2F **7**
Chestnut Dri. *Redn* —5B **158**
Chestnut Dri. *Wals* —6F **21**
Chestnut Dri. *Wom* —2G **73**
Chestnut Gro. *Col* —2H **107**
Chestnut Gro. *Harb* —6H **115**
Chestnut Gro. *K'wfrd* —2D **92**
Chestnut Gro. *Wolv* —2E **29**
Chestnut Ho. *B7* —5A **102**
Chestnut Pl. *B12* —5A **118**

Cinder Way—Coalway Gdns.

Cinder Way. *W'bry* —2E **63**
Cinquefoil Leasow. *Tip* —1C **78**
Circle, The. *B17* —5G **115**
Circuit Clo. *W'hall* —6B **30**
Circular Rd. *B27* —3A **136**
Circus Av. *B37* —1E **123**
City Arc. B2 —1G **117** *(4E 5)*
  (off Corporation St.)
City Est. *Crad H* —3F **111**
City Plaza. *B2* —4E **5**
City Rd. *B17·& B16* —2F **115**
City Rd. *Tiv* —2B **96**
City, The. *Tip* —4A **78**
City Trad. Est. *B16* —6C **100**
City Vw. *B8* —5D **102**
City Wlk. *B5* —2G **117** (6E **5**)
Civic Clo. *B1* —1E **117** (4A **4**)
Claerwen Gro. *B31* —2C **144**
Claines Rd. *B31* —3G **145**
Claines Rd. *Hale* —6F **111**
Claire Ct. *B26* —4G **121**
Clandon Clo. *B14* —5E **147**
Clanfield Av. *Wolv* —1H **29**
Clapgate Gdns. *Bils* —2C **60**
Clap Ga. Gro. *Wom* —1E **73**
Clapgate La. *B32* —3G **129**
Clapgate Rd. *Wom* —6E **57**
Clapton Gro. *B44* —4B **68**
Clare Av. *Wolv* —6H **17**
Clare Ct. *Shir* —5D **148**
Clare Cres. *Bils* —3B **60**
Clare Dri. *B15* —3B **116**
Clarel Av. *B8* —6C **102**
Claremont Ct. *Crad H* —2G **111**
Claremont M. *Wolv* —4E **43**
Claremont Pl. *B18* —4B **100**
Claremont Rd. *Dud* —5A **60**
Claremont Rd. *Hock* —3D **100**
Claremont Rd. *Smeth* —5F **99**
Claremont Rd. *S'brk* —4B **118**
Claremont Rd. *Wolv* —4E **43**
Claremont St. *Bils* —5E **45**
Claremont St. *Crad H* —2G **111**
Claremont Way. *Hale* —2B **128**
Clarence Av. *B21* —1G **99**
Clarence Ct. *O'bry* —1A **114**
Clarence Gdns. *S Cold* —1F **53**
Clarence Rd. *Bils* —4G **45**
Clarence Rd. *Dud* —3F **95**
Clarence Rd. *Erd* —4D **84**
Clarence Rd. *Hand* —1G **99**
Clarence Rd. *Harb* —5H **115**
Clarence Rd. *K Hth & Mose*
  —4A **134**
Clarence Rd. *S'hll* —1C **134**
Clarence Rd. *S Cold* —4E **37**
Clarence Rd. *Wolv*
  —1G **43** (2A **170**)
Clarence St. *Dud* —1A **76**
Clarence St. *Wolv*
  —1G **43** (3A **170**)
Clarenden Pl. *B17* —6G **115**
Clarendon Dri. *Tip* —4D **62**
Clarendon Pl. *Hale* —5G **113**
Clarendon Pl. *Wals* —3D **20**
Clarendon Rd. *B16* —2A **116**
Clarendon Rd. *Smeth* —5D **98**
Clarendon Rd. *S Cold* —6A **38**
Clarendon Rd. *Wals* —5G **21**
Clarendon St. *Wals* —6H **19**
Clarendon St. *Wolv* —1E **43**
Clarendon Way. *Sol* —4G **151**
Clare Rd. *Wals* —3D **32**
Clare Rd. *Wolv* —2A **28**
Clarewell Av. *Sol* —1F **165**
Clarke Ho. *Wals* —6H **19**

Clarkes Gro. *Tip* —1C **78**
Clarke's La. *W Brom* —6A **64**
Clarke's La. *W'hall* —6C **30**
Clark Rd. *Wolv* —1D **42**
Clarkson Rd. *W'bry* —1G **63**
Clark St. *B16* —1B **116**
Clark St. *Stourb* —6C **108**
Clarry Dri. *S Cold* —3F **53**
Clary Gro. *Wals* —2E **65**
Clatterbatch. —6F 109
Claughton Rd. *Dud* —6F **77**
Clausen Clo. *B43* —1G **67**
Clavedon Clo. *B31* —6C **130**
Claverdon Clo. *Sol* —4C **150**
Claverdon Dri. *B43* —5H **65**
Claverdon Dri. *S Cold* —5B **36**
Claverdon Gdns. *B27* —6H **119**
Claverley Ct. *Dud* —6D **76**
Claverley Dri. *Wolv* —6B **42**
Claybrook St. *B5*
  —2G **117** (6E **5**)
Claycroft Pl. *Stourb* —6A **110**
Claycroft Ter. *Dud* —1D **76**
Claydon Gro. *B14* —4A **148**
Claydon Rd. *K'wfrd* —6A **74**
Clay Dri. *B32* —6G **113**
Clayhanger. —1A 22
Clayhanger La. *Wals* —6H **9**
Clayhanger Rd. *Wals* —1B **22**
Clay La. *B26* —6C **120**
Clay La. *O'bry* —5G **97**
Claypit Clo. *W Brom* —4G **79**
Clay Pit La. *Shir* —4G **163**
Claypit La. *W Brom* —4G **79**
Clayton Clo. *Wolv* —4G **43**
Clayton Dri. *B36* —1G **105**
Clayton Gdns. *Redn* —6G **157**
Clayton Rd. *B8* —4D **102**
Clayton Rd. *Bils* —6D **60**
Clayton Wlk. *B35* —5E **87**
Clear Vw. *K'wfrd* —3H **91**
Clearwell Gdns. *Dud* —4A **76**
Clee Hill Dri. *Wolv* —2G **41**
Clee Hill Rd. *Dud* —3G **75**
Clee Rd. *B31* —1E **159**
Clee Rd. *Dud* —2C **94**
Clee Rd. *O'bry* —5A **98**
Clee Rd. *Stourb* —5E **109**
Cleeve Dri. *S Cold* —3F **37**
Cleeve Ho. *Erd* —5G **85**
Cleeve Rd. *B14* —3C **148**
Cleeve Rd. *Wals* —4F **19**
Cleeve Way. *Wals* —5F **19**
Clee Vw. Mdw. *Dud* —3H **59**
Clee Vw. Rd. *Wom* —2E **73**
Clematis Dri. *Pend* —4D **14**
Clement Pl. *Bils* —4F **45**
Clement Rd. *Bils* —4F **45**
Clement Rd. *Hale* —2D **112**
Clements Clo. *O'bry* —5F **97**
Clements Rd. *B25* —3B **120**
Clement St. *B1*
  —6D **100** (3A **4**)
Clement St. *Prem B* —2B **48**
Clements Way. *B38* —2H **159**
Clemson St. *W'hall* —1A **46**
Clent Ct. *Dud* —6D **76**
Clent Hill Dri. *Row R* —4A **96**
Clent Rd. *Hand* —6H **81**
Clent Rd. *O'bry* —3A **114**
Clent Rd. *Redn* —1E **157**
Clent Rd. *Stourb* —5E **109**
Clent Vw. *Smeth* —6F **99**
Clent Vw. Rd. *B32* —4G **129**
Clent Vw. Rd. *Hale* —1E **127**
Clent Vw. Rd. *Stourb* —2A **124**

Clent Vs. *B12* —1B **134**
Clent Way. *B32* —5G **129**
Cleobury La. *Shir & Earls*
  —4F **163**
Cleton St. *Tip* —4B **78**
Cleton St. Bus. Pk. *Tip* —4B **78**
Clevedon Av. *B36* —1A **106**
Clevedon Rd. *B12* —5G **117**
Cleveland Clo. *W'hall* —2F **45**
Cleveland Clo. *Wolv* —6H **17**
Cleveland Pas. *Wolv*
  —2G **43** (4B **170**)
Cleveland Rd. *Wolv*
  —2H **43** (5D **170**)
Cleveland St. *Dud* —6D **76**
Cleveland St. *Stourb* —1C **124**
Cleveland St. *Wolv*
  —2G **43** (4B **170**)
Cleveland Tower. *B1* —6D **4**
Cleves Cres. *C Hay* —4D **6**
Cleves Dri. *Redn* —2E **157**
Cleves Rd. *Redn* —1E **157**
Clewley Dri. *Wolv* —4E **15**
Clewley Gro. *B32* —6H **113**
Clews Clo. *Wals* —4C **48**
Clewshaw La. *B38* —5D **160**
Cley Clo. *B5* —5F **117**
Cliffe Dri. *B33* —6G **105**
Clifford Rd. *Ben H* —5B **166**
Clifford Rd. *Smeth* —2D **114**
Clifford Rd. *W Brom* —5H **79**
Clifford St. *B19* —2F **101**
Clifford St. *Dud* —1D **94**
Clifford St. *Wolv* —6E **27**
Clifford Wlk. *B19* —2F **101**
  (in two parts)
Cliff Rock Rd. *Redn* —2H **157**
Clift Clo. *W'hall* —3C **30**
Clifton Av. *A'rdge* —1E **35**
Clifton Av. *Bwnhls* —6H **9**
Clifton Clo. *B6* —2H **101**
Clifton Clo. *O'bry* —5G **97**
Clifton Cres. *Sol* —6C **150**
Clifton Dri. *S Cold* —5H **53**
Clifton Gdns. *Cod* —4A **14**
Clifton Grn. *B28* —2G **149**
Clifton Ho. *Bal H* —6A **118**
Clifton La. *W Brom* —5C **64**
Clifton Rd. *Aston* —2H **101**
Clifton Rd. *Bal H* —6H **117**
Clifton Rd. *Cas B* —1A **106**
Clifton Rd. *Hale* —3D **112**
Clifton Rd. *Smeth* —5D **98**
Clifton Rd. *S Cold* —1G **69**
Clifton Rd. *Wolv* —4B **26**
Clifton St. *Bils* —4B **60**
Clifton St. *Crad H* —2H **111**
Clifton St. *Stourb* —1C **124**
Clifton St. *Wolv* —1F **43**
Clifton Ter. *Erd* —3F **85**
Clinic Dri. *Stourb* —6A **110**
Clinton Gro. *Shir* —6C **150**
Clinton Rd. *Bils* —4A **46**
Clinton Rd. *Col* —3H **107**
Clinton Rd. *Shir* —1B **164**
Clinton St. *B18* —4A **100**
Clipper Vw. *B16* —2A **116**
Clipston Rd. *B8* —5F **103**
Clissold Clo. *B12* —4G **117**
Clissold Pas. *B18* —5C **100**
Clissold St. *B18* —5C **100**
Clive Clo. *S Cold* —1B **54**
Cliveden Av. *B42* —3E **83**
Cliveden Av. *Wals* —6D **22**
Cliveden Coppice. *S Cold*
  —2F **53**

Clivedon Way. *Hale* —4A **112**
Cliveland St. *B19*
  —5G **101** (1E **5**)
Clive Pl. *B19* —5F **101** (1D **4**)
Clive Rd. *B32* —4B **114**
Clive St. *W Brom* —2A **80**
Clockfields Dri. *Brie H*
  —2E **109**
Clock La. *Bick* —3E **139**
Clockmill Av. *Wals* —4C **20**
Clockmill Pl. *Wals* —4D **20**
Clockmill Rd. *Wals* —4C **20**
Clodeshall Rd. *B8* —5E **103**
Cloister Dri. *Hale* —2D **128**
Clonmel Rd. *B30* —1C **146**
Clopton Cres. *B37* —5D **106**
Clopton Rd. *B33* —3G **121**
Close, The. *Dud* —3G **75**
Close, The. *Hale* —5F **111**
Close, The. *Harb* —4D **114**
Close, The. *H'wd* —4A **162**
Close, The. *Hunn* —6A **128**
Close, The. *S Oak* —5H **131**
Close, The. *Sol* —5D **136**
Close, The. *Swind* —5E **73**
Close, The. *W'bry* —2E **63**
Clothier Gdns. *W'hall* —6A **30**
Clothier St. *W'hall* —6A **30**
Cloudbridge Dri. *Sol* —6B **138**
Cloudsley Gro. *Sol* —2D **136**
Clovelly Ho. *B31* —5A **144**
Clover Av. *B37* —1F **123**
Cloverdale. *Pert* —5D **24**
Clover Dri. *B32* —3A **130**
Clover Hill. *Wals* —3A **50**
Clover La. *K'wfrd* —2G **91**
Clover Lea Sq. *B8* —3G **103**
Clover Ley. *Wolv* —6B **28**
Clover Piece. *Tip* —1C **78**
Clover Ridge. *C Hay* —2C **6**
Clover Rd. *B29* —6E **131**
Club Row. *Dud* —2A **76**
Club Vw. *B38* —5H **145**
Clunbury Cft. *B34* —4F **105**
Clunbury Rd. *B31* —1E **159**
Clun Clo. *Tiv* —6H **77**
Clun Rd. *B31* —1D **144**
Clyde Av. *Hale* —3E **113**
Clyde Ct. *S Cold* —6H **53**
Clyde M. *Brie H* —3F **93**
Clyde Rd. *Dorr* —6H **167**
Clydesdale. *B26* —6E **121**
Clydesdale Rd. *B32* —5H **113**
Clydesdale Rd. *Clay* —1A **22**
Clydesdale Rd. *Dud* —6E **95**
Clydesdale Tower. *B1* —6D **4**
Clyde St. *Bord* —2A **118**
Clyde St. *Crad H* —2G **111**
Clyde Tower. *B19* —2F **101**
Coalbournbrook. —3D 108
Coalbourne Gdns. *Hale*
  —6E **111**
Coalbourn La. *Stourb*
  —4D **108**
Coalbourn Way. *Brie H*
  —6E **93**
Coalheath La. *Wals* —1G **33**
Coalmeadow Clo. *Wals* —4F **19**
Coal Pool. —4D 32
Coalpool La. *Wals* —5C **32**
Coalpool Pl. *Wals* —3D **32**
Coalport La. *Wals* —3D **32**
Coalport Rd. *Wolv* —2C **44**
Coalway Av. *B26* —1G **137**
Coalway Av. *Wolv* —5E **43**
Coalway Gdns. *Wolv* —5B **42**

Coalway Rd. *Wals* —1G **31**
Coalway Rd. *Wolv* —5B **42**
Coatsgate Wlk. *Pend* —6D **14**
Cobbles, The. *S Cold* —6A **70**
Cobble Wlk. *B18* —4C **100**
Cobb's Engine House.
                —4G **95**
Cobbs Wlk. *Row R* —4H **95**
Cobden Clo. *Tip* —5H **61**
Cobden Clo. *W'bry* —5F **47**
Cobden Gdns. *B12* —5G **117**
Cobden St. *Stourb* —5B **108**
Cobden St. *Wals* —4B **48**
Cobden St. *W'bry* —5F **47**
Cobham Clo. *B35* —4D **86**
Cobham Ct. M. *Hag* —6H **125**
Cobham Rd. *B9* —1D **118**
Cobham Rd. *Hale* —1B **128**
Cobham Rd. *Stourb* —3E **125**
Cobham Rd. *W'bry* —3C **64**
Cob La. *B30* —6G **131**
Cobs Fld. *B30* —1G **145**
Coburg Cft. *Tip* —1C **78**
Coburn Dri. *S Cold* —1B **54**
Cochrane Clo. *Stourb*
                —5G **125**
Cochrane Clo. *Tip* —1C **78**
Cochrane Rd. *Dud* —3A **94**
Cock Green. —5A 96
Cock Hill La. *Redn* —6F **143**
Cockley Wharf Ind. Est. *Brie H*
                —5F **93**
Cockshed La. *Hale* —3C **112**
Cockshut Hill. *B26* —3E **121**
Cockshutt La. *Wolv* —4H **43**
Cocksmead Cft. *B14* —2F **147**
Cockthorpe Clo. *B17* —4D **114**
Cocton Clo. *Wolv* —4E **25**
Codeshill Ct. *S Cold* —1C **70**
Codsall. —3F 13
Codsall Gdns. *Cod* —3E **13**
Codsall Ho. *Cod* —3E **13**
Codsall Rd. *Cod* —6A **14**
Codsall Rd. *Crad H* —3G **111**
Codsall Rd. *Wolv* —2C **26**
Codsall Wood. —1B 12
Cofield Rd. *S Cold* —4F **69**
Cofton Chu. La. *Redn & B Grn*
                —6A **158**
Cofton Ct. *Redn* —2B **158**
Cofton Gro. *B31* —3C **158**
Cofton Lake Rd. *Redn*
                —6A **158**
Cofton Rd. *B31* —2E **159**
Cokeland Pl. *Crad H* —3F **111**
Colaton Clo. *Wolv* —5A **28**
Colbourne Rd. *Tip* —3A **78**
Colbrand Gro. *B15* —3F **117**
Coldbath Rd. *B13* —5B **134**
Coldridge Clo. *Pend* —6D **14**
Coldstream Dri. *Stourb*
                —6C **92**
Coldstream Rd. *S Cold*
                —5C **70**
Coldstream Way. *Witt* —5G **83**
(in two parts)
Cole Bank Rd. *Mose & Hall G*
                —5D **134**
Colebourne Rd. *B13* —6C **134**
Colebridge Cres. *Col* —1H **107**
Colebrook Cft. *Shir* —5H **149**
Colebrook Rd. *B11* —6D **118**
Colebrook Rd. *Shir* —5E **149**
Cole Ct. *B37* —1D **122**
Cole End. —1H 107
Coleford Clo. *Stourb* —1A **108**

Coleford Dri. *B37* —1C **122**
Cole Grn. *Shir* —6E **149**
Colehall. —4F 105
Cole Hall La. *B34 & B33*
(in three parts)   —3E **105**
Cole Holloway. *B31* —5C **130**
Colehurst Cft. *Shir* —3D **164**
Coleman Rd. *W'bry* —6G **47**
Coleman St. *Wolv* —5D **26**
Colemeadow Rd. *B13*
                —2B **148**
Colemeadow Rd. *Col* —2H **107**
Colenso Rd. *B16* —5H **99**
Coleraine Rd. *B42* —1C **82**
Coleridge Clo. *Wals* —2E **21**
Coleridge Clo. *W'hall* —2E **31**
Coleridge Dri. *Wolv* —5E **25**
Coleridge Pas. *B4*
                —6G **101** (2F **5**)
Coleridge Ri. *Dud* —3E **75**
Coleridge Rd. *B43* —6A **66**
Colesbourne Av. *B14* —5E **147**
Colesbourne Rd. *Sol* —2E **137**
Coles Cres. *W Brom* —6H **63**
Colesden Wlk. *Wolv* —5A **42**
Coleshaven. *Col* —3H **107**
Coleshill. —3H 107
Coleshill Heath. —3E 123
Coleshill Heath Rd. *B37 & Col*
                —4E **123**
Coleshill Ind. Est. *Col* —5H **89**
Coleshill Rd. *B36* —3B **104**
Coleshill Rd. *Curd* —1D **88**
(in two parts)
Coleshill Rd. *Mars G* —4C **122**
Coleshill Rd. *S Cold* —6A **54**
Coleshill Rd. *Wat O* —4D **88**
Coleshill St. *B4*
                —6H **101** (2G **5**)
Coleshill St. *S Cold* —6A **54**
Coleshill Trad. Est. *Col*
                —6H **89**
Coleside Av. *B13* —6D **134**
Coles La. *S Cold* —1A **70**
Coles La. *W Brom* —6G **63**
Colesleys, The. *Col* —3H **107**
Cole St. *Dud* —6G **95**
Cole Valley Rd. *B28* —1D **148**
Coleview Cres. *B33* —6A **106**
Coleville Rd. *Min* —1F **87**
Coley's La. *B31* —5E **145**
Colgreave Av. *B11* —3D **134**
Colindale Rd. *B44* —2A **68**
Colinwood Clo. *Wals* —4F **7**
Collector Rd. *B36* —6F **87**
Colleen Av. *B30* —4D **146**
College Clo. *W'bry* —4G **63**
College Ct. *Tett* —5B **26**
College Dri. *B20* —5B **82**
College Farm Dri. *B23* —5D **68**
College Gro. *Hand* —2D **100**
College Hill. *S Cold* —1H **69**
College Rd. *B8* —6E **103**
College Rd. *B44 & P Barr*
                —2G **83**
College Rd. *Hand* —5A **82**
College Rd. *Mose* —3C **134**
College Rd. *Quin* —5G **113**
College Rd. *Stourb* —1E **125**
College Rd. *Wolv* —5B **26**
College St. *B18* —5C **100**
College Vw. *Wolv* —6B **26**
College Wlk. *B29* —5H **131**
Collet Rd. *Pert* —4E **25**
Collets Brook. *Bass P* —1F **55**
Collett Clo. *Stourb* —5E **109**

Colletts Gro. *B37* —4B **106**
Colley Av. *Wolv* —1B **28**
Colley Ga. *Hale* —5E **111**
Colley La. *Hale* —4E **111**
Colley Orchard. *Hale* —5E **111**
Colley St. *W Brom* —3B **80**
Collier Clo. *C Hay* —3D **6**
Collier Clo. *Wals* —6G **9**
Collier's Clo. *W'hall* —3B **30**
Colliers Fold. *Brie H* —4F **93**
Colliery Dri. *Wals* —4F **19**
Colliery Rd. *W Brom* —6E **81**
Colliery Rd. *Wolv* —1B **44**
Collindale Ct. *K'wfrd* —6B **74**
Collingbourne Av. *B36*
                —2B **104**
Collingdon Av. *B26* —5G **121**
Colling Wlk. *B37* —3C **106**
Collingwood Cen., The. *B43*
                —2F **67**
Collingwood Dri. *B43* —1E **67**
Collingwood Rd. *Wolv* —5A **16**
Collins Clo. *B32* —6G **113**
Collins Rd. *Wals* —2C **22**
Collins Rd. *W'bry* —2A **64**
Collins St. *Wals* —4C **48**
Collins St. *W Brom* —4E **79**
Collis St. *Stourb* —3D **108**
Collister Clo. *Shir* —3H **149**
Colly Cft. *B37* —4B **106**
Collycroft Pl. *A Grn* —6H **119**
Colman Av. *Wolv* —3H **29**
Colman Cres. *O'bry* —1A **114**
Colman Hill. *Hale* —6F **111**
Colman Hill Av. *Hale* —5F **111**
Colmers Wlk. *B31* —6B **144**
Colmore Av. *B14* —6F **133**
Colmore Cir. Queensway. *B4*
                —6G **101** (3E **5**)
Colmore Cres. *B13* —4B **134**
Colmore Dri. *S Cold* —6E **55**
Colmore Flats. *B19*
                —5F **101** (1D **4**)
Colmore Ga. *B2* —3E **5**
Colmore Rd. *B14* —6F **133**
Colmore Row. *B3*
                —1F **117** (4C **4**)
Coln Clo. *B31* —1D **144**
Colonial Rd. *B9* —6F **103**
Colshaw Rd. *Stourb* —1C **124**
Colston Rd. *B24* —5H **85**
Colt Clo. *S Cold* —4G **51**
Coltham Rd. *W'hall* —3C **30**
Coltishall Clo. *B35* —5D **86**
Colton Hills. —2E 59
Coltsfoot Clo. *Wed* —4G **29**
Coltsfoot Vw. *Wals* —3E **7**
Columbia Clo. *B5* —4F **117**
Columbine Clo. *Wals* —2E **65**
Colville Clo. *Tip* —5D **62**
Colville Rd. *B12* —6B **118**
Colville Wlk. *B12* —6B **118**
Colwall Rd. *Dud* —3H **75**
Colwall Wlk. *B27* —1B **136**
Colworth Rd. *B31* —3C **144**
Colyns Gro. *B33* —4D **104**
Comber Cft. *B13* —5D **134**
Comber Dri. *Brie H* —3F **93**
Comberford Ct. *W'bry*
                —3G **63**
Comberford Dri. *W'bry*
                —6B **48**
Comberton Rd. *B26* —4F **121**
Combrook Grn. *B34* —3H **105**
Commercial Rd. *Wals* —2G **31**
Commercial Rd. *Wolv* —2A **44**

Commercial St. *B1*
                —2E **117** (6B **4**)
Commissary Rd. *Birm A*
                —2C **138**
Commonfield Cft. *B8* —4D **102**
Common La. *Shield* —6E **121**
Common La. *Wash H* —3F **103**
Common La. *Wom* —3F **73**
Common Side. —3E 9
Commonside. *Brie H* —3G **93**
Commonside. *Bwnhls* —1C **22**
Commonside. *Pels* —5E **21**
Communication Row. *B15*
                —2E **117**
Compton. —1A 42
Compton Clo. *Sol* —3B **150**
Compton Ct. *Dud* —3E **95**
Compton Ct. *Wolv* —1D **42**
Compton Cft. *B37* —2F **123**
Compton Dri. *Dud* —1H **95**
Compton Dri. *K'wfrd* —4B **92**
Compton Dri. *S Cold* —4G **51**
Compton Gro. *Hale* —1E **127**
Compton Gro. *K'wfrd* —4B **92**
Compton Hill Dri. *Wolv*
                —1B **42**
Compton Pk. *Wolv* —1C **42**
Compton Rd. *B24* —6E **85**
Compton Rd. *Crad H* —2E **111**
Compton Rd. *Hale* —6F **113**
Compton Rd. *Stourb* —4H **125**
Compton Rd. *Wolv* —1C **42**
Compton Rd. W. *Wolv* —1A **42**
Comsey Rd. *B43* —2D **66**
Comwall Clo. *Wals* —3A **32**
(in two parts)
Conally Dri. *Redn* —6H **143**
Conchar Clo. *S Cold* —3A **70**
Conchar Rd. *S Cold* —3A **70**
Concorde Tower. *B35* —5D **86**
Condover Clo. *Wals* —6D **30**
Condover Rd. *B31* —1F **159**
Conduit Rd. *Nort C* —1E **9**
Coneybury Wlk. *Min* —2H **87**
Coneyford Rd. *B34* —3G **105**
(in two parts)
Coneygree Ind. Est. *Tip*
                —4H **77**
Coney Grn. *Stourb* —6F **109**
Coney Grn. Dri. *B31* —1D **158**
Coneygree Rd. *Tip* —5H **77**
Coneygree Ter. *Dud* —5H **77**
Congreve Pas. *B3*
                —1F **117** (4C **4**)
Conifer Clo. *Brie H* —3G **109**
Conifer Ct. *B13* —3G **133**
Conifer Dri. *B31* —4F **145**
Conifer Dri. *Hand* —2A **100**
Conifer Paddock. *Hale*
                —3E **113**
Conifer Rd. *S Cold* —3G **51**
Conington Gro. *B17* —6E **115**
Coniston Av. *Sol* —1D **136**
Coniston Clo. *B28* —6F **135**
Coniston Cres. *B43* —6B **66**
Coniston Dri. *K'wfrd* —2H **91**
Coniston Ho. *B17* —6H **115**
Coniston Ho. *O'bry* —4D **96**
Coniston Rd. *B23* —2D **84**
Coniston Rd. *S Cold* —6H **35**
Coniston Rd. *Wolv* —1B **26**
Conker La. *Dorr* —5A **166**
Connaught Av. *W'bry* —2A **64**
Connaught Clo. *Wals* —4G **49**
Connaught Dri. *Wom* —4G **57**
Connaught Rd. *Bils* —4H **45**

Coton Rd. *Wolv* —6F **43**
Cotsdale Rd. *Wolv* —2C **58**
Cotsford. *Sol* —4E **151**
Cotswold Av. *Gt Wyr* —2F **7**
Cotswold Clo. *A'rdge* —6E **23**
Cotswold Clo. *O'bry* —4E **97**
Cotswold Clo. *Redn* —6H **143**
Cotswold Cft. *Hale* —4E **127**
Cotswold Gro. *W'hall* —6B **18**
Cotswold Rd. *Stourb* —5F **109**
Cotswold Rd. *Wolv* —4B **44**
Cottage Clo. *Wed* —3E **29**
  (in two parts)
Cottage Gdns. *Redn* —4F **157**
Cottage La. *Min* —1H **87**
Cottage La. *Wolv* —4H **15**
Cottage M. *A'rdge* —5G **35**
Cottage St. *Brie H* —6H **93**
Cottage St. *K'wfrd* —2B **92**
Cottage Vw. *Cod* —3H **13**
Cottage Wlk. *W Brom* —5B **80**
Cotteridge. —3B 146
Cotteridge Rd. *B30* —3C **146**
Cotterills Av. *B8* —5A **104**
Cotterills La. *B8* —5G **103**
Cotterills Rd. *Tip* —6B **62**
Cottesbrook Rd. *B27* —1B **136**
Cottesfield Clo. *B8* —5H **103**
Cottesmore Clo. *W Brom*
  —5D **64**
Cottesmore Ho. *B20* —4B **82**
Cottle Clo. *Wals* —6F **31**
Cotton La. *B13* —3H **133**
Cottrells Clo. *B14* —3C **148**
Cottrell St. *W Brom* —3B **80**
Cottsmeadow Dri. *B8* —5A **104**
Cotwall End. —6G 59
Cotwall End Countryside
  Cen. —1G **75**
Cotwall End Rd. *Dud* —3F **75**
Cotysmore Rd. *S Cold* —5B **54**
Couchman Rd. *B8* —5B **103**
Coulter Gro. *Pert* —5D **24**
Council Cres. *W'hall* —5C **30**
Counterfield Dri. *Row R*
  —4H **95**
Countess Dri. *Wals* —2H **33**
Countess St. *Wals* —4B **48**
County Bridge. —1E 47
County Clo. *B30* —1D **146**
County Clo. *W'gte* —2A **130**
County La. *Alb & Cod W*
  —2A **12**
County La. *Iver* —5B **124**
  (in two parts)
County Pk. Av. *Hale* —2C **128**
Court Cres. *K'wfrd* —4H **91**
Courtenay Gdns. *B43* —3A **66**
Courtenay Rd. *B44* —6G **67**
Ct. Farm Rd. *B23* —1E **85**
Ct. Farm Way. *B29* —6D **130**
Courtland Rd. *K'wfrd* —1C **92**
Courtlands Clo. *B5* —5E **117**
Courtlands, The. *Wolv* —5C **26**
Court La. *B23* —5E **69**
Ct. Oak Gro. *B32* —5D **114**
Ct. Oak Rd. *B32 & B17*
  —5C **114**
Court Pde. *Wals* —3D **34**
Court Pas. *Dud* —6E **77**
Court Rd. *Bal H* —6G **117**
Court Rd. *Lane* —2C **60**
Court Rd. *S'hll* —1C **134**
Court Rd. *Wolv* —5D **26**
Court St. *Crad H* —2G **111**
Court St. *Stourb* —6E **109**

Court Way. *Wals* —1C **48**
Courtway Av. *B14* —6B **148**
Courtyard, The. *Col* —5H **89**
Courtyard, The. *Sol* —3G **151**
Cousins St. *Wolv* —4H **43**
Coveley Gro. *B18* —4C **100**
Coven Clo. *Wals* —2E **21**
Coven Gro. *B29* —3F **131**
Coven Heath. —1H 15
Coven La. *Coven* —2D **14**
Coven St. *Wolv* —5H **27**
Coventry Rd. *Bick* —2C **138**
Coventry Rd. *Col* —6H **107**
Coventry Rd. *Sheld & Elmd*
  —5C **120**
Coventry Rd. *Small H & Yard*
  —2A **118**
Coventry St. *B5*
  —1H **117** (5G **5**)
Coventry St. *Stourb* —6E **109**
Coventry St. *Wolv* —1C **44**
Cover Cft. *S Cold* —4E **71**
Coverdale Rd. *Sol* —1E **137**
Covert La. *Stourb* —4B **124**
Covert, The. *Wolv* —6C **14**
Cowles Cft. *B25* —2C **120**
Cowley Clo. *B36* —6B **88**
Cowley Dri. *B27* —1B **136**
Cowley Dri. *Dud* —5B **76**
Cowley Gro. *B11* —6E **119**
Cowley Rd. *B11* —6E **119**
Cowper Clo. *W'hall* —2E **31**
Cowslip Clo. *K Nor* —1B **160**
Cowslip Clo. *S Oak* —6E **131**
Cowslip Wlk. *Brie H* —5G **109**
Coxcroft Av. *Brie H* —3B **110**
Coxmoor Clo. *Wals* —4F **19**
Cox Rd. *Bils* —4G **61**
Cox's La. *Crad H* —1H **111**
Cox St. *B3* —5F **101** (1B **4**)
Coxwell Av. *Wolv* —3G **27**
Coxwell Gdns. *B16* —1B **116**
Coyne Clo. *Tip* —2F **77**
Coyne Rd. *W Brom* —5H **79**
Crabbe St. *Stourb* —6B **110**
Crab La. *K'wfrd* —5E **93**
Crab La. *W'hall* —6D **18**
Crabmill Clo. *B38* —2A **160**
Crabmill Clo. *Know* —2E **167**
Crabmill La. *B38* —2E **161**
Crabourne Rd. *Dud* —1D **110**
Crabtree Clo. *B31* —5G **145**
Crabtree Clo. *Hag* —6F **125**
Crabtree Clo. *W Brom* —5D **64**
Crabtree Dri. *B37* —1B **122**
Crab Tree Ho. *B33* —6C **104**
Crabtree Rd. *B18* —4C **100**
Crackley Way. *Dud* —3C **94**
Craddock Rd. *Smeth* —3C **98**
Craddock St. *Wolv* —5E **27**
Cradley Cft. *B21* —4G **81**
Cradley Fields. *Hale* —6F **111**
Cradley Forge. *Brie H*
  —3C **110**
Cradley Heath. —3E 111
Cradley Heath Factory Cen.
  Crad H —3E **111**
Cradley Mill. *Brie H* —4B **110**
Cradley Pk. Rd. *Dud* —1E **111**
Cradley Rd. *Crad H* —3E **111**
Cradley Rd. *Dud* —5F **95**
Cradock Rd. *Salt* —4E **103**
Craig Cft. *B37* —1F **123**
Crail Gro. *B43* —1D **66**
Cramlington Rd. *B42* —5C **66**
Cramp Hill. *W'bry* —5D **46**

Cranbourne Av. *Wolv* —2A **60**
Cranbourne Clo. *Redn*
  —5G **143**
Cranbourne Gro. *B44* —5A **68**
Cranbourne Pl. *W Brom*
  —3B **80**
Cranbourne Rd. *B44* —5A **68**
Cranbourne Rd. *Stourb*
  —1E **125**
Cranbrook Ct. W'hall —1C **46**
  (off Mill St.)
Cranbrook Gro. *Wolv* —6F **25**
Cranbrook Rd. *B21* —6G **81**
Cranby St. *B8* —4D **102**
Craneberry Rd. *B33 & B37*
  —1A **122**
Cranebrook Hill. *Dray B*
  —4H **39**
Cranebrook La. *Hltn* —1H **23**
Crane Ct. *Wals* —6E **33**
Crane Dri. *Burn* —1C **10**
Crane Hollow. *Wom* —2E **73**
Cranehouse Rd. *B44* —3B **68**
Cranemoor Clo. *B7* —3C **102**
Crane Rd. *Bils* —2H **61**
Cranesbill Rd. *B29* —1E **145**
Cranes Pk. Rd. *B26* —6G **121**
Crane Ter. *Wolv* —4C **26**
Cranfield Gro. *B26* —3D **120**
Cranfield Pl. *Wals* —1D **64**
Cranford Gro. *Sol* —6F **151**
Cranford Rd. *Wolv* —3A **42**
Cranford St. *Smeth* —4G **99**
Cranford Way. *Smeth* —4G **99**
Cranham Dri. *K'wfrd* —4C **92**
Cranhill Clo. *Sol* —4F **137**
Crankhall La. *W'bry & W Brom*
  —2H **63**
Cranleigh Clo. *Wals* —4D **34**
Cranleigh Clo. *W'hall* —6C **18**
Cranleigh Ho. *B23* —1F **85**
Cranleigh Pl. *B44* —2G **83**
Cranley Dri. *Cod* —3F **13**
Cranmer Av. *W'hall* —2D **30**
Cranmere Av. *Wolv* —3G **25**
Cranmere Clo. *C Hay* —4D **6**
Cranmer Gro. *S Cold* —3F **37**
Cranmoor Cres. *Hale* —6A **112**
Cranmore Av. *B21* —2H **99**
Cranmore Av. *Shir* —1B **164**
Cranmore Rd. *Wolv* —6D **26**
Cranmore Boulevd. *Shir*
  —1B **164**
Cranmore Clo. *Tip* —5A **62**
Cranmore Dri. *Shir* —6C **150**
Cranmore Rd. *B36* —6H **87**
Cranmore Rd. *Shir* —1B **164**
Cransley Gro. *Sol* —6E **151**
Crantock Clo. *Ess* —6C **18**
Crantock Rd. *B42* —3E **83**
Cranwell Arm. *Wom* —2F **73**
Cranwell Gro. *B24* —4B **86**
Cranwell Way. *B35* —4E **87**
Crathorne Av. *Wolv* —6G **15**
Craufurd Ct. *Stourb* —2E **125**
Craufurd St. *Stourb* —2E **125**
Craven Heights. *H Ard*
  —6A **140**
Craven St. *Wolv* —5B **44**
Crawford Av. *Smeth* —5D **98**
Crawford Av. *W'bry* —4C **46**
Crawford Av. *Wolv* —2B **60**
Crawford Rd. *S Cold* —5D **70**
Crawford Rd. *Wolv* —1E **43**
Crawford St. *B8* —4C **102**
Crawley Wlk. *Crad H* —2F **111**

Crawshaws Rd. *B36* —6G **87**
Crayford Rd. *B44* —4A **68**
Craythorne Av. *B20* —2A **82**
Crecy Clo. *S Cold* —1C **70**
Credenda Rd. *W Brom* —6G **79**
Credon Gro. *Edg* —1B **132**
Cregoe St. *B15* —2E **117**
Cremore Av. *B8* —4E **103**
Cremorne Rd. *S Cold* —1H **53**
Crendon Rd. *Row R* —3A **96**
Crescent Av. *Brie H* —1G **109**
Crescent Av. *Hock* —3D **100**
Crescent Rd. *Dud* —4D **94**
Crescent Rd. *W'bry* —5D **46**
Crescent Rd. *W'hall* —1C **46**
Crescent, The. *B43* —2F **67**
  (Collingwood Dri.)
Crescent, The. *B43* —4C **66**
  (Queslett Rd.)
Crescent, The. *Bils* —5F **45**
Crescent, The. *Birm P*
  —3G **123**
Crescent, The. *Crad H*
  —4A **112**
Crescent, The. *Dud* —3G **77**
Crescent, The. *Gt Wyr* —3G **7**
Crescent, The. *H Ard* —6B **140**
Crescent, The. *Hock* —3D **100**
Crescent, The. *Row R*
  —1C **112**
Crescent, The. *Shir* —3G **149**
Crescent, The. *Sol* —3F **151**
Crescent, The. *Stourb*
  —1G **125**
Crescent, The. *Wals* —3E **49**
Crescent, The. *Wat O* —4D **88**
Crescent, The. *W'bry* —1G **63**
Crescent, The. *W'hall* —2C **46**
Crescent, The. *Wolv* —6H **25**
Crescent Tower. *B1* —4A **4**
Cressage Av. *B31* —6E **145**
Cressett Av. *Brie H* —5F **93**
Cressett La. *Brie H* —5G **93**
Cressington Dri. *S Cold*
  —2G **53**
Cresswell Ct. *Pend* —4E **15**
Cresswell Cres. *Wals* —5F **19**
Cresswell Gro. *B24* —3B **86**
Crest, The. *B31* —2F **159**
Crest Vw. *B14* —3B **148**
Crest Vw. *S Cold* —3H **51**
Crestwood Dri. *B44* —6G **67**
Crestwood Glen. *Wolv* —2C **26**
Creswell Rd. *B28* —6H **135**
Creswick Gro. *Redn* —2A **158**
Crew Rd. *W'bry* —1G **63**
Creynolds Clo. *Shir* —5B **164**
Creynolds La. *Shir* —6B **164**
Cricket Clo. *Wals* —4F **49**
Cricketers Mdw. *Crad H*
  —4G **111**
Cricket Mdw. *Dud* —2A **76**
Cricket Mdw. *Wolv* —3H **15**
Cricket St. *W Brom* —6F **63**
Crick La. *B20* —1C **100**
Cricklewood Dri. *Hale*
  —2D **128**
Crimmond Ri. *Hale* —6G **111**
Crimscote Clo. *Shir* —3D **164**
Cripps Rd. *Wals* —6E **31**
Criterion Works. *W'hall*
  —3B **46**
Crocketts Av. *B21* —2H **99**
Crockett's La. *Smeth* —4E **99**
Crocketts Rd. *B21* —2G **99**

Dencil Clo. *Hale* —6F **111**
Dene Av. *K'wfrd* —5B **82**
Dene Ct. Rd. *Sol* —4D **136**
Denegate Clo. *Min* —1E **87**
Dene Hollow. *B13* —1C **148**
Dene Rd. *Stourb* —2D **124**
Dene Rd. *Wolv* —1F **57**
Denewood Av. *B20* —5C **82**
Denford Gro. *B14* —2F **147**
Dengate Dri. *Bal C* —2H **169**
Denham Ct. B23 —5C **84**
(off Park App.)
Denham Gdns. *Wolv* —3H **41**
Denham Rd. *B27* —6H **119**
Denholme Gro. *B14* —4A **148**
Denholm Rd. *S Cold* —2D **68**
Denise Dri. *Bils* —5D **60**
Denise Dri. *Harb* —1G **131**
Denise Dri. *K'hrst* —5B **106**
Denleigh Rd. *K'wfrd* —5D **92**
Denmark Clo. *Wolv* —5E **27**
Denmead Dri. *Wolv* —1H **29**
Denmore Gdns. *Wolv* —1D **44**
Dennis Hall Rd. *Stourb*
—3E **109**
Dennis Rd. *B12* —1B **134**
Dennis St. *Stourb* —3D **108**
Denshaw Rd. *B14* —1F **147**
Denton Cft. *Dorr* —6H **165**
Denton Gro. *Gt Barr* —6H **65**
Denton Gro. *Stech* —1B **120**
Denton Rd. *Stourb* —1C **126**
Denver Rd. *B14* —5A **148**
Denville Clo. *Bils* —4G **45**
Denville Cres. *B9* —6H **103**
Derby Av. *Wolv* —2C **26**
Derby Dri. *B37* —1D **122**
Derby St. *B9* —1A **118**
Derby St. *Wals* —5B **32**
Dereham Clo. *B8* —5D **102**
Dereham Wlk. *Bils* —3G **61**
Dereton Clo. *Dud* —1A **94**
Deritend. —2A 118 (6H 5)
Derron Av. *B26* —6C **120**
Derry Clo. *B17* —2E **131**
Derrydown Clo. *B23* —4E **85**
Derrydown Rd. *B42* —2D **82**
Derry St. *Brie H* —1H **109**
Derry St. *Wolv* —3H **43**
Derwent Clo. *Brie H* —3E **93**
Derwent Clo. *S Cold* —1H **51**
Derwent Clo. *W'hall* —1C **46**
Derwent Gro. *B30* —5E **133**
Derwent Ho. *B17* —6H **115**
Derwent Ho. *O'bry* —4D **96**
Derwent Rd. *B30* —5E **133**
Derwent Rd. *Wolv* —1B **26**
Desford Av. *B42* —6E **67**
Dettonford Rd. *B32* —5H **129**
Devereux Clo. *B36* —1G **105**
Devereux Rd. *S Cold* —2A **54**
Devereux Rd. *W Brom* —6C **80**
Devey Dri. *Tip* —1D **78**
Devil's Elbow La. *Wolv*
—2G **29**
Devine Cft. *Tip* —2A **78**
Devitts Clo. *Shir* —2D **164**
Devon Clo. *B20* —5B **82**
Devon Cres. *Dud* —2B **94**
Devon Cres. *Wals* —6C **22**
Devon Cres. *W Brom* —1A **80**
Devon Rd. *B31* —5A **144**
Devon Rd. *Redn* —5E **143**
Devon Rd. *Smeth* —4C **114**
Devon Rd. *Stourb* —4C **108**
Devon Rd. *W'bry* —1A **64**

Devon Rd. *W'hall* —1D **46**
Devon Rd. *Wolv* —6F **27**
Devonshire Av. *B18* —3B **100**
Devonshire Ct. *S Cold* —1F **53**
Devonshire Dri. *W Brom*
—4C **80**
Devonshire Rd. *B20* —5B **82**
Devonshire Rd. *Smeth* —3C **98**
Devonshire St. *B18* —3B **100**
Devon St. *B7* —5C **102**
Devoran Clo. *Wolv* —5F **27**
Dewberry Dri. *Wals* —2E **65**
Dewberry Rd. *Stourb* —2D **108**
Dewhurst Cft. *B33* —6F **105**
Dewsbury Clo. *Stourb* —6C **92**
Dewsbury Dri. *Wolv* —2E **59**
Dewsbury Gro. *B42* —2E **83**
Deykin Av. *B6* —5A **84**
Deyncourt Rd. *Wolv* —2C **28**
Dial Clo. *B14* —5G **147**
Dial La. *Stourb* —3C **108**
Dial La. *W Brom* —1F **79**
Diamond Pk. Dri. *Stourb*
—2C **108**
Diana Clo. *Wals W* —4D **22**
Diane Clo. *Tip* —3B **62**
Dibble Clo. *W'hall* —4D **30**
Dibble Rd. *Smeth* —3D **98**
Dibdale Rd. *Dud* —4A **76**
Dibdale Rd. W. *Dud* —4A **76**
Dibdale St. *Dud* —5B **76**
Dice Pleck. *B31* —5G **145**
Dickens Clo. *Dud* —2F **75**
Dickens Gro. *B14* —4A **148**
Dickens Heath. —4F 163
Dickens Heath Rd. *Tid G &*
Shir —5E **163**
Dickens Rd. *Bils* —3F **61**
Dickens Rd. *Wolv* —1C **28**
Dickinson Av. *Wolv* —1A **28**
Dickinson Dri. *S Cold* —1C **70**
Dickinson Dri. *Wals* —5A **48**
Dickinson Rd. *Wom* —3G **73**
Dick Sheppard Av. *Tip* —5B **62**
Diddington Av. *B28* —2G **149**
Diddington La. *H Ard* —5C **140**
Didgley Gro. *B37* —4C **106**
Digbeth. —1H 117 (6G 5)
Digbeth. *B5* —2H **117** (5F **5**)
Digbeth. *Wals* —2C **48**
Digby Cres. *Wat O* —4D **88**
Digby Dri. *B37* —5C **122**
Digby Ho. *B37* —5B **106**
Digby Rd. *Col* —3H **107**
Digby Rd. *K'wfrd* —1B **92**
Digby Rd. *S Cold* —1G **69**
Digby Wlk. *B33* —3G **121**
Dilke Rd. *Wals* —4B **34**
Dilliars Wlk. *W Brom* —2G **79**
Dillington Ho. *B37* —1D **122**
Dilloway's La. *W'hall* —2G **45**
Dimmingsdale Bank. *B32*
—1A **130**
Dimmingsdale Rd. *Wolv*
—6E **41**
Dimminsdale. *W'hall* —2A **46**
Dimmocks Av. *Bils* —5F **61**
Dimmock St. *Wolv* —6A **44**
Dimsdale Gro. *B31* —4C **144**
Dimsdale Rd. *B31* —4B **144**
Dingle Av. *Crad H* —3G **111**
Dingle Clo. *B30* —6H **131**
Dingle Clo. *Dud* —2G **95**
Dingle Ct. *O'bry* —1E **97**
Dingle Ct. *Sol* —6D **150**
Dingle Hollow. *O'bry* —1D **96**

Dingle La. *Sol* —5D **150**
Dingle La. *W'hall* —5A **30**
Dingle Mead. *B14* —3E **147**
Dingle Rd. *Dud* —2G **95**
Dingle Rd. *K'wfrd* —5E **93**
Dingle Rd. *Stourb* —3F **125**
Dingle Rd. *Wals* —1A **22**
Dingle Rd. *Wom* —1F **73**
Dingle St. *O'bry* —1D **96**
Dingle, The. *O'bry* —1D **96**
Dingle, The. *S Oak* —3A **132**
Dingle, The. *Shir* —4B **164**
Dingle, The. *Wolv* —2B **42**
Dingle Vw. *Dud* —1G **75**
Dingley Rd. *W'bry* —6G **47**
Dingleys Pas. *B4*
—6G **101** (4F **5**)
Dinham Gdns. *Dud* —4A **76**
Dinmore Av. *B31* —3F **145**
Dinsdale Wlk. *Wolv* —4E **27**
Dippons Dri. *Wolv* —6G **25**
Dippons La. *Wergs* —3F **25**
Dippons La. *Wolv* —3E **25**
Dippons Mill Clo. *Wolv*
—6G **25**
Dirtyfoot La. *Wolv* —6G **41**
Discovery Clo. *Tip* —2C **78**
Ditch, The. *Wals* —2D **48**
Ditton Gro. *B31* —3D **158**
Dixon Clo. *B35* —5E **87**
Dixon Clo. *Tip* —1C **78**
Dixon Rd. *B10* —3B **118**
Dixon's Green. —2G 95
Dixon's Grn. Ct. Dud —1G **95**
(off Dixon's Grn.)
Dixon's Grn. Rd. *Dud* —1F **95**
Dixon St. *Wolv* —5A **44**
Dobbins Oak Rd. *Stourb*
—4H **125**
Dobbs Mill Clo. *B29* —3D **132**
Dobbs St. *Wolv*
—3G **43** (6B **170**)
Dockar Rd. *B31* —5C **144**
Dockers Clo. *Bal C* —2H **169**
Dock La. *Dud* —6D **76**
Dock La. Ind. Est. Dud
(off Dock La.) —6D **76**
Dock Mdw. Dri. *Wolv* —1C **60**
Dock Rd. *Stourb* —1D **108**
Dock, The. *Stourb* —6B **110**
Doctors Hill. *Stourb* —2G **125**
Doctors La. *K'wfrd* —4F **91**
Doctor's Piece. *W'hall* —1B **46**
Doddington Gro. *B32* —5H **129**
Dodford Clo. *Redn* —2F **157**
Doe Bank. —1H 53
Doe Bank Ct. *S Cold* —3H **53**
Doe Bank La. *Wals & B43*
—5E **51**
Doe Bank Rd. *Tip* —4C **62**
Dogge La. Cft. *B27* —3H **135**
Dogkennel La. *Hale* —2B **128**
Dogkennel La. *O'bry* —4A **98**
Dog Kennel La. *Shir* —2A **164**
Dog Kennel La. *Wals* —1D **48**
Dogpool La. *B30* —4D **132**
Doidge Rd. *B23* —4D **84**
Dollery Dri. *B5* —6E **117**
Dollis Gro. *B44* —2H **67**
Dollman St. *B7* —6B **102**
Dolman Rd. *B6* —1G **101**
Dolobran Rd. *B11* —4B **118**
Dolphin Clo. *Wals* —6D **20**
Dolphin Ho. *Wals* —1D **32**
Dolphin La. *B27* —4H **135**
(in two parts)

Dolphin Rd. *B11* —6D **118**
Dolton Way. *Tip* —1G **77**
Dominic Dri. *B30* —3H **145**
Doncaster Way. *B36* —1A **104**
Don Clo. *B15* —3H **115**
Donegal Rd. *S Cold* —6H **51**
Donibristle Cft. *B35* —3E **87**
Dooley Clo. *W'hall* —1G **45**
Doran Clo. *Hale* —4F **127**
Doranda Way. *W Brom*
—6D **80**
Dora Rd. *Hand* —2A **100**
Dora Rd. *Small H* —3E **119**
Dora Rd. *W Brom* —6A **80**
Dora St. *Wals* —4H **47**
Dorchester Clo. *W'hall* —1C **30**
Dorchester Ct. *Sol* —3E **151**
Dorchester Dri. *B17* —1F **131**
Dorchester Rd. *Sol* —3E **151**
Dorchester Rd. *Stourb*
—3H **125**
Dorchester Rd. *W'hall* —1C **30**
Dordon Clo. *Shir* —6E **149**
Doreen Gro. *B24* —5H **85**
Doris Rd. *Bord G* —1C **118**
Doris Rd. *Col* —1H **107**
Doris Rd. *S'hll* —1B **134**
Dorking Gro. *B15* —2E **117**
Dorlcote Rd. *B8* —5G **103**
Dormie Clo. *B38* —6H **145**
Dormington Rd. *B44* —2G **67**
Dormston Clo. *Sol* —2G **165**
Dormston Dri. *B29* —3D **130**
Dormston Dri. *Dud* —5A **60**
Dormston Trad. Est. *Dud*
—3A **76**
Dormy Dri. *B31* —2E **159**
Dorncliffe Av. *B33* —4H **121**
Dornie Dri. *B38* —6B **146**
Dornton Rd. *B30* —5E **133**
Dorothy Gdns. *Hand* —5C **82**
Dorothy Rd. *B11* —6H **119**
Dorothy Rd. *Smeth* —6E **99**
Dorothy St. *Wals* —4B **48**
Dorridge. —6C 166
Dorridge Cft. *Dorr* —6G **167**
Dorridge Rd. *Dorr* —6H **167**
Dorrington Grn. *B42* —2C **82**
Dorrington Rd. *B42* —1C **82**
Dorset Clo. *Redn* —5F **143**
Dorset Cotts. *B30* —1C **146**
Dorset Dri. *Wals* —6C **22**
Dorset Rd. *B17* —6H **99**
Dorset Rd. *Stourb* —4B **108**
Dorset Tower. *Hock* —5D **100**
Dorsett Pl. *Wals* —2A **32**
Dorsett Rd. *Darl* —5C **46**
Dorsett Rd. *W'bry* —3B **64** .
Dorsett Rd. Ter. *W'bry* —5C **46**
Dorset Way. *Salt* —3D **102**
Dorsheath Gdns. *B23* —3F **85**
Dorsington Rd. *B27* —4B **136**
Dorstone Covert. *B14* —5E **147**
Dorville Clo. *B38* —1H **159**
Douay Rd. *B23 & B24* —1H **85**
Double Row. *Dud* —5G **95**
Doughty St. *Tip* —2C **78**
Douglas Av. *B36* —3B **104**
Douglas Av. *O'bry* —4B **98**
Douglas Davies Clo. *W'hall*
—5C **30**
Douglas Pl. *Wolv* —3G **27**
Douglas Rd. *A Grn* —1H **135**
Douglas Rd. *Bils* —5F **61**
Douglas Rd. *Dud* —1F **95**
Douglas Rd. *Hale* —2E **113**

Dunsink Rd.—Edward Rd.

Dunsink Rd. *B6* —6H **83**
Dunslade Cres. *Brie H*
  —3B **110**
Dunslade Rd. *B23* —6E **69**
Dunsley Dri. *Stourb* —6C **92**
Dunsley Gro. *Wolv* —1E **59**
Dunsley Rd. *Stourb* —1A **124**
Dunsmore Dri. *Brie H*
  —3B **110**
Dunsmore Gro. *Sol* —6D **136**
Dunsmore Rd. *B28* —3E **135**
Dunstall Av. *Wolv* —4G **27**
Dunstall Gro. *B29* —5D **130**
Dunstall Hill. —4F 27
Dunstall Hill. *Wolv* —4G **27**
Dunstall La. *Wolv* —4E **27**
Dunstall Pk. *Wolv* —3F **27**
Dunstall Pk. Race Course.
  —3E 27
Dunstall Rd. *Hale* —2F **127**
Dunstall Rd. *Wolv* —5F **27**
Dunstan Cft. *Shir* —1A **164**
Dunster Clo. *B30* —3D **146**
Dunster Gro. *Wolv* —6F **25**
Dunster Rd. *B37* —6E **107**
Dunston Clo. *K'wfrd* —2B **92**
Dunston Clo. *Wals* —5E **7**
Dunton Clo. *S Cold* —5G **37**
Dunton Hall Rd. *Shir* —1G **163**
Dunton Ind. Est. *B7* —2D **102**
Dunton Rd. *K'hrst* —5B **106**
Dunvegan Rd. *B24* —3G **85**
Durant Clo. *Redn* —5D **142**
Durban Rd. *Smeth* —5G **99**
D'Urberville Clo. *Wolv* —5B **44**
  (off D'Urberville Rd.)
D'Urberville Rd. *Wolv* —4B **44**
  (in two parts)
Durham Av. *W'hall* —6C **30**
Durham Ct. Wolv —5G 27
  (off Waterloo Rd.)
Durham Cft. *B37* —1D **122**
Durham Dri. *W Brom* —6B **64**
Durham Pl. *Wals* —2H **47**
Durham Rd. *B11* —1B **134**
Durham Rd. *Dud* —1F **111**
Durham Rd. *Row R* —5E **97**
Durham Rd. *Stourb* —3B **108**
Durham Rd. *Wals* —3H **47**
Durham Rd. *W'bry* —6F **47**
Durham Tower. *B1* —6D **100**
Durley Dean Rd. *B29* —3G **131**
Durley Dri. *S Cold* —2C **68**
Durley Rd. *B25* —5A **120**
Durlston Gro. *B28* —5G **135**
Durnford Cft. *B14* —6G **147**
Dursley Clo. *Sol* —5F **137**
Dursley Clo. *W'hall* —5D **30**
Dutchess Pde. *W Brom*
  —4B **80**
Dutton's La. *S Cold* —5C **38**
Duxford Rd. *B42* —5D **66**
Dwellings La. *B32* —6H **113**
Dyas Av. *B42* —6B **66**
Dyas Rd. *Gt Barr* —4F **67**
Dyas Rd. *H'wd* —2A **162**
Dyce Clo. *B35* —3E **87**
Dymoke St. *B12* —3H **117**
Dynes Wlk. *Smeth* —4E **99**
Dyott Rd. *B13* —4A **134**
Dyson Clo. *Wals* —6F **31**
Dyson Gdns. *Wash H* —4E **103**

Eachelhurst Rd. *B24 &*
  S Cold —3C **86**

Eachus Rd. *Bils* —5F **61**
Eachway. —3F 157
Eachway. *Redn* —3F **157**
Eachway Farm Clo. *Redn*
  —3G **157**
Eachway La. *Redn* —3G **157**
Eadgar Ct. *B43* —6H **65**
Eagle Clo. *Dud* —1B **94**
Eagle Clo. *Row R* —5H **95**
Eagle Clo. *Wals* —3D **6**
Eagle Cft. *B14* —5G **147**
Eagle Gdns. *Erd* —5G **85**
Eagle gro. *B36* —1C **106**
Eagle Ind. Est. *Tip* —6E **63**
Eagle La. *Tip* —1D **78**
Eagle St. *Penn F* —4E **43**
Eagle St. *Tip* —1C **78**
Eagle St. *Wolv* —3A **44**
Eagle Trad. Est. *Hale* —1A **128**
Ealing Gro. *B44* —4A **68**
Earlsbury Gdns. *B20* —6F **83**
Earls Ct. Rd. *B17* —5E **115**
Earls Ferry Gdns. *B32*
  —6H **129**
Earlsmead Rd. *B21* —1G **99**
Earls Rd. *Wals* —2G **33**
Earlston Way. *B43* —5H **65**
Earl St. *Bils* —6F **45**
Earl St. *Cose* —5F **61**
Earl St. *K'wfrd* —5B **92**
Earl St. *Wals* —3B **48**
Earl St. *W Brom* —3H **79**
Earls Way. *Hale* —1B **128**
Earlswood Ct. *B20* —5C **82**
Earlswood Cres. *Pend* —4E **15**
Earlswood Dri. *S Cold* —4A **54**
Earlswood Rd. *Dorr* —6F **167**
Earlswood Rd. *K'wfrd* —2C **92**
Easby Way. *B8* —4E **103**
Easby Way. *Wals* —5F **19**
Easenhall Clo. *Know* —5C **166**
Easmore Clo. *B14* —5F **147**
Eastacre. *W'hall* —2A **46**
East Av. *Tiv* —2C **96**
East Av. *Wolv* —3E **29**
Eastbourne Av. *B34* —3B **104**
Eastbourne St. *Wals* —6D **32**
Eastbrook Clo. *S Cold* —1B **70**
Eastbury Dri. *Sol* —2E **137**
Eastbury Dri. *Sol* —2E **137**
E. Car Pk. Rd. *B40* —1H **139**
Eastdean Clo. *B23* —1D **84**
East Dri. *B5* —1E **133**
Eastern Av. *Brie H* —1F **109**
Eastern Clo. *W'bry* —2C **62**
Eastern Rd. *B29* —2D **132**
Eastern Rd. *S Cold* —4H **69**
Easterton Cft. *B14* —5G **147**
E. Farm Cft. *B10* —3D **118**
Eastfield Dri. *Sol* —5A **138**
Eastfield Gro. *Wolv* —1B **44**
Eastfield Retreat. *Wolv* —1B **44**
Eastfield Rd. *Salt & Bord G*
  —5A **104**
Eastfield Rd. *Tip* —5A **62**
Eastfield Rd. *Wolv* —1B **44**
East Ga. *B16* —6A **100**
East Grn. *Wolv* —5B **42**
Eastham Rd. *B13* —1C **148**
E. Holme. *B9* —1C **118**

Easthope Rd. *B33* —5E **105**
Eastlake Clo. *B43* —2F **67**
Eastlands Rd. *B13* —4A **134**
Eastleigh. *Dud* —5G **59**
Eastleigh Cft. *S Cold* —6E **71**
Eastleigh Dri. *Rom* —3A **142**
Eastleigh Gro. *B25* —3B **120**
E. Meadway. *B33* —1H **121**
East M. *B44* —3F **67**
E. Moor Clo. *S Cold* —1B **52**
Eastney Cres. *Wolv* —1C **26**
Easton Gdns. *Wolv* —4H **29**
Easton Gro. *B27* —4A **136**
Easton Gro. *H'wd* —2B **162**
E. Park Trad. Est. *Wolv*
  —3B **44**
East Pk. Way. *Wolv* —2D **44**
E. Pathway. *B17* —5G **115**
East Ri. *S Cold* —5B **54**
East Rd. *B24* —5B **86**
East Rd. *B'frd* —1C **16**
East Rd. *Tip* —5B **62**
East St. *Brie H* —3C **110**
East St. *Dud* —1G **95**
East St. *Gorn W* —4H **75**
East St. *Wals* —4D **48**
East St. *Wolv* —2A **44**
E. View Rd. *S Cold* —2B **70**
Eastville. *B31* —4F **145**
Eastward Glen. *Cod* —6A **14**
East Way. *B17* —5G **115**
Eastway. *B40 & H Ard*
  —2H **139**
Eastwood Rd. *Bal H* —6F **117**
Eastwood Rd. *Dud* —3G **95**
Eastwood Rd. *Gt Barr* —5A **66**
Eatesbrook Rd. *B33* —6G **105**
Eathorpe Clo. *B34* —3H **105**
Eaton Av. *W Brom* —3G **79**
Eaton Ct. *S Cold* —4H **53**
Eaton Cres. *Dud* —4F **75**
Eaton Pl. *K'wfrd* —4C **92**
Eaton Ri. *W'hall* —3B **30**
Eaton Wood. *B24* —4B **86**
Eaton Wood Dri. *B26*
  —6B **120**
Eaves Ct. Dri. *Dud* —4G **59**
Eaves Grn. Gdns. *B27*
  —6H **119**
Ebenezer St. *Bils* —5D **60**
Ebenezer St. *W Brom* —1F **79**
Ebley Rd. *B20* —3C **82**
Ebmore Dri. *B14* —5F **147**
Ebrington Av. *Sol* —2F **137**
Ebrington Clo. *B14* —3F **147**
Ebrington Rd. *W Brom*
  —1B **80**
Ebrook Rd. *S Cold* —1A **70**
Ebstree. —1C 56
Ebstree Rd. *Seis* —3A **56**
Ebury Rd. *B30* —3D **146**
Eccleshall Av. *Wolv* —1F **27**
Eccleston Clo. *S Cold* —6D **54**
Ecclestone Rd. *Wolv* —1A **30**
Echo Way. *Wolv* —1C **60**
Eckersall Rd. *B38* —4A **146**
Eckington Wlk. *B38* —2A **160**
Edale Clo. *K'wfrd* —2H **91**
Edale Clo. *Wolv* —2A **60**
Edale Rd. *B42* —6E **67**
Eddish Rd. *B33* —6F **105**
Eddison Rd. *Col* —3G **89**
Edenbridge Rd. *B28* —5G **135**
Edenbridge Vw. *Dud* —4A **76**
Eden Clo. *B31* —1C **158**
Eden Clo. *Tiv* —5D **78**

Edendale Rd. *B26* —5F **121**
Eden Gro. *B37* —2F **123**
Eden Gro. *W Brom* —2B **80**
Edenhall Rd. *B32* —5H **113**
Edenhurst Rd. *B31* —3D **158**
Eden Pl. *B3* —1F **117** (4C **4**)
Eden Rd. *Sol* —2H **137**
Edensor Clo. *Wolv* —5A **28**
Edgbaston. —4B 116
Edgbaston Pk. Rd. *B15*
  —6C **116**
Edgbaston Rd. *B5* —6F **117**
Edgbaston Rd. *B12* —1G **133**
Edgbaston Rd. *Smeth* —5E **99**
Edgbaston Rd. E. *B12*
  —6H **117**
Edgbaston Shop. Cen. *B16*
  —3C **116**
Edgbaston St. *B5*
  —2G **117** (6E **5**)
Edgcombe Rd. *B28* —4F **135**
Edge Hill Av. *Wolv* —5C **16**
Edge Hill Dri. *Dud* —3G **59**
Edge Hill Dri. *Pert* —6E **25**
Edgehill Rd. *B31* —6E **145**
Edge Hill Rd. *S Cold* —5D **36**
Edgemond Av. *B24* —3D **86**
Edge St. *Bils* —5F **61**
Edgewood Clo. *Crad H*
  —3H **111**
Edgewood Rd. *K Nor* —2A **160**
Edgewood Rd. *Redn* —2H **157**
Edgeworth Clo. *W'hall* —5C **30**
Edgware Rd. *B23* —2D **84**
Edinburgh Av. *Wals* —6E **31**
Edinburgh Ct. *B24* —3B **86**
Edinburgh Cres. *Stourb*
  —2A **108**
Edinburgh Dri. *Wals* —2H **33**
Edinburgh Dri. *W'hall* —3B **30**
Edinburgh La. *Wals* —5G **31**
Edinburgh Rd. *Bils* —2H **61**
Edinburgh Rd. *Dud* —3F **95**
Edinburgh Rd. *O'bry* —3H **113**
Edinburgh Rd. *Wals* —3F **49**
Edison Gro. *B32* —6B **114**
Edison Rd. *Wals* —4G **31**
Edison Wlk. *Wals* —4H **31**
Edith Rd. *Smeth* —6F **99**
Edith St. *W Brom* —4H **79**
Edmonds Clo. *B33* —1F **121**
Edmonds Rd. *O'bry* —1A **114**
Edmonton Av. *B44* —4B **68**
Edmoor Clo. *W'hall* —3C **30**
Edmund Rd. *B8* —5D **102**
Edmund Rd. *Dud* —1A **76**
Edmund St. *B3*
  —6F **101** (3C **4**)
Ednam Clo. *W Brom* —5D **64**
Ednam Gro. *Wom* —4G **57**
Ednam Rd. *Dud* —6E **77**
Ednam Rd. *Wolv* —5G **43**
Edsome Way. *B36* —1D **104**
Edstone Clo. *Dorr* —5B **166**
Edstone M. *B36* —1D **104**
Edward Av. *Wals* —2C **34**
Edward Clo. *Bils* —2G **61**
Edward Ct. *Wals* —3E **49**
Edward Fisher Dri. *Tip* —2A **78**
Edward Rd. *Bal H* —5F **117**
Edward Rd. *Hale* —1H **127**
Edward Rd. *May* —6H **147**
Edward Rd. *O'bry* —3A **114**
Edward Rd. *Smeth* —5D **98**
Edward Rd. *Tip* —6A **62**
Edward Rd. *Wat O* —4E **89**

Englestede Clo.—Fallowfield Av.

Englestede Clo. *B20* —4B **82**
Englewood Dri. *B28* —5G **135**
Ennerdale Clo. *Clay* —6A **10**
Ennerdale Dri. *Hale* —3F **127**
Ennerdale Dri. *Pert* —5F **25**
Ennerdale Rd. *B43* —1B **82**
Ennerdale Rd. *Tett* —1B **26**
Ennersdale Bungalows. *Col* —6H **89**
Ennersdale Clo. *Col* —6H **89**
Ennersdale Rd. *Col* —6H **89**
Ensall Dri. *Stourb* —2C **108**
Ensbury Clo. *W'hall* —5B **30**
Ensdale Row. *W'hall* —2A **46**
Ensdon Gro. *B44* —4B **68**
Ensford Clo. *S Cold* —4E **37**
Ensign Ho. *B35* —3E **87**
Enstone Rd. *B23* —6G **69**
Enstone Rd. *Dud* —1B **94**
Enterprise Dri. *Stourb* —5B **110**
Enterprise Dri. *S Cold* —4G **51**
Enterprise Gro. *Pels* —2F **21**
Enterprise Trad. Est. *Brie H* —6B **94**
Enterprise Way. *B7* —5H **101**
Enville Clo. *Wals* —4G **19**
Enville Gro. *B11* —6D **118**
Enville Rd. *Dud* —3H **75**
Enville Rd. *K'wfrd* —1G **91**
Enville Rd. *Wolv* —1A **58**
Enville St. *Stourb* —6D **108**
Enville Towermill. —5B **90**
Epping Clo. *Redn* —5H **143**
Epping Clo. *Wals* —3D **32**
Epping Gro. *B44* —6A **68**
Epsom Clo. *Pert* —5F **25**
Epsom Gro. *B44* —5B **68**
Epwell Gro. *B44* —1H **83**
Epwell Rd. *B44* —1H **83**
Epworth Ct. *Brie H* —4F **93**
Erasmus Rd. *B11* —4A **118**
Ercall Clo. *B23* —1A **84**
Erdington. —3G **85**
Erdington Hall Rd. *B24* —5F **85**
Erdington Ind. Pk. *B24* —3D **86**
Erdington Rd. *Wals* —5D **34**
Erica Clo. *B29* —5E **131**
Erica Rd. *Wals* —2F **65**
Ermington Cres. *B36* —1C **104**
Ermington Rd. *Wolv* —6H **43**
Ernest Clarke Clo. *W'hall* —5C **30**
Ernest Rd. *B12* —1B **134**
Ernest Rd. *Dud* —6H **77**
Ernest Rd. *Smeth* —3C **98**
Ernest St. *B1* —2F **117** (6C **4**)
Ernsford Clo. *Dorr* —6G **167**
Erskine St. *B7* —5B **102**
Esher Rd. *B44* —1H **67**
Esher Rd. *W Brom* —1B **80**
Eskdale Clo. *Wolv* —1C **44**
Eskdale Wlk. *Brie H* —3F **109**
Esme Rd. *B11* —1B **134**
Esmond Clo. *B30* —2H **145**
Essendon Gro. *B8* —5H **103**
Essendon Rd. *B8* —5H **103**
Essendon Wlk. *B8* —5H **103**
Essex Av. *K'wfrd* —4H **91**
Essex Av. *W'bry* —1A **64**
Essex Av. *W Brom* —6A **64**
Essex Ct. *B29* —6G **131**
Essex Gdns. *Stourb* —4B **108**
Essex Ho. Wolv —5G **27**
(off Lomas St.)

Essex Rd. *Dud* —3C **94**
Essex Rd. *S Cold* —2B **54**
Essex St. *B5* —2G **117** (6D **4**)
Essex St. *Wals* —4C **32**
Essington. —3H 17
Essington Clo. *Stourb* —2C **108**
Essington Ho. *B8* —4G **103**
Essington Ind. Est. *Ess* —3H **17**
Essington Rd. *Ess & W'hall* —5B **18**
Essington St. *B16* —2D **116**
Essington Way. *Wolv* —2D **44**
Este Rd. *B26* —3E **121**
Estone Wlk. *B6* —2H **101**
Estria Rd. *B15* —4D **116**
Estridge La. *Wals* —3G **7**
Ethelfleda Ter. *W'bry* —2F **63**
Ethelred Clo. *S Cold* —6G **37**
Ethel Rd. *B17* —6H **115**
Ethel St. *B2* —1F **117** (4D **4**)
Ethel St. *O'bry* —5G **97**
Ethel St. *Smeth* —1D **114**
Etheridge Rd. *Bils* —4E **45**
Eton Clo. *Dud* —6B **60**
Eton Dri. *Stourb* —2E **125**
Eton Rd. *B12* —1B **134**
Etruria Way. *Bils* —4G **45**
Etta Gro. *B44* —1H **67**
Ettingshall. —6C 44
Ettingshall Park. —1A 60
Ettingshall Pk. Farm La. *Wolv* —1A **60**
Ettingshall Rd. *Bils* —3C **60**
Ettingshall Rd. *Wolv* —4D **44**
Ettington Clo. *Dorr* —6F **167**
Ettington Rd. *B6* —1G **101**
Ettymore Clo. *Dud* —5H **59**
Ettymore Rd. *Dud* —5H **59**
Ettymore Rd. W. *Dud* —5G **59**
Etwall Rd. *B28* —2E **149**
Euan Clo. *B17* —3G **115**
Euro Bus. Pk. *O'bry* —2E **97**
Europa Av. *W Brom* —5D **80**
Europa Way. *Birm A* —1E **139**
Evans Clo. *Tip* —2E **77**
Evans Gdns. *B29* —4H **131**
Evans Pl. *Bils* —4G **45**
Evans St. *Bils* —4B **60**
Evans St. *W'hall* —2F **45**
Evans St. *Wolv* —5E **27**
Eva Rd. *B18* —3H **99**
Eva Rd. *O'bry* —6A **98**
Evason Ct. *B6* —6G **83**
Eve Hill. —5D 76
Eve La. *Dud* —2B **76**
Evelyn Cft. *S Cold* —5G **69**
Evelyn Rd. *B11* —1C **134**
Evenlode Clo. *Sol* —2F **137**
Evenlode Gro. *W'hall* —2D **46**
Evenlode Rd. *Sol* —2E **137**
Evered Bardon Ho. O'bry —2E **97**
(off Round's Grn. Rd.)
Everest Clo. *Smeth* —1C **98**
Everest Rd. *B20* —4C **82**
Everest Rd. *Wals* —6F **31**
Evergreen Clo. *Cose* —5D **60**
Everitt Dri. *Know* —3C **166**
Eversley Dale. *B24* —5G **85**
Eversley Gro. *Dud* —3G **59**
Eversley Gro. *Wolv* —3E **29**
Eversley Rd. *B9* —2D **118**
(in two parts)
Evers St. *Brie H* —3C **110**

Everton Rd. *B8* —5A **104**
Eves Cft. *B32* —4A **130**
Evesham Cres. *Wals* —4F **19**
Evesham Ri. *Dud* —6F **95**
Eveson Rd. *Stourb* —3B **124**
Ewart Rd. *Wals* —6E **31**
Ewell Rd. *B24* —3H **85**
Ewhurst Av. *B29* —4B **132** (Heeley Rd.)
Ewhurst Av. *B29* —5C **132** (Umberslade Rd.)
Ewhurst Clo. *W'hall* —3H **45**
Exbury Clo. *Wolv* —5D **14**
Excelsior Gro. *Pels* —2F **21**
Exchange St. *Brie H* —5H **93**
Exchange St. *W Brom* —5H **79**
Exchange St. *Wolv* —1G **43** (3B **170**)
Exchange, The. *Wals* —6H **19**
Exe Cft. *B31* —1F **159**
Exeter Dri. *B37* —3B **122**
Exeter Ho. *B31* —5A **144**
Exeter Pas. *B1* —2F **117**
Exeter Pl. *Wals* —2H **47**
Exeter Rd. *B29* —3B **132**
Exeter Rd. *Dud* —1F **111**
Exeter Rd. *Smeth* —4F **99**
Exeter St. *B1* —2F **117** (6D **4**)
Exford Clo. *Brie H* —4F **109**
Exhall Clo. *Sol* —5C **150**
Exhibition Way. *B40* —6F **123**
Exmoor Grn. *Wed* —2E **29**
Exon Ct. *Tip* —1H **77**
Expressway, The. *W Brom* —3A **80**
Exton Clo. *Wolv* —1H **29**
Exton Way. *B8* —4D **102**
Eyland Gro. *Wals* —1D **48**
Eymore Clo. *B29* —1F **145**
Eyre St. *B18* —6C **100**
Eyston Av. *Tip* —5D **62**
Eyton Cft. *B12* —4H **117**
Ezekiel La. *W'hall* —3C **30**

Fabian Clo. *Redn* —5F **143**
Fabian Cres. *Shir* —6H **149**
Facet Rd. *B38* —5C **146**
Factory Rd. *B18* —3B **100**
Factory Rd. *Tip* —1G **77**
Factory St. *W'bry* —5C **46**
Fairbourne Av. *B44* —3G **67**
Fairbourne Av. *Row R* —5E **97**
Fairbourn Tower. *B23* —1G **85**
Fairburn Cres. *Pels* —2F **21**
Faircroft Av. *S Cold* —1B **86**
Faircroft Rd. *B36* —6H **87**
Fairdene Way. *B43* —5H **65**
Fairfax Ct. *S Cold* —1E **71**
Fairfax Rd. *B31* —1E **159**
Fairfax Rd. *S Cold* —6D **54**
Fairfax Rd. *Wolv* —5H **15**
Fairfield Dri. *Cod* —3E **13**
Fairfield Dri. *Hale* —2D **112**
Fairfield Dri. *Wals* —3F **21**
Fairfield Gro. *Hale* —2E **113**
Fairfield Mt. *Wals* —3D **48**
Fairfield Pk. Ind. Est. *Hale* —1E **113**
Fairfield Pk. Rd. *Hale* —2E **113**
Fairfield Ri. *Mer* —4H **141**
Fairfield Ri. *Stourb* —6A **108**
Fairfield Rd. *B14* —5G **133**
Fairfield Rd. *Dud* —2F **95**
Fairfield Rd. *Hale* —3A **128**
Fairfield Rd. *H Grn* —2E **113**

Fairfield Rd. *Stourb* —1D **108**
Fairford Clo. *Sol* —2B **150**
Fairford Gdns. *Stourb* —6C **92**
Fairford Rd. *B44* —1H **83**
Fairgreen Gdns. *Brie H* —4F **93**
Fairgreen Way. *B29* —4B **132**
Fairgreen Way. *S Cold* —2A **52**
Fair Ground Way. *Wals* —3B **48**
Fairhaven Cft. *H Grn* —2E **113**
Fairhills. *Dud* —5H **59**
Fairhill Way. *B11* —4B **118**
Fairholme Rd. *B8 & B36* —2H **103**
Fairlawn. *Edg* —4C **116**
Fairlawn Clo. *W'hall* —6C **18**
Fairlawn Dri. *K'wfrd* —5B **92**
Fairlawns. *B26* —2E **121**
Fairlawn. *S Cold* —5E **71**
Fairlawn Way. *W'hall* —6C **18**
Fairlie Cres. *B38* —6H **145**
Fairmead Ri. *B38* —6A **146**
Fairmile Rd. *Hale* —5H **111**
Fairoak Dri. *Wolv* —6H **25**
Fair Oaks Dri. *Wals* —5G **7**
Fairview Av. *B42* —1D **82**
Fairview Clo. *C Hay* —3D **6**
Fairview Clo. *Wolv* —3D **28**
Fairview Ct. *Wals* —1D **46**
Fairview Cres. *K'wfrd* —4D **92**
Fairview Cres. *Wolv* —2D **28**
Fairview Gro. *Wolv* —2D **28**
Fairview Rd. *Dud* —4C **76**
Fairview Rd. *Penn* —1A **58**
Fairview Rd. *Wed* —2D **28**
Fairway. *N'fld* —5C **144**
Fairway. *Wals* —6H **21**
Fairway Av. *Tiv* —1A **96**
Fairway Dri. *Redn* —3F **157**
Fairway Grn. *Bils* —4F **45**
Fairway Rd. *O'bry* —1F **113**
Fairways Av. *Stourb* —3C **124**
Fairways Clo. *Stourb* —3C **124**
Fairway, The. *K Nor* —5H **145**
Fairyfield Av. *B43* —4H **65**
Fairyfield Ct. *B43* —4H **65**
Fakenham Cft. *B17* —4D **114**
Falcon Clo. *Wals* —3C **6**
Falcon Cres. *Bils* —3B **60**
Falcondale Rd. *W'hall* —6C **18**
Falconhurst Rd. *B29* —3G **131**
Falcon Lodge. —6F 55
Falcon Lodge Cres. *S Cold* —6D **54**
Falcon Pl. *Tiv* —2C **96**
Falcon Ri. *Stourb* —5A **108**
Falcon Rd. *O'bry* —1F **113**
Falcons, The. *S Cold* —6F **55**
Falcon Way. *Dud* —6B **76**
Falfield Clo. *Row R* —3D **96**
Falfield Gro. *B31* —2C **158**
Falkland Cft. *B30* —1D **146**
Falklands Clo. *Swind* —5E **73**
Falkland Way. *B36* —4D **106**
Falkwood Gro. *Know* —3B **166**
Fallindale Rd. *B26* —5F **121**
Fallings Heath. —5F 47
Fallings Heath Clo. *W'bry* —4F **47**
Fallings Park. —4B 28
Fallings Pk. Ind. Est. *Wolv* —4B **28**
Fallowfield. *Pend* —5C **14**
Fallowfield. *Pert* —5D **24**
Fallow Fld. *S Cold* —6B **36**
Fallowfield Av. *B28* —2F **149**

Fallowfield Rd. *Hale* —2F **127**
Fallowfield Rd. *Row R* —6A **96**
Fallowfield Rd. *Sol* —3G **137**
Fallowfield Rd. *Wals* —3A **50**
Fallows Ho. *B19* —4G **101**
Fallows Rd. *B11* —5C **118**
Fallow Wlk. *B32* —3G **129**
Falmouth Rd. *B34* —4C **104**
Falmouth Rd. *Wals* —4H **49**
Falstaff Av. *H'wd* —3A **162**
Falstaff Clo. *S Cold* —6F **71**
Falstaff Ct. *S Cold* —6G **55**
Falstaff Rd. *Shir* —5H **149**
Falstone Rd. *S Cold* —3D **68**
Fancott Rd. *B31* —2E **145**
Fancourt Av. *Wolv* —1B **58**
Fane Rd. *Wolv* —6A **18**
Fanshawe Rd. *B27* —4A **136**
Fanum Ho. *Hale* —2B **128**
Faraday Av. *B32* —6B **114**
Faraday Av. *Col* —2H **89**
Faraday Rd. *Wals* —3H **31**
Farbrook Way. *W'hall* —3B **30**
Farcroft Av. *B21* —1H **99**
Farcroft Gro. *B21* —6H **81**
Farcroft Rd. *B21* —6H **81**
Fareham Cres. *Wolv* —5A **42**
Farfield Clo. *B31* —5F **145**
Far Highfield. *S Cold* —1B **70**
Farhill Clo. *W Brom* —5D **64**
Farlands Dri. *Stourb* —2E **125**
Farlands Gro. *B43* —6B **66**
Farlands Rd. *Stourb* —2E **125**
Farleigh Dri. *Wolv* —3G **41**
Farleigh Rd. *Pert* —6G **25**
Farley Cen. *W Brom* —5B **80**
Farley La. *Rom* —5A **142**
Farley Rd. *B23* —3B **84**
Farley St. *Tip* —2D **78**
Farlow Cft. *Mars G* —3B **122**
Farlow Rd. *B31* —4G **145**
Farmacre. *B9* —1B **118**
Farm Av. *O'bry* —6G **97**
Farmbridge Clo. *Wals* —6D **30**
Farmbridge Rd. *Wals* —6D **30**
Farmbridge Way. *Wals* —6D **30**
Farmbrook Av. *Wolv* —4H **15**
Farm Clo. *Cod* —5H **13**
Farm Clo. *Dud* —6F **59**
Farm Clo. *Sol* —3G **137**
Farmcote Rd. *B33* —5E **105**
Farm Cft. *B19* —3E **101**
Farmcroft Rd. *Stourb* —2A **126**
Farmdale Gro. *Redn* —3G **157**
Farmer Rd. *B10* —4G **119**
Farmers Clo. *S Cold* —1C **70**
Farmers Ct. *Hale* —1H **127**
Farmers Fold. *Wolv* —3B **170**
Farmers Wlk. *B21* —2H **99**
Farmer Way. *Tip* —4B **62**
Farmhouse Rd. *W'hall* —4D **30**
Farm Ho. Way. *B43* —1A **66**
Farmhouse Way. *Shir* —2F **165**
Farmhouse Way. *W'hall* —4E **31**
Farmoor Gro. *B34* —3A **106**
Farmoor Way. *Wolv* —3A **16**
Farm Rd. *B11* —4B **118**
Farm Rd. *Brie H* —2A **110**
Farm Rd. *Dud* —6C **94**
Farm Rd. *O'bry* —6G **97**
Farm Rd. *Row R* —5A **96**
Farm Rd. *Smeth* —6C **98**
Farm Rd. *Tip* —6C **62**
Farm Rd. *Wolv* —3A **42**
Farmside Grn. *Wolv* —5D **14**

Farmstead Rd. *Sol* —3G **137**
Farm St. *B19* —3D **100**
Farm St. *Wals* —5C **32**
Farm St. *W Brom* —6A **80**
Farnborough Ct. *S Cold* —1H **53**
Farnborough Dri. *Shir* —3D **164**
Farnborough Rd. *B35* —5E **87**
Farnbury Cft. *B38* —5D **146**
Farn Clo. *B33* —6D **104**
Farncote Dri. *S Cold* —6F **37**
Farndale Av. *Wolv* —4D **26**
Farndale Clo. *Brie H* —5F **109**
Farndon Av. *Mars G* —4D **122**
Farndon Rd. *B8* —5F **103**
Farndon Way. *B23* —6D **68**
Farnham Clo. *B43* —5B **66**
Farnham Rd. *B21* —5H **81**
Farnhurst Rd. *B8 & B36* —2H **103**
Farnol Rd. *B26* —3D **120**
Farnworth Gro. *B36* —6A **88**
Farquhar Rd. *Edg* —5B **116**
Farquhar Rd. *Mose* —2H **133**
Farquhar Rd. E. *B15* —5B **116**
Farran Way. *B43* —6A **66**
Farren Rd. *B31* —6B **144**
Farrier Clo. *S Cold* —5D **70**
Farrier Rd. *B43* —2F **67**
Farriers Mill. *Pels* —3C **20**
Farriers, The. *B26* —6F **121**
Farrier Way. *K'wfrd* —2G **91**
Farringdon Ho. *Wals* —6B *32*
(off Green La.)
Farringdon St. *Wals* —1B **48**
Farrington Rd. *B23* —2B **84**
Farrington Rd. *Wolv* —2H **59**
Farrow Rd. *B44* —2G **67**
Farthing La. *Curd* —1E **89**
Farthing La. *S Cold* —1H **69**
Farthing Pools Clo. *S Cold* —1A **70**
Farthings, The. *B17* —5H **115**
Farvale Rd. *Min* —1G **87**
Far Vw. *Wals* —5D **22**
Farway Gdns. *Cod* —5F **13**
Far Wood Rd. *B31* —5C **130**
Fashoda Rd. *B29* —4D **132**
Fastlea Rd. *Bart G* —4B **130**
Fastmoor Oval. *B33* —2A **122**
Fast Pits Rd. *B25* —3H **119**
Fatherless Barn Cres. *Hale*
—1E **127**
Faulkland Cres. *Wolv*
—6H **27** (1C **170**)
Faulkner Clo. *Stourb* —1D **124**
Faulkner Rd. *Sol* —4F **137**
Faulkners Farm Dri. *B23*
—1B **84**
Faulknor Dri. *Brie H* —2F **93**
Faversham Clo. *Wals* —6D **30**
Faversham Clo. *Wolv* —1C **26**
Fawdry Clo. *S Cold* —6H **53**
Fawdry St. *B9* —1A **118**
Fawdry St. *Smeth* —4G **99**
Fawdry St. *Wolv* —6F **27**
Fawley Clo. *W'hall* —3H **45**
Fawley Gro. *B14* —2D **146**
Fazeley St. *B5* —1H **117** (4G **5**)
Fazeley St. Ind. Est. *B5*
—1A **118** (4H **5**)
Fearon Pl. *Smeth* —4E **99**
Featherstone. —1D 16
Featherstone Clo. *Shir*
—5B **150**

Featherstone Cres. *Shir*
—5B **150**
Featherstone Rd. *B14*
—1G **147**
Featherston Rd. *S Cold*
—1A **52**
Feiashill. —6B 56
Feiashill Clo. *Try* —6B **56**
Feiashill Rd. *Try* —5B **56**
Felbrigg Clo. *Brie H* —3G **109**
Feldings, The. *B24* —3A **86**
Feldon La. *Hale* —4E **113**
Felgate Clo. *Shir* —3E **165**
Fellbrook Clo. *B33* —5D **104**
Fell Gro. *B21* —5G **81**
Fellmeadow Rd. *B33* —1E **121**
Fellmeadow Way. *Sed* —1A **76**
Fellows Av. *K'wfrd* —1A **92**
Fellows La. *B17* —5E **115**
Fellows Rd. *Bils* —4F **45**
Fellows St. *Wolv* —3G **43**
Felsted Way. *B7* —5A **102**
Felstone Rd. *B44* —4G **67**
Feltham Clo. *B33* —2A **122**
Felton Cft. *B33* —6E **105**
Felton Gro. *Sol* —6F **151**
Fenbourne Clo. *Wals* —1G **33**
Fenchurch Clo. *Wals* —5B **32**
Fencote Av. *F'bri* —5C **106**
Fen End Rd. *Ken* —6E **169**
Fen End Rd. W. *Know*
—4B **168**
Fenmere Clo. *Wolv* —6H **43**
Fennel Clo. *Wals* —2D **6**
Fennel Cft. *B34* —2F **105**
Fennel Rd. *Brie H* —4G **109**
Fennis Clo. *Dorr* —6B **166**
Fenn Ri. *Stourb* —6A **92**
Fenn Ri. *W'hall* —3B **30**
Fens Cres. *Brie H* —4G **93**
Fens Pool Av. *Brie H* —4H **93**
Fensway, The. *B34* —4E **105**
Fenter Clo. *B13* —6H **117**
Fentham Clo. *H Ard* —1B **154**
Fentham Ct. *Sol* —5D **136**
Fentham Grn. *H Ard* —6A **140**
Fentham Rd. *Aston* —1F **101**
Fentham Rd. *Erd* —4D **84**
Fentham Rd. *H Ard* —1A **154**
Fenton Rd. *B27* —6H **119**
Fenton Rd. *H'wd* —2A **162**
Fenton St. *Brie H* —6G **93**
Fenton St. *Smeth* —2C **98**
Fenton Way. *B27* —1H **135**
Fereday Rd. *Wals* —4D **22**
Fereday's Cft. *Dud* —6H **59**
Fereday St. *Tip* —5H **61**
Ferguson Rd. *O'bry* —4B **98**
Ferguson St. *Wolv* —6A **18**
Fern Av. *Tip* —6H **61**
Fern Bank Clo. *Hale* —3F **127**
Fernbank Cres. *Wals* —1G **65**
Fernbank Rd. *B8* —5G **103**
Ferncliffe Rd. *B17* —1F **131**
Fern Clo. *Bils* —5D **60**
Fern Clo. *Shelf* —6G **21**
Ferndale Av. *B43* —6B **66**
Ferndale Ct. *Col* —4H **107**
Ferndale Cres. *B12* —3A **118**
Ferndale M. *Col* —4H **107**
Ferndale Pk. *Stourb* —5F **125**
Ferndale Rd. *B28* —5F **135**
Ferndale Rd. *Bal C* —3F **169**
Ferndale Rd. *Col* —4H **107**
Ferndale Rd. *Ess* —4B **18**
Ferndale Rd. *O'bry* —2F **113**

Ferndale Rd. *S Cold* —3H **51**
Ferndene Rd. *B11* —2F **135**
Ferndown Av. *Dud* —6G **59**
Ferndown Clo. *B26* —2E **121**
Ferndown Clo. *Wals* —3H **19**
Ferndown Gdns. *Wolv*
—4H **29**
Ferndown Rd. *Sol* —1F **151**
Fern Dri. *Wals* —1G **7**
Fernfell Ct. *B23* —2E **85**
Fernhill Gro. *B44* —2H **67**
Fernhill La. *Ken* —5E **169**
Fernhill Rd. *Sol* —3C **136**
Fernhurst Dri. *Brie H* —2F **93**
Fernhurst Rd. *B8* —6G **103**
Fernleigh Ct. *Sol* —2G **151**
Fernleigh Gdns. *Stourb*
—6A **92**
Fernleigh Rd. *Wals* —6F **33**
Fernley Av. *B29* —3D **132**
Fernley Rd. *B11* —1C **134**
Fern Leys. *Wolv* —2B **42**
Fern Rd. *B24* —3G **85**
Fern Rd. *Dud* —3E **77**
Fern Rd. *Wolv* —3F **43**
Fernside Gdns. *B13* —2B **134**
Fernside Rd. *W'hall* —6F **29**
Fernwood Clo. *S Cold* —4E **69**
Fernwood Cft. *B14* —1G **147**
Fernwood Cft. *Tip* —3H **77**
Fernwood Rd. *S Cold* —5E **69**
Fernwoods. *B32* —3H **129**
Ferrers Clo. *S Cold* —1B **54**
Ferrie Gro. *Bwnhls* —6A **10**
Ferris Gro. *B27* —4G **135**
Festival Av. *W'bry* —1C **62**
Festival Way. *Wolv* —4F **27**
Fibbersley. *Wolv & W'hall*
—5H **29**
Fibbersley Bank. *W'hall*
—5H **29**
Fiddlers Grn. *H Ard* —6A **140**
Field Av. *B31* —2D **144**
Field Clo. *B26* —5E **121**
Field Clo. *Blox* —1A **32**
Field Clo. *Pels* —5F **21**
Field Clo. *Stourb* —1E **109**
Fld. Cottage Dri. *Stourb*
—2F **125**
Field Ct. *Wals* —5F **21**
Fieldfare. *Hamm* —1F **11**
Fieldfare Clo. *Crad H* —5H **95**
Fieldfare Cft. *B36* —1C **106**
Fieldfare Rd. *Stourb* —1H **125**
Fieldgate Trad. Est. *Wals*
—2D **48**
Fld. Head Pl. *Wolv* —5H **25**
Fieldhead Rd. *B11* —2G **135**
Fieldhouse Rd. *B25* —3A **120**
Fieldhouse Rd. *Wolv* —1A **60**
Field La. *B32* —5G **129**
Field La. *Gt Wyr* —2G **7**
Field La. *Pels* —5F **21**
Field La. *Sol* —1C **152**
Field La. *Stourb* —2E **125**
Field M. *Dud* —6G **95**
Fieldon Clo. *Shir* —4A **150**
Field Rd. *Dud* —6G **77**
Field Rd. *Tip* —5H **61**
Field Rd. *Wals* —1A **32**
Fieldside Wlk. *Bils* —3F **45**
Field St. *Bils* —2G **61**
Field St. *W'hall* —1A **46**
Field St. *Wolv* —6A **28**
Fieldview Clo. *Cose* —3G **61**
Field Vw. Dri. *Row R* —6F **97**

Field Wlk.—Forge La.

Field Wlk. *Wals* —2D **34**
Fieldways Clo. *H'wd* —2A **162**
Fifield Gro. *B33* —6D **104**
Fifth Av. *B9* —1F **119**
Fifth Av. *Wolv* —2H **27**
Filey Rd. *Wolv* —5F **15**
Fillingham Clo. *B37* —2F **123**
Fillongley Rd. *Mer* —4H **141**
Filton Cft. *B35* —3E **87**
Fimbrell Clo. *Brie H* —3E **109**
Finbury Clo. *Sol* —4D **136**
Finchall Cft. *Sol* —6A **138**
Fincham Clo. *Wolv* —4E **15**
Finch Clo. *Row R* —5H **95**
Finchdene Gro. *Wolv* —2B **42**
Finch Dri. *S Cold* —6A **52**
Finches End. *B34* —4G **105**
Finchfield Clo. *Stourb*
—1A **124**
Finchfield Gdns. *Wolv* —2C **42**
Finchfield Hill. *Wolv* —1A **42**
Finchfield La. *Wolv* —3A **42**
Finchfield Rd. *Wolv* —2C **42**
Finchfield Rd. W. *Wolv* —2B **42**
Finchley Av. *B19* —1E **101**
Finchley Clo. *Dud* —5H **75**
Finchley Rd. *B44* —3B **68**
Finchmead Rd. *B33* —2A **122**
Finchpath Rd. *W Brom*
—1G **79**
Finch Rd. *B19* —1E **101**
Findlay Rd. *B14* —4G **133**
Findon Rd. *B8* —3H **103**
Finfold Cft. *Bal C* —3H **169**
Fingerpost Dri. *Pels* —2E **21**
Finlarigg Dri. *B15* —5B **116**
Finmere Rd. *B28* —5F **135**
Finnemore Rd. *B9* —1G **119**
Finneywell Clo. *Bils* —2D **60**
Finsbury Dri. *Brie H* —4G **109**
Finsbury Gro. *B23* —1D **84**
Finstall Clo. *B7* —5A **102**
Finstall Clo. *S Cold* —4A **70**
Finwood Clo. *Sol* —5A **138**
Fir Av. *B12* —6A **118**
Firbank Clo. *B30* —6A **132**
Firbank Way. *Wals* —5D **20**
Firbarn Clo. *S Cold* —2B **70**
Firbeck Gro. *B44* —4A **68**
Firbeck Rd. *B44* —4A **68**
Fircroft. *B31* —5D **130**
Fircroft. *Bils* —2A **62**
Fir Cft. *Brie H* —3G **109**
Fircroft. *Sol* —1D **150**
Fircroft Ho. *B37* —1C **122**
Firecrest Clo. *Erd* —6B **68**
Fire Sta. Rd. *Birm A* —6D **122**
Fir Gro. *B14* —2H **147**
Fir Gro. *Stourb* —5A **108**
Fir Gro. *Wolv* —2E **43**
Firhill Cft. *B14* —5F **147**
Firmstone Ct. *Stourb* —4C **108**
Firmstone St. *Stourb* —4C **108**
Firsbrook Clo. *Wolv* —4D **26**
Firsby Rd. *B32* —6C **114**
Firs Clo. *Smeth* —4E **99**
Firs Dri. *Shir* —6G **149**
Firs Farm Dri. *B36* —1D **104**
Firsholm Clo. *S Cold* —6G **69**
Firs Ho. *B36* —1D **104**
Firs La. *Smeth* —4E **99**
Firs Rd. *K'wfrd* —3C **92**
Firs St. *Dud* —6F **77**
First Av. *Bord G* —2E **119**
First Av. *Min* —2E **87**
First Av. *Pens T* —6E **75**

First Av. *S Oak* —2D **132**
First Av. *Wals* —5C **10**
First Av. *Witt* —5H **83**
First Av. *Wolv* —3A **28**
First Exhibition Av. *B40*
—6F **123**
Firs, The. *B11* —5C **118**
Firs, The. *Mer* —4H **141**
Fir St. *Mdw. Piece. B32*
—1C **130**
Fir St. *Sed* —6D **58**
Firsvale Rd. *Wolv* —4H **29**
Firsway. *Wolv* —1G **41**
Firswood Rd. *B33* —2G **121**
Firth Dri. *B14* —2B **148**
Firth Dri. *Hale* —3E **113**
Firth Pk. Cres. *Hale* —3E **113**
Firtree Clo. *B44* —6G **67**
Fir Tree Dri. *Dud* —6A **60**
Fir Tree Dri. *Wals* —1F **65**
Fir Tree Gro. *S Cold* —4F **69**
Fir Tree Rd. *B24* —4H **85**
Fir Tree Rd. *Wolv* —3B **42**
Fisher Clo. *Redn* —5E **143**
Fisher Rd. *O'bry* —2A **98**
Fisher Rd. *Wals* —5F **19**
Fishers Dri. *Shir* —4F **163**
Fisher St. *Brie H* —6F **93**
Fisher St. *Dud* —6F **77**
Fisher St. *Dud P* —4A **78**
Fisher St. *Gt Bri* —2D **78**
Fisher St. *W'hall* —1C **46**
Fisher St. *Wolv* —3F **43**
Fishley. —3A **20**
Fishley Clo. *Wals* —3A **20**
Fishley La. *Wals* —4B **20**
Fishpool Clo. *B36* —1A **104**
Fistral Gdns. *Wolv* —4D **42**
Fithern Clo. *Dud* —2A **76**
Fitters Mill Clo. *B5* —5G **117**
Fitton Av. *K'wfrd* —4E **93**
Fitzgerald Pl. *Brie H* —5F **109**
Fitzguy Clo. *W Brom* —6C **80**
Fitzmaurice Rd. *Wolv* —2H **29**
Fitz Roy Av. *B17* —4D **114**
Fitzroy Rd. *B31* —4A **144**
Five Fields Rd. *W'hall* —4A **30**
Five Oaks Rd. *W'hall* —3G **45**
Five Ways. —3D **116**
Five Ways. *Brie H* —1H **109**
Five Ways. *Dud* —4H **75**
Five Ways. *Stech* —1B **120**
Five Ways. *Wolv* —5G **27**
(WV1)
Five Ways. *Wolv* —4A **42**
(WV3)
Five Ways Shop. Cen. *B15*
—2D **116**
Flackwell Rd. *B23* —6E **69**
Fladbury Clo. *Dud* —6F **95**
Fladbury Cres. *B29* —4H **131**
Fladbury Gdns. *Hand* —1E **101**
Fladbury Pl. *B19* —2E **101**
Flamborough Clo. *B34*
—2E **105**
Flamborough Way. *Cose*
—6D **60**
Flanders Dri. *K'wfrd* —1B **92**
Flash La. *Lwr P* —3E **57**
Flash Rd. *O'bry* —2G **97**
Flatts, The. *W'bry* —4E **47**
Flavell Av. *Bils* —4F **61**
Flavell Clo. *B32* —4H **129**
Flavells La. *B25* —3A **120**
Flavells La. *Dud* —5F **75**
Flavell St. *Dud* —1D **76**

Flax Clo. *H'wd* —4A **162**
Flax Gdns. *B38* —1B **160**
Flaxhall St. *Wals* —3H **47**
Flaxley Clo. *B33* —6D **104**
Flaxley Parkway. *B33* —5C **104**
Flaxley Rd. *B33* —5B **104**
Flaxton Gro. *B33* —5E **105**
Flaxton Wlk. *Wolv* —4E **27**
Flecknoe Clo. *B36* —6G **87**
Fledburgh Dri. *S Cold* —1B **70**
Fleet St. *B3* —6E **101** (3B **4**)
Fleet St. *Bils* —6F **45**
Fleetwood Gro. *B26* —2E **121**
Fleming Pl. *Wals* —3G **31**
Fleming Rd. *B32* —6B **114**
Fleming Rd. *Wals* —3G **31**
Flemmynge Clo. *Cod* —3E **13**
Fletcher Gro. *Know* —5C **166**
Fletcher Rd. *W'hall* —6D **18**
Fletcher's La. *W'hall* —1C **46**
Fletcher St. *Stourb* —6B **110**
Fletchers Wlk. *B3*
—1E **117** (4B **4**)
Fletton Gro. *B14* —4A **148**
Flinkford Clo. *Wals* —5H **49**
Flint Grn. Rd. *B27* —2H **135**
Flintham Clo. *B27* —2C **136**
Flint Ho. *Wolv* —5G **27**
(off Lomas St.)
Flintway, The. *B33* —5C **104**
Floodgate St. *B5*
—2H **117** (6H **5**)
Flood St. *Dud* —1F **95**
Flora Rd. *B25* —4H **119**
Florence Av. *S'hll* —5C **118**
Florence Av. *S Cold* —6H **69**
Florence Av. *Wolv* —1B **60**
Florence Bldgs. *B29* —3B **132**
Florence Dri. *S Cold* —6H **69**
Florence Gro. *B18* —5A **100**
Florence Gro. *W Brom* —4C **64**
Florence Rd. *A Grn* —1B **136**
Florence Rd. *Cod* —4A **14**
Florence Rd. *Hand* —1H **99**
Florence Rd. *K Hth* —5H **133**
Florence Rd. *O'bry* —2D **96**
Florence Rd. *Smeth* —5F **99**
Florence Rd. *S Cold* —6H **69**
Florence Rd. *Tip* —6A **62**
Florence Rd. *W Brom* —6C **80**
Florence St. *B1*
—2F **117** (6C **4**)
Florence St. *Wals* —2C **48**
Florian Gro. *W'bry* —4E **47**
Florida Way. *K'wfrd* —3E **93**
Flowerdale Clo. *Bils* —5D **60**
Floyds La. *Wals* —3G **33**
Floyer Rd. *B10* —2E **119**
Flyford Cft. *B29* —3D **130**
Foden Rd. *B42* —5C **66**
Foinavon Clo. *Row R* —3H **95**
Fold St. *Wolv*
—2G **43** (4A **170**)
Fold, The. *B38* —6C **146**
Fold, The. *Seis* —3A **56**
Fold, The. *W'bry* —5D **46**
Fold, The. *Wolv* —1D **58**
Foldyard Clo. *S Cold* —5E **71**
Foley Av. *Wolv* —6A **26**
Foley Chu. Clo. *S Cold* —1A **52**
Foley Dri. *Wolv* —6A **26**
Foley Gro. *Wom* —2E **73**
Foley Ho. *O'bry* —3H **113**
Foley Rd. *B8* —4H **103**
Foley Rd. *Stourb* —3F **125**
Foley Rd. E. *S Cold* —2H **51**

Foley Rd. W. *S Cold* —2F **51**
Foley St. *W'bry* —2G **63**
Foley Wood Clo. *S Cold*
—2G **51**
Foliot Fields. *B25* —3B **120**
Folkes Rd. *Stourb* —5C **110**
Folkestone Cft. *B36* —1C **104**
Folliott Rd. *B33* —6E **105**
Follyhouse Clo. *Wals* —4D **48**
Follyhouse La. *Wals* —4D **48**
Fontley Clo. *B26* —2D **120**
Fontwell Rd. *Wolv* —3H **15**
Fordbridge. —6C 106
Fordbridge Rd. *B37* —5B **106**
Ford Brook La. *Wals* —5F **21**
Forder Gro. *B14* —5A **148**
Forde Way Gdns. *B38*
—2A **160**
Fordfield Rd. *B33* —5G **105**
Fordham Gro. *Pend* —4E **15**
Fordhouse Ind. Est. *Wolv*
—1H **27**
Fordhouse La. *B30* —1D **146**
Fordhouse Rd. *Wolv* —6H **15**
Fordhouses. —4F 15
Fordraught La. *Rom* —6B **142**
Fordrift, The. *B37* —5C **122**
Fordrough. *Yard* —4F **119**
Fordrough Av. *B9* —6E **103**
Fordrough La. *B9* —6E **103**
Fordrough, The. *N'fld* —6F **145**
Fordrough, The. *Shir* —1B **162**
Fordrough, The. *S Cold*
—2G **53**
Fords Rd. *Shir* —2E **163**
Ford St. *B18* —4D **100**
Ford St. *Smeth* —3D **98**
Ford St. *Wals* —4A **48**
Fordwater Rd. *S Cold* —5H **51**
Foredraft Clo. *B32* —3A **130**
Foredraft St. *Hale* —6F **111**
Foredrove La. *Sol* —1A **152**
Forest Av. *Wals* —2B **32**
Forest Clo. *Smeth* —2C **98**
Forest Clo. *S Cold* —4G **51**
Forest Ct. *Dorr* —6B **166**
Forest Ct. *W'hall* —1C **30**
Forest Dale. *Redn* —3H **157**
Forest Dri. *B17* —5H **115**
Forest Dri. *Crad H* —1H **111**
Forest Ga. *W'hall* —1D **30**
Forest Hill Rd. *B26* —6G **121**
Forest La. *Wals* —4B **32**
Forest Pk. *S Cold* —1C **70**
Forest Pl. *Wals* —3C **32**
Fore St. *B2* —1G **117** (4E **5**)
Forest Rd. *Dorr* —6C **166**
Forest Rd. *Dud* —3E **77**
Forest Rd. *Mose* —2A **134**
Forest Rd. *O'bry* —4A **114**
Forest Rd. *Yard* —5A **120**
Forest Way. *H'wd* —3B **162**
Forest Way. *Wals* —4G **7**
Forfar Wlk. *B38* —5H **145**
Forge Clo. *Hamm* —1F **11**
Forge Clo. *Pend* —6C **14**
Forge Cft. *Min* —1F **87**
Forge La. *A'rdge* —4C **34**
Forge La. *Crad H* —3D **110**
Forge La. *Foot & Lit A* —1B **36**
Forge La. *Hale* —6C **112**
Forge La. *K'wfrd* —1G **91**
Forge La. *Min* —1F **87**
(in two parts)
Forge La. *Wals* —2H **35**
Forge La. *W Brom* —6E **65**

Frodesley Rd. *B26* —3F **121**
Froggatt Rd. *Bils* —4F **45**
Froggatts Ride. *S Cold*
—2D **70**
Frog La. *Bal C* —4G **169**
Frogmill Rd. *Redn* —6H **143**
Frogmill Shop. Cen. *Redn*
—5H **143**
Frogmore La. *Ken* —6F **169**
Frome Clo. *Dud* —5H **75**
Frome Dri. *Wolv* —4E **29**
Frome Way. *B14* —1E **147**
Frost St. *Wolv* —5C **44**
Froxmere Clo. *Sol* —1F **165**
Froyle Clo. *Wolv* —4A **26**
Froysell St. *W'hall* —1B **46**
Fryer Rd. *B31* —2F **159**
Fryer's Clo. *Wals* —2H **31**
Fryer's Rd. *Wals* —3G **31**
Fryer St. *Wolv*
—1H **43** (2C **170**)
Fuchsia Clo. *Pend* —4D **14**
Fugelmere Clo. *B17* —4D **114**
Fulbrook Gro. *B29* —5D **130**
Fulbrook Rd. *Dud* —6C **76**
Fulford Dri. *Min* —2F **87**
Fulford Gro. *B26* —5G **121**
Fulford Hall Rd. *Earls & Tid G*
—6D **162**
Fulham Rd. *B11* —6B **118**
Fullbrook. —5D 48
Fullbrook Clo. *Shir* —4E **165**
Fullbrook Rd. *Wals* —6C **48**
Fullelove Rd. *Wals* —6C **10**
Fullerton Clo. *Wolv* —6C **14**
Fullwood Cres. *Dud* —3A **94**
Fullwoods End. *Bils* —4E **61**
Fulmer Wlk. *B18* —6C **100**
Fulwell Gro. *B44* —6A **68**
Fulwood Av. *Hale* —3F **113**
Furber Pl. *K'wfrd* —3D **92**
Furlong La. *Hale* —5E **111**
Furlong Mdw. *B31* —5G **145**
Furlongs Rd. *Dud* —1H **75**
Furlongs, The. *Stourb*
—2F **125**
Furlongs, The. *Wolv* —4D **28**
Furlong, The. *W'bry* —6E **47**
Furlong Wlk. *Dud* —3H **75**
Furnace Clo. *Wom* —2E **73**
Furnace Hill. *Hale* —5B **112**
Furnace La. *Hale* —6B **112**
Furnace Pde. *Tip* —1F **77**
Furnace Rd. *Dud* —1E **95**
Furness Clo. *Wals* —4F **19**
Furst St. *Wals* —5C **10**
Furzebank Way. *W'hall*
—5E **31**
Furze Way. *Wals* —3A **50**

Gables, The. *K'wfrd* —1H **91**
Gaddesby Rd. *B14* —5H **133**
Gadds Dri. *Row R* —5D **96**
Gadsby Av. *Wolv* —2A **30**
Gads Grn. Cres. *Dud* —3G **95**
Gads La. *Dud* —6E **77**
Gads La. *W Brom* —5G **79**
Gadwell Cft. *B23* —4B **84**
Gail Clo. *Wals W* —3D **22**
Gailey Cft. *B44* —2G **67**
Gail Pk. *Wolv* —4B **42**
Gainford Clo. *Pend* —6D **14**
Gainford Rd. *B44* —4C **68**
Gainsborough Cres. *B43*
—1F **67**

Gainsborough Cres. *Know*
—3C **166**
Gainsborough Dri. *Wolv*
—5F **25**
Gainsborough Hill. *Stourb*
—2D **124**
Gainsborough Pl. *Dud* —5A **76**
Gainsborough Rd. *B42*
—1D **82**
Gainsborough Trad. Est.
Stourb —1G **125**
Gainsford Dri. *Hale* —5B **112**
Gains La. *Cann* —3A **8**
Gairloch Rd. *W'hall* —6B **18**
Gaitskell Ter. *Tiv* —5D **78**
Gaitskell Way. *Smeth* —2D **98**
Galahad Way. *W'bry* —3G **63**
Galbraith Clo. *Bils* —5F **61**
Galena Way. *B6* —3G **101**
Gale Wlk. *Row R* —4H **95**
Gallery, The. *Wolv*
—2G **43** (4B **170**)
Galloway Av. *B34* —3D **104**
Galton Clo. *B24* —3D **86**
Galton Clo. *Tip* —1C **78**
Galton Dri. *Dud* —3D **94**
Galton Rd. *Smeth* —1D **114**
Galton Tower. *B1* —4A **4**
Gamesfield Grn. *Wolv* —2D **42**
Gammage St. *Dud* —1D **94**
Gandy Rd. *W'hall* —3A **30**
Gannah's Farm Clo. *S Cold*
—2D **70**
Gannow Green. —6D 142
Gannow Grn. La. *Redn*
—6C **142**
Gannow Mnr. Cres. *Redn*
—5E **143**
Gannow Mnr. Gdns. *Redn*
—6F **143**
Gannow Rd. *Redn* —2E **157**
Gannow Shop. Cen. *Redn*
—6E **143**
Gannow Wlk. *Redn* —2E **157**
Ganton Rd. *Wals* —3G **19**
Ganton Wlk. *Wolv* —1D **26**
Garden Clo. *B8* —4G **103**
Garden Clo. *Know* —3B **166**
Garden Clo. *Redn* —5G **143**
Garden Cres. *Wals* —4D **20**
Garden Cft. *Wals* —2D **34**
Gardeners Wlk. *Sol* —3G **151**
Gardeners Way. *Wom* —3F **73**
Garden Gro. *B20* —1A **82**
Gardens, The. *Erd* —4E **85**
Garden St. *Wals* —6C **32**
Garden Wlk. *Bils* —5H **45**
Garden Wlk. *Dud* —6E **77**
(DY2)
Garden Wlk. *Dud* —5G **75**
(DY3)
Garfield Rd. *B26* —3F **121**
Garland Cres. *Hale* —3E **113**
Garland St. *B9* —6C **102**
Garland Way. *B31* —2F **145**
Garman Clo. *B43* —3A **66**
Garner Clo. *Bils* —2F **61**
Garnet Av. *B43* —1D **66**
Garnet Clo. *Ston* —3G **23**
Garnet Ct. *Sol* —4D **136**
Garnett Dri. *S Cold* —5C **54**
Garrard Gdns. *S Cold* —6H **53**
Garratt Clo. *O'bry* —5A **98**
Garratt's La. *Crad H* —1H **111**
Garratt St. *Brie H* —4A **94**
Garratt St. *W Brom* —2H **79**

Garret Clo. *K'wfrd* —1B **92**
Garrett's Green. —3H 121
Garrett's Grn. Ind. Est. *B33*
—2G **121**
Garretts Grn. La. *B26 & B33*
—4D **120**
Garretts Wlk. *B14* —5G **147**
Garrick Clo. *Dud* —4B **76**
Garrick St. *Wolv*
—2H **43** (4C **170**)
Garrington St. *W'bry* —4C **46**
Garrison Cir. *B9* —1A **118**
Garrison La. *B9* —1B **118**
Garrison St. *B9* —1B **118**
Garston Way. *B43* —5H **65**
Garth, The. *B14* —3D **148**
Garway Gro. *B25* —5H **119**
Garwood Rd. *B26* —1D **120**
Gas St. *B1* —1E **117** (5A **4**)
Gatacre St. *Dud* —4H **75**
Gatcombe Clo. *Wolv* —3B **16**
Gatcombe Rd. *Dud* —5A **76**
Gatehouse Fold. *Dud* —6F **77**
Gatehouse Trad. Est. *Bwnhls*
—4D **10**
Gate La. *H'ley H & Dorr*
—5F **165**
Gate La. *S Cold* —3F **69**
Gateley Rd. *O'bry* —4C **114**
Gate St. *B8* —4D **102**
Gate St. *Dud* —6A **60**
Gate St. *Tip* —5A **78**
Gatis St. *Wolv* —5E **27**
Gatwick Rd. *B35* —3G **87**
Gauden Rd. *Stourb* —4H **125**
Gawne La. *Crad H* —5H **95**
Gaydon Clo. *Wolv* —4E **25**
Gaydon Gro. *B29* —3E **131**
Gaydon Pl. *S Cold* —1H **69**
Gaydon Rd. *Sol* —2H **137**
Gaydon Rd. *Wals* —5C **34**
Gayfield Av. *Brie H* —2H **109**
Gay Hill. —2D 160
Gayhill La. *B38* —6D **146**
Gayhurst Dri. *B25* —3C **120**
Gayle Gro. *B27* —5A **136**
Gayton Rd. *W Brom* —1B **80**
Gaywood Cft. *B15* —3E **117**
Geach St. *B19* —3F **101**
Geach Tower. B19 —4F **101**
(off Uxbridge St.)
Gedney Clo. *Shir* —4C **148**
Geeson Clo. *B35* —3F **87**
Gee St. *B19* —3F **101**
Gem Ho. *B4* —2G **5**
Geneva Rd. *Tip* —2F **77**
Genge Av. *Wolv* —1A **60**
Genners App. *N'fld* —5B **130**
Genners La. *Bart G & B31*
—5A **130**
Genners La. *N'fld* —1C **144**
Genthorn Clo. *Wolv* —1B **60**
Gentian. *S Cold* —5F **37**
Gentian Clo. *B31* —1D **144**
Geoffrey Clo. *S Cold* —6F **71**
Geoffrey Pl. *B11* —2C **134**
Geoffrey Rd. *B11* —2C **134**
Geoffrey Rd. *Shir* —4F **149**
George Arthur Rd. *B8*
—5D **102**
George Av. *Row R* —1D **112**
George Bird Clo. *Smeth*
—3E **99**
George Clo. *Dud* —1G **95**
George Frederick Rd. *S Cold*
—1A **68**

George Henry Rd. *Tip* —6E **63**
George Rd. *Bils* —4F **61**
George Rd. *Edg* —3D **116**
George Rd. *Erd* —3B **84**
George Rd. *Gt Barr* —3B **66**
George Rd. *Hale* —1H **127**
George Rd. *O'bry* —1H **113**
George Rd. *S Oak* —2A **132**
George Rd. *Sol* —4G **151**
George Rd. *S Cold* —4D **68**
George Rd. *Tip* —1F **77**
George Rd. *Wat O* —4E **89**
George Rd. *Yard* —5G **119**
George Rose Gdns. *W'bry*
—5C **46**
George St. *B3* —6E **101** (3A **4**)
George St. *Bal H* —6G **117**
George St. *E'shll* —4C **44**
George St. *Hand* —1G **99**
George St. *Loz* —2D **100**
George St. *Stourb* —2D **108**
George St. *Wals* —2C **48**
George St. *W Brom* —5B **80**
George St. *W'hall* —6A **30**
George St. *Wolv*
—2H **43** (5C **170**)
George St. *Woods* —1D **76**
George St. W. *B18* —5C **100**
Georgian Gdns. *W'bry* —2F **63**
Georgina Av. *Bils* —2F **61**
Geraldine Rd. *B25* —4H **119**
Gerald Rd. *Stourb* —4C **108**
Geranium Gro. *B9* —6F **103**
Geranium Rd. *Dud* —1H **95**
Gerardsfield Rd. *B33* —6H **105**
Germander Dri. *Wals* —2F **65**
Gerrard Clo. *B19* —2E **101**
Gerrard Rd. *W'hall* —2G **45**
Gerrard St. *B19* —2E **101**
Gervase Dri. *Dud* —4E **77**
Geston Rd. *Dud* —1B **94**
Gibbet La. *Kinv* —1A **124**
Gibbins Rd. *B29* —4G **131**
Gibbons Gro. *Wolv* —5D **26**
Gibbons Hill Rd. *Dud* —3H **59**
Gibbon's La. *Brie H* —2E **93**
Gibbons Rd. *S Cold* —6H **37**
Gibbons Rd. *Wolv* —5D **26**
Gibbs Hill Rd. *B31* —2F **159**
Gibbs Rd. *Stourb* —6C **110**
Gibbs St. *Wolv* —5E **27**
Gibb St. *B12 & B9*
—2H **117** (6H **5**)
Gib Heath. —3C 100
Gibson Dri. *B20* —6D **82**
Gibson Rd. *B20* —1D **100**
Gibson Rd. *Pert* —6E **25**
Gideon Clo. *B25* —5B **120**
Gideons Clo. *Dud* —2H **75**
Giffard Rd. *Bush* —4A **16**
Giffard Rd. *Stow H* —4D **44**
Gifford Ct. Brie H —1H **109**
(off Hill St.)
Giggetty La. *Wom* —1F **73**
Gigmill Way. *Stourb* —1C **124**
Gilbanks Rd. *Stourb* —4B **108**
Gilberry Clo. *Know* —4C **166**
Gilbert Av. *Tiv* —2B **96**
Gilbert Clo. *Wolv* —2A **30**
Gilbert Ct. Wals —5E **33**
(off Lichfield Rd.)
Gilbert Enterprise Pk. *W'hall*
—5B **30**
Gilbert La. *Wom* —6H **57**
Gilbert Rd. *Smeth* —5F **99**
Gilbertstone. —4C 120

Gorsey Way—Greenacres Rd.

Gorsey Way. *Wals* —4A **34**
Gorsly Piece. *B32* —1A **130**
Gorstie Cft. *B43* —5A **66**
Gorsty Av. *Brie H* —6G **93**
Gorsty Clo. *W Brom* —5D **64**
Gorsty Hayes. *Cod* —4F **13**
Gorsty Hill Rd. *Row R*
—3B **112**
Gorsymead Gro. *B31* —3A **144**
Gorsy Rd. *B32* —1B **130**
Gorton Cft. *Bal C* —2H **169**
Gorway Clo. *Wals* —4D **48**
Gorway Gdns. *Wals* —4E **49**
Gorway Rd. *Wals* —4D **48**
Goscote. —5C 20
Goscote Clo. *Wals* —2D **32**
Goscote Ind. Est. *Wals*
—6C **20**
Goscote La. *Wals* —5C **20**
Goscote Lodge Cres. *Wals*
—2D **32**
Goscote Pl. *Wals* —2E **33**
Goscote Rd. *Wals* —6D **20**
Gosford St. *B12* —5H **117**
Gosford Wlk. *Sol* —4E **137**
Gospel End Rd. *Dud* —5E **59**
Gospel End St. *Dud* —6H **59**
Gospel End Village. —5D 58
Gospel Farm Rd. *B27*
—5H **135**
Gospel La. *B27* —6A **136**
Gospel Oak Rd. *Tip* —4B **62**
Gosport Clo. *Wolv* —4D **44**
Goss Cft. *B29* —4H **131**
Gossey La. *B33* —1G **121**
Goss, The. *Brie H* —2H **109**
Gosta Grn. *B4* —5H **101** (1G **5**)
Gotham Rd. *B26* —5C **120**
Gothersley. —6E 91
Gothersley La. *Stourb* —6D **90**
Goths Clo. *Row R* —5C **96**
Gough Av. *Wolv* —1D **28**
Gough Rd. *Bils* —4E **61**
Gough Rd. *Edg* —4E **117**
Gough Rd. *Greet* —6D **118**
Gough St. *B1* —2F **117** (6C **4**)
Gough St. *W'hall* —6C **30**
Gough St. *Wolv* —1A **44**
Gould Firm La. *Wals* —3G **35**
Gowan Rd. *B8* —5E **103**
Gower Av. *K'wfrd* —5D **92**
Gower Rd. *Dud* —5F **59**
Gower Rd. *Hale* —5E **113**
Gower St. *B19* —2F **101**
Gower St. *Wals* —4H **47**
Gower St. *W'hall* —1A **46**
Gower St. *Wolv* —3A **44**
(in two parts)
Gozzard St. *Bils* —6G **45**
Gracechurch Cen. *S Cold*
—6H **53**
Gracemere Cres. *B28* —4E **149**
Grace Rd. *B11* —4C **118**
Grace Rd. *Tip* —6A **62**
Grace Rd. *Tiv* —1C **96**
Gracewell Homes. *B13*
—4D **134**
Gracewell Rd. *B13* —4D **134**
Grafton Dri. *W'hall* —3F **45**
Grafton Gdns. *Dud* —4F **75**
Grafton Gro. *B19* —2E **101**
Grafton Pl. *Bils* —4G **45**
Grafton Rd. *Hand* —6H **81**
Grafton Rd. *O'bry* —2F **113**
Grafton Rd. *Shir* —5C **148**
Grafton Rd. *S'brk* —4B **118**

Grafton Rd. *W Brom* —3B **80**
Graham Clo. *Tip* —4B **62**
Graham Cres. *Redn* —2G **157**
Graham Rd. *B25* —5A **120**
Graham Rd. *Hale* —3C **112**
Graham Rd. *Stourb* —5B **92**
Graham Rd. *W Brom* —3B **80**
Graham St. *B1*
—6E **101** (2A **4**)
Graham St. *Loz* —2E **101**
Grainger Clo. *Tip* —1D **78**
Graingers La. *Crad H* —3E **111**
Grainger St. *Dud* —2F **95**
Graiseley Ct. *Wolv* —5A **170**
Graiseley Hill. *Wolv*
—3G **43** (6A **170**)
Graiseley La. *Wolv* —4D **28**
Graiseley Row. *Wolv*
—3G **43** (6A **170**)
Graiseley St. *Wolv*
—2F **43** (5A **170**)
Graith Clo. *B28* —4E **149**
Grammar School La. *Hale*
—1A **128**
Grampian Rd. *Stourb* —5E **109**
Granada Ind. Est. *O'bry*
—2F **97**
Granary Clo. *K'wfrd* —1G **91**
Granary La. *S Cold* —2D **70**
Granary Rd. *Wolv* —6C **14**
Granary, The. *A'rdge* —2D **34**
Granbourne Rd. *Wals* —5D **30**
Granby Av. *B33 & Kitts G*
—2G **121**
Granby Bus. Pk. *B33* —2G **121**
Granby Clo. *Sol* —6C **136**
Grandborough Dri. *Sol*
—6E **151**
Grand Clo. *Smeth* —6F **99**
Grand Junct. Way. *Wals*
—5B **48**
Grandys Cft. *B37* —6B **106**
Grange Av. *A'rdge* —5C **22**
Grange Av. *S Cold* —6A **38**
Grange Ct. *Stourb* —2G **125**
Grange Ct. *Wals* —1D **46**
Grange Ct. *Wolv* —2F **43**
Grange Cres. *Hale* —2B **128**
Grange Cres. *Redn* —1E **157**
Grange Cres. *Wals* —1F **33**
Grange Estate. —1G 125
Grange Farm Dri. *B38*
—6H **145**
Grangefield Clo. *Wolv* —6D **14**
Grange Hill. *Hale* —3C **128**
Grange Hill Rd. *B38* —6A **146**
Grange La. *K'wfrd* —5D **92**
Grange La. *Stourb* —2G **125**
Grange La. *S Cold* —6A **38**
Granger Clo. *W'bry* —2E **63**
Grange Ri. *B38* —2B **160**
Grange Rd. *Aston* —1G **101**
Grange Rd. *Bal C* —2H **169**
Grange Rd. *Bils* —6D **60**
Grange Rd. *Crad H* —2G **111**
Grange Rd. *Dud* —6D **76**
Grange Rd. *Erd* —2H **85**
Grange Rd. *Hale* —2B **128**
Grange Rd. *H'ley H & Dorr*
—6F **167**
Grange Rd. *K Hth* —5G **133**
Grange Rd. *S Oak* —2B **132**
Grange Rd. *Small H* —2D **118**
Grange Rd. *Smeth* —6E **99**
Grange Rd. *Sol* —6C **136**
Grange Rd. *Stourb* —1G **125**

Grange Rd. *Tett* —4A **26**
Grange Rd. *W Brom* —4H **79**
Grange Rd. *Wolv* —5F **43**
Grange St. *Dud* —6D **76**
Grange St. *Wals* —4D **48**
Grange, The. *Hale* —5F **113**
Grange, The. *Wom* —6G **57**
Grangewood. *S Cold* —6G **69**
Grangewood Ct. *Sol* —6C **136**
Granmore Ho. *Shir* —6C **150**
Granshaw Clo. *B38* —6B **146**
Grant Clo. *K'wfrd* —1B **92**
Grant Clo. *W Brom* —2A **80**
Grant Ct. *K Nor* —2C **146**
Grantham Rd. *B11* —5B **118**
Grantham Rd. *Smeth* —6F **99**
Grantley Cres. *K'wfrd* —3A **92**
Grantley Dri. *B37* —6D **106**
Granton Clo. *B14* —2F **147**
Granton Rd. *B14* —2F **147**
Grantown Rd. *Wals* —3G **19**
Grant St. *B15* —3F **117**
Grant St. *Wals* —1H **31**
Granville Clo. *Wolv*
—3H **43** (6D **170**)
Granville Dri. *K'wfrd* —4D **92**
Granville Rd. *Crad H* —3B **112**
Granville Rd. *Dorr* —6H **167**
Granville Sq. *B15*
—2E **117** (6A **4**)
Granville St. *B1*
—2E **117** (6A **4**)
Granville St. *W'hall* —6A **30**
Granville St. *Wolv*
—3H **43** (6D **170**)
Grasdene Gro. *B17* —1G **131**
Grasmere Av. *Pert* —6F **25**
Grasmere Av. *S Cold* —1A **52**
Grasmere Clo. *B43* —6B **66**
Grasmere Clo. *K'wfrd* —2H **91**
Grasmere Clo. *Tett* —1C **26**
Grasmere Clo. *Wed* —2E **29**
Grasmere Ct. *Wals* —2D **6**
Grasmere Ho. *O'bry* —5D **96**
Grasmere Rd. *B21* —2B **100**
Grassington Dri. *B37* —2B **122**
Grassmere Dri. *Stourb*
—2D **124**
Grassmoor Rd. *B38* —5A **146**
Grassy La. *Wolv* —6D **16**
(in two parts)
Graston Clo. *B16* —1C **116**
Gratham Clo. *Brie H* —4F **109**
Grattidge Rd. *B27* —3B **136**
Gravel Bank. *B32* —2B **130**
Gravel Pit La. *Wom* —1H **73**
Gravelly Hill. —5E 85
Gravelly Hill. *B23* —6D **84**
Gravelly Hill N. *B23* —5E **85**
Gravelly Ind. Pk. *B24 & Erd*
—1E **103**
Gravelly La. *B23* —2F **85**
Gravelly La. *Wals* —5G **23**
Graydon Ct. *S Cold* —4H **53**
Grayfield Av. *B13* —2H **133**
Grayland Clo. *B27* —3H **135**
Grayling Clo. *W'bry* —2B **62**
Grayling Rd. *Stourb* —5G **109**
Grayling Wlk. *B37* —6E **107**
Grayshott Clo. *B23* —2E **85**
Grays Rd. *B17* —5H **115**
Gray St. *B9* —1B **118**
Grayswood Pk. Rd. *B32*
—5A **114**
Grayswood Rd. *B31* —2D **158**
Grazebrook Cft. *B32* —5B **130**

Grazebrook Ind. Pk. *Dud*
—3D **94**
Grazebrook Rd. *Dud* —2E **95**
Grazewood Clo. *W'hall*
—1B **30**
Greadier St. *W'hall* —4C **30**
Gt. Arthur St. *Smeth* —2D **98**
Great Barr. —2A 66
Gt. Barr St. *B9* —1A **118**
Gt. Brickkiln St. *Wolv* —2E **43**
Great Bridge. —1D 78
Great Bri. *Tip* —1D **78**
Gt. Bridge Ind. Est. *Tip*
—6C **62**
Gt. Bridge Rd. *Bils* —1A **62**
Gt. Bridge St. *W Brom &*
Swan V —2D **78**
Gt. Bridge W. Ind. Est. *Tip*
—1D **78**
Gt. Brook St. *B7* —5A **102**
Gt. Charles St. *Wals* —5B **10**
Gt. Charles St. Queensway. *B3*
—6F **101** (3C **4**)
Gt. Colmore St. *B15* —3E **117**
Gt. Cornbow. *Hale* —2B **128**
Gt. Croft Ho. W'bry —5D 46
(off Lawrence Way)
Gt. Croft St. W'bry —5D 46
(off Lawrence Way)
Gt. Francis St. *B7* —5B **102**
Gt. Hampton Row. *B19*
—5E **101**
Gt. Hampton St. *B18* —4E **101**
Gt. Hampton St. *Wolv* —6F **27**
(in two parts)
Great Hill. *Dud* —6D **76**
Gt. King St. *B19* —4E **101**
(in two parts)
Gt. King St. N. *B19* —3E **101**
Gt. Lister St. *B7* —5H **101**
Gt. Moor Rd. *Patt* —1A **40**
Great Oaks. *B26* —6F **121**
Greatorex Ct. *W Brom* —5H **63**
Gt. Stone Rd. *B31* —4E **145**
Gt. Tindal St. *B16* —1C **116**
Gt. Western Arc. *B2*
—6G **101** (3E **5**)
Gt. Western Clo. *B18* —3A **100**
Gt. Western Dri. *Crad H*
—2A **112**
Gt. Western Ind. Est. *B18*
—3A **100**
Gt. Western St. *W'bry* —3E **63**
Gt. Western St. *Wolv*
—6H **27** (1C **170**)
Gt. Western Way. *Gt Bri*
—1D **78**
Gt. Wood Rd. *B10* —2C **118**
Great Wyrley. —3E 7
Greaves Av. *Wals* —4G **49**
Greaves Clo. *Wals* —3G **49**
Greaves Cres. *W'hall* —1C **30**
Greaves Rd. *Dud* —4F **95**
Greaves Sq. *B38* —6D **146**
Grebe Clo. *B23* —4B **84**
Greenacre Dri. *Cod* —5H **13**
Greenacre Rd. *Tip* —4A **62**
Green Acres. *B27* —3H **135**
Green Acres. *Dud* —4F **59**
Greenacres. *S Cold* —5E **71**
Greenacres. *Wolv* —4H **25**
Green Acres. *Wom* —2F **73**
Greenacres Av. *Wolv* —5D **16**
Greenacres Clo. *A'rdge*
—1G **51**
Greenacres Rd. *B38* —1H **159**

Greenaleigh Rd. *B14* —3D **148**
Green Av. *B28* —4E **135**
Greenaway Clo. *B43* —2E **67**
Grn. Bank Av. *B28* —4E **135**
Greenbank Gdns. *Word* —1C **108**
Greenbank Rd. *Bal C* —3F **169**
Grn. Barns La. *Lich* —1A **38**
Greenbush Dri. *Hale* —6A **112**
Green Clo. *Wyt* —6A **162**
Greencoat Tower. *B1* —1E **117** (4A **4**)
Green Ct. *B24* —5E **85**
Green Ct. *Hall G* —5F **135**
Green Cft. *B9* —6G **103**
Green Cft. *Bils* —5F **45**
Greencroft. *K'wfrd* —5B **92**
Green Dri. *B32* —4A **130**
Green Dri. *Wolv* —2G **27**
Greenend Rd. *B13* —3H **133**
Greenfels Ri. *Dud* —1H **95**
Greenfield Av. *Bal C* —2G **169**
Greenfield Av. *Crad H* —2D **110**
Greenfield Av. *Stourb* —6D **108**
Greenfield Cres. *B15* —3C **116**
Greenfield Cft. *Bils* —3F **61**
Greenfield La. *Wolv* —2H **15**
Greenfield Rd. *Gt Barr* —6G **65**
Greenfield Rd. *Harb* —6G **115**
Greenfield Rd. *Smeth* —5C **98**
Green Fields. *Wals* —2C **34**
Greenfields Rd. *K'wfrd* —4B **92**
Greenfields Rd. *Wals* —5H **21**
Greenfields Rd. *Wom* —2G **73**
Greenfield Vw. *Dud* —6F **59**
Greenfinch Clo. *B36* —2C **106**
Greenfinch Rd. *B36* —2C **106**
Greenfinch Rd. *Stourb* —2H **125**
Greenford Rd. *B14* —4C **148**
Grn. Gables. *S Cold* —4H **53**
Grn. Gables Dri. *H'wd* —2A **162**
Greenhill. *Wom* —1H **73**
Grn. Hill Av. *K Hth* —4H **133**
Greenhill Clo. *W'hall* —4B **30**
Greenhill Ct. *Wom* —2H **73**
Greenhill Dri. *B29* —4G **131**
Greenhill Gdns. *B43* —3A **66**
Greenhill Gdns. *Wom* —2H **73**
Greenhill Rd. *Dud* —2A **76**
Greenhill Rd. *Hale* —4D **112**
Greenhill Rd. *Hand* —5H **81**
Greenhill Rd. *Mose* —4G **133**
Greenhill Rd. *S Cold* —5H **69**
Greenhill Wlk. *Wals* —3D **48**
Grn. Hill Way. *Shir* —2H **149**
Greenhill Way. *Wals* —6D **22**
Greenholm Rd. *B44* —6G **67**
Greening Dri. *B15* —4D **116**
Greenland Clo. *K'wfrd* —1C **92**
Greenland Ct. *B8* —3E **103**
Greenland Ri. *Sol* —6H **137**
Greenland Rd. *B29* —4D **132**
Greenlands. *Wom* —6F **57**
Greenlands Ct. *B14* —4G **147**
Greenlands Rd. *B37 & Chel W* —1D **122**
Green La. *B38* —1A **160**
Green La. *Bal C* —2H **169**
Green La. *Cas B* —1H **105**
Green La. *Chel W* —6E **107**
Green La. *Col* —4H **107**
(in two parts)
Green La. *Dud* —2B **76**

Green La. *Gt Barr* —5H **65**
Green La. *Hale* —2D **112**
Green La. *Hamm* —3C **10**
Green La. *Hand* —1G **99**
Green La. *K'wfrd* —2B **92**
Green La. *Pels* —3E **21**
Green La. *Quin* —5A **114**
Green La. *Shelf* —6G **21**
Green La. *Shir* —6E **149**
Green La. *Small H* —2C **118**
Green La. *Stourb* —6H **109**
Green La. *Wals* —3A **32** (WS2)
Green La. *Wals* —2A **32** (WS3)
Green La. *Wals* —4G **35** (WS9)
Green La. *Wat O* —1D **106**
Green La. *Wolv* —2C **26**
Green La. Ind. Est. *Bord G* —2E **119**
Green Lanes. —4E 45
Green Lanes. *Bils* —4E **45**
Green Lanes. *S Cold* —6H **69**
Green La. Wlk. *B38* —1B **160**
Greenleas Gdns. *Hale* —2C **128**
Green Leigh. *B23* —5F **69**
Greenleighs. *Dud* —2H **59**
Greenly Rd. *Wolv* —6H **43**
Grn. Man Entry. *Dud* —6F **77**
Green Mdw. *Stourb* —5F **125**
Green Mdw. *Wed* —4G **29**
Grn. Meadow Clo. *Wom* —2E **73**
Green Mdw. Rd. *B29* —6D **130**
Green Mdw. Rd. *W'hall* —2B **30**
Greenoak Cres. *B30* —5E **133**
Greenoak Cres. *Bils* —6C **60**
Grn. Oak Rd. *Cod* —5H **13**
Green Pk. Av. *Bils* —3E **45**
Green Pk. Dri. *Bils* —3E **45**
Green Pk. Rd. *B31* —5C **144**
Green Pk. Rd. *Dud* —1H **95**
Greenridge Rd. *B20* —2A **82**
Green Rd. *Dud* —2F **95**
Green Rd. *Mose & Hall G* —4D **134**
Grn. Rock La. *Wals* —6B **20**
Greenroyde. *Stourb* —4F **125**
Greensforge. —3D 90
Greensforge La. *Stourb* —6E **91**
Greenside. *B17* —6G **115**
Greenside. *Shir* —5B **164**
Greenside Gdns. *Wals* —1F **65**
Greenside Rd. *B24* —2A **86**
Greenside Way. *Wals* —1D **64**
Greensill Av. *Tip* —5H **61**
Greenslade Cft. *B31* —5E **145**
Greenslade Rd. *Dud* —3F **59**
Greenslade Rd. *Shir* —5C **148**
Greenslade Rd. *Wals* —4G **49**
Greensleeves. *S Cold* —2F **53**
Greenstead Rd. *B13* —4D **134**
Green St. *B12* —2H **117** (6H **5**)
Green St. *Bils* —5F **45**
Green St. *O'bry* —2G **97**
Green St. *Smeth* —4D **98**
Green St. *Stourb* —6D **108**
Green St. *Wals* —6A **32**
Green St. *W Brom* —6C **80**
Greensway. *Wolv* —1D **28**
Green, The. *A'rdge* —3D **34**
(in two parts)

Green, The. *Blox* —6H **19**
(in two parts)
Green, The. *Cas B* —2F **105**
Green, The. *Darl* —3D **46**
Green, The. *Erd* —2G **85**
Green, The. *K Nor* —5B **146**
Green, The. *O'bry* —1H **113**
Green, The. *Quin* —5G **113**
Green, The. *Sol* —2H **151**
Green, The. *Stourb* —1B **108**
Green, The. *S Cold* —4B **70**
Green, The. *W'bry* —4D **46**
Greenvale. *B31* —2D **144**
Greenvale Av. *B26* —5H **121**
Green Wlk. *B17* —4D **114**
Greenway. *B20* —1B **82**
Greenway. *Dud* —4A **60**
Greenway. *Wals* —5D **22**
Greenway Av. *Stourb* —2C **108**
Greenway Dri. *S Cold* —2C **68**
Greenway Gdns. *B38* —2A **160**
Greenway Gdns. *Dud* —4A **60**
Greenway Rd. *Bils* —1G **61**
Greenways. *Hale* —6E **111**
Greenways. *N'fld* —5D **130**
Greenways. *Stourb* —2A **108**
Greenway St. *B9* —2C **118**
Greenway, The. *B37* —5C **122**
Greenway, The. *S Cold* —2B **68**
Greenway Wlk. *B33* —2A **122**
Greenwood. *B25* —3B **120**
Greenwood Av. *B27* —3G **135**
Greenwood Av. *O'bry* —4H **97**
Greenwood Av. *Row R* —6D **96**
Greenwood Clo. *B14* —2G **147**
Greenwood Cotts. Dud (off Pine Grn.) —2C **76**
Greenwood Pk. *Wals* —5E **23**
Greenwood Pl. *B44* —4B **68**
Greenwood Rd. *Wals* —5C **22**
Greenwood Rd. *W Brom* —5H **63**
Greenwood Rd. *Wolv* —2F **27**
Greenwood Sq. *B37* —1D **122**
Greenwoods, The. *Stourb* —6C **108**
Greenwood Way. *B37* —1D **122**
Greet. —6D 118
Greethurst Dri. *B13* —3C **134**
Greets Green. —4E 79
Greets Grn. Ind. Est. *W Brom* —3F **79**
Greets Grn. Rd. *W Brom* —4F **79**
Greetville Clo. *B34* —4E **105**
Gregory Av. *B29* —5D **130**
Gregory Clo. *W'bry* —3F **63**
Gregory Ct. *Wolv* —4F **29**
Gregory Dri. *Dud* —5C **76**
Gregory Rd. *Stourb* —6A **108**
Gregston Ind. Est. *O'bry* —2H **97**
Grendon Dri. *S Cold* —2D **68**
Grendon Gdns. *Wolv* —5B **42**
Grendon Rd. *B14* —4A **148**
Grendon Rd. *Sol* —5C **136**
Grenfell Dri. *B15* —3B **116**
Grenfell Rd. *Wals* —4B **20**
Grenville Clo. *Wals* —6D **30**
Grenville Dri. *B23* —4B **84**
Grenville Dri. *Smeth* —1B **98**
Grenville Pl. *W Brom* —4F **79**
Grenville Rd. *Dud* —6A **76**
Grenville Rd. *Shir* —5H **149**
Gresham Rd. *B28* —1F **149**

Gresham Rd. *O'bry* —3A **98**
Gresley Clo. *S Cold* —5G **37**
Gresley Gro. *B23* —6C **84**
Gressel La. *B33* —6G **105**
Grestone Av. *B20* —3A **82**
Greswolde Dri. *B24* —3H **85**
Greswolde Pk. Rd. *B27* —1H **135**
Greswolde Rd. *B33* —1C **120**
Greswolde Rd. *B11* —2C **134**
Greswolde Rd. *Sol* —1C **150**
Greswold Gdns. *B34* —4E **105**
Greswold St. *W Brom* —2H **79**
Gretton Cres. *Wals* —4A **34**
Gretton Rd. *B23* —6D **68**
Gretton Rd. *Wals* —4B **34**
Greville Dri. *B15* —5E **117**
Grevis Clo. *B13* —1H **133**
Grevis Rd. *B25* —2C **120**
Greyfort Cres. *Sol* —4D **136**
Greyfriars Clo. *Dud* —4A **76**
Greyfriars Clo. *Sol* —1B **150**
Greyhound La. *Stourb* —3B **124**
Greyhound La. *Wolv* —6E **41**
Greyhurst Cft. *Sol* —1G **165**
Grey Mill Clo. *Shir* —3D **164**
Greystoke Av. *B36* —2B **104**
Greystoke Dri. *K'wfrd* —3B **92**
Greystone Pas. *Dud* —6D **76**
Greystone St. *Dud* —6E **77**
Greytree Cres. *Dorr* —6A **166**
Grice St. *W Brom* —1A **98**
Griffin Clo. *B31* —1F **145**
Griffin Gdns. *B17* —1H **131**
Griffin Ind. Est. *Row R* —6F **97**
Griffin Rd. *B23* —2C **84**
Griffin's Brook Clo. *B30* —6H **131**
Griffin's Brook La. *B30* —1G **145**
Griffin St. *Dud* —5E **95**
Griffin St. *W Brom* —4B **80**
Griffin St. *Wolv* —2B **44**
Griffiths Dri. *Wolv* —1H **29**
Griffiths Dri. *Wom* —2G **73**
Griffiths Rd. *Dud* —1C **76**
Griffiths Rd. *W Brom* —4A **64**
Griffiths Rd. *W'hall* —1D **30**
Griffiths St. *Tip* —2G **77**
Grigg Gro. *B31* —6C **144**
Grimley Rd. *B31* —5H **145**
Grimpits La. *B38* —2C **160**
Grimshaw Rd. *B27* —4G **135**
Grimstone St. *Wolv* —6H **27** (1D **170**)
Grindleford Rd. *B42* —6F **67**
Gristhorpe Rd. *B29* —4C **132**
Grizedale Clo. *Redn* —5H **143**
Grocott Rd. *W'bry* —1B **62**
Grosmont Av. *B12* —5A **118**
Grosvenor Av. *B20* —5E **83**
Grosvenor Av. *S Cold* —2H **51**
Grosvenor Clo. *S Cold* —2A **54**
Grosvenor Clo. *Wolv* —5H **15**
Grosvenor Ct. *B20* —5E **83**
Grosvenor Ct. *Dud* —5H **75**
Grosvenor Ct. Stourb —4F 125 (off Redlake Rd.)
Grosvenor Ct. *Wolv* —5A **170** (WV3)
Grosvenor Ct. *Wolv* —4F **29** (WV11)
Grosvenor Cres. *Wolv* —5H **15**
Grosvenor Rd. *B20 & Hand* —5E **83**

Grosvenor Rd. Aston —1B 102
Grosvenor Rd. Bush —5H 15
Grosvenor Rd. Dud —5H 75
Grosvenor Rd. E'shll P —2A 60
Grosvenor Rd. Harb —5E 115
Grosvenor Rd. O'bry —6G 97
Grosvenor Rd. Sol —6D 150
Grosvenor Rd. S. Dud —5H 75
Grosvenor Shop. Cen. N'fld
—3E 145
Grosvenor Sq. B28 —2F 149
Grosvenor St. B5
—6H 101 (3G 5)
Grosvenor St. Wolv —6B 28
Grosvenor St. W. B16
—2D 116
Grosvenor Ter. B16 —2D 116
Grosvenor Way. Brie H
—4H 109
Grotto La. Wolv —4C 26
Groucutt St. Bils —5E 61
Grounds Dri. S Cold —6F 37
Grounds Rd. S Cold —6F 37
Grout St. W Brom —3E 79
Grove Av. B29 —4A 132
Grove Av. B27 —2H 135
Grove Av. Hale —2H 127
Grove Av. Hand —1B 100
Grove Av. Mose —3A 134
Grove Av. Sol —2G 151
Gro. Cottage Rd. B9 —2D 118
Grove Cotts. Wals —1H 31
Grove Ct. B42 —1B 82
Grove Cres. Brie H —4G 93
Grove Cres. Wals —4D 20
Grove Cres. W Brom —6C 80
Gro. Farm Dri. S Cold —6D 54
Grove Gdns. B20 —5B 82
Grove Hill. Wals —3A 50
Gro. Hill Rd. B21 —6B 82
Groveland Rd. Tip —4A 78
Grovelands Cres. Wolv
—4H 15
Grove La. Hand —5B 82
(B20)
Grove La. Hand —1B 100
(B21)
Grove La. Harb —1G 131
Grove La. Pels —4C 8
Grove La. Smeth —4G 99
(in two parts)
Grove La. Wolv —1H 41
Groveley La. Redn & B31
—5A 158
Grovely Fall Rd. B31 —2F 159
Grove M. N'fld —1F 159
Grove Pk. K'wfrd —1A 92
Grove Rd. K Hth —6F 133
Grove Rd. Know —5C 166
Grove Rd. O'bry —2B 114
Grove Rd. Sol —2G 151
Grove Rd. S'hll —2C 134
Grove Rd. Stourb —1B 126
Groveside Way. Wals —2E 21
Grove St. Dud —1G 95
Grove St. Hth T —6B 28
Grove St. Smeth —5H 99
Grove St. Wolv
—3H 43 (6C 170)
Grove Ter. Wals —2D 48
Grove, The. Brie H —3G 109
Grove, The. Col —5H 107
Grove, The. G Barr —1A 66
Grove, The. H Ard —4A 140
Grove, The. Lane —6A 44
Grove, The. N'fld —1F 159

Grove, The. Redn —5B 158
Grove, The. Row H —1C 112
Grove, The. Salt —5C 102
Grove, The. S Cold —4D 36
Grove, The. Wals —2F 65
Grove, The. Wed —3D 28
Grove Vale. —4G 65
Grove Va. Av. B43 —4G 65
Grove Vs. Crad H —4F 111
Grove Way. S Cold —4H 51
Grovewood Dri. B38 —6A 146
Guardian Clo. Sol —4H 151
Guardian Ho. O'bry —4A 114
Guardians Way. B31 —5C 130
Guernsey Dri. B36 —3D 106
Guest Av. Wolv —1E 29
Guest Gro. B19 —3E 101
Guild Av. Wals —2B 32
Guild Clo. B16 —1C 116
Guild Cft. B19 —3F 101
Guildford Cft. B37 —3B 122
Guildford Dri. B19 —3F 101
Guildford St. B19 —2F 101
Guildhall M., The. Wals
(off Goodall St.) —2D 48
Guillemard Ct. B37 —2D 122
Guiting Rd. B29 —6E 131
Gullane Clo. B38 —6H 145
Gullswood Clo. B14 —5F 147
Gumbleberrys Clo. B8
—5A 104
Gun Barrel Ind. Est. Crad H
—5H 111
Gunmakers Wlk. B19 —2F 101
Gunner La. Redn —2D 156
Gunns Way. Sol —6B 136
Guns La. W Brom —3H 79
Gunstock Clo. S Cold —4G 51
Gunstone. —1G 13
Gunstone La. Cod —2F 13
(in three parts)
Guns Village. —3H 79
Gunter Rd. B24 —4C 86
Gurnard Clo. W'hall —6B 18
Gurney Pl. Wals —4G 31
Gurney Rd. Wals —4G 31
Guthrie Clo. B19 —3F 101
Guthrum Clo. Wolv —4F 25
Guy Av. Wolv —3H 27
Guys Cliffe Av. S Cold —4D 70
Guy's La. Dud —5F 75
Gwalia Gro. Erd —3F 85
Gwendoline Way. Wals W
—3D 22
GWS Ind. Est. W'bry —4D 62
Gypsy La. Wat O —5F 89

Habberley Cft. Sol —6F 151
Habberley Rd. Row R
—1D 112
Habitat Ct. S Cold —2D 70
Hackett Clo. Bils —4B 60
Hackett Ct. O'bry —2G 97
(off Canal St.)
Hackett Dri. Smeth —2B 98
Hackett Rd. Row R —6E 97
Hackett St. Tip —6C 62
Hackford Rd. Wolv —1B 60
Hack St. B9 —2A 118
Hackwood Ho. O'bry —4D 96
Hackwood Rd. W'bry —3H 63
Hadcroft Grange. Stourb
—1H 125
Hadcroft Rd. Stourb —1G 125
Haddock Rd. Bils —4E 45

Haddon Cres. W'hall —2C 30
Haddon Cft. Hale —4E 127
Haddon Rd. B42 —1F 83
Haden Clo. Crad H —4A 112
Haden Clo. Stourb —1B 108
Haden Cres. Wolv —3A 30
Haden Cross Dri. Crad H
—4A 112
Haden Dale. Crad H —4A 112
Haden Hill. Wolv —1E 43
Haden Hill Rd. Hale —5A 112
Haden Hill Rd. Hale —5A 112
Haden Pk. Rd. Crad H
—4G 111
Haden Rd. Crad H —1G 111
Haden Rd. Tip —4A 62
Haden St. B12 —5H 117
Haden Wlk. Row R —6C 96
Haden Way. B12 —5H 117
Hadfield Clo. B24 —4B 86
Hadfield Cft. B19 —4E 101
Hadfield Way. F'bri —5C 106
Hadland Rd. B33 —2F 121
Hadleigh Cft. Min —1E 87
Hadley Clo. Wyt —4A 162
Hadley Cft. Smeth —2E 99
Hadley Pl. Bils —4E 45
Hadley Rd. Bils —4E 45
Hadley Rd. Wals —3F 31
Hadleys Clo. Dud —5G 95
Hadley St. O'bry —5G 97
Hadley Way. Wals —3F 31
Hadrian Dri. Col —6H 89
Hadyn Gro. B26 —5F 121
Hadzor Rd. O'bry —3B 114
Hafren Clo. Redn —5H 143
Hafton Gro. B9 —2D 118
Haggar St. Wolv —5G 43
Hagley. —6H 125
Hagley Causeway. Hag
—6B 126
Hagley Hill. Hag —6A 126
Hagley Mall. Hale —2B 128
Hagley Pk. Dri. Redn —3G 157
Hagley Rd. B17 & Edg
—2F 115
Hagley Rd. Hale & Hay G
—5E 127
Hagley Rd. Stourb —1E 125
Hagley Rd. W. B32 & B17
—5G 113
Hagley Rd. W. Hale & O'bry
—5G 113
Hagley St. Hale —2B 128
Hagley Vw. Rd. Dud —1E 95
Hagley Wood La. Hag & Rom
—5D 126
Haig Clo. S Cold —4A 54
Haig Pl. B13 —6A 134
Haig Rd. Dud —6H 77
Haig St. W Brom —2A 80
Hailes Pk. Clo. Wolv —5A 44
Hailsham Rd. B23 —2F 85
Hailstone Clo. Row R —4A 96
Haines Clo. Tip —3B 78
Haines St. W Brom —5B 80
Hainfield Dri. Sol —3A 152
Hainge Rd. Tiv —5C 78
Hainult Clo. Stourb —5B 92
Halberton St. Smeth —5H 99
Haldon Gro. B31 —2C 158
Halecroft Av. Wolv —4F 29
Hale Gro. B24 —3B 86
Halesbury Ct. Hale —3H 127
(off Ombersley Rd.)

Hales Cres. Smeth —6C 98
Halescroft Sq. B31 —1C 144
Hales Gdns. B23 —5C 68
Hales La. Smeth —5C 98
Halesmere Way. Hale
—2C 128
Halesowen. —1B 128
Halesowen Abbey. —3D 128
Halesowen By-Pass. Hale
—4H 127
Halesowen Ind. Pk. Hale
(in two parts) —5B 112
Halesowen Rd. Crad H
—1G 111
Halesowen Rd. Dud —4E 95
Halesowen Rd. Hale —5E 113
Halesowen Rd. L Ash
—6C 156
Halesowen St. O'bry —2F 97
Halesowen St. Row R
—2C 112
Hales Rd. Hale —2A 128
(in two parts)
Hales Rd. W'bry —1G 63
Hales Way. O'bry —2F 97
Halesworth Rd. Wolv —6D 14
Hale, The. Tip —2B 78
Halewood Gro. B28 —6G 135
Haley St. W'hall —4C 30
Halfcot Av. Stourb —2G 125
Halford Cres. Wals —4D 32
Halford Gro. B24 —3C 86
Halford Rd. Sol —1C 150
Halford's La. Smeth & W Brom
—2E 99
Halford's La. Ind. Est. Smeth
—1E 99
Halfpenny Fld. Wlk. B35
—5E 87
Halfway Clo. B44 —1G 83
Halifax Rd. Shir —4H 149
Haliscombe Gro. Aston
—1G 101
Halkett Glade. B33 —6B 104
Halladale. B38 —6B 146
Hallam Clo. W Brom —2C 80
Hallam Ct. W Brom —2B 80
Hallam Cres. Wolv —3A 28
Hallam St. B12 —6G 117
Hallam St. W Brom —3B 80
Hallbridge Clo. Wals —5D 20
Hallbridge Way. Tiv —5B 78
Hallchurch Rd. Dud —2B 94
Hall Cres. W Brom —1A 80
Hallcroft Clo. S Cold —6A 70
Hallcroft Way. Know —3C 166
Hallcroft Way. Wals —4E 35
Hall Dale Clo. B28 —2F 149
Hall Dri. B37 —4C 122
Hall End. —1B 80
Hall End. W'bry —2F 63
Hallens Dri. W'bry —2D 62
Hallett Dri. Wolv
—2F 43 (5A 170)
Hallewell Rd. B16 —6H 99
Hall Green. —5F 135
(Acock's Green)
Hall Green. —3G 61
(Coseley)
Hall Green. —4A 64
(Wednesbury)
Hall Grn. Rd. W Brom —4A 64
Hall Grn. St. Bils —2G 61
Hall Gro. Bils —5E 61
Hall Hays Rd. B34 —2A 106
Hall La. Bils —4B 60

Harrowby Dri. *Tip* —3A **78**
Harrowby Pl. *Bils* —1A **62**
Harrowby Pl. *W'hall* —2D **46**
Harrowby Rd. *Bils* —1A **62**
Harrowby Rd. *Wolv* —4F **15**
Harrow Clo. *Hag* —6E **125**
Harrowfield Rd. *B33* —5C **104**
Harrow Rd. *B29* —2B **132**
Harrow Rd. *K'wfrd* —6B **74**
Harrow St. *Wolv* —5F **27**
Harry Perks St. *W'hall* —6A **30**
Harry Price Ho. *O'bry* —4D **96**
 —6C **96**
Hart Dri. *S Cold* —5G **69**
Hartfield Cres. *B27* —3G **135**
Hartfields Way. *Row R* —4H **95**
Hartford Clo. *B17* —4E **115**
Hartill Rd. *Wolv* —2B **58**
Hartill St. *W'hall* —3B **46**
Hartington Clo. *Dorr* —6A **166**
Hartington Rd. *B19* —1F **101**
Hartland Av. *Bils* —5C **60**
Hartland Rd. *B31* —3C **158**
Hartland Rd. *Tip* —2F **77**
Hartland Rd. *W Brom* —5D **64**
Hartland St. *Brie H* —2H **93**
Hartlebury Clo. *Dorr* —6B **166**
Hartlebury Rd. *Hale* —3H **127**
Hartlebury Rd. *O'bry* —4D **96**
Hartledon Rd. *B17* —6F **115**
Hartley Dri. *Wals* —5D **34**
Hartley Gro. *B44* —2B **68**
Hartley Pl. *Edg* —3B **116**
Hartley Rd. *B44* —2B **68**
Hartley St. *Wolv* —1E **43**
Harton Way. *B14* —2E **147**
Hartopp Rd. *B8* —5E **103**
Hartopp Rd. *S Cold* —2F **53**
Hart Rd. *B24* —2G **85**
Hart Rd. *Wolv* —5F **29**
Hartsbourne Dri. *Hale*
 —1D **128**
Harts Clo. *B17* —5H **115**
Harts Green. —6E 115
Harts Grn. Rd. *B17* —6E **115**
Hart's Hill. —4A 94
Hartshill Rd. *A Grn* —3B **136**
Hartshill Rd. *S End* —3E **105**
Hartshorn St. *Bils* —6F **45**
Hartside Clo. *Hale* —3F **127**
Harts Rd. *B8* —4E **103**
Hart St. *Wals* —3C **48**
Hartswell Dri. *B13* —1H **147**
Hartwell Clo. *Sol* —6H **151**
Hartwell La. *Wals* —2G **7**
Hartwell Rd. *B24* —5H **85**
Harvard Clo. *Dud* —3B **76**
Harvard Rd. *Sol* —1E **137**
Harvest Clo. *B30* —1D **146**
Harvest Clo. *Dud* —2A **76**
Harvest Ct. *Row R* —5A **96**
Harvesters Clo. *A'rdge* —1G **51**
Harvesters Rd. *W'hall* —4D **30**
Harvesters Wlk. *Pend* —6C **14**
Harvesters Way. *W'hall*
 —4D **30**
Harvester Way. *K'wfrd* —1G **91**
Harvest Gdns. *O'bry* —5G **97**
Harvest Rd. *Row R* —5A **96**
Harvest Rd. *Smeth* —6B **99**
Harvest Wlk. *Row R* —5A **96**
Harvey Ct. *B33* —6H **105**
Harvey Ct. *B30* —6A **132**
Harvey Dri. *S Cold* —1A **54**
Harvey M. *B30* —6A **132**
Harvey Rd. *B26* —4B **120**
Harvey Rd. *Wals* —4H **31**

Harvey's Ter. *Dud* —5F **95**
Harvills Hawthorn. —6F 63
Harvills Hawthorn. *W Brom*
 —6F **63**
Harvine Wlk. *Stourb* —2C **124**
Harvington Dri. *Shir* —3F **165**
Harvington Rd. *B29* —5E **131**
Harvington Rd. *Bils* —5D **60**
Harvington Rd. *Hale* —3H **127**
Harvington Rd. *O'bry* —4G **113**
Harvington Wlk. *Row R*
 —6C **96**
Harvington Way. *S Cold*
 —5E **71**
Harwin Clo. *Wolv* —2D **26**
Harwood Gro. *Shir* —1A **164**
Harwood St. *W Brom* —4H **79**
Hasbury. —3G 127
Hasbury Clo. *Hale* —3G **127**
Hasbury Rd. *B32* —5G **129**
Haseley Rd. *B21* —2A **100**
Haseley Rd. *Sol* —1C **150**
Haselor Rd. *S Cold* —4E **69**
Haselour Rd. *B37* —4B **106**
Haskell St. *Wals* —4D **48**
Haslucks Clo. *Shir* —2E **163**
Haslucks Cft. *Shir* —4G **149**
Haslucks Green. —5F 149
Haslucks Grn. Rd. *Shir*
 —2E **163**
Hassop Rd. *B42* —6F **67**
Hastings Ct. *Dud* —5A **76**
Hastings Rd. *B23* —6B **68**
(in two parts)
Haswell Rd. *Hale* —2F **127**
Hatcham Rd. *B44* —3C **68**
Hatchett St. *B19* —4G **101**
Hatchford Av. *Sol* —2G **137**
Hatchford Brook Rd. *Sol*
 —2G **137**
Hatchford Ct. *Sol* —2G **137**
Hatchford Wlk. *B37* —2D **122**
Hatch Heath Clo. *Wom* —6F **57**
Hateley Dri. *Wolv* —1A **60**
Hateley Heath. —5A 64
Hatfield Clo. *B23* —6D **68**
Hatfield Rd. *B19* —1F **101**
Hatfield Rd. *Stourb* —1G **125**
Hathaway Clo. *Bal C* —2H **169**
Hathaway Clo. *W'hall* —3H **45**
Hathaway Gro. *Tys* —6H **119**
Hathaway M. *Stourb* —6H **91**
Hathaway Rd. *Shir* —6H **149**
Hathaway Rd. *S Cold* —5G **37**
Hatherden Dri. *S Cold* —3E **71**
Hathersage Rd. *B42* —6F **67**
Hatherton Gdns. *Wolv* —5A **16**
Hatherton Gro. *B29* —4D **130**
Hatherton Pl. *Wals* —2C **34**
Hatherton Rd. *Bils* —5H **45**
Hatherton Rd. *Wals* —1C **48**
Hatherton St. *C Hay* —3C **6**
Hatherton St. *Wals* —1C **48**
Hattersley Gro. *B11* —2G **135**
Hatton Cres. *Wolv* —2C **28**
Hatton Gdns. *B42* —6D **66**
Hatton Rd. *Wolv* —6D **26**
Hattons Gro. *Cod* —5H **13**
Hatton St. *Bils* —1G **61**
Haughton Rd. *B20* —6F **83**
Haunch La. *B13* —1H **147**
Haunchwood Dri. *S Cold*
 —6D **70**
Havacre La. *Bils* —3E **61**
Havelock Clo. *Wolv* —3C **42**
Havelock Rd. *Greet* —1E **135**

Havelock Rd. *Hand* —6E **83**
Havelock Rd. *Salt* —4D **102**
Havelock Ter. *Hand* —2A **100**
Haven Cft. *B43* —5H **65**
Haven Dri. *B27* —2H **135**
Haven, The. *B14* —3D **148**
Haven, The. *Stourb* —1B **108**
Haven, The. *Wolv* —3G **43**
Haverford Dri. *Redn* —3H **157**
Havergal Wlk. *Hale* —1D **126**
Haverhill Clo. *Wals* —4G **19**
Hawbridge Clo. *Shir* —3F **165**
Hawbush. —1E 109
Hawbush Gdns. *Brie H*
 —2E **109**
Hawbush Rd. *Brie H* —2E **109**
Hawbush Rd. *Wals* —3B **32**
Hawcroft Gro. *B34* —3G **105**
Hawes Clo. *Wals* —5D **48**
Hawes La. *Row R* —5B **96**
Hawes Rd. *Wals* —5D **48**
Haweswater Dri. *K'wfrd*
 —3B **92**
Hawfield Clo. *Tiv* —2C **96**
Hawfield Gro. *S Cold* —6A **70**
Hawfield Rd. *Tiv* —2C **96**
Hawker Dri. *B35* —5D **86**
Hawkesbury Rd. *Shir* —6F **149**
Hawkes Clo. *B30* —5C **132**
Hawkesford Clo. *B36* —1E **105**
Hawkesford Clo. *S Cold*
 —2H **53**
Hawkesford Rd. *B33* —6H **105**
Hawkes La. *W Brom* —6G **63**
Hawkesley. —1A 160
Hawkesley Cres. *B31* —6D **144**
Hawkesley Dri. *B31* —1D **158**
Hawkesley End. *B38* —1A **160**
Hawkesley Mill La. *B31*
 —5D **144**
Hawkesley Rd. *Dud* —1B **94**
Hawkesley Sq. *B38* —2A **160**
Hawkes St. *B10* —3D **118**
Hawkestone Cres. *W Brom*
 —1F **79**
Hawkestone Rd. *B29* —6E **131**
Hawkeswell Clo. *Sol* —4C **136**
Hawkesyard Rd. *B24* —6E **85**
Hawkhurst Rd. *B14* —5H **147**
Hawkinge Dri. *B35* —4E **87**
Hawkins Clo. *B5* —5G **103**
Hawkins Cft. *Tip* —4A **78**
Hawkins Dri. *Cann* —1C **6**
Hawkins Pl. *Bils* —2H **61**
Hawkins St. *W Brom* —5G **63**
Hawkley Clo. *Wolv* —1D **44**
Hawkley Rd. *Wolv* —1D **44**
Hawkmoor Gdns. *B38*
 —1C **160**
Hawks Clo. *Wals* —3D **6**
Hawksford Cres. *Wolv* —2H **27**
Hawkshead Dri. *Know*
 —3B **166**
Hawksmoor Dri. *Pert* —6D **24**
Hawkstone Ct. *Pert* —4D **24**
Hawkswell Av. *Wom* —2G **73**
Hawkswell Dri. *W'hall* —2H **45**
Hawkswood Dri. *Bal C*
 —2H **169**
Hawkswood Dri. *W'bry*
 —2B **62**
Hawkswood Gro. *B14*
 —4B **148**
Hawnby Gro. *S Cold* —3E **71**
Hawne. —5H 111
Hawne Clo. *Hale* —5G **111**

Hawnelands, The. *Hale*
 —6H **111**
Hawne La. *Hale* —5G **111**
Hawthorn Av. *Wals* —4G **7**
Hawthorn Brook Way. *B23*
 —5E **69**
Hawthorn Clo. *B9* —2B **118**
Hawthorn Clo. *B23* —6F **69**
Hawthorn Coppice. *B30*
 —3A **146**
Hawthorn Cft. *O'bry* —4B **114**
Hawthornden Ct. *S Cold*
 —6B **70**
Hawthorn Dri. *H'wd* —3B **162**
Hawthorne Gro. *Dud* —5H **75**
Hawthorne Ho. *Wolv* —6B **28**
Hawthorne La. *Cod* —5F **13**
Hawthorne Rd. *Cas B* —2A **106**
Hawthorne Rd. *C Hay* —1E **7**
Hawthorne Rd. *Dud* —3E **77**
Hawthorne Rd. *Edg* —4A **116**
Hawthorne Rd. *Hale* —3G **127**
Hawthorne Rd. *K Nor*
 —3H **145**
Hawthorne Rd. *Wals* —6D **48**
Hawthorne Rd. *Wed* —4H **29**
Hawthorne Rd. *W'hall* —2D **30**
Hawthorne Rd. *Wolv* —5H **43**
Hawthorn Gro. *B19* —1E **101**
Hawthorn Pk. *B20* —4A **82**
Hawthorn Pk. Dri. *B20* —4B **82**
Hawthorn Pl. *Wals* —6E **31**
Hawthorn Rd. *B44* —6H **67**
Hawthorn Rd. *Brie H* —3A **110**
Hawthorn Rd. *Ess* —4A **18**
Hawthorn Rd. *Shelf* —6F **21**
Hawthorn Rd. *Stow H* —3D **44**
Hawthorn Rd. *S'tly* —2A **52**
Hawthorn Rd. *Tip* —5A **62**
Hawthorn Rd. *W'bry* —1F **63**
Hawthorn Rd. *W Grn* —4A **70**
Hawthorns Ind. Est. *Hand*
 —6F **81**
Hawthorn Ter. *W'bry* —1F **63**
Haxby Av. *B34* —3E **105**
Haybarn, The. *S Cold* —5E **71**
Haybrook Dri. *B11* —1F **135**
Haycock Pl. *W'bry* —4C **46**
Haycroft Av. *B8* —4E **103**
Haycroft Dri. *S Cold* —5G **37**
Haydn Sanders Sq. *Wals*
 —3C **48**
Haydock Clo. *B36* —1A **104**
Haydock Clo. *Wolv* —3F **27**
Haydon Clo. *Dorr* —6G **167**
Haydon Cft. *B33* —6E **105**
Hayehouse Gro. *B36* —2C **104**
Hayes Cres. *O'bry* —4B **98**
Hayes Cft. *B38* —2A **160**
Hayes Gro. *B24* —1B **86**
Hayes La. *Stourb* —5C **110**
Hayes Mdw. *S Cold* —6B **70**
Hayes Rd. *O'bry* —4B **98**
Hayes St. *W Brom* —3G **79**
Hayes, The. —5C 110
Hayes, The. *B31* —2G **159**
Hayes, The. *Lye & Stourb*
 —6B **110**
Hayes, The. *W'hall* —3B **30**
Hayes Vw. Dri. *Wals* —1E **7**
Hayfield Ct. *B13* —3B **134**
Hayfield Gdns. *B13* —3C **134**
Hayfield Rd. *B13* —3B **134**
Hay Green. —6H 109
Hay Grn. *Stourb* —6H **109**
Hay Grn. Clo. *B30* —1H **145**

Henne Dri. *Bils* —4E **61**
Henn St. *Tip* —5A **62**
Henrietta St. *B19*
    —5F **101** (1C **4**)
Henry Rd. *B25* —4A **120**
Henry St. *Wals* —2B **48**
Hensborough. *Shir* —4G **163**
Hensel Dri. *Wolv* —3A **42**
Henshaw Gro. *B25* —4A **120**
Henshaw Rd. *B10* —3D **118**
Henstead St. *B5* —3F **117**
Henwood Clo. *Wolv* —6A **26**
Henwood Cft. *B29* —3D **130**
Henwood La. *Cath B* —2D **152**
Henwood Rd. *Wolv* —1A **42**
Henwood Wharf. *Sol* —5D **152**
Hepburn Clo. *Wals* —5C **34**
Hepburn Edge. *B24* —3H **85**
Hepworth Clo. *Wolv* —5F **25**
Herald Ct. *Dud* —6E **77**
Herbert Rd. *B10 & Small H*
    —2C **118**
Herbert Rd. *Hand* —6B **82**
Herbert Rd. *Smeth* —2E **115**
Herbert Rd. *Sol* —4F **151**
Herbert Rd. *Wals* —6C **22**
Herberts Pk. Rd. *W'bry*
    —5B **46**
Herbert St. *Bils* —5D **44**
Herbert St. *W Brom* —4B **80**
Herbert St. *Wolv*
    —6H **27** (1C **170**)
Herbhill Clo. *Wolv* —1H **59**
Hereford Av. *S'brk* —5A **118**
Hereford Clo. *Redn* —6G **143**
Hereford Clo. *Wals* —1C **34**
Hereford Ho. *Wolv* —5G **27**
  (off Lomas St.)
Hereford Pl. *W Brom* —6H **63**
Hereford Rd. *Dud* —6G **95**
Hereford Rd. *O'bry* —4H **113**
Hereford Sq. *Salt* —4D **102**
Hereford St. *Wals* —5C **32**
Hereford Wlk. *B37* —2B **122**
Hereward Ri. *Hale* —6B **112**
Heritage Clo. *O'bry* —5A **98**
Heritage, The. *Wals* —3C **48**
  (off Sister Dora Gdns.)
Heritage Way. *B33* —6H **105**
Hermes Ct. *S Cold* —6F **37**
Hermes Ho. *B35* —3E **87**
Hermitage Dri. *S Cold* —1E **71**
Hermitage Rd. *Edg* —3G **115**
Hermitage Rd. *Erd* —4D **84**
Hermitage Rd. *Sol* —2G **151**
Hermitage, The. *Sol* —1G **151**
Hermit St. *Dud* —2H **75**
Hermon Row. *B11* —6D **118**
Hernall Cft. *B26* —4E **121**
Herne Clo. *B18* —5C **100**
Hernefield Rd. *B34* —2E **105**
Hernehurst. *B32* —6H **113**
Hern Rd. *Brie H* —5G **109**
Heron Clo. *Shir* —5B **164**
Heron Ct. *S Cold* —6H **69**
  (off Florence Av.)
Herondale Cres. *Stourb*
    —1A **124**
Herondale Rd. *B26* —5D **120**
Heronfield Dri. *B31* —3D **158**
Heronfield Way. *Sol* —2A **152**
Heron Mill. *Pels* —4C **20**
Heron Rd. *O'bry* —1G **113**
Heronry, The. *Wolv* —1F **41**
Heronsdale Rd. *Stourb*
    —2A **124**

Herons Way. *B29* —2G **131**
Heronswood Dri. *Brie H*
    —2H **109**
Heronswood Rd. *Redn*
    —3H **157**
Heronville Dri. *W Brom*
    —6G **63**
Heronville Ho. *Tip* —4B **78**
Heronville Rd. *W Brom*
    —1F **79**
Heron Way. *Redn* —2F **157**
Herrick Rd. *B8* —4E **103**
Herrick St. *Wolv* —2F **43**
Herringshaw Cft. *S Cold*
    —2C **70**
Hertford St. *B12* —6A **118**
Hertford Ter. *B12* —6A **118**
Hertford Way. *Know* —5D **166**
Hervey Gro. *B24* —1B **86**
Hesketh Cres. *B23* —2C **84**
Heskett Av. *O'bry* —2A **114**
Hessian Clo. *Bils* —3D **60**
Hestia Dri. *B29* —5A **132**
Heston Av. *B42* —5C **66**
Hever Av. *B44* —4A **68**
Hever Clo. *Dud* —4A **76**
Hewell Clo. *B31* —2D **158**
Hewell Clo. *K'wfrd* —6B **92**
Hewitson Gdns. *Smeth*
    —1D **114**
Hewitt St. *W'bry* —5C **46**
Hexham Cft. *B36* —1A **104**
Hexham Way. *Dud* —5B **76**
Hexton Clo. *Shir* —5D **148**
Heybarnes Cir. *Small H*
    —4F **119**
Heybarnes Rd. *B10* —4F **119**
Heycott Gro. *B38* —5E **147**
Heydon Rd. *Brie H* —4F **93**
Heyford Gro. *Sol* —1G **165**
Heyford Way. *B35* —2F **87**
Heygate Way. *Wals* —5D **22**
Heynesfield Rd. *B33* —6G **105**
Heythrop Gro. *B13* —5D **134**
Hickman Av. *Wolv* —2C **44**
Hickman Gdns. *B16* —2B **116**
Hickman Pl. *Bils* —5E **45**
Hickman Rd. *B11* —5B **118**
Hickman Rd. *Bils* —6E **45**
Hickman Rd. *Brie H* —5G **93**
Hickman Rd. *Tip* —5H **61**
Hickman's Av. *Crad H*
    —1G **111**
Hickmans Clo. *Hale* —5G **113**
Hickman St. *Stourb* —5G **109**
Hickmerelands La. *Dud*
    —5H **59**
Hickory Dri. *B17* —1F **115**
Hidcote Av. *S Cold* —5E **71**
Hidcote Gro. *Kitts G* —3G **121**
Hidcote Gro. *Mars G* —4C **122**
Hidson Rd. *B23* —2C **84**
Higgins Av. *Bils* —3F **61**
Higgins La. *B32* —6A **114**
Higgins Wlk. *Smeth* —3F **99**
Higgs Fld. Cres. *Crad H*
    —2A **112**
Higgs Rd. *Wolv* —6A **18**
Highams Clo. *Row R* —6B **96**
Higham Way. *Wolv* —3A **28**
High Arcal Dri. *Dud* —6B **60**
High Arcal Rd. *Dud* —4D **74**
High Av. *Crad H* —3H **111**
High Beeches. *B43* —4H **65**
Highbridge. —1E 21
Highbridge Rd. *Dud* —6C **94**

Highbridge Rd. *S Cold* —4G **69**
High Brink Rd. *Col* —2H **107**
Highbrook Clo. *Wolv* —5E **15**
High Brow. *B17* —4F **115**
High Bullen. *W'bry* —2F **63**
Highbury Av. *Hand* —1B **100**
Highbury Av. *Row R* —6D **96**
Highbury Clo. *Row R* —6D **96**
Highbury Rd. *B14* —5F **133**
Highbury Rd. *O'bry* —4H **97**
Highbury Rd. *Smeth* —2B **98**
Highbury Rd. *S Cold* —6C **36**
Highclere. *Crad H* —4A **112**
Highcrest Clo. *B31* —2E **159**
High Cft. *B43* —4G **65**
Highcroft. *A'rdge* —5D **22**
High Cft. *Pels* —2F **21**
Highcroft Av. *Stourb* —6A **92**
Highcroft Clo. *Sol* —3G **137**
Highcroft Dri. *S Cold* —6E **37**
Highcroft Rd. *B23* —4E **85**
Highdown Cres. *Shir* —3E **165**
High Ercal. —1G 109
High Ercal Av. *Brie H* —1G **109**
High Farm Rd. *Hasb* —2G **127**
High Farm Rd. *H Grn* —3F **113**
Highfield. *Mer* —4H **141**
Highfield Av. *Shelf* —1G **33**
Highfield Av. *Wolv* —5C **16**
Highfield Clo. *B28* —2D **148**
Highfield Ct. *S Cold* —4H **69**
Highfield Ct. *Wolv* —5A **42**
Highfield Cres. *Hale* —5F **111**
Highfield Cres. *Row R*
    —3B **112**
Highfield Cres. *Wolv* —3D **28**
Highfield Dri. *S Cold* —6F **69**
Highfield La. *B32* —6H **113**
Highfield La. *Hale* —2H **127**
Highfield Pas. *Wals* —3C **48**
Highfield Pl. *B14* —2D **148**
Highfield Rd. *B15 & Edg*
    —3C **116**
Highfield Rd. *Dud* —6G **77**
Highfield Rd. *Gt Barr* —6G **65**
Highfield Rd. *Hale* —6F **111**
Highfield Rd. *Mose* —2B **134**
Highfield Rd. *Pels* —3E **21**
Highfield Rd. *Row R* —2B **112**
Highfield Rd. *Salt* —5E **103**
Highfield Rd. *Sed* —4H **59**
Highfield Rd. *Smeth* —4D **98**
Highfield Rd. *Stourb* —1E **109**
Highfield Rd. *Tip* —6A **62**
Highfield Rd. *Yard W & Hall G*
    —2D **148**
Highfield Rd. N. *Pels* —2D **20**
Highfields. —1B 10
Highfields Av. *Bils* —1G **61**
Highfields Dri. *Bils* —2F **61**
Highfields Dri. *Wom* —2G **73**
Highfields Rd. *Bils* —2E **61**
Highfields Rd. *Chase* —1B **10**
Highfields, The. *Wolv* —1G **41**
Highfield Ter. *Wash H* —4E **103**
Highfield Way. *Wals* —5D **22**
Highgate. —4H 117
Highgate. *Dud* —2A **76**
Highgate. *S Cold* —2A **52**
Highgate Av. *Wals* —3D **48**
Highgate Av. *Wolv* —5B **42**
Highgate Clo. *B12* —4H **117**
Highgate Clo. *Wals* —4D **48**
Highgate Common Country
    ***Pk.* —1A 90**
Highgate Dri. *Wals* —4D **48**

Highgate Ho. B5 —3G **117**
  (off Southacre Av.)
Highgate Middleway. *B12*
    —4H **117**
Highgate Pl. *B12* —4A **118**
Highgate Rd. *B12* —5A **118**
Highgate Rd. *Dud* —3B **94**
Highgate Rd. *Wals* —3D **48**
Highgate Sq. *B12* —4H **117**
Highgate St. *B12* —4H **117**
Highgate St. *Crad H* —1H **111**
  (in two parts)
Highgate Trad. Est. *B12*
    —4A **118**
Highgrove. *Tett* —6A **26**
Highgrove Clo. *W'hall* —2B **30**
Highgrove Pl. *Dud* —5B **76**
High Haden Cres. *Crad H*
    —3A **112**
High Haden Rd. *Crad H*
    —3A **112**
High Harcourt. *Crad H*
    —3H **111**
High Heath. —5G 21
  (Bloxwich)
High Heath. —3F 55
  (Sutton Coldfield)
High Heath Clo. *B30* —2H **145**
High Hill. *Ess* —5A **18**
High Holborn. *Dud* —6H **59**
High Ho. Dri. *Redn* —6F **157**
Highland M. *Bils* —4F **61**
Highland Ridge. *Hale* —6E **113**
Highland Rd. *Crad H* —1G **111**
Highland Rd. *Dud* —4C **76**
Highland Rd. *Erd* —2F **85**
Highland Rd. *Gt Barr* —2A **66**
Highland Rd. *Wals W* —4C **22**
Highlands Ct. *Shir* —1C **164**
Highlands Rd. *Shir* —1C **164**
Highlands Rd. *Wolv* —3B **42**
High Leasowes. *Hale* —1A **128**
High Mdw. Rd. *B38* —5C **146**
High Meadows. *Wolv* —6A **26**
High Meadows. *Wom* —1G **73**
Highmoor Clo. *Bils* —2F **61**
Highmoor Clo. *W'hall* —2B **30**
Highmoor Rd. *Row R* —6B **96**
Highmore Dri. *B32* —5A **130**
High Oak. *Brie H* —2G **93**
Highpark Av. *Stourb* —6B **108**
High Pk. Clo. *Dud* —4H **59**
High Pk. Clo. *Smeth* —4F **99**
High Pk. Cres. *Dud* —4H **59**
High Park Estate. —6A 108
High Pk. Rd. *Hale* —6E **111**
High Point. *B15* —1A **116**
High Ridge. *Wals* —4B **34**
High Ridge Clo. *A'rdge* —4A **34**
High Ridge Clo. *W'bry* —1A **62**
High Rd. *W'hall* —4C **30**
High St. *B4 & B2*
    —1G **117** (4E **5**)
High St. *A'rdge* —3D **34**
  (in two parts)
High St. *Amb* —3D **108**
High St. *Aston* —2G **101**
High St. *Bils* —6F **45**
High St. *Blox* —1H **31**
High St. *Bord* —2A **118**
High St. *Brie H* —1H **109**
High St. *Brock* —5F **93**
High St. *Bwnhls* —6B **10**
High St. *Cann* —1F **9**
High St. *Chase* —1B **10**
  (in two parts)

High St. *C Hay* —3C **6**
High St. *Clay* —1A **22**
High St. *Col* —1H **107**
High St. *Crad H* —3E **111**
High St. *Der* —2H **117** (6H **5**)
High St. *Dud* —6E **77**
High St. *Erd* —3F **85**
High St. *Hale* —1B **128**
High St. *H Ard* —1A **154**
High St. *Harb* —6G **115**
High St. *K Hth* —5G **133**
High St. *K'wfrd* —3B **92**
High St. *Know* —3E **167**
High St. *Lye* —6A **110**
High St. *Mox* —1A **62**
High St. *Pels* —3E **21**
High St. *Pens* —2E **93**
High St. *P End* —5G **61**
High St. *Quar B* —2B **110**
High St. *Quin* —5G **113**
High St. *Row R* —2B **112**
High St. *Salt* —4D **102**
High St. *Sed* —4H **59**
High St. *Shir* —5C **148**
High St. *Smeth* —3D **98**
High St. *Sol* —3G **151**
High St. *Stourb* —5E **109**
High St. *S Cold* —5A **54**
High St. *Swind* —5E **73**
High St. *Tett* —5B **26**
High St. *Tip* —2G **77**
High St. *W Hth* —1H **91**
High St. *Wals* —2C **48**
High St. *Wals W* —4B **22**
High St. *Wed* —4E **29**
High St. *W Brom* —3H **79**
High St. *W'hall* —2G **45**
High St. *Woll* —5C **108**
High St. *Wom* —1H **73**
High St. *Word* —6C **92**
High St. Precinct. *Mox*
                                —5D **46**
Highters Clo. *B14* —5B **148**
Highter's Heath La. *B14*
                                —6A **148**
Highters Rd. *B14* —4A **148**
High Timbers. *Redn* —6F **143**
High Tower. *B7* —4B **102**
Hightown. *Hale* —5E **111**
Hightree Clo. *B32* —4H **129**
High Trees. *B20* —4B **82**
High Trees Rd. *Know* —2C **166**
High Vw. *Bils* —4B **60**
Highview. Wals —3D **48**
  (off Highgate Rd.)
Highview Dri. *K'wfrd* —5D **92**
Highview St. *Dud* —6G **77**
Highwood Av. *Sol* —4E **137**
High Wood Clo. *K'wfrd*
                                —3A **92**
Highwood Cft. *B38* —6H **145**
Hiker Gro. *B37* —1F **123**
Hilary Cres. *Dud* —1D **76**
Hilary Dri. *S Cold* —2E **71**
Hilary Dri. *Wals* —4C **34**
Hilary Dri. *Wolv* —4B **42**
Hilary Gro. *B31* —3D **144**
Hilden Rd. *B7* —5A **102**
Hilderic Cres. *Dud* —2B **94**
Hilderstone Rd. *B25* —5A **120**
Hildicks Cres. *Wals* —2D **32**
Hildicks Pl. *Wals* —2D **32**
Hill. —5G 37
Hillaire Clo. *B38* —5E **147**
Hillaries Rd. *B23* —5D **84**
Hillary Av. *W'bry* —2A **64**

Hillary Crest. *Dud* —2A **76**
Hillary St. *Wals* —4A **48**
Hill Av. *Wolv* —2B **60**
Hill Bank. *Stourb* —6B **110**
Hillbank. *Tiv* —6D **78**
Hill Bank Dri. *B33* —5B **104**
Hill Bank Rd. *B38* —5C **146**
Hillbank Rd. *Hale* —5F **111**
Hillborough Rd. *B27* —3C **136**
Hillbrook Gro. *B33* —6D **104**
Hillbrow Cres. *Hale* —3F **113**
Hillbury Dri. *W'hall* —1B **30**
Hill Clo. *B31* —6F **145**
Hill Clo. *Dud* —4A **60**
Hillcrest. *Dud* —3G **75**
Hillcrest Av. *B43* —3A **66**
Hillcrest Av. *Brie H* —2G **109**
Hillcrest Av. *Hale* —4D **110**
Hillcrest Av. *Wolv* —6A **16**
Hillcrest Clo. *Dud* —4E **95**
Hillcrest Gdns. *W'hall* —4D **30**
Hillcrest Gro. *B44* —6A **68**
Hillcrest Ind. Est. *Crad H*
                                —3F **111**
Hillcrest Ri. *Burn* —1D **10**
Hillcrest Rd. *B43* —3A **66**
Hillcrest Rd. *Dud* —6G **77**
Hill Crest Rd. *Mose* —3G **133**
Hillcrest Rd. *Rom* —3A **142**
Hillcrest Rd. *S Cold* —5A **70**
Hillcroft Ho. *B14* —5H **147**
Hill Cft. Rd. *K Hth* —1E **147**
Hillcroft Rd. *K'wfrd* —2C **92**
Hillcross Wlk. *B36* —1D **104**
Hilldene Rd. *K'wfrd* —5A **92**
Hilldrop Gro. *B17* —2H **131**
Hilleys Cft. *B37* —6B **106**
Hillfield. —6E 151
Hillfield M. *Sol* —1F **165**
Hillfield Rd. *B11* —2D **134**
Hillfield Rd. *Sol* —1F **165**
  (in three parts)
Hillfields. *Smeth* —6B **98**
Hillfields Rd. *Brie H* —4F **109**
Hillfield Wlk. *Row R* —4H **95**
Hill Gro. *B20* —5E **83**
Hill Hook. —4E 37
Hill Hook Rd. *S Cold* —4E **37**
Hill Ho. La. *B33* —6D **104**
  (in two parts)
Hillhurst Gro. *B36* —6H **87**
Hilliards Cft. *B42* —5C **66**
Hillingford Av. *B43* —2E **67**
Hill La. *Bass P* —1F **55**
Hill La. *Gt Barr* —3A **66**
Hillman Dri. *Dud* —2G **95**
Hillman Gro. *B36* —6B **88**
Hillmeads Dri. *Dud* —2G **95**
Hillmeads Rd. *B38* —6C **146**
Hillmorton. *S Cold* —6F **37**
Hillmorton Rd. *Know* —4C **166**
Hill Morton Rd. *S Cold* —5F **37**
Hillmount Clo. *B28* —3E **135**
Hill Pk. *Wals W* —3C **22**
Hill Pas. *Crad H* —1G **111**
Hill Pl. *Wolv* —6A **18**
Hill Rd. *Stourb* —6A **110**
Hill Rd. *Tiv* —5A **78**
Hill Rd. *W'hall* —3F **45**
Hillside. *Dud* —3G **75**
Hillside. *Wals* —1C **22**
Hillside Av. *Brie H* —3C **110**
Hillside Av. *Hale* —5F **111**
Hillside Av. *Row R* —3B **112**
Hillside Clo. *B32* —5G **129**
Hillside Clo. *Wals* —1C **22**

Hillside Ct. *B43* —3H **65**
Hillside Cres. *Wals* —5D **20**
Hillside Cft. *Sol* —1A **138**
Hillside Dri. *Gt Barr* —1C **82**
Hillside Dri. *K'hrst* —5B **106**
Hillside Dri. *S Cold* —4H **51**
Hillside Gdns. *K'hrst* —5B **106**
Hillside Gdns. *Wolv* —6C **28**
Hillside Ho. *Redn* —1F **157**
Hillside Rd. *Dud* —2C **76**
Hillside Rd. *Erd* —5D **84**
Hillside Rd. *Gt Barr* —3H **65**
Hillside Rd. *S Cold* —5F **37**
Hillside Wlk. *Wolv* —6C **28**
Hillstone Gdns. *Wolv* —1B **28**
Hillstone Rd. *B34* —4H **105**
Hill St. *B2 & B5*
                                —1F **117** (4C **4**)
Hill St. *Bils* —2G **61**
Hill St. *Brie H* —1H **109**
Hill St. *C Hay* —3C **6**
Hill St. *Ess* —4H **17**
Hill St. *Hale* —2A **128**
Hill St. *Lye* —6B **110**
Hill St. *Neth* —4D **94**
Hill St. *Quar B* —3C **110**
Hill St. *Smeth* —3E **99**
Hill St. *Stourb* —3D **108**
  (Brettell La.)
Hill St. *Stourb* —1D **124**
  (Worcester St.)
Hill St. *Tip* —3H **77**
Hill St. *Up Gor* —2H **75**
Hill St. *Wals* —2D **48**
Hill St. *W'bry* —5E **47**
Hill, The. *B32* —3C **130**
Hill Top. —6G 63
Hilltop. *Stourb* —2A **126**
Hill Top. *W Brom* —5G **63**
Hill Top Av. *Hale* —4E **113**
Hill Top Clo. *B44* —1G **83**
Hill Top Dri. *B36* —2B **104**
Hill Top Ind. Est. *W Brom*
                                —5F **63**
Hill Top Rd. *B31* —4D **144**
Hilltop Rd. *Dud* —1G **95**
Hill Top Rd. *O'bry* —1A **114**
Hill Top Wlk. *Wals* —6E **23**
Hillview. *Wals* —5D **22**
Hillview Clo. *Hale* —5G **111**
Hillview Rd. *Redn* —1E **157**
Hill Village Rd. *S Cold* —4G **37**
Hillville Gdns. *Stourb* —2F **125**
Hill Wood. —5A 38
Hillwood. *Wals* —5D **20**
Hillwood Av. *Shir* —3E **165**
Hillwood Clo. *K'wfrd* —5A **92**
Hillwood Comn. Rd. *S Cold*
                                —5H **37**
Hillwood Rd. *B31* —6C **130**
Hillwood Rd. *Hale* —4C **112**
Hillyfields Rd. *B23* —3C **84**
Hilly Rd. *Bils* —3G **61**
Hilsea Clo. *Pend* —6D **14**
Hilston Av. *Hale* —1H **127**
Hilston Av. *Wolv* —1A **58**
Hilton Av. *B28* —3E **149**
Hilton Clo. *Wals* —6F **19**
Hilton Dri. *S Cold* —5A **70**
Hilton La. *Share & Ess* —6A **6**
Hilton La. *Wals* —3F **7**
Hilton Main Ind. Est. *F'stne*
                                —2E **17**
Hilton Pl. *Bils* —6H **45**
Hilton Rd. *F'stne* —1D **16**
Hilton Rd. *Lane* —6B **44**

Hilton Rd. *Tiv* —1C **96**
Hilton Rd. *W'hall* —1C **30**
Hilton St. *W Brom* —4G **79**
Hilton St. *Wolv* —6A **28**
Hilton Way. *W'hall* —1C **30**
Himbleton Cft. *Shir* —2E **165**
Himley. —4H 73
Himley Av. *Dud* —5B **76**
Himley By-Pass. *Himl* —4G **73**
Himley Clo. *B43* —3G **65**
Himley Clo. *W'hall* —4B **30**
Himley Cres. *Wolv* —6F **43**
Himley Gdns. *Dud* —3D **74**
Himley Gro. *Redn* —3H **157**
Himley La. *Himl* —5E **73**
  (in two parts)
Himley Model Village.
                                —4A **74**
Himley Pk. —2B **74**
Himley Ri. *Shir* —5C **164**
Himley Rd. *Dud & Gorn W*
                                —4D **74**
Himley St. *Dud* —6C **76**
Himley Wood Nature
                                Reserve. —4G **73**
Hinbrook Rd. *Dud* —6A **76**
Hinchliffe Av. *Bils* —3D **60**
Hinckes Rd. *Wolv* —4H **25**
Hinckley Ct. *O'bry* —4H **113**
Hinckley St. *B5*
                                —2F **117** (6D **4**)
Hincks St. *Wolv* —4C **44**
Hindhead Rd. *B14* —3C **148**
Hindlip Clo. *Hale* —3H **127**
Hindlow Clo. *B7* —5B **102**
Hindon Gro. *B27* —6A **136**
Hindon Sq. *Edg* —3B **116**
Hindon Wlk. *B32* —3A **130**
Hingeston St. *B18* —5D **100**
Hingley Cft. *Wals* —6H **35**
Hingley Rd. *Hale* —5C **110**
Hingley St. *Crad H* —2F **111**
Hinksford. —1F 91
Hinksford Gdns. *Swind*
                                —5E **73**
Hinksford La. *Swind & K'wfrd*
                                —5E **73**
Hinksford Mobile Homes.
                                K'wfrd —1E **91**
Hinsford Clo. *K'wfrd* —1C **92**
Hinstock Clo. *Wolv* —1E **59**
Hinstock Rd. *B20* —6B **82**
Hintlesham Av. *B15* —6H **115**
Hinton Gro. *Wolv* —4H **29**
Hintons Coppice. *Know*
                                —3A **166**
Hipkins St. *Tip* —6G **61**
Hiplands Rd. *Hale* —1F **129**
Hipsley Clo. *B36* —6G **87**
Hipsmoor Clo. *B37* —6B **106**
Hirdemons Way. *Shir* —4G **163**
Histons Dri. *Cod* —5F **13**
Histons Hill. *Cod* —5F **13**
Hitchcock Clo. *Smeth* —4B **98**
Hitches La. *B15* —4D **116**
Hitherside. *Shir* —4H **163**
Hive Ind. Est. *B18* —3C **100**
Hobacre Clo. *Redn* —1G **157**
Hobart Ct. *S Cold* —6G **37**
Hobart Cft. *B7* —5A **102**
Hobart Dri. *Wals* —5G **49**
Hobart Rd. *Tip* —4G **61**
Hobble End. —6H 7
Hobble End La. *Wals* —1G **19**
Hobgate Clo. *Wolv* —5B **28**
Hobgate Rd. *Wolv* —5B **28**

Hob Grn. Rd.—Holt St.

Hob Grn. Rd. *Stourb* —3A **126**
Hobhouse Clo. *B42* —6B **66**
Hob La. *Bars* —3A **168**
Hobley St. *W'hall* —1C **46**
Hobmoor Cft. *B25* —4B **120**
Hob Moor Rd. *Small H & Yard*
—2F **119**
Hobnock Rd. *Ess* —3A **18**
Hobs Hole La. *Wals* —2D **34**
Hob's Mdw. *Sol* —3E **137**
Hobs Moat Rd. *Sol* —3F **137**
Hobson Clo. *B18* —4C **100**
Hobson Rd. *B29* —4D **132**
Hobs Rd. *W'bry* —1G **63**
Hockley. —4D 100
Hockley Brook Clo. *B18*
—4C **100**
Hockley Brook Trad. Est. *B18*
—3C **100**
Hockley Cen. *B18*
—5E **101** (1A **4**)
Hockley Cir. *B19* —3D **100**
Hockley Clo. *B19* —3F **101**
Hockley Flyover. *B19* —3D **100**
Hockley Hill. *B18* —4E **101**
Hockley Hill Ind. Est. *B18*
—4D **100**
Hockley Ind. Est. *B18*
—4D **100**
Hockley La. *Dud* —6D **94**
Hockley Pool Clo. *B18*
—4D **100**
Hockley Port Bus. Cen. *B18*
—4C **100**
Hockley Rd. *B23* —3A **84**
Hockley Rd. *Bils* —6C **60**
Hockley St. *B18 & B19*
—5E **101**
Hodgehill. —3B 104
Hodge Hill Av. *Stourb*
—2A **126**
Hodge Hill Comn. *B36*
—2C **104**
Hodgehill Ct. *B36* —2C **104**
Hodge Hill Rd. *B34* —3C **104**
Hodgetts Clo. *Smeth* —6B **98**
Hodgetts Dri. *Hale* —5F **127**
Hodgkins Clo. *Wals* —1C **22**
Hodnell Clo. *B36* —6G **87**
Hodnet Clo. *Bils* —6D **44**
Hodnet Dri. *Pens* —3G **93**
Hodnet Gro. *B5* —3G **117**
Hodson Av. *W'hall* —2C **46**
Hodson Clo. *Wolv* —1H **29**
Hoff Beck Ct. *B9* —1B **118**
Hogarth Clo. *B43* —6F **51**
Hogarth Clo. *W'hall* —1G **45**
Hogg's La. *B31* —3C **144**
Holbeache. —6A 74
Holbeache La. *K'wfrd* —6A **74**
Holbeache Rd. *K'wfrd* —1A **92**
Holbeach Rd. *B33* —1F **121**
Holbeche Rd. *Know* —2C **166**
Holbeche Rd. *S Cold* —6F **55**
Holberg Gro. *Wolv* —4H **29**
Holborn Hill. *B6 & B7*
—1B **102**
Holbrook Tower. *B36* —1A **104**
Holbury Clo. *Wolv* —5E **15**
Holcombe Rd. *B11* —1G **135**
Holcroft Rd. *Hale* —6E **111**
Holcroft Rd. *K'wfrd* —6A **74**
Holcroft Rd. *Stourb* —1G **125**
Holcroft St. *Tip* —5A **78**
Holcroft St. *Wolv* —4C **44**
Holden Clo. *B23* —5E **85**

Holden Cres. *Wals* —4C **32**
Holden Cft. *Tip* —4A **78**
Holden Pl. *Wals* —5C **32**
Holden Rd. *W'bry* —3G **63**
Holden Rd. *Wolv* —2B **58**
Holdens, The. *B28* —1E **149**
Holder Rd. *S'brk* —5C **118**
Holder Rd. *Yard* —4A **120**
Holders Gdns. *B13* —3E **133**
Holders La. *B13* —3E **133**
Holdford Rd. *B6 & Witt*
—5H **83**
Holdgate Rd. *B29* —6G **131**
Hole Farm Rd. *B31* —3G **145**
Hole Farm Way. *B38* —2B **160**
Hole La. *B31* —1G **145**
Holford Av. *Wals* —5A **48**
Holford Dri. *P Barr & Holf*
—3G **83**
Holford Way. *Holf* —3H **83**
Holifast Rd. *S Cold* —6H **69**
Holland Av. *Know* —1D **166**
Holland Av. *O'bry* —5B **98**
Holland Ho. *B19* —4F **101**
(off Gt. Hampton Row)
Holland Ind. Pk. *W'bry*
—3D **46**
Holland Rd. *Bils* —4G **45**
Holland Rd. *Gt Barr* —6H **65**
Holland Rd. *S Cold* —2H **69**
Holland Rd. E. *Aston* —3A **102**
Holland Rd. W. *Aston*
—3H **101**
Hollands Pl. *Wals* —6B **20**
Hollands Rd. *Wals* —6B **20**
Holland St. *B3* —6E **101** (3A **4**)
Holland St. *Dud* —1D **94**
Holland St. *S Cold* —1H **69**
Holland St. *Tip* —6C **62**
Hollands Way. *Wals* —3D **20**
Hollemeadow Av. *Wals* —2B **32**
Holliars Gro. *B37* —4B **106**
Holliday Pas. *B1*
—2E **117** (6B **4**)
Holliday Rd. *Erd* —3G **85**
Holliday Rd. *Hand* —2B **100**
Holliday St. *B1*
—2E **117** (6A **4**)
Holliday Wharf. *B1*
—2E **117** (6B **4**)
Hollie Lucas Rd. *B13* —6H **133**
Hollies Cft. *B5* —6E **117**
Hollies Dri. *Hale* —5D **112**
Hollies Dri. *W'bry* —2F **63**
Hollies Ind. Est., The. *Wolv*
—3G **43** (6A **170**)
Hollies La. *Patt* —5A **24**
Hollies Ri. *Crad H* —3H **111**
Hollies Rd. *Tiv* —1A **96**
Hollies St. *Brie H* —2H **93**
Hollies, The. *B16* —6B **100**
Hollies, The. *B6* —1B **102**
Hollies, The. *Smeth* —5G **99**
Hollies, The. *Wolv*
—3G **43** (6A **170**)
Hollies, The. *Wom* —6H **57**
Hollin Brow Clo. *Know*
—6D **166**
Hollingbury La. *S Cold*
—2D **70**
Hollings Gro. *Sol* —1F **165**
Hollington Cres. *B33* —5E **105**
Hollington Rd. *Wolv* —3D **44**
Hollington Way. *Shir* —2G **165**
Hollinwell Clo. *Wals* —4G **19**
Hollister Dri. *B32* —2D **130**

Holloway. *B31* —1C **144**
Holloway Bank. *W'bry &
W Brom* —4F **63**
Holloway Cir. Queensway. *B1*
—2F **117** (6D **4**)
Holloway Ct. *Hale* —6F **111**
Holloway Dri. *Wom* —2E **73**
Holloway End. —5F 109
Holloway Head. *B1*
—2F **117** (6C **4**)
Holloway St. *Dud* —3H **75**
Holloway St. *Wolv* —4C **44**
Holloway St. W. *Dud* —2H **75**
Holloway, The. *Stourb*
—4D **108**
Holloway, The. *Swind* —6D **72**
Holloway, The. *Wolv* —1A **42**
Hollow Cft. *B31* —4F **145**
Hollowcroft Rd. *W'hall* —1B **30**
Hollowmeadow Ho. *B36*
—1B **104**
Hollow, The. *B13* —1G **133**
Holly Acre. *Erd* —3A **86**
Holly Av. *B12* —6A **118**
Holly Av. *S Oak* —4D **132**
Holly Bank. —4D 22
Holly Bank Av. *Ess* —4A **18**
Hollybank Clo. *B13* —1A **148**
Hollybank Clo. *Wals* —5G **19**
Hollybank Gro. *Hale* —4F **127**
Hollybank Rd. *B13* —6A **134**
Hollyberry Av. *Sol* —1E **165**
Hollyberry Cft. *B34* —3G **105**
Hollybrow. *B29* —6E **131**
Hollybush Gro. *B32* —4B **114**
Hollybush La. *Cod* —5D **12**
Holly Bush La. *Share* —5A **6**
(in two parts)
Hollybush La. *Stourb* —4D **108**
Hollybush La. *Wolv* —1B **58**
Holly Bush Wlk. *Crad H*
—2F **111**
Holly Clo. *S Cold* —3D **70**
Holly Clo. *W'hall* —3C **30**
Hollycot Gdns. *B12* —5H **117**
Holly Ct. *B23* —2G **85**
Holly Ct. *Bal C* —6H **169**
Hollycroft Rd. *B21* —6H **81**
Hollydale Rd. *B24* —4A **86**
Hollydale Rd. *Row R* —6D **96**
Holly Dell. *B38* —5D **146**
Holly Dri. *B27* —3H **135**
Holly Dri. *H'wd* —2B **162**
Hollyfaste Rd. *B33* —2F **121**
Hollyfield Av. *Sol* —4C **150**
Hollyfield Ct. *S Cold* —6C **54**
Hollyfield Cres. *S Cold* —1C **70**
Hollyfield Dri. *S Cold* —6C **54**
Hollyfield Rd. *S Cold* —6C **54**
Hollyfield Rd. S. *S Cold*
—1D **70**
Holly Gro. *B29* —3B **132**
(in two parts)
Holly Gro. *B30* —5B **132**
Holly Gro. *Hand* —1D **100**
Holly Gro. *Stourb* —6D **108**
Holly Gro. *Wolv* —4D **42**
Holly Hall Rd. *Dud* —2C **94**
(in two parts)
Hollyhedge Clo. *B31* —1B **144**
Hollyhedge Clo. *Wals* —1A **48**
Hollyhedge La. *Wals* —6A **32**
Hollyhedge Rd. *W Brom*
—6C **64**
Holly Hill. *Redn* —6F **143**
Holly Hill Rd. *Redn* —5G **143**

Holly Hill Shop. Cen. *Redn*
—6G **143**
Hollyhock Rd. *B27* —4F **135**
Hollyhock Rd. *Dud* —6H **77**
Hollyhurst. *Wat O* —4E **89**
Hollyhurst Dri. *Stourb* —6B **92**
Hollyhurst Gro. *B26* —5C **120**
Hollyhurst Gro. *Shir* —1H **163**
Hollyhurst Rd. *S Cold* —2B **68**
Holly La. *Bal C* —6H **169**
Holly La. *Erd* —2H **85**
Holly La. *Gt Wyr* —5E **7**
Holly La. *Mars G* —3B **122**
Holly La. *Smeth* —4B **98**
Holly La. *S Cold* —6D **55**
Holly La. *Wals W* —1H **35**
(Back La.)
Holly La. *Wals W* —3C **22**
(Wolverson Rd., in two parts)
Holly La. *Wis* —2H **71**
Holly Lodge Wlk. *B37*
—1B **122**
Hollymoor Way. *B31* —6H **143**
Hollymount. *Hale* —4G **113**
Hollyoak Cft. *N'fld* —1F **159**
Hollyoake Clo. *O'bry* —1G **113**
Hollyoak Gro. *Sol* —6E **151**
Hollyoak Rd. *S Cold* —5H **51**
Hollyoak St. *W Brom* —3B **80**
Holly Pk. Dri. *B24* —4H **85**
Holly Pl. *Aston* —1F **101**
Holly Pl. *S Oak* —3D **132**
Holly Rd. *Dud* —4C **76**
Holly Rd. *Edg* —2H **115**
Holly Rd. *Hand* —1B **100**
Holly Rd. *K Nor* —3C **146**
Holly Rd. *O'bry* —3A **114**
Holly Rd. *Row R* —2B **112**
Holly Rd. *W'bry* —6F **47**
Holly Rd. *W Brom* —5C **64**
Holly St. *Dud* —3A **94**
Holly St. *Smeth* —4D **98**
Holly Vw. *Ess* —4A **18**
Hollywell Rd. *B26* —5F **121**
Hollywell Rd. *Know* —4C **166**
Hollywell St. *Bils* —4C **60**
Hollywood. —1A 162
Holly Wood. *B43* —4C **66**
Hollywood By-Pass. *K Nor*
—3G **161**
Hollywood Cft. *B42* —5B **66**
Hollywood Gdns. *H'wd*
—1A **162**
Hollywood La. *H'wd* —1A **162**
Holman Clo. *W'hall* —1G **45**
Holman Rd. *W'hall* —1F **45**
Holman Way. *W'hall* —1G **45**
Holme Mill. *Wolv* —3H **15**
Holmes Clo. *B43* —6A **66**
Holmes Dri. *Redn* —3F **157**
Holmesfield Rd. *B42* —6E **67**
Holmes Rd. *W'hall* —2D **30**
Holmes, The. *Wolv* —4H **15**
Holme Way. *Wals* —2F **33**
Holmwood Rd. *B10* —2D **118**
Holt Ct. N. *B7*
—5H **101** (1H **5**)
Holt Ct. S. *B7*
—5H **101** (1H **5**)
Holte Dri. *S Cold* —1B **54**
Holte Rd. *B11* —6D **118**
Holte Rd. *Aston* —6A **84**
Holtes Wlk. *B6* —1B **102**
Holt Rd. *Hale* —2E **113**
Holtshill La. *Wals* —1D **48**
Holt St. *B7* —5H **101** (1G **5**)

Holyhead Rd. *B21* —6F **81**
Holyhead Rd. *Cod* —5B **12**
Holyhead Rd. *W'bry* —1C **62**
(Heath Acres)
Holyhead Rd. *W'bry* —2D **62**
(Portway Rd.)
Holyhead Rd. Ind. Est. *W'bry*
—2D **62**
Holyhead Way. *B21* —1H **99**
Holyoak Rd. *Aston* —6H **83**
Holyrood Gro. *Aston* —1G **101**
Holy Well Clo. *B16* —1C **116**
Holywell La. *Redn* —3D **156**
Home Clo. *B28* —1F **149**
Homecroft Rd. *B25* —3C **120**
Homedene Rd. *B31* —6C **130**
Homefield Rd. *Cod* —4H **13**
Homelands. *B42* —6D **66**
Homelea Rd. *B25* —3B **120**
Homemead Gro. *Redn*
—2F **157**
Homer Hill. *Hale* —4D **110**
Homer Hill Rd. *Hale* —4E **111**
Homer Rd. *Sol* —4F **151**
Homer Rd. *S Cold* —1A **54**
Homers Fold. *Bils* —6F **45**
Homer St. *B12* —6H **117**
Homerton Rd. *B44* —4B **68**
Homestead Clo. *Dud* —2A **76**
Homestead Dri. *S Cold*
—6A **38**
Homestead Rd. *B33* —2F **121**
Home Tower. *B7* —4B **102**
Homewood Clo. *S Cold*
—2C **70**
Honesty Clo. *Clay* —1H **21**
Honeswode Clo. *B20* —1C **100**
Honeyborne Rd. *S Cold*
—4B **54**
Honeybourne Clo. *Hale*
—2A **128**
Honeybourne Cres. *Wom*
—2F **73**
Honeybourne Rd. *B33*
—3G **121**
Honeybourne Rd. *Hale*
—2C **128**
Honeybourne Way. *W'hall*
—1C **46**
Honeysuckle Av. *K'wfrd*
—2C **92**
Honeysuckle Clo. *B32*
—6H **113**
Honeysuckle Dri. *Wals* —2E **65**
Honeysuckle Gro. *B27*
—6A **120**
Honeytree Clo. *K'wfrd* —6D **92**
Honiley Dri. *S Cold* —3C **68**
Honiley Rd. *B33* —1E **121**
Honister Clo. *Brie H* —2B **110**
Honiton Clo. *B31* —3C **144**
Honiton Cres. *B31* —3C **144**
Honiton Wlk. *Smeth* —4F **99**
Honiton Way. *Wals* —4B **34**
Honor Av. *Wolv* —6G **43**
Hood Gro. *B30* —3H **145**
Hook Dri. *S Cold* —6F **37**
Hooper St. *B18* —5B **100**
Hoosen Clo. *Hale* —5G **113**
Hopedale Rd. *B32* —6A **114**
Hope Pl. *B29* —3B **132**
Hope Rd. *Tip* —1C **78**
Hope St. *B5* —3G **117**
Hope St. *Dud* —1E **95**
Hope St. *Hale* —3D **112**
Hope St. *Stourb* —6B **92**

Hope St. *Wals* —3C **48**
Hope St. *W Brom* —5B **80**
Hope Ter. *Dud* —4E **95**
Hope Ter. *W'bry* —1D **62**
Hopkins Ct. *Wolv* —2G **63**
Hopkins Dri. *W Brom* —6C **64**
Hopkins St. *Tip* —5A **78**
Hopstone Gdns. *Wolv* —6D **42**
Hopstone Rd. *B29* —4E **131**
Hopton Clo. *Pert* —6F **25**
Hopton Clo. *Tip* —3C **62**
Hopton Cres. *Wolv* —3G **29**
Hopton Gdns. *Dud* —4C **76**
Hopton Gro. *B13* —2C **148**
Hopwas Gro. *B37* —4B **106**
Hopwood. —6G 159
Hopwood Clo. *Hale* —3A **128**
Hopwood Gro. *B31* —3C **158**
Hopyard Clo. *Dud* —4F **75**
Hopyard Gdns. *Bils* —2D **60**
Hopyard La. *Dud* —5F **75**
Hopyard Rd. *Wals* —1E **47**
Horace Partridge Rd. *W'bry*
—6A **46**
Horace St. *Bils* —5C **60**
Horatio Dri. *Mose* —1H **133**
Hordern Clo. *Wolv* —4D **26**
Hordern Cres. *Brie H*
—3H **109**
Hordern Gro. *Wolv* —4D **26**
Hordern Mobile Home Pk.
Cov H —1G **15**
Hordern Rd. *Wolv* —4D **26**
Hornbeam Clo. *B29* —6F **131**
Hornbeam Wlk. *Wolv* —2E **43**
Hornbrook Gro. *Sol* —6A **136**
Hornby Gro. *B14* —3D **148**
Hornby Rd. *Wolv* —1G **59**
Horner Way. *Row R* —2C **112**
Horne Way. *B34* —4A **106**
Horning Dri. *Bils* —2E **61**
Hornsey Gro. *B44* —3A **68**
Hornsey Rd. *B44* —3A **68**
Hornton Clo. *S Cold* —4D **36**
Horrell Rd. *B26* —4E **121**
Horrell Rd. *Shir* —5F **149**
Horsecroft Dri. *W Brom*
(off Tompstone Rd.) —5E **65**
Horse Fair. *B5 & B1*
—2F **117** (6D **4**)
Horsehills Dri. *Wolv* —1C **42**
Horselea Cft. *B8* —5A **104**
Horseley Fields. *Wolv*
—1H **43** (3D **170**)
Horseley Heath. —1C 78
Horseley Heath. *Tip* —3B **78**
Horseley Rd. *Tip* —1C **78**
Horseshoe Clo. Wals —4H **47**
(off Wellington St.)
Horse Shoes La. *B26* —6F **121**
Horseshoe, The. *O'bry*
—1A **104**
Horseshoe Wlk. Tip —2G **77**
(off Owen St.)
Horsfall Rd. *S Cold* —6E **55**
Horsham Av. *Stourb* —6A **92**
Horsley Rd. *B43* —1F **67**
Horsley Rd. *S Cold* —1B **52**
Horton Clo. *Dud* —5G **59**
Horton Clo. *W'bry* —4D **46**
Horton Gro. *Shir* —4E **165**
Horton Pl. *Darl* —4D **46**
Horton Sq. *B12* —4G **117**
Horton St. *Tip* —2D **78**
Horton St. *W'bry* —4D **46**
Horton St. *W Brom* —5A **80**

Hospital Dri. *Edg* —1A **132**
Hospital La. *Bils* —6D **60**
(in two parts)
Hospital La. *Tiv* —5B **78**
Hospital Rd. *Burn* —1C **10**
Hospital St. *B19*
—4F **101** (1D **4**)
Hospital St. *Wals* —5B **32**
Hospital St. *Wolv*
—2H **43** (5D **170**)
Hothersall Dri. *S Cold* —5F **69**
Hotspur Rd. *B44* —4H **67**
Hough Pl. *Wals* —4H **47**
Hough Rd. *B14* —1F **147**
Hough Rd. *Wals* —4G **47**
Houghton Ct. *Hall G* —3D **148**
Houghton St. *O'bry* —3F **97**
Houghton St. *W Brom*
—1B **98**
Houldey Rd. *B31* —6F **145**
Houliston Clo. *W'bry* —6H **47**
Houndsfield Clo. *H'wd*
—3C **162**
Houndsfield Ct. *Wyt* —4A **162**
Houndsfield Gro. *Wyt*
(in two parts) —4A **162**
Houndsfield La. *H'wd & Wyt*
—4A **162**
Houndsfield La. *Shir* —3D **162**
Houndsfield M. *Wyt* —4B **162**
Houx, The. *Stourb* —3C **108**
Hove Rd. *B27* —4A **136**
Howard Rd. *Bils* —2H **61**
Howard Rd. *Gt Barr* —5G **65**
Howard Rd. *Hand* —5D **82**
Howard Rd. *K Hth* —6F **133**
Howard Rd. *Sol* —2C **136**
Howard Rd. *Wolv* —1H **29**
Howard Rd. *Yard* —4A **120**
Howard Rd. E. *B13* —6H **133**
Howard St. *B19*
—5F **101** (1C **4**)
Howard St. *Tip* —2B **78**
Howard St. *W Brom* —6F **63**
Howard St. *Wolv*
—3H **43** (6C **170**)
Howarth Way. *B6* —2A **102**
Howden Pl. *B33* —4E **105**
Howdle's La. *Wals* —3B **10**
Howe Cres. *W'hall* —3C **30**
Howell Rd. *Wolv* —4A **44**
Howes Cft. *B35* —5E **87**
Howe St. *B4* —6H **101** (2H **5**)
Howford Gro. *B7* —5B **102**
Howland Clo. *Wolv* —5D **14**
Howley Av. *B44* —4G **67**
Howley Grange Rd. *Hale*
—6F **113**
Howl Pl. *Tip* —2H **77**
Hoylake Clo. *Wals* —4H **19**
Hoylake Dri. *Tiv* —2A **96**
Hoylake Rd. *Pert* —4D **24**
Hoyland Way. *B30* —5A **132**
Hubert Cft. *B29* —3B **132**
Hubert Rd. *B29* —3B **132**
Hubert St. *B6* —4H **101**
Hucker Clo. *Wals* —4G **47**
Hucker Rd. *Wals* —4G **47**
Huddlestone Clo. *F'stne*
—1D **16**
Huddleston Way. *B29*
—4G **131**
Huddocks Vw. *Wals* —2D **20**
Hudson Av. *Col* —3H **107**
Hudson Gro. *Wolv* —4E **25**

Hudson Rd. *B20* —3B **82**
Hudson Rd. *Tip* —3C **78**
Hudson's Dri. *B30* —3C **146**
Hudswell Dri. *Brie H* —3H **109**
Hughes Av. *Wolv* —3D **42**
Hughes Pl. *Bils* —4F **45**
Hughes Rd. *Bils* —4F **45**
Hughes Rd. *W'bry* —6A **46**
Hugh Rd. *B10* —2E **119**
Hugh Rd. *Smeth* —4B **98**
Hulbert Dri. *Dud* —3D **94**
Hulborn Shop. Cen., The. *Dud*
—6H **59**
Hulland Pl. *Brie H* —6G **93**
Hullbrook Rd. *B13* —2C **148**
Humber Av. *S Cold* —6E **71**
Humber Gro. *B36* —6B **88**
Humber Rd. *Wolv* —2E **43**
Humberstone Rd. *B24* —3C **86**
Humber Tower. *B7* —5A **102**
Hume St. *Smeth* —5F **99**
Humpage Rd. *B9* —1E **119**
Humphrey Middlemore Dri.
B17 —1H **131**
Humphrey's Rd. *Wolv* —2H **27**
Humphrey St. *Dud* —4H **75**
Humphries Cres. *Bils* —4H **61**
Humphries Ho. *Wals* —6B **10**
Hundred Acre Rd. *S Cold*
—4H **51**
Hungary Clo. *Stourb* —6G **109**
Hungary Hill. *Stourb* —6G **109**
Hungerfield Rd. *B36* —6G **87**
Hungerford Rd. *Stourb*
—3C **124**
Hunningham Gro. *Sol*
—1F **165**
Hunnington. —6B 128
Hunnington Clo. *B32* —4G **129**
Hunnington Cres. *Hale*
—3B **128**
Hunscote Clo. *Shir* —6F **149**
Hunslet Rd. *B32* —1D **130**
Hunstanton Av. *B17* —4D **114**
Hunstanton Clo. *Brie H*
—4G **109**
Hunter Ct. *B5* —6F **117**
Hunter Cres. *Wals* —3D **32**
Hunters Clo. *Bils* —4A **46**
Hunter's Heath. —5A 148
Hunters Ride. *Stourb* —6H **91**
Hunters Ri. *Hale* —4F **127**
Hunter's Rd. *B19* —2D **100**
Hunter St. *Wolv* —5E **27**
Hunter's Va. *B19* —3E **101**
Hunters Wlk. *B23* —5C **68**
Huntingdon Gdns. *Hale*
—4E **111**
Huntingdon Rd. *W Brom*
—1H **79**
Huntington Rd. *W'hall* —2D **30**
Huntingtree Rd. *Hale* —1G **127**
Huntlands Rd. *Hale* —3G **127**
Huntley Dri. *Sol* —5F **151**
Huntly Rd. *B16* —2C **116**
Hunton Ct. B23 —5E **85**
(off Gravelly Hill N.)
Hunton Hill. *B23* —4D **84**
Hunton Rd. *B23* —4E **85**
Hunt's La. *W'hall* —3D **30**
Hunts Mill Dri. *Brie H* —6G **75**
Hunt's Rd. *B30* —6C **132**
Hurdis Rd. *Shir* —4G **149**
Hurdlow Av. *B18* —4D **100**
Hurley Clo. *S Cold* —3A **70**
Hurley Clo. *Wals* —5H **49**

Jedburgh Av. *Wolv* —5E **25**
Jeddo St. *Wolv*
—3G **43** (6A **170**)
Jeffcock Rd. *Wolv* —3D **42**
Jefferson Clo. *W Brom*
—5H **63**
Jeffrey Av. *Wolv* —6B **44**
Jeffrey Rd. *Row R* —6E **97**
Jeffries Ho. *O'bry* —2G **97**
Jeffs Av. *Wolv*
—3H **43** (6D **170**)
Jenkins Clo. *Bils* —6E **45**
Jenkinson Rd. *W'bry* —4D **62**
Jenkins St. *B10* —3C **118**
Jenks Av. *Wolv* —1A **28**
Jenks Rd. *Wom* —2F **73**
Jennens Rd. *B4 & B7*
—6H **101** (3G **5**)
Jenner Clo. *Wals* —3G **31**
Jenner Ho. *Wals* —3F **31**
Jenner Rd. *Wals* —3F **31**
Jenner St. *Wolv* —2A **44**
Jennifer Wlk. *B25* —3C **120**
Jennings St. *Crad H* —1H **111**
Jenny Clo. *Bils* —4G **61**
Jennyns Ct. *W'bry* —2F **63**
Jenny Walkers La. *Wolv*
—3D **40**
Jephcott Gro. *B8* —5G **103**
Jephcott Rd. *B8* —5G **103**
Jephson Dri. *B26* —4D **120**
Jeremy Gro. *Sol* —1F **137**
Jeremy Rd. *Wolv* —6G **43**
Jerome Ct. *S Cold* —2H **51**
Jerome K Jerome Birthplace
Mus. —1D **48**
(Central Library)
Jerome Rd. *S Cold* —1B **70**
Jerome Rd. *Wals* —2H **47**
Jerrard Ct. *S Cold* —6A **54**
Jerrard Dri. *S Cold* —6A **54**
Jerry's La. *B23* —6D **68**
Jersey Cft. *B36* —3D **106**
Jersey Rd. *B8* —5D **102**
Jervis Clo. *Brie H* —2G **93**
Jervis Ct. Wals —1D **48**
(off Dog Kennel La.)
Jervis Cres. *S Cold* —6D **36**
Jervoise Dri. *B31* —2F **145**
Jervoise La. *W Brom* —4C **64**
Jervoise Rd. *B29* —4D **130**
Jervoise St. *W Brom* —3G **79**
Jesmond Gro. *B24* —3G **86**
Jessel Rd. *Wals* —1A **48**
Jessie Rd. *Wals* —6C **22**
Jesson Clo. *Wals* —4E **49**
Jesson Ct. *Wals* —3E **49**
Jesson Rd. *Dud* —1C **76**
Jesson Rd. *S Cold* —6E **55**
Jesson Rd. *Wals* —3D **48**
Jesson St. *W Brom* —5C **80**
Jevons Rd. *S Cold* —2C **68**
Jevon St. *Bils* —5D **60**
(in two parts)
Jewellery Quarter. —5D **100**
Jewellery Quarter Discovery
Cen. —4E **101**
Jew's La. *Dud* —3A **76**
Jiggin's La. *B32* —5A **130**
Jill Av. *B43* —5G **65**
Jillcot Rd. *Sol* —2F **137**
Jinnah Clo. *B12* —3H **117**
Joan St. *Wolv* —5A **44**
Jockey Fld. *Dud* —1A **76**
Jockey La. *W'bry* —1G **63**
Jockey Rd. *S Cold* —3D **68**

Joe Jones Ct. *Dud* —4H **59**
Joey's La. *Cod* —3A **14**
John Bright Clo. *Tip* —5H **61**
John Bright St. *B1*
—1F **117** (5D **4**)
John Feeney Tower. *B31*
—6D **130**
John F Kennedy Wlk. *Tip*
—5A **62**
John Fletcher Clo. *W'bry*
—1H **63**
John Harper St. *W'hall* —1B **46**
John Howell Dri. *Tip* —2A **78**
John Kempe Way. *B12*
—4A **118**
John Riley Dri. *W'hall* —1C **30**
John Rd. *Hale* —2F **129**
Johns Gro. *B43* —5G **65**
John's La. *Tip* —3B **78**
John's La. *Tiv* —4C **78**
Johns La. *Wals* —2F **7**
John Smith Ho. *B1*
—6E **101** (3A **4**)
Johnson Av. *Wolv* —2H **29**
Johnson Clo. *S'hll* —6C **118**
Johnson Clo. *W End* —3A **104**
Johnson Clo. *W'bry* —6D **46**
Johnson Dri. *B35* —4D **86**
Johnson Pl. *Bils* —4H **45**
Johnson Rd. *B23* —2F **85**
Johnson Rd. *W'bry* —6D **46**
(Lodge Rd.)
Johnson Rd. *W'bry* —3A **64**
(Walton Rd.)
Johnson Rd. *W'hall* —2D **30**
Johnson Row. *Bils* —4B **60**
Johnsons Bri. Rd. *W Brom*
—1A **80**
Johnsons Gro. *O'bry* —3A **114**
Johnson St. *B7* —3C **102**
Johnson St. *Bils* —4B **60**
Johnson St. *Wolv* —4H **43**
Johnstone St. *B19* —1F **101**
Johnston St. *W Brom* —6B **80**
John St. *B19* —2D **100**
John St. *Brie H* —5H **93**
John St. *O'bry* —2G **97**
John St. *Row R* —2C **112**
John St. *Stourb* —2D **108**
John St. *Swan V* —2F **79**
John St. *Wals* —6C **32**
John St. *W Brom* —3H **79**
John St. *W'hall* —2B **46**
John St. *Wolv* —5C **44**
John St. N. *W Brom* —2H **79**
John Wooton Ho. W'bry
(off Lawrence Way) —5D **46**
Joiners Cft. *Sol* —5A **138**
Joinings Bank. *O'bry* —5H **97**
Jones Ho. *Wals* —6B **32**
Jones Fld. Cres. *Wolv* —1C **44**
Jones Rd. *W'hall* —6D **18**
Jones Rd. *Wolv* —3G **27**
Jones's La. *Wals* —4G **7**
Jones Wood Clo. *S Cold*
—6D **70**
Jordan Clo. *Smeth* —4F **99**
Jordan Clo. *S Cold* —2H **53**
Jordan Ho. *B36* —1C **104**
Jordan Leys. *Tip* —2B **78**
Jordan Pl. *Bils* —2G **61**
Jordan Rd. *S Cold* —2H **53**
Jordan Way. *Wals* —6D **22**
Joseph St. *O'bry* —3F **97**
Josiah Rd. *B31* —5B **144**
Jowett's La. *W Brom* —5H **63**

Joyberry Dri. *Stourb* —2D **124**
Joynson St. *W'bry* —6E **47**
Jubilee Av. *W Brom* —6H **63**
Jubilee Clo. *Gt Wyr* —3F **7**
Jubilee Clo. *Wals* —3C **32**
Jubilee Rd. *Bils* —1A **62**
Jubilee Rd. *Redn* —5E **143**
Jubilee Rd. *Tip* —6A **62**
Jubilee St. *W Brom* —6B **64**
Jubilee Ter. *Dud* —3E **95**
Judge Clo. *O'bry* —2G **97**
Judge Rd. *Brie H* —4B **110**
Julia Av. *B24* —3D **86**
Julia Gdns. *W Brom* —5D **64**
Julian Clo. *Wals* —2G **7**
Julian Clo. *Wolv* —1D **44**
Julian Rd. *Wolv* —1D **44**
Julie Cft. *Bils* —4G **61**
Juliet Rd. *Hale* —2F **129**
Julius Dri. *Col* —6H **89**
Junction Rd. *B21* —1G **99**
Junction Rd. *Stourb* —3C **108**
(Camp Hill)
Junction Rd. *Stourb* —1F **125**
(Church St.)
Junction Rd. *Wolv* —4D **44**
Junction St. *Dud* —1D **94**
Junction St. *O'bry* —6E **79**
Junction St. *Wals* —3B **48**
Junction St. S. *O'bry* —4G **97**
Junction, The. *Stourb*
—3C **108**
June Cft. *B26* —6H **121**
Juniper Clo. *B27* —6H **119**
Juniper Clo. *S Cold* —2D **70**
Juniper Dri. *S Cold* —6E **71**
Juniper Dri. *Wals* —1F **65**
Juniper Ho. *B20* —4B **82**
Juniper Ho. *B36* —2D **104**
Juniper Ri. *Hale* —6E **111**
Jury Rd. *Brie H* —4B **110**
Jutland Rd. *B13* —6B **134**

Karen Way. *Brie H* —3H **109**
Kate's Hill. —6G **77**
Katherine Rd. *Smeth*
—1D **114**
Kathleen Rd. *B25* —4A **120**
Kathleen Rd. *S Cold* —1A **70**
Katie Rd. *B29* —4A **132**
Kayne Clo. *K'wfrd* —3A **92**
Keanscott Dri. *O'bry* —5A **98**
Keasden Gro. *W'hall* —6C **30**
Keating Gdns. *S Cold* —5G **37**
Keatley Av. *B33* —1A **122**
Keats Av. *B10* —4D **118**
Keats Clo. *Dud* —2E **75**
Keats Clo. *Stourb* —3E **109**
Keats Clo. *S Cold* —3F **37**
Keats Dri. *Bils* —3F **61**
Keats Gro. *B27* —4H **135**
Keats Gro. *Wolv* —1C **28**
Keats Ho. *O'bry* —5A **98**
Keats Rd. *Wals* —2C **32**
Keats Rd. *W'hall* —2E **31**
Keats Rd. *Wolv* —5C **16**
Keble Gro. *B26* —5F **121**
Keble Gro. *Wals* —4E **49**
Keble Ho. *B37* —1C **122**
Kedleston Clo. *Wals* —4G **19**
Kedleston Ct. *B28* —3F **149**
Kedleston Rd. *B28* —1F **149**
Keegan Wlk. *Wals* —5F **31**
Keel Dri. *B13* —4D **134**
Keele Ho. *B37* —5D **106**

Keeley St. *B9* —1B **118**
Keelinge St. *Tip* —2B **78**
Keen St. *Smeth* —5H **99**
Keepers Clo. *Col* —5H **107**
Keepers Clo. *K'wfrd* —1H **91**
Keepers Clo. *Wals W* —4B **22**
Keepers Ga. Clo. *S Cold*
—4A **54**
Keepers La. *Cod & Wolv*
—5G **13**
Keepers Rd. *S Cold* —4C **36**
Keer Ct. *B9* —1B **118**
Kegworth Rd. *B23* —5C **84**
Keir Hardie Wlk. *Tiv* —5D **78**
Keir Pl. *Stourb* —3C **108**
Keir Rd. *W'bry* —3A **64**
Kelby Clo. *B31* —3C **144**
Kelby Rd. *B31* —3D **144**
Keldy Clo. *Wolv* —4D **26**
Kelfield Av. *B17* —1F **131**
Kelham Pl. *Sol* —4F **137**
Kelia Dri. *Smeth* —3D **98**
Kellett Rd. *B7* —5A **102**
Kelling Clo. *Brie H* —3G **109**
Kellington Clo. *B8* —5F **103**
Kelmarsh Dri. *Sol* —6F **151**
Kelmscott Rd. *B17* —4F **115**
Kelsall Clo. *Wolv* —1D **44**
Kelsall Cft. *B1* —6D **100**
Kelsey Clo. *B7* —5B **102**
Kelso Gdns. *Wolv* —5D **24**
Kelsull Cft. *B37* —1C **122**
Kelton Ct. *B15* —4C **116**
Kelvedon Gro. *Sol* —2G **151**
Kelverdale Gro. *B14* —3E **147**
Kelverley Gro. *W Brom*
—4E **65**
Kelvin Pl. *Wals* —3H **31**
Kelvin Rd. *B31* —6E **145**
Kelvin Rd. *Wals* —3G **31**
Kelvin Way. *W Brom* —6H **79**
Kelvin Way Ind. Est. *W Brom*
—1H **97**
Kelway Av. *B43* —2D **66**
Kelwood Dri. *Hale* —6A **112**
Kelynmead Rd. *B33* —1E **121**
Kemberton Clo. *Wolv* —2A **42**
Kemberton Rd. *B29* —3E **131**
Kemberton Rd. *Wolv* —2A **42**
Kemble Clo. *W'hall* —6D **30**
Kemble Cft. *B5* —4G **117**
Kemble Dri. *B35* —4E **87**
Kemble Tower. *B35* —4E **87**
Kemelstowe Cres. *Hale*
—5E **127**
Kemerton Way. *Shir* —4D **164**
Kempe Rd. *B33* —5E **105**
Kempsey Clo. *Hale* —1G **127**
Kempsey Clo. *O'bry* —5E **97**
Kempsey Clo. *Sol* —2E **137**
Kempsey Covert. *B38*
—2A **160**
Kempsey Ho. *B32* —5G **129**
Kemps Grn. Rd. *Bal C*
—3H **169**
Kempson Av. *S Cold* —4A **70**
Kempson Av. *W Brom* —2H **79**
Kempson Rd. *B36* —1C **104**
Kempsons Gro. *Bils* —2D **60**
Kempthorne Av. *Wolv* —6A **16**
Kempthorne Gdns. *Wals*
—5G **19**
Kempthorne Rd. *Bils* —5H **45**
Kempton Dri. *Wals* —3F **7**
Kempton Pk. Rd. *B36*
—1B **104**

Kempton Way—Kingsford Nouveau

Kempton Way. *Stourb*
—2C **124**
Kemsey Dri. *Bils* —2H **61**
Kemshead Av. *B31* —1C **158**
Kemsley Rd. *B14* —5H **147**
Kenchester Ho. B16 —1C **116**
(off Shyltons Cft.)
Kendal Av. *Col* —2H **107**
Kendal Av. *Redn* —2H **157**
Kendal Clo. *Wolv* —3D **26**
Kendal Ct. *B23* —4B **84**
Kendal Ct. *Wals W* —3B **22**
Kendal Gro. *Sol* —5B **138**
Kendal Ho. *O'bry* —5D **96**
Kendall Ri. *K'wfrd* —4D **92**
Kendal Ri. *O'bry* —6H **97**
Kendal Ri. *Wolv* —3D **26**
Kendal Ri. *Rd. Redn* —2H **157**
Kendal Rd. *B11* —4B **118**
Kendal Tower. *B17* —6H **115**
Kendrick Av. *B34* —4A **106**
Kendrick Clo. *Sol* —1B **152**
Kendrick Pl. *Bils* —1A **62**
Kendrick Rd. *Bils* —1A **62**
Kendrick Rd. *S Cold* —2D **86**
Kendrick Rd. *Wolv* —3A **28**
Kendricks Rd. *W'bry* —4F **47**
Kendrick St. *W'bry* —2G **63**
Keneggy M. *B29* —3B **132**
Kenelm Rd. *B10* —3E **119**
Kenelm Rd. *Bils* —4E **61**
Kenelm Rd. *O'bry* —6G **97**
Kenelm Rd. *S Cold* —1H **69**
Kenelm's Ct. *Rom* —3A **142**
Kenilworth Clo. *Stourb*
—1B **108**
Kenilworth Clo. *S Cold* —3G **53**
Kenilworth Clo. *Tip* —3F **77**
Kenilworth Ct. *B16* —3B **116**
Kenilworth Ct. *B24* —5E **85**
Kenilworth Ct. *Dud* —1B **94**
Kenilworth Cres. *Wals* —5G **31**
Kenilworth Cres. *Wolv* —1A **60**
Kenilworth Ho. Wals —3A **32**
(off Providence La.)
Kenilworth Rd. *B20* —6G **83**
Kenilworth Rd. *Bal C & Ken*
—6G **155**
Kenilworth Rd. *Col* —2H **123**
Kenilworth Rd. *H Ard*
—1D **154**
Kenilworth Rd. *Know* —3F **167**
Kenilworth Rd. *Mer* —3C **140**
Kenilworth Rd. *O'bry* —3B **114**
Kenilworth Rd. *Pert* —5F **25**
Kenley Gro. *B30* —4D **146**
Kenley Way. *Sol* —3B **150**
Kenmare Way. *Wolv* —5E **29**
Kenmure Rd. *B33* —4G **121**
Kennedy Clo. *S Cold* —1A **70**
Kennedy Cres. *Dud* —3H **75**
Kennedy Cres. *W'bry* —4C **46**
Kennedy Cft. *B26* —4E **121**
Kennedy Gro. *B30* —1D **146**
Kennedy Ho. *O'bry* —3H **113**
Kennedy Rd. *Wolv*
—6H **27** (1D **170**)
Kennedy Tower. *B4* —2D **4**
Kennerley Rd. *B25* —5B **120**
Kennet Clo. *Wals* —3G **9**
Kennet Gro. *B36* —1B **106**
Kenneth Gro. *B23* —2A **84**
Kennford Clo. *Row R* —3C **96**
Kennington Rd. *Wolv* —4B **28**
Kenrick Cft. *B35* —5E **87**
Kenrick Ho. *W Brom* —6C **80**

Kenrick Way. *W Brom* —1B **98**
(B70)
Kenrick Way. *W Brom* —6D **80**
(B71)
Kensington Av. *B12* —1A **134**
Kensington Dri. *S Cold*
—4F **37**
Kensington Gdns. *Stourb*
—2A **108**
Kensington Rd. *B29* —3C **132**
Kensington Rd. *W'hall* —2B **30**
Kensington St. *B19* —3F **101**
Kenstone Cft. *B12* —4H **117**
Kenswick Dri. *Hale* —3A **128**
Kent Av. *Wals* —6H **31**
Kent Clo. *A'rdge* —6D **22**
Kent Clo. *Wals* —4C **32**
Kent Clo. *W Brom* —6H **63**
Kentish Rd. *B21 & Midd I*
Kentmere Tower. *B23* —1H **85**
Kenton Av. *Wolv* —5D **26**
Kenton Wlk. *B29* —3B **132**
Kent Pl. *Dud* —3C **94**
Kent Rd. *Hale* —5E **113**
Kent Rd. *Redn* —6F **143**
Kent Rd. *Stourb* —4B **108**
Kent Rd. *Wals* —6F **31**
Kent Rd. *W'bry* —1A **64**
Kent Rd. *Wolv* —4A **44**
Kents Clo. *Sol* —2D **136**
Kent St. *B5* —3G **117**
Kent St. *Dud* —2A **76**
Kent St. *Wals* —4C **32**
Kent St. N. *B18* —4B **100**
Kenward Cft. *B17* —4D **114**
Kenway. *H'wd* —2A **162**
Kenwick Rd. *B17* —1F **131**
Kenwood Rd. *B9* —6H **103**
Kenyon Clo. *Stourb* —4E **109**
Kenyon St. *B18*
—5E **101** (1B **4**)
Kerby Rd. *B23* —3C **84**
Keresley Clo. *Sol* —2G **151**
Keresley Gro. *B29* —3D **130**
Kernthorpe Rd. *B14* —3F **147**
Kerr Dri. *Tip* —5G **61**
Kerria Ct. *B15* —3F **117**
Kerridge Clo. *Wolv* —5E **15**
Kerry Clo. *B31* —1D **144**
Kerry Clo. *Brie H* —5G **93**
Kerry Ct. *Wals* —3E **49**
Kersley Gdns. *Wolv* —4H **29**
Kerswell Dri. *Shir* —4D **164**
Kesterton Rd. *S Cold* —4E **37**
Kesterton Tower. *B23* —2B **84**
Kesteven Clo. *B15* —5D **116**
Kesteven Rd. *W Brom* —6A **64**
Keston Rd. *B44* —1H **67**
Kestrel Av. *B25* —3H **119**
Kestrel Clo. *B23* —1D **84**
Kestrel Dri. *S Cold* —4F **37**
Kestrel Gro. *B30* —5H **131**
Kestrel Gro. *W'hall* —1C **30**
Kestrel Ri. *Wolv* —2D **26**
Kestrel Rd. *Dud* —1B **94**
Kestrel Rd. *Hale* —4D **110**
Kestrel Rd. *O'bry* —1F **113**
Kestrel Way. *Wals* —3C **6**
Keswick Dri. *K'wfrd* —3B **92**
Keswick Gro. *S Cold* —1H **51**
Keswick Ho. *O'bry* —5D **96**
Keswick Rd. *Sol* —1D **136**
Ketley Cft. *B12* —4H **117**
Ketley Fields. *K'wfrd* —4E **93**
Ketley Hill Rd. *Dud* —1B **94**

Ketley Rd. *K'wfrd* —3D **92**
(in two parts)
Kettlebrook Rd. *Shir* —3F **165**
Kettlehouse Rd. *B44* —2H **67**
Kettles Bank Rd. *Dud* —5F **75**
(in two parts)
Kettles Wood Dri. *B32*
—3H **129**
Kettlewell Way. *B37* —1B **122**
Ketton Gro. *B33* —4H **121**
Kew Clo. *B37* —6B **106**
Kew Dri. *Dud* —5C **76**
Kew Gdns. *B33* —2B **120**
Kewstoke Clo. *W'hall* —6B **18**
Kewstoke Cft. *B31* —1C **144**
Kewstoke Rd. *W'hall* —6B **18**
Keyes Dri. *K'wfrd* —6B **74**
Key Hill. *B18* —4D **100**
Key Hill Dri. *B18* —4D **100**
Key Ind. Est. *W'hall* —6F **29**
Keynell Covert. *B30* —4E **147**
Keynes Dri. *Bils* —5G **45**
Keys Cres. *W Brom* —1A **80**
Keyse Rd. *S Cold* —4D **54**
Keyte Clo. *Tip* —2A **78**
Keyway. *W'hall* —3A **46**
Keyway Junct. *W'hall* —3B **46**
Keyway, The. *W'hall* —2H **45**
Keyworth Clo. *Tip* —2A **78**
Khyser Clo. *W'bry* —4C **46**
Kidd Cft. *Tip* —3C **62**
Kidderminster Rd. *Hag*
—6G **125**
Kidderminster Rd. *Ism & I'ley*
—6A **124**
Kidderminster Rd. *K'wfrd*
—6G **91**
Kielder Clo. *Wals* —2G **65**
Kielder Gdns. *Stourb* —4F **125**
Kier's Bri. Clo. *Tip* —4A **78**
Kilburn Dri. *K'wfrd* —6C **74**
Kilburn Gro. *B44* —2H **67**
Kilburn Pl. *Dud* —3F **95**
Kilburn Rd. *B44* —2H **67**
Kilby Av. *B16* —1C **116**
(in two parts)
Kilbys Gro. *B20* —5B **82**
Kilcote Rd. *Shir* —5C **148**
Kilmet Wlk. *Smeth* —4E **99**
Kilmore Cft. *B36* —6C **86**
Kilmorie Rd. *B27* —6A **120**
Kiln Cft. *Row R* —5A **96**
Kiln La. *B25* —5H **119**
Kiln La. *Shir* —4G **163**
Kilsby Gro. *Sol* —1G **165**
Kilvert Rd. *W'bry* —3H **63**
Kimbells Wlk. *Know* —3E **167**
Kimberley Av. *B8* —4E **103**
Kimberley Clo. *S Cold* —6A **36**
Kimberley Pl. *Cose* —6D **60**
Kimberley Rd. *Smeth* —2E **99**
Kimberley Rd. *Sol* —3E **137**
Kimberley St. *Wolv* —2E **43**
Kimberley Wlk. *Min* —1H **87**
Kimble Gro. *B24* —4B **86**
Kimpton Clo. *B14* —5G **147**
Kimsan Cft. *S Cold* —4A **52**
Kinchford Clo. *Sol* —1G **165**
Kineton Cft. *B32* —5B **130**
Kineton Grn. Rd. *Sol*
—5B **136**
Kineton Ri. *Dud* —3G **59**
Kineton Rd. *Redn* —2E **157**
Kineton Rd. *S Cold* —4E **69**
Kinfare Dri. *Wolv* —5H **25**
Kinfare Ri. *Dud* —3A **76**

King Alfreds Pl. *B1*
—1E **117** (4A **4**)
King Charles Av. *Wals* —1E **47**
King Charles Ct. *K'sdng*
—3B **68**
King Charles Rd. *Hale*
—1F **129**
King Edmund St. *Dud* —5D **76**
(in two parts)
King Edward Rd. *B13*
—2H **133**
King Edwards Clo. *B20*
—1D **100**
King Edwards Gdns. *B20*
—2D **100**
King Edwards Rd. *B1*
—1D **116** (4A **4**)
(Edward St.)
King Edwards Rd. *B1* —6C **100**
(Ladywood Middleway)
King Edward's Row. *Wolv*
—3G **43**
King Edwards Sq. *S Cold*
—5A **54**
King Edward St. *W'bry*
—5D **46**
Kingfield Rd. *Shir* —5C **148**
Kingfisher Clo. *B26* —5E **121**
Kingfisher Clo. *Dud* —3G **59**
Kingfisher Dri. *B36* —1C **106**
Kingfisher Dri. *Stourb*
—2A **124**
Kingfisher Gro. *W'hall* —1B **30**
Kingfisher Vw. *B34* —4E **105**
Kingfisher Way. *B30* —5H **131**
King George Cres. *Wals*
—3F **33**
King George Pl. *Wals* —3F **33**
King George VI Av. *Wals*
—3G **49**
Kingham Clo. *Dud* —5G **75**
Kingham Covert. *B14* —5F **147**
Kings Av. *Tiv* —5B **78**
Kingsbridge Rd. *B32* —4B **130**
Kingsbridge Wlk. *Smeth*
—4F **99**
Kingsbrook Dri. *Sol* —1F **165**
Kingsbury Av. *B24* —4B **86**
Kingsbury Clo. *Min* —2H **87**
Kingsbury Clo. *Wals* —5F **33**
Kingsbury Ind. Pk. *Min*
—1A **88**
Kingsbury Rd. *B24 & Erd*
—5E **85**
Kingsbury Rd. *Cas V* —4D **86**
Kingsbury Rd. *Min* —2G **87**
Kingsbury Rd. *Tip* —5A **62**
Kings Bus. Pk. *Gt Barr* —2G **67**
Kingsclere Wlk. *Wolv* —5A **42**
Kingscliff Rd. *B10* —3G **119**
King's Clo. *B14* —1E **147**
Kingscote Rd. *B15* —5H **115**
Kingscote Rd. *Dorr* —6F **167**
Kings Ct. *S Cold* —6H **37**
Kings Ct. *W'bry* —2E **63**
Kings Cft. *B26* —6E **121**
Kings Cft. *Cas B* —2B **106**
Kingscroft Clo. *S Cold* —4A **52**
Kingscroft Rd. *S Cold* —3A **52**
Kingsdene Av. *K'wfrd* —5A **92**
Kingsdown Av. *B42* —1B **82**
Kingsdown Rd. *B31* —4D **158**
Kingsfield Rd. *B14* —5G **133**
Kingsford Clo. *B36* —6H **87**
Kingsford Nouveau. *K'wfrd*
—4E **93**

220 A-Z Birmingham

Kings Gdns. *B30* —3A **146**
Kingsgate Ho. *B37* —1C **122**
Kings Grn. Av. *B38* —5B **146**
Kingshayes Rd. *Wals* —5D **22**
King's Heath. —6A 134
King's Hill. —6E 47
Kings Hill Bus. Pk. *W'bry*
—1E **63**
Kings Hill Clo. *W'bry* —6E **47**
(in two parts)
Kingshill Dri. *B38* —5B **146**
Kings Hill Fld. *W'bry* —6E **47**
Kings Hill M. *W'bry* —6D **46**
Kingshurst. —4C 106
Kingshurst Ho. *B37* —4B **106**
Kingshurst Rd. *B31* —4E **145**
Kingshurst Rd. *Shir* —6F **149**
Kingshurst Way. *B37* —5B **106**
Kingsland Dri. *Dorr* —6A **166**
Kingsland Rd. *B44* —1G **67**
Kingsland Rd. *Wolv* —6F **27**
Kingslea Rd. *Sol* —5C **150**
Kingsleigh Dri. *B36* —1E **105**
Kingsleigh Rd. *B20* —5D **82**
Kingsley Av. *Wolv* —5H **25**
Kingsley Ct. *Yard* —3C **120**
Kingsley Gdns. *Cod* —4E **13**
Kingsley Gro. *Dud* —2E **75**
Kingsley Rd. *Bal H* —5A **118**
Kingsley Rd. *K Nor* —3H **145**
Kingsley Rd. *K'wfrd* —4H **91**
Kingsley St. *Dud* —4E **95**
Kingsley St. *Wals* —4H **47**
Kingslow Av. *Wolv* —5B **42**
Kingsmere Clo. *B24* —5B **85**
King's Norton. —4A 146
King's Norton Bus. Cen. *B30*
—3C **146**
Kings Pde. *B4* —4F **5**
Kingspiece Ho. *B36* —1C **104**
King's Rd. *Dud* —5A **60**
King's Rd. *K Hth* —1E **147**
Kings Rd. *Stock G* —3C **84**
King's Rd. *S Cold* —3C **68**
Kings Rd. *Tys & Yard*
—6G **119**
Kings Rd. *Wals* —2G **33**
Kings Sq. *Bils* —5C **60**
Kings Sq. *W Brom* —4B **80**
Kingstanding. —1H 67
Kingstanding Cen., The. *B44*
—2H **67**
Kingstanding Rd. *B44 &*
Gt Barr —1H **83**
King's Ter. *K Hth* —1F **147**
Kingsthorpe Rd. *B14* —4A **148**
Kingston Cir. *S Cold* —4H **53**
Kingston Rd. *B9* —2B **118**
Kingston Row. *B1*
—1E **117** (4A **4**)
Kingston Way. *K'wfrd* —2A **92**
King St. *B11* —4A **118**
King St. *Bils* —2G **61**
King St. *Brad* —5C **60**
King St. *Brie H* —3C **110**
King St. *Burn* —1B **10**
King St. *Crad H* —2H **111**
King St. *Dud* —1E **95**
King St. *Hale* —1A **128**
King St. *Lye* —1B **126**
King St. *Smeth* —2F **99**
King St. *Stourb* —5C **108**
King St. *Wals* —4B **48**
King St. *Wals W* —5B **22**
King St. *W'bry* —2E **63**
King St. *W'hall* —1B **46**

King St. *Wolv*
—1G **43** (3B **170**)
King St. Pas. *Brie H* —3C **110**
King St. Pas. *Dud* —6E **77**
King St. Precinct. *W'bry*
—5D **46**
Kingsway. *Ess* —3A **18**
Kingsway. *O'bry* —4G **113**
Kingsway. *Stourb* —3B **108**
Kingsway. *Wolv* —3C **28**
Kingsway Av. *Tip* —5A **62**
Kingsway Dri. *B38* —5B **146**
Kingsway Rd. *Wolv* —3C **28**
Kingswear Av. *Wolv* —6F **25**
Kingswinford. —3C 92
Kingswinford Rd. *Dud* —2A **94**
Kingswood. —5A 12
(Codsall)
King's Wood. —1G 161
(Yardley Wood)
Kingswood Clo. *Shir* —6B **150**
Kingswood Common. —5A 12
Kingswood Cft. *B7* —2C **102**
Kingswood Dri. *S Cold*
—1H **67**
Kingswood Dri. *Wals* —1G **7**
Kingswood Gdns. *Wolv*
—5D **42**
Kingswood Ho. *B14* —5G **147**
Kingswood Rd. *K'wfrd* —5A **92**
Kingswood Rd. *Mose* —1A **134**
Kingswood Rd. *N'fld* —3D **158**
Kington Clo. *W'hall* —1B **30**
Kington Gdns. *B37* —2B **122**
Kington Way. *B33* —1B **120**
King William St. *Stourb*
—3D **108**
Kiniths Cres. *W Brom* —2C **80**
Kiniths Way. *Hale* —2E **113**
Kiniths Way. *W Brom* —3C **80**
Kinlet Clo. *Wolv* —3G **41**
Kinlet Gro. *B31* —5G **145**
Kinloch Dri. *Dud* —4B **76**
Kinnerley St. *Wals* —2E **49**
Kinnersley Cres. *O'bry* —4D **96**
Kinnerton Cres. *B29* —3D **130**
Kinross Cres. *B43* —1D **66**
Kinsey Gro. *B14* —3H **147**
Kinsham Dri. *Sol* —1F **165**
Kinswinford Railway Walk
Vis. Cen. —5G 57
Kintore Cft. *B32* —6H **129**
Kintyre Clo. *Redn* —6E **143**
Kinver Av. *W'hall* —4B **30**
Kinver Cres. *Wals* —6E **23**
Kinver Cft. *B12* —4G **117**
Kinver Cft. *S Cold* —5E **71**
Kinver Dri. *Hag* —6G **125**
Kinver Dri. *Wolv* —6A **42**
Kinver Rd. *B31* —5H **145**
Kinver St. *Stourb* —2B **108**
Kinver Ter. *Dud* —3A **94**
Kinwarton Clo. *B25* —5B **120**
Kipling Av. *Bils* —4D **60**
Kipling Clo. *Tip* —5A **62**
Kipling Ho. *Hale* —6D **110**
Kipling Rd. *B30* —3G **145**
Kipling Rd. *Dud* —2E **75**
Kipling Rd. *W'hall* —2E **31**
Kipling Rd. *Wolv* —5H **15**
Kirby Clo. *Bils* —2G **61**
Kirby Dri. *Dud* —4A **76**
Kirby Rd. *B18* —3A **100**
Kirkby Grn. *S Cold* —2H **69**
Kirkham Gdns. *Pens* —3G **93**
Kirkham Gro. *B33* —5D **104**

Kirkham Way. *Tip* —2A **78**
Kirkside Gro. *Bwnhls* —6B **10**
Kirkside M. *Bwnhls* —6B **10**
Kirkstall Clo. *Wals* —5F **19**
Kirkstall Cres. *Wals* —5F **19**
Kirkstone Ct. *Brie H* —4F **109**
Kirkstone Cres. *B43* —1B **82**
Kirkstone Cres. *Wom* —1F **73**
Kirkstone Way. *Brie H*
—4F **109**
Kirkwall Rd. *B32* —4B **130**
Kirkwood Av. *B23* —6F **69**
Kirmond Wlk. *Wolv* —4F **27**
Kirstead Gdns. *Wolv* —6H **25**
Kirton Gro. *B33* —5E **105**
Kirton Gro. *Sol* —6E **151**
Kirton Gro. *Wolv* —4A **26**
Kitchener Rd. *B29* —4D **132**
Kitchener Rd. *Dud* —6H **77**
Kitchener St. *Smeth* —3H **99**
Kitchen La. *Ess & Wed*
—6G **17**
Kitebrook Clo. *Shir* —2E **165**
Kitsland Rd. *B34* —3A **106**
Kitswell Gdns. *B32* —5G **129**
Kittermaster Rd. *Mer* —4H **141**
Kittiwake Dri. *Brie H* —4G **109**
Kittoe Rd. *S Cold* —6F **37**
Kitt's Green. —6F 105
Kitts Grn. *B33* —6F **105**
Kitts Grn. Rd. *B33 & Kitts G*
—5E **105**
Kitwell La. *B32* —5G **129**
(in two parts)
Kitwood Dri. *Sol* —6H **137**
Kixley La. *Know* —3E **167**
Knarsdale Clo. *Brie H* —3G **109**
Knaves Castle Av. *Wals*
—3B **10**
Knebworth Clo. *B44* —5G **67**
Knightcote Dri. *Sol* —1F **165**
Knight Ct. *S Cold* —6G **55**
Knightley Rd. *Sol* —5D **150**
Knightlow Rd. *B17* —3E **115**
Knighton Clo. *S Cold* —6F **37**
Knighton Dri. *S Cold* —1F **53**
Knighton Rd. *B31* —3G **145**
Knighton Rd. *Dud* —5F **95**
Knighton Rd. *S Cold* —4D **36**
Knights Av. *Wolv* —3B **26**
Knightsbridge Clo. *S Cold*
—5F **37**
Knightsbridge La. *W'hall*
—3C **30**
Knightsbridge Rd. *Sol*
—4D **136**
Knights Clo. *B23* —5E **85**
Knights Ct. *Cann* —1E **9**
Knights Cres. *Wolv* —2C **26**
Knights Hill. *Wals* —6D **34**
Knight's Rd. *B11* —1G **135**
Knightstowe Av. *B18* —5C **100**
Knightswood Clo. *S Cold*
—4B **54**
Knightwick Cres. *B23* —2C **84**
Knipersley Rd. *S Cold* —1G **85**
Knoll Clo. *Burn* —1C **10**
Knollcroft. *B16* —1C **116**
Knoll Cft. *Shir* —4B **164**
Knoll Cft. *Wals* —6E **23**
Knoll, The. *B32* —4A **130**
Knoll, The. *K'wfrd* —4C **92**
Knott Ct. *Brie H* —1H **109**
Knottsall La. *O'bry* —6H **97**
Knotts Farm Rd. *K'wfrd*
—5E **93**

Knowlands Rd. *Shir* —2E **165**
Knowle. —3E 167
Knowle Clo. *Redn* —2B **158**
Knowle Grove. —6D 166
Knowle Hill Rd. *Dud* —5D **94**
Knowle Rd. *B11* —2D **134**
Knowle Rd. *Know & H Ard*
—1F **167**
Knowle Rd. *Row R* —5H **95**
Knowles Dri. *S Cold* —4G **53**
Knowles Rd. *Wolv* —2B **44**
Knowles St. *W'bry* —2G **63**
Knowle Wood Rd. *Dorr*
—6D **166**
Knox Rd. *Wolv* —5H **43**
Knutsford St. *B12* —5H **117**
Knutswood Clo. *B13* —6D **134**
Kohima Dri. *Stourb* —6C **108**
Kossuth Rd. *Bils* —4G **60**
Kyle Clo. *Wolv* —6F **15**
Kyles Way. *B32* —6H **129**
Kynaston Cres. *Cod* —5H **13**
Kyngsford Rd. *B33* —6H **105**
Kyotts Lake Rd. *B11* —4A **118**
Kyrwicks La. *B11 & B12*
—5A **118**
Kyter La. *B36* —1F **105**

Laburnum Av. *B37* —3B **106**
Laburnum Av. *B12* —6A **118**
Laburnum Av. *Smeth* —5C **98**
Laburnum Clo. *B37* —3B **106**
Laburnum Clo. *H'wd* —4A **162**
Laburnum Clo. *Stourb*
—4C **108**
Laburnum Clo. *Wals* —5E **21**
Laburnum Cotts. *Hand*
—1A **100**
Laburnum Cft. *Tiv* —5B **78**
Laburnum Dri. *S Cold* —2E **71**
Laburnum Gro. *B13* —2H **133**
Laburnum Gro. *Wals* —6F **31**
Laburnum Ho. *B30* —6B **132**
Laburnum Rd. *B30* —5B **132**
Laburnum Rd. *Dud* —3D **76**
Laburnum Rd. *K'wfrd* —3C **92**
Laburnum Rd. *Lane* —2A **60**
Laburnum Rd. *Stow H* —3D **44**
Laburnum Rd. *Tip* —6H **61**
Laburnum Rd. *Wals* —1G **65**
Laburnum Rd. *Wals W*
—4C **22**
Laburnum Rd. *W'bry* —1H **63**
Laburnum St. *Stourb* —4B **108**
Laburnum St. *Wolv* —2E **43**
Laburnum Trees. H'wd
(off May Farm Clo.) —3A **162**
Laburnum Vs. *S'hll* —6C **118**
Laburnum Way. *B31* —6E **145**
Laceby Gro. *B13* —4D **134**
Ladbroke Dri. *S Cold* —3D **70**
Ladbroke Gro. *B27* —5A **136**
Ladbrook Gro. *Dud* —4E **75**
Ladbrook Rd. *Sol* —4G **151**
Ladbury Gro. *Wals* —1D **64**
Ladbury Rd. *Wals* —1E **65**
Ladeler Gro. *B33* —1A **122**
Ladies Wlk. *Dud* —5H **59**
Lady Bank. *B32* —6H **129**
Lady Bracknell M. *N'fld*
—3G **145**
Lady Byron La. *Know* —2B **166**
Ladycroft. *B16* —1C **116**
Lady Grey's Wlk. *Stourb*
—1B **124**

Lady La.—Lavender Gro.

Lady La. *Earls & Shir*
—6G **163**
Ladymoor Rd. *Bils* —2E **61**
Ladypool Av. *B11* —5B **118**
Ladypool Clo. *Hale* —1C **128**
Ladypool Clo. *Wals* —4E **33**
Ladypool Rd. *B12 & B11*
—1A **134**
Ladysmith Rd. *Hale* —5E **111**
Ladywell Clo. *Wom* —5G **57**
Ladywell Wlk. *B5*
—2G **117** (6E **5**)
Ladywood. —1D 116
Ladywood Clo. *Brie H*
—2B **110**
Ladywood Middleway.
B16 & B1 —6C **100**
Ladywood Rd. *B16* —2C **116**
Ladywood Rd. *S Cold* —4G **53**
Laing Ho. *O'bry* —4D **96**
Lake Av. *Wals* —4F **49**
Lake Clo. *Wals* —4G **49**
Lakedown Clo. *B14* —6G **147**
Lakefield Clo. *B28* —5H **135**
Lakefield Rd. *Wolv* —4G **29**
Lakehouse Ct. *B23* —5E **69**
Lakehouse Gro. *B38* —4H **145**
Lakehouse Rd. *S Cold* —5E **69**
Laker Clo. *Stourb* —4E **109**
Lakeside. *S Cold* —4B **36**
Lakeside Clo. *W'hall* —6G **29**
Lakeside Ct. *Brie H* —3F **109**
Lakeside Dri. *Shir* —2D **164**
Lakeside Rd. *W Brom* —1G **79**
Lakeside Wlk. *B23* —4B **84**
Lakes Rd. *B23* —2A **84**
Lake St. *Dud* —4H **75**
Lakey La. *B28* —5G **135**
Lambah Clo. *Bils* —4H **45**
Lamb Clo. *B34* —4A **106**
Lamb Cres. *Wom* —1F **73**
(in two parts)
Lambert Clo. *B23* —1D **84**
Lambert Ct. *K'wfrd* —1B **92**
Lambert End. *W Brom* —4H **79**
Lambert Fold. *Dud* —1G **95**
Lambert Rd. *Wolv* —3B **28**
Lambert's End. —4G 79
Lambert St. *W Brom* —4H **79**
Lambeth Clo. *B37* —5D **106**
Lambeth Rd. *B44* —2G **67**
Lambeth Rd. *Bils* —4D **44**
Lambourn Clo. *Wals* —5A **20**
Lambourne Clo. *Gt Wyr* —2F **7**
Lambourne Gro. *B37* —1A **122**
Lambourne Way. *Brie H*
—3F **109**
Lambourn Rd. *B23* —3D **84**
Lambourn Rd. *W'hall* —2D **46**
Lambscote Clo. *Shir* —5C **148**
Lammas Clo. *Sol* —4G **137**
Lammas Rd. *Stourb* —6A **92**
Lammermoor Av. *B43* —3B **66**
Lamont Av. *B32* —2D **130**
Lanark Clo. *K'wfrd* —4D **92**
Lanark Cft. *B35* —4D **86**
Lancaster Av. *Redn* —1G **157**
Lancaster Av. *Wals* —1D **34**
Lancaster Av. *W'bry* —2A **64**
Lancaster Cen. *B36* —6A **88**
Lancaster Cir. Queensway. *B4*
—5G **101** (1F **5**)
Lancaster Clo. *B30* —1C **146**
Lancaster Dri. *B35* —5F **87**
Lancaster Gdns. *Wolv* —6C **42**
Lancaster Ho. *Row R* —5E **97**

Lancaster Pl. *Wals* —5A **20**
Lancaster Rd. *Brie H* —1G **109**
Lancaster St. *B4*
—5G **101** (1F **5**)
Lancelot Clo. *B8* —6E **103**
Lancelot Pl. *W Brom* —3E **79**
Lanchester Rd. *B38* —6C **146**
Lanchester Way. *B36* —6A **88**
Lander Clo. *Redn* —3G **157**
Landgate Rd. *B21* —5G **81**
Land La. *B37* —4C **122**
Landor Rd. *Know* —3C **166**
Landor St. *B8* —6B **102**
Landport Rd. *Wolv* —3B **44**
Landrail Wlk. *B36* —1C **106**
(in two parts)
Landrake Rd. *K'wfrd* —6D **92**
Landsdale Av. *Sol* —5B **138**
Landsdowne Clo. *Dud* —3H **95**
Landseer Gro. *B43* —1F **67**
Landsgate. *Stourb* —4E **125**
Landswood Clo. *B44* —4A **68**
Landswood Rd. *O'bry* —5A **98**
Landywood. —3G 7
Landywood Enterprise Pk.
Gt Wyr —5F **7**
Landywood La. *Gt Wyr* —3D **6**
Lane Av. *Wals* —6H **31**
Lane Clo. *Wals* —6H **31**
Lane Ct. *Wolv* —5G **27**
(off Boscobel Cres.)
Lane Cft. *S Cold* —5E **71**
Lane End. —4A 14
Lane Grn. Av. *Cod* —6A **14**
Lane Grn. Ct. *Cod* —4H **13**
Lane Grn. Rd. *Cod* —4H **13**
Lane Head. —4C 30
Lane Rd. *Wolv* —2C **60**
Lanes Clo. *Wom* —2E **73**
Lanesfield. —1C 60
Lanesfield Dri. *Wolv* —1C **60**
Lanesfield Ind. Est. *Wolv*
—1C **60**
Laneside Av. *S Cold* —4H **51**
Laneside Gdns. *Wals* —1H **47**
Lanes Shop. Cen., The. *S Cold*
—6H **69**
Lane St. *Bils* —2F **61**
Laney Green. —3A 6
Langcomb Rd. *Shir* —1G **163**
Langdale Clo. *Clay* —1A **22**
Langdale Cft. *B21* —2A **100**
Langdale Dri. *Bils* —4F **45**
Langdale Rd. *B43* —6B **66**
Langdale Way. *Stourb*
—1H **125**
Langdon St. *B9* —1B **118**
Langdon Wlk. *B26* —1C **136**
Langfield Rd. *Know* —2C **166**
Langford Av. *B43* —5A **66**
Langford Clo. *Wals* —2E **49**
Langford Cft. *Sol* —5G **151**
Langford Gro. *B17* —2G **131**
Langham Clo. *B26* —4E **121**
Langham Grn. *S Cold* —2H **51**
Langholme Dri. *B44* —4D **68**
Langland Dri. *Dud* —5G **59**
Langley. —4G 97
Langley Av. *Bils* —5E **61**
Langley Ct. *O'bry* —4G **97**
Langley Ct. *Wolv* —5B **42**
Langley Cres. *O'bry* —5H **97**
Langley Dri. *B35* —6E **87**
Langley Gdns. *O'bry* —5H **97**
Langley Gdns. *Wolv* —4B **42**
Langley Green. —5H 97

Langley Grn. Rd. *O'bry*
—5G **97**
Langley Gro. *B10* —3D **118**
Langley Hall Dri. *S Cold*
—6F **55**
Langley Hall Rd. *Sol* —6A **136**
Langley Hall Rd. *S Cold*
—6F **55**
Langley Heath Dri. *S Cold*
—2D **70**
Langley High St. *O'bry*
—4G **97**
Langley Ri. *Sol* —2A **138**
Langley Rd. *B10* —3D **118**
Langley Rd. *O'bry* —5H **97**
Langley Rd. *Wolv* —6E **41**
Langleys Rd. *B29* —4A **132**
Langmead Clo. *Wals* —6D **30**
Langsett Rd. *Wolv* —5A **28**
Langstone Rd. *B14* —5B **148**
Langstone Rd. *Dud* —6A **76**
Langton Clo. *B36* —3D **106**
Langton Pl. *Bils* —5A **46**
Langton Rd. *B8* —5E **103**
Langtree Av. *Sol* —6F **151**
Langwood Ct. *B36* —1F **105**
Langworth Av. *B27* —6A **120**
Lannacombe Rd. *B31*
—3C **158**
Lansbury Av. *W'bry* —1C **62**
Lansbury Grn. *Crad H*
—3B **112**
Lansbury Rd. *Crad H* —3B **112**
Lansbury Wlk. *Tip* —5A **62**
Lansdowne Av. *Cod* —5E **13**
Lansdowne Clo. *Cose* —6C **60**
Lansdowne Ct. *Stourb*
—4F **125**
Lansdowne Ho. *B15* —3F **117**
Lansdowne Rd. *Bils* —4G **45**
Lansdowne Rd. *Erd* —4F **85**
Lansdowne Rd. *Hand* —2C **100**
Lansdowne Rd. *Hay G*
—3F **127**
Lansdowne Rd. *H Grn*
—3F **113**
Lansdowne Rd. *Wolv*
—6F **27** (1A **170**)
Lansdowne St. *B18* —5B **100**
(in two parts)
Lansdown Pl. *B18* —4B **100**
Lantern Rd. *Dud* —1E **111**
Lapal. —2F 129
Lapal Clo. *B32* —3G **129**
Lapal La. N. *Hale* —2E **129**
Lapal La. S. *Hale* —2E **129**
Lapley Clo. *Wolv* —1D **44**
Lapper Av. *Wolv* —2B **60**
Lapwing Clo. *Wals* —4C **6**
Lapwing Dri. *H Ard* —6B **140**
Lapwood Av. *K'wfrd* —3D **92**
Lapworth Dri. *S Cold* —2C **68**
Lapworth Gro. *B12* —5H **117**
Lapworth Mus. —2B 132
Lara Clo. *Harb* —3F **115**
Lara Gro. *Tip* —5A **78**
Larch Av. *B21* —5H **81**
Larch Cft. *B37* —1D **122**
Larch Cft. *Tiv* —5B **78**
Larches La. *Wolv* —1E **43**
Larches Pas. *B12* —5A **118**
Larches St. *B11* —5A **118**
Larchfield Clo. *B20* —4D **82**
Larch Gro. *Dud* —6A **60**
Larch Ho. *B36* —1D **104**
Larch Ho. *B20* —4B **82**

Larchmere Dri. *B28* —5F **135**
Larchmere Dri. *Ess* —4B **18**
Larch Rd. *K'wfrd* —3C **92**
Larch Wlk. *B25* —3H **119**
Larchwood Cres. *S Cold*
—3G **51**
Larchwood Grn. *Wals* —1F **65**
Larchwood Rd. *Wals* —1E **65**
Larcombe Dri. *Wolv* —6H **43**
Large Av. *W'bry* —1C **62**
Lark Clo. *B14* —5A **148**
Larkfield Av. *B36* —1F **105**
Larkhill Rd. *Stourb* —1A **124**
Larkhill Wlk. *B14* —6F **147**
Larkin Clo. *Wolv* —6C **16**
Lark Mdw. Dri. *B37* —6A **106**
Larksfield M. Brie H —4G **109**
(off Hillfields Rd.)
Larks Mill. *Pels* —3C **20**
Larkspur Av. *Burn* —1C **10**
Larkspur Cft. *B36* —1B **104**
Larkspur Rd. *Dud* —1H **95**
Larkspur Way. *Clay* —1H **21**
Larkswood Dri. *Dud* —6H **59**
Larkswood Dri. *Wolv* —2A **58**
Larne Rd. *B26* —4E **121**
Lashbrooke Ho. *Redn* —2F **157**
Latches Clo. *Darl* —5E **47**
Latelow Rd. *B33* —1E **121**
Latham Av. *B43* —6A **66**
Latham Cres. *Tip* —4A **78**
Lath La. *Smeth* —1B **98**
Lathom Gro. *B33* —4D **104**
Latimer Gdns. *B15* —4F **117**
Latimer Pl. *B18* —3A **100**
Latimer St. *W'hall* —6B **30**
Latymer Clo. *S Cold* —6E **71**
Lauder Clo. *Dud* —4G **59**
Lauder Clo. *W'hall* —2F **45**
Lauderdale Clo. *Clay* —1A **22**
Lauderdale Gdns. *Wolv*
—4A **16**
Launceston Clo. *Wals* —4H **49**
Launceston Rd. *Wals* —4H **49**
Launde, The. *B28* —4E **149**
Laundry Rd. *Smeth* —6G **99**
Laureates Wlk. *S Cold* —2G **53**
Laurel Av. *B12* —6A **118**
Laurel Clo. *Dud* —4C **76**
Laurel Ct. *Mose* —3H **133**
Laurel Dri. *Smeth* —1E **98**
Laurel Dri. *S Cold* —3G **51**
Laurel Gdns. *B21* —6A **82**
Laurel Gdns. *A Grn* —6A **120**
Laurel Gro. *B30* —1A **146**
Laurel Gro. *Bils* —1A **62**
Laurel Gro. *Wolv* —4B **42**
Laurel La. *Hale* —2B **128**
Laurel Rd. *Dud* —3B **76**
Laurel Rd. *Hand* —6A **82**
Laurel Rd. K *Nor* —3C **146**
Laurel Rd. *Tip* —6H **61**
Laurel Rd. *Wals* —1F **65**
Laurels Cres. *Bal C* —3H **169**
Laurels, The. *B26* —6G **121**
Laurels, The. B16 —6B 100
(off Marroway St.)
Laurels, The. *Smeth* —5G **99**
Laurel Ter. *Aston* —6H **83**
Laurence Ct. *B31* —2F **145**
Laurence Gro. *Wolv* —2C **26**
Lauriston Clo. *Dud* —4B **76**
Lavender Clo. *Pend* —4D **14**
Lavender Gro. W Brom —6A 64
(off Sussex Av.)
Lavender Gro. *Bils* —5H **45**

222 A-Z Birmingham

Lavender Hall La.—Leyburn Rd.

Lavender Hall La. *Berk*
—1H **169**
Lavender La. *Stourb* —2B **124**
Lavender Rd. *Dud* —4D **76**
Lavendon Rd. *B42* —2D **82**
Lavinia Rd. *Hale* —2E **129**
Law Cliff Rd. *B42* —1D **82**
Law Clo. *Tiv* —5D **78**
Lawden Rd. *B10* —3B **118**
Lawford Clo. *B7* —6A **102**
Lawford Gro. *B5* —3G **117**
Lawford Gro. *Shir* —5D **148**
Lawfred Av. *Wolv* —4F **29**
Lawley Clo. *Wals* —6F **21**
Lawley Middleway. *B4*
—5A **102** (1H **5**)
Lawley Rd. *Bils* —5D **44**
Lawley St. *Dud* —6C **76**
Lawley St. *W Brom* —4F **79**
Lawley, The. *Hale* —4F **127**
Lawn Av. *Stourb* —1C **124**
Lawn La. *Coven* —2D **14**
Lawn Oaks Clo. *Wals* —3H **9**
Lawn Rd. *Wolv* —5B **44**
Lawnsdale Clo. *Col* —2H **107**
Lawnsdown Rd. *Brie H*
—4B **110**
Lawnsfield Gro. *B23* —1D **84**
Lawnside Grn. *Bils* —3F **45**
Lawn St. *Stourb* —1C **124**
Lawnswood. *Stourb* —5G **91**
Lawnswood. *S Cold* —5E **71**
Lawnswood Av. *Burn* —1B **10**
Lawnswood Av. *P'flds* —1A **60**
Lawnswood Av. *Shir* —4B **150**
Lawnswood Av. *Stourb*
—5A **92**
Lawnswood Av. *Tett* —1C **26**
Lawnswood Dri. *Stourb*
—6G **91**
Lawnswood Dri. *Wals* —4C **22**
Lawnswood Gro. *B21* —6G **81**
Lawnswood Ri. *Wolv* —1D **26**
Lawnswood Rd. *Dud* —2H **75**
Lawnswood Rd. *Stourb*
—6A **92**
Lawnwood Rd. *Dud* —1D **110**
Lawrence Av. *Hth T* —5C **28**
Lawrence Av. *Wed* —3H **29**
Lawrence Ct. *O'bry* —3H **113**
Lawrence Dri. *Min* —1H **87**
Lawrence La. *Crad H* —2G **111**
Lawrence St. *Stourb* —5G **109**
Lawrence St. *W'hall* —6A **30**
Lawrence Tower. *B4* —2F **5**
Lawrence Wlk. *B43* —1F **67**
Lawson Clo. *Wals* —5D **34**
Lawson St. *B4* —5G **101** (1F **5**)
Law St. *W Brom* —2A **80**
Lawton Av. *B29* —3D **132**
Lawton Clo. *Row R* —3D **96**
Lawyers Wlk. *Wals* —2D **48**
Laxey Rd. *B16* —6H **99**
Laxford Clo. *B12* —5G **117**
Laxton Clo. *K'wfrd* —4E **93**
Laxton Gro. *B25* —2B **120**
Lazy Hill. *B38* —5D **146**
Lazy Hill. *Ston* —5E **23**
Lazy Hill Rd. *A'rdge* —1D **34**
Lea Av. *W'bry* —4D **62**
Lea Bank. *Wolv* —1A **42**
Lea Bank Rd. *Dud* —6D **94**
Leabon Gro. *B17* —1G **131**
Leabrook. *B26* —3D **120**
Leabrook Rd. *Tip & W'bry*
—4C **62**

Leabrook Rd. N. *W'bry*
—4D **62**
Leach Grn. La. *Redn* —2G **157**
Leach Heath La. *Redn*
—2F **157**
Leacliffe Way. *Wals* —6H **35**
Leacote Dri. *Wolv* —5A **26**
Leacroft. *W'hall* —2C **30**
Leacroft Av. *Wolv* —1A **28**
Leacroft Clo. *Wals* —6D **22**
Leacroft Gro. *W Brom* —5H **63**
Lea Cft. La. *C'bri* —1F **7**
Leacroft Rd. *K'wfrd* —1C **92**
Leadbeater Ho. Wals —1H **31**
(off Somerfield Rd.)
Lea Dri. *B26* —5E **121**
Lea End. —6B 160
Lea End La. *A'chu & B38*
—5G **159**
Leafield Cres. *B33* —4E **105**
Leafield Gdns. *Hale* —3D **112**
Leafield Rd. *Sol* —4F **137**
Lea Ford Rd. *B33* —5G **105**
Leaford Way. *K'wfrd* —4D **92**
Leafy Glade. *S Cold* —6A **36**
Leafy Ri. *Dud* —3H **75**
Lea Gdns. *Wolv* —3F **43**
Lea Grn. Av. *Tip* —2E **77**
Lea Grn. La. *Wyt* —3C **162**
Lea Hall Rd. *B33* —6E **105**
Leahill Cft. *B37* —1B **122**
Lea Hill Rd. *B20* —5E **83**
Leaholme Gdns. *Stourb*
—3F **125**
Leahouse Gdns. *O'bry* —6G **97**
Lea Ho. Rd. *B30* —6C **132**
Leahouse Rd. *O'bry* —6G **97**
Leahurst Cres. *B17* —1G **131**
Lea La. *Wals* —2G **7**
Lea Mnr. Dri. *Wolv* —2C **58**
Leam Cres. *Sol* —4F **137**
Leamington Rd. *Bal H*
—6B **118**
Leamore. —4H 31
Leamore Clo. *Wals* —2G **31**
Leamore Enterprise Pk. *Wals*
(in two parts) —2G **31**
Leamore Ind. Est. *Wals*
—3H **31**
Leamore La. *Wals* —2G **31**
Leamount Dri. *B44* —3C **68**
Leander Clo. *Wals* —4F **7**
Leander Gdns. *B14* —2H **147**
Leander Rd. *Stourb* —1B **126**
Leandor Dri. *S Cold* —4A **52**
Lea Rd. *B11* —1D **134**
Lea Rd. *Wolv*
—4E **43** (6A **170**)
Lear Rd. *Wom* —5H **57**
Leason La. *Wolv* —1C **28**
Leasow Dri. *B17 & B15*
—2H **131**
Leasowe Dri. *Pert* —5D **24**
Leasowe Rd. *Redn* —1F **157**
Leasowe Rd. *Tip* —3G **77**
Leasowes Country Pk., The.
—1D **128**
Leasowes Dri. *Wolv* —5B **42**
Leasowes La. *Hale* —6D **112**
(in two parts)
Leasowes Rd. *B14* —4H **133**
Leasow, The. *Wals* —4A **34**
Lea, The. *B33* —1E **121**
Leatherhead Clo. *B6* —3H **101**
Lea Va. Rd. *Stourb* —3D **124**
Leavesden Gro. *B26* —6E **121**

Lea Vw. *Wals* —4A **34**
Lea Vw. *W'hall* —4A **30**
Lea Wlk. *Redn* —1F **157**
Lea Yield Clo. *B30* —6C **132**
Lechlade Rd. *B43* —5A **66**
Leckie Rd. *Wals* —5C **32**
Ledbury Clo. *B16* —1C **116**
Ledbury Clo. *Wals* —6E **23**
Ledbury Dri. *Wolv* —2D **44**
Ledbury Ho. *B33* —1A **122**
Ledbury Way. *S Cold* —5E **71**
Ledsam Gro. *B32* —5D **114**
Ledsam St. *B16* —1C **116**
Lee Bank. —3E 117
Lee Bank Middleway. *B15*
—3E **117**
Leebank Rd. *Hale* —3G **127**
Leech St. *Tip* —2C **78**
Lee Ct. *Wals* —4B **22**
Lee Cres. *B15* —3E **117**
Lee Gdns. *Smeth* —4C **98**
Lee Rd. *Crad H* —3H **111**
Lee Rd. *H'wd* —2A **162**
Leeson Wlk. *B17* —1H **131**
Lees Rd. *Bils* —2H **61**
Lees St. *B18* —4B **100**
Lees Ter. *Bils* —2H **61**
Lee St. *W Brom* —5G **63**
Legge La. *B1* —6D **100** (2A **4**)
Legge La. *Bils* —3F **61**
Legge St. *B4* —5H **101**
Legge St. *W Brom* —4B **80**
Legge St. *Wolv* —5A **44**
Legion Rd. *Redn* —2E **157**
Legs La. *Wolv* —3A **16**
Leicester Clo. *Smeth* —2C **114**
Leicester Pl. *W Brom* —6A **64**
Leicester Sq. *Wolv* —6E **27**
Leicester St. *Wals* —1C **48**
Leicester St. *Wolv* —5F **27**
Leigham Dri. *B17* —4E **115**
Leigh Clo. *Wals* —5E **33**
Leigh Ct. Wals —6E 33
(off Leigh Rd.)
Leigh Rd. *B8* —3E **103**
Leigh Rd. *S Cold* —5F **55**
Leigh Rd. *Wals* —6E **33**
Leighs Clo. *Pels* —6G **21**
Leighs Rd. *Pels* —6F **21**
Leighswood. —1C 34
Leighswood Av. *Wals* —2C **34**
Leighswood Ct. *Wals* —3D **34**
Leighswood Gro. *Wals*
—2C **34**
Leighswood Ind. Est. *Wals*
(Brickyard Rd.) —6B **22**
Leighswood Ind. Est. *Wals*
(Vigo Pl.) —2C **34**
Leighswood Rd. *Wals* —2C **34**
Leighton Clo. *B43* —2E **67**
Leighton Clo. *Dud* —5A **76**
Leighton Rd. *B13* —3H **133**
Leighton Rd. *Bils* —1A **62**
Leighton Rd. *Wolv* —5D **42**
Leith Gro. *B38* —1A **160**
Lelant Gro. *B17* —6E **115**
Lellow St. *W Brom* —5H **63**
Le More. *S Cold* —1G **53**
Lemox Rd. *W Brom* —5G **63**
Lench Clo. *B13* —3H **133**
Lench Clo. *Hale* —2C **112**
Lenchs Grn. *B5* —4G **117**
Lench St. *B4* —5G **101** (1F **5**)
Lenchs Trust. *B32* —5B **114**
Lench's Trust Houses. *B12*
(Conybere St.) —4H **117**

Lench's Trust Houses. *B12*
(Ravenhurst St.) —3A **118**
Len Davis Rd. *W'hall* —2B **30**
Lennard Gdns. *Smeth* —3H **99**
Lennox Gdns. *Wolv* —3E **43**
Lennox Gro. *S Cold* —6G **69**
Lennox St. *B19* —3F **101**
Lenton Cft. *B26* —1C **136**
Lenwade Rd. *O'bry* —3B **114**
Leominster Ho. *B33* —1A **122**
Leominster Rd. *B11* —2E **135**
Leominster Wlk. *Redn*
—1F **157**
Leonard Av. *B19* —1F **101**
Leonard Gro. *B19* —1F **101**
Leonard Rd. *B19* —1E **101**
Leonard Rd. *Stourb* —6A **108**
Leopold Av. *B20* —2A **82**
Leopold St. *B12* —3H **117**
Lepid Gro. *B29* —3H **131**
Lerryn Clo. *K'wfrd* —4D **92**
Lerwick Clo. *K'wfrd* —4D **92**
Lesley Dri. *K'wfrd* —5C **92**
Leslie Bentley Ho. *B1* —3A **4**
Leslie Dri. *Tip* —4A **62**
Leslie Ri. *Tiv* —1C **96**
Leslie Rd. *Edg* —1B **116**
Leslie Rd. *Hand* —5F **83**
Leslie Rd. *S Cold* —1B **52**
Leslie Rd. *Wolv* —4B **28**
Lesscroft Clo. *Wolv* —4E **15**
Lester Gro. *Wals* —1G **51**
Lester St. *Bils* —6H **45**
Levante Gdns. *B33* —1B **120**
Leve La. *W'hall* —1B **46**
Level St. *Brie H* —6H **93**
Leven Cft. *S Cold* —6E **71**
Leven Dri. *W'hall* —6B **18**
Levenwick Way. *K'wfrd*
—4E **93**
Leverretts, The. *B21* —5G **81**
Lever St. *Wolv*
—3H **43** (6C **170**)
Leverton Ri. *Wolv* —3G **27**
Leveson Av. *Wals* —3E **7**
Leveson Clo. *Dud* —1G **95**
Leveson Ct. *W'hall* —1A **46**
Leveson Cres. *Bal C* —3H **169**
Leveson Dri. *Tip* —2G **77**
Leveson Rd. *Wolv* —1H **29**
Leveson St. *W'hall* —1A **46**
Leveson Wlk. *Dud* —1G **95**
Levington Clo. *Wolv* —5F **25**
Lewis Av. *Wolv* —6D **28**
Lewis Clo. *W'hall* —4D **30**
Lewis Gro. *Wolv* —3F **29**
Lewisham Ind. Est. *Smeth*
—2F **99**
Lewisham Rd. *Smeth* —2E **99**
Lewisham Rd. *Wolv* —5F **15**
Lewisham St. *W Brom*
—3B **80**
Lewis Rd. *B30* —6E **133**
Lewis Rd. *O'bry* —4H **113**
Lewis Rd. *Stourb* —6H **109**
Lewis St. *Bils* —5G **45**
Lewis St. *Tip* —2D **78**
Lewis St. *Wals* —5B **32**
Lewthorn Ri. *Wolv* —1H **59**
Lexington Grn. *Brie H*
—4G **109**
Leybourne Cres. *Wolv* —5D **14**
Leybourne Gro. *B25* —5H **119**
Leybrook Rd. *Redn* —1H **157**
Leyburn Clo. *Wals* —5D **30**
Leyburn Rd. *B16* —2C **116**

A-Z Birmingham 223

Longmeadow Rd. *Wals*
—3A **50**
Long Mill Av. *Wolv* —2D **28**
Long Mill N. *Wolv* —2D **28**
Long Mill S. *Wolv* —2D **28**
Longmoor Clo. *Wolv* —4H **29**
Longmoor Rd. *Hale* —2G **127**
Longmoor Rd. *S Cold* —2B **68**
Longmore Av. *Wals* —2F **47**
Longmore Rd. *Shir* —5A **150**
Longmore St. *B12* —4G **117**
Longmore St. *W'bry* —2F **63**
Long Mynd. *Hale* —4F **127**
Long Mynd Clo. *W'hall*
—6B **18**
Long Mynd Rd. *B31* —1C **144**
Long Nuke Rd. *B31* —6C **130**
Longshaw Gro. *B34* —3H **105**
Longstone Clo. *Shir* —3F **165**
Longstone Rd. *B42* —6E **67**
Long St. *B11* —5A **118**
Long St. *Prem B* —2B **48**
Long St. *Wolv*
—1H **43** (2C **170**)
Long Wood. *B30* —2A **146**
Longwood La. *Wals* —1A **50**
Longwood Pathway. *B34*
—4G **105**
Longwood Ri. *W'hall* —4D **30**
Longwood Rd. *Redn*
—2G **157**
Longwood Rd. *Wals* —6D **34**
Lonicera Clo. *Wals* —2F **65**
Lonsdale Clo. *B33* —1B **120**
Lonsdale Clo. *W'hall* —4B **30**
Lonsdale Rd. *B17* —5F **115**
Lonsdale Rd. *Bils* —5H **45**
Lonsdale Rd. *Smeth* —2B **98**
Lonsdale Rd. *Wals* —5G **49**
Lonsdale Rd. *Wolv* —4F **43**
Lords Dri. *Wals* —6C **32**
Lordsmore Clo. *Cose* —4G **61**
Lord St. *B7* —5H **101**
Lord St. *Bils* —2G **61**
Lord St. *Wals* —4B **48**
Lord St. *Wolv* —1F **43**
(in two parts)
Lord St. W. *Bils* —2G **61**
Lordswood Rd. *B17* —3E **115**
Lordswood Sq. *B17* —4F **115**
Lorimer Way. *B43* —6F **51**
Lorne St. *Tip* —5H **61**
Lorrainer Av. *Brie H* —3E **109**
Lothians Rd. *Wals* —2E **21**
Lothians Rd. *Wolv* —3C **26**
Lottie Rd. *B29* —4A **132**
Lotus Ct. *B16* —2A **116**
Lotus Cft. *Smeth* —5D **98**
Lotus Dri. *Crad H* —1H **111**
Lotus Wlk. *B36* —6B **88**
Lotus Way. *Row R* —5H **95**
Loughton Gro. *Hale* —1H **127**
Louisa Pl. *B18* —4C **100**
Louisa St. *B1* —6E **101** (3A **4**)
Louis Ct. *Smeth* —4D **98**
Louise Ct. *Sol* —6C **150**
Louise Cft. *B14* —5G **147**
Louise Lorne Rd. *B13*
—1H **133**
Louise Rd. *B21* —2B **100**
Louise St. *Dud* —4F **75**
Lount Wlk. *B19* —4G **101**
Lovatt Clo. *Tip* —4C **62**
Lovatt St. *Wolv* —1F **43**
(in two parts)
Loveday Ho. *W Brom* —4B **80**

Loveday St. *B4*
—5G **101** (1E **5**)
(in two parts)
Lovelace Av. *Sol* —1H **165**
Love La. *B7* —5H **101**
Love La. *Gt Wyr* —2G **7**
Love La. *H'wd* —2G **161**
Love La. *Lye* —6B **110**
Love La. *Stourb* —2E **125**
Love La. *Tiv* —6A **78**
Love La. *Wals* —4C **48**
Love La. *Wolv* —3B **26**
Lovell Clo. *B29* —1E **145**
Loveridge Clo. *Cod* —4F **13**
Lovers Wlk. *Aston* —1B **102**
Lovers Wlk. *W'bry* —2F **63**
Lovett Av. *O'bry* —4D **96**
Low Av. *B43* —3B **66**
Lowbridge Clo. *W'hall* —4C **30**
Lowbrook La. *Tid G* —5D **162**
Lowcroft Gdns. *Wolv* —1A **28**
Lowden Cft. *B26* —1C **136**
Lowe Av. *W'bry* —4B **46**
Lowe Dri. *K'wfrd* —5C **92**
Lowe Dri. *S Cold* —2D **68**
Lwr. Beeches Rd. *B31*
—5A **144**
Lower Bradley. —2A 62
Lwr. Chapel St. *Tiv* —5C **78**
Lwr. Church La. *Tip* —2B **78**
Lwr. City Rd. *Tiv* —6C **78**
Lowercroft Way. *S Cold*
—4E **33**
Lwr. Dartmouth St. *B9*
—1B **118**
Lwr. Darwin St. *B12* —3H **117**
Lwr. Derry St. *Brie H* —1H **109**
Lwr. Eldon St. *W'bry* —4D **46**
Lwr. Essex St. *B5* —2G **117**
Lwr. Forster St. *Wals* —1D **48**
Lower Gornal. —4H 75
Lower Grn. *Tip* —2G **77**
Lower Grn. *W'bry* —3D **46**
Lower Grn. *Wolv* —4C **26**
Lwr. Ground Clo. *B6* —6H **83**
(off Emscote Rd.)
Lwr. Hall La. *Wals* —2C **48**
Lwr. Hall St. W'hall —2B 46
(off Walsall St.)
Lwr. High St. *Crad H* —3E **111**
Lwr. High St. *Stourb* —5D **108**
Lwr. High St. *W'bry* —3F **63**
Lwr. Higley Clo. *B32* —1C **130**
Lwr. Horseley Fld. *Wolv*
—1B **44**
Lwr. Lichfield St. *W'hall*
—1A **46**
Lwr. Loveday St. *B19 & B4*
—5F **101** (1D **4**)
Lower Moor. *B30* —5A **132**
Lwr. North St. *Wals* —4D **32**
Lower Pde. *S Cold* —6A **54**
Lower Penn. —1G 57
Lwr. Prestwood Rd. *Wolv*
—2E **29**
Lwr. Queen St. *S Cold* —1A **70**
Lwr. Reddicroft. *S Cold*
—6A **54**
Lwr. Rushall St. *Wals* —1D **48**
Lwr. Severn St. *B1*
—1F **117** (5D **4**)
Lowerstack Cft. *B37* —6B **106**
Lower Stonnall. —3H 23
Lower St. *Wolv* —4C **26**
Lwr. Temple St. *B2*
—1F **117** (4D **4**)

Lwr. Tower St. *B19* —4G **101**
Lwr. Trinity St. *B9*
—2A **118** (6H **5**)
Lwr. Valley Rd. *Brie H*
—1E **109**
Lwr. Vauxhall. *Wolv* —1E **43**
Lwr. Villiers St. *Wolv* —4G **43**
Lwr. Walsall St. *Wolv* —2A **44**
Lwr. White Rd. *B32* —6B **114**
Lowesmoor Rd. *B26* —4G **121**
Lowe St. *B12* —3A **118**
Lowe St. *Wolv* —5E **27**
Lowfield Clo. *Hale* —2G **129**
Low Hill. —2A 28
Low Hill Cres. *Wolv* —1A **28**
Lowhill La. *Redn* —3A **158**
Lowland Clo. *Crad H* —2H **111**
Lowlands Av. *S Cold* —3F **51**
Lowlands Av. *Wolv* —3C **26**
Lowndes Rd. *Stourb*
—5C **108**
Lowry Clo. *Smeth* —3D **98**
Lowry Clo. *W'hall* —1F **45**
Lowry Clo. *Wolv* —5F **25**
Low St. *Wals* —2D **6**
Low Thatch. *B38* —2A **160**
Lowther Ct. *Brie H* —1H **109**
Low Town. *O'bry* —2G **97**
Low Wood Rd. *B23* —2D **84**
Loxdale Sidings. *Bils* —1H **61**
Loxdale St. *Bils* —1H **61**
Loxdale St. *W'bry* —3F **63**
Loxley Av. *B14* —4C **148**
Loxley Av. *Shir* —6F **149**
Loxley Clo. *B31* —5C **130**
Loxley Rd. *Smeth* —2D **114**
Loxley Rd. *S Cold* —5B **38**
Loxton Clo. *Lit A* —4D **36**
Loynells Rd. *Redn* —2H **157**
Loyns Clo. *B37* —6B **106**
Lozells. —2D 100
Lozells Rd. *B19* —2D **100**
Lozells St. *B19* —2E **101**
Lozells Wood Clo. *B19*
—2D **100**
Lucas Way. *Shir* —2A **164**
Luce Clo. *B35* —3F **87**
Lucerne Ct. *B23* —1D **84**
Luce Rd. *Wolv* —3A **28**
Lucknow Rd. *W'hall* —5B **30**
Luddington Rd. *Sol* —5A **138**
Ludford Clo. *S Cold* —4C **54**
Ludford Rd. *B32* —4G **129**
Ludgate Clo. *Wat O* —4C **88**
Ludgate Ct. *Wals* —4H **49**
Ludgate Ct. *Wat O* —4C **88**
Ludgate Hill. *B3*
—6F **101** (2C **4**)
Ludgate St. *Dud* —6D **76**
Ludlow Clo. *B37* —1E **123**
Ludlow Clo. *W'hall* —3B **30**
Ludlow Ho. Wals —3A 32
(off Providence La.)
Ludlow La. *Wals* —5G **31**
Ludlow Rd. *B8* —6F **103**
Ludlow Way. *Dud* —5A **76**
Ludmer Way. *B20* —5E **83**
Ludstone Av. *Wolv* —6B **42**
Ludstone Rd. *B29* —4D **130**
Lugtrout La. *Sol & Cath B*
—1A **152**
Lulworth Clo. *Hale* —5E **111**
Lulworth Rd. *B28* —5G **135**
Lulworth Wlk. *Wolv* —5A **42**
Lumley Gro. *B37* —1F **123**
Lumley Rd. *Wals* —2E **49**

Lundy Vw. *B36* —4D **106**
Lunt Gro. *B32* —6B **114**
Lunt Pl. *Bils* —5A **46**
Lunt Rd. *Bils* —5H **45**
Lunt, The. —4A 46
Lupin Gro. *B9* —6F **103**
Lupin Rd. *Dud* —6H **77**
Lusbridge Clo. *Hale* —1D **126**
Lutley. —3D 126
Lutley Av. *Hale* —1G **127**
Lutley Clo. *Wolv* —4C **42**
Lutley Dri. *Stourb* —2G **125**
Lutley Gro. *B32* —4H **129**
Lutley La. *Hay G* —2D **126**
(in two parts)
Lutley Mill Rd. *Hale* —1G **127**
Luton Rd. *B29* —2B **132**
Luttrell Rd. *S Cold* —3F **53**
Lyall Gdns. *Redn* —6E **143**
Lyall Gro. *B27* —3G **135**
Lychgate Av. *Stourb* —4G **125**
Lydate Rd. *Hale* —1F **129**
Lydbrook Covert. *B38*
—1A **160**
Lydbury Gro. *B33* —5E **105**
Lyd Clo. *Wolv* —4D **28**
Lydd Cft. *B35* —3F **87**
Lyddington Dri. *Hale* —4B **112**
Lyde Grn. *Hale* —4D **110**
Lydford Gro. *B24* —5G **85**
Lydford Rd. *Wals* —4H **19**
Lydgate Rd. *K'wfrd* —3D **92**
Lydget Gro. *B23* —6D **68**
Lydham Clo. *B44* —1A **84**
Lydham Clo. *Bils* —1D **60**
Lydia Cft. *S Cold* —3E **37**
Lydian Clo. *Wolv* —5F **27**
Lydiate Ash. —6C 156
Lydiate Ash Rd. *L Ash*
—6B **156**
Lydiate Av. *B31* —6B **144**
Lydiates Clo. *Dud* —6F **59**
Lydney Clo. *W'hall* —6D **30**
Lydney Gro. *B31* —4D **144**
Lye. —5B 110
Lye Av. *B32* —3G **129**
Lye Clo. *B32* —3F **129**
Lye Clo. La. *Hale & B32*
(in two parts) —3F **129**
Lyecroft Av. *B37* —1F **123**
Lye Cross Rd. *Tiv* —2B **96**
Lye Valley Ind. Est. *Stourb*
—5B **110**
Lygon Ct. *Hale* —5B **112**
Lygon Gro. *B32* —1C **130**
Lymedene Rd. *B42* —2D **82**
Lyme Grn. Rd. *B33* —5D **104**
Lymer Rd. *Wolv* —6G **15**
Lymington Rd. *W'hall* —1D **46**
Lymsey Cft. *Stourb* —6A **92**
Lynbrook Clo. *Dud* —3F **95**
Lynbrook Clo. *H'wd* —2A **162**
Lyncourt Gro. *B32* —5H **113**
Lyncroft Rd. *B11* —3F **135**
Lyndale Dri. *Wolv* —3G **29**
Lyndale Rd. *Dud* —3G **95**
Lyndale Rd. *Sed* —3F **59**
Lyndhurst Dri. *Stourb*
—2D **108**
Lyndhurst Rd. *B24* —5F **85**
Lyndhurst Rd. *W Brom*
—6C **64**
Lyndhurst Rd. *Wolv* —4E **43**
Lyndon. —3B 80
Lyndon. *W Brom* —2B **80**
Lyndon Clo. *Cas B* —1G **105**

Mansion Cres.—Mason Rd.

Mason Rd. *Wals* —4H **31**
Mason's Clo. *Hale* —5E **111**
Masons Cotts. *B24* —2H **85**
Mason St. *Bils* —6D **60**
Mason St. *W Brom* —3H **79**
Mason St. *Wolv* —4G **43**
Masons Way. *Sol* —3C **136**
Massbrook Gro. *Wolv* —3B **28**
Massbrook Rd. *Wolv* —3B **28**
Masshouse Cir. Queensway.
　　B4 —6G **101** (3F 5)
Masshouse La. *B5*
　　—6H **101** (3G 5)
Masshouse La. *K Nor*
　　—6B **146**
Masters La. *Hale* —2E **113**
Matchlock Clo. *S Cold* —4G **51**
Matfen Av. *S Cold* —3F **69**
Math Mdw. *B32* —6D **114**
Matlock Clo. *Dud* —6F **95**
Matlock Clo. *Wals* —4A **20**
Matlock Rd. *B11* —2F **135**
Matlock Rd. *Wals* —4A **20**
Matthew Dri. *Hand* —3A **100**
Matthews Clo. *Row R*
　　—2B **112**
Mattox Rd. *Wolv* —3F **29**
Matty Rd. *O'bry* —5H **97**
Maud Rd. *Wat O* —4F **89**
Maud Rd. *W Brom* —4A **80**
Maughan St. *Brie H* —3B **110**
Maughan St. *Dud* —6C **76**
Maurice Gro. *Wolv* —3C **28**
Maurice Rd. *B14* —2G **147**
Maurice Rd. *Smeth* —1C **114**
Mavis Gdns. *O'bry* —3H **113**
Mavis Rd. *B31* —6C **144**
Maw St. *Wals* —5D **48**
Maxholm Rd. *S Cold* —3G **51**
Max Rd. *B32* —6B **114**
Maxstoke Clo. *B32* —6G **129**
Maxstoke Clo. *Mer* —4H **141**
Maxstoke Clo. *S Cold* —3E **69**
Maxstoke Clo. *Wals* —4G **19**
Maxstoke Cft. *Shir* —1A **164**
Maxstoke La. *Mer* —2H **141**
Maxstoke Rd. *S Cold* —3E **69**
Maxstoke St. *B9* —1B **118**
Maxted Rd. *B23* —5C **68**
Maxwell Av. *B20* —6D **82**
Maxwell Rd. *Wolv*
　　—3H **43** (6D 170)
Mayall Dri. *S Cold* —5A **38**
May Av. *B12* —6A **118**
Maybank. *B9* —6F **103**
Maybank Pl. *B44* —1G **83**
Maybank Rd. *Dud* —6E **95**
Mayberry Clo. *B14* —5B **148**
Maybridge Dri. *Sol* —1F **165**
Maybrook Ho. *Hale* —1A **128**
Maybrook Ind. Est. *Wals*
　(in two parts)　—2B **22**
Maybrook Rd. *Min* —2E **87**
Maybrook Rd. *Wals* —3B **22**
Maybury Clo. *Cod* —3E **13**
Maybush Gdns. *Wolv* —6G **15**
Maydene Cft. *B12* —5H **117**
Mayers Green. —3C 80
Mayfair. *Stourb* —3H **125**
Mayfair Clo. *B44* —6B **68**
Mayfair Clo. *Dud* —5C **76**
Mayfair Dri. *K'wfrd* —2A **92**
Mayfair Gdns. *Tip* —3A **78**
Mayfair Gdns. *Wolv* —1B **42**
Mayfair Pde. *B44* —6B **68**
May Farm Clo. *H'wd* —3A **162**

Mayfield Av. *B29* —3D **132**
Mayfield Clo. *Sol* —6G **151**
Mayfield Cres. *Row R* —6A **96**
Mayfield Rd. *A Grn* —2G **135**
Mayfield Rd. *Dud* —2E **77**
Mayfield Rd. *Hand* —1E **101**
Mayfield Rd. *Hasb* —3F **127**
Mayfield Rd. *H Grn* —2F **113**
Mayfield Rd. *Mose* —3A **134**
Mayfield Rd. *Stir* —1C **146**
Mayfield Rd. *S'tly* —3H **51**
Mayfield Rd. *B11 & A Grn*
　　—1G **135**
Mayfield Rd. *Wolv* —2D **44**
Mayfield Rd. *W Grn* —3G **69**
Mayfields Dri. *Bwnhls* —3F **9**
Mayflower Clo. *B19* —3F **101**
Mayflower Dri. *Brie H* —2E **93**
Mayford Gro. *B13* —1B **148**
Maygrove Rd. *K'wfrd* —2A **92**
Mayhurst Clo. *H'wd* —2C **162**
Mayhurst Clo. *Tip* —5A **62**
Mayhurst Rd. *H'wd* —2B **162**
Mayland Dri. *S Cold* —6H **51**
Mayland Rd. *B16* —1G **115**
May La. *B14* —2H **147**
May La. *H'wd* —2A **162**
Maynard Av. *Stourb* —2B **124**
Maypole Clo. *Crad H* —3D **110**
Maypole Dri. *Stourb* —6C **108**
Maypole Fields. *Hale* —4C **110**
Maypole Gro. *B14* —5B **148**
Maypole Hill. *Hale* —3C **110**
Maypole La. *B14* —5H **147**
Maypole Rd. *O'bry* —2H **113**
Maypole St. *Wom* —6H **57**
May St. *Wals* —3A **32**
Mayswood Dri. *Wolv* —2F **41**
Mayswood Gro. *B32* —1B **130**
Mayswood Rd. *Sol* —3G **137**
Maythorn Av. *S Cold* —1E **87**
Maythorn Gdns. *Wolv* —6A **26**
Maythorn Gro. *Sol* —1F **165**
Maytree Clo. *B37* —1C **122**
May Tree Gro. *B20* —4B **82**
May Trees. *H'wd* —3H **161**
Maywell Dri. *Sol* —5B **138**
Maywood Clo. *K'wfrd* —3A **92**
Meaburn Clo. *B29* —6E **131**
Mead Clo. *Wals* —3D **34**
Mead Cres. *B9* —6H **103**
Meadfoot Av. *B14* —4H **147**
Meadfoot Dri. *K'wfrd* —2H **91**
Meadlands, The. *Wom* —1E **73**
Meadow Av. *W Brom* —4D **64**
Mdw. Brook Rd. *B31* —2D **144**
Meadowbrook Rd. *Hale*
　　—2F **127**
Meadow Clo. *B17* —2F **115**
Meadow Clo. *Shir* —1B **164**
Meadow Clo. *S Cold* —1H **51**
Meadow Clo. *Wals* —1G **33**
Meadow Clo. *W'hall* —1C **30**
Meadow Cft. *Pert* —6D **24**
Meadow Cft. *Wyt* —6A **162**
Meadow Dri. *H Ard* —6B **140**
Meadowfield Rd. *Redn*
　　—2G **157**
Meadowfields Clo. *Stourb*
　　—1C **108**
Mdw. Grange Dri. *W'hall*
　　—2B **30**
Meadow Gro. *Gt Wyr* —3G **7**
Meadow Gro. *Sol* —4B **136**
Mdw. Hill Dri. *Stourb*
　　—1C **108**

Mdw. Hill Rd. *B38* —5A **146**
Meadowlands Dri. *Shelf*
　　—1H **33**
Meadow La. *Bils* —3D **60**
　(in two parts)
Meadow La. *Cov H* —1G **15**
Meadow La. *W'hall* —4A **30**
Meadow La. *Wom* —5G **57**
Mdw. Park Rd. *Stourb*
　　—3B **108**
Meadow Ri. *B30* —6H **131**
Meadow Rd. *Dud* —3C **76**
Meadow Rd. *Hale* —3C **112**
Meadow Rd. *Harb* —2F **115**
Meadow Rd. *O'bry* —1H **113**
Meadow Rd. *Quin* —5G **113**
Meadow Rd. *Smeth* —5E **99**
Meadow Rd. *Wals* —5C **34**
Meadow Rd. *Wolv* —3A **42**
Meadow Rd. *Wyt* —6A **162**
Meadowside Clo. *B43* —4A **66**
Meadowside Rd. *S Cold*
　　—5F **37**
Meadows, The. *Stourb*
　　—5F **125**
Meadows, The. *Wals* —4A **34**
Meadow St. *Crad H* —3H **111**
Meadow St. *Wals* —3B **48**
Meadow St. *Wolv* —1F **43**
Meadowsweet Av. *B38*
　　—6B **146**
Meadowsweet Way. *K'wfrd*
　　—3E **93**
Meadow Va. *Cod* —5H **13**
Meadow Vw. *B13* —5C **134**
Meadow Vw. *Dud* —4G **59**
Mdw. View Ter. *Wolv* —5C **26**
　(in two parts)
Meadow Wlk. *B14* —6G **147**
Meadow Wlk. *Crad H* —3F **111**
Meadow Way. *Cod* —5E **13**
Meadow Way. *Stourb* —1A **108**
Mead Ri. *B15* —5B **116**
Mead, The. *Dud* —5F **59**
Meadthorpe Rd. *B44* —5F **67**
Meadvale Rd. *Redn* —3H **157**
Meadway. *B33* —1D **120**
Meadway, The. *Wolv* —4G **25**
Meadwood Ind. Est. *Bils*
　　—6G **45**
Mears Clo. *B23* —5D **68**
Mears Coppice. *Brie H*
　　—5A **110**
Mears Dri. *B33* —5B **104**
Mearse Clo. *B18* —4C **100**
Mease Cft. *B9* —1B **118**
Measham Gro. *B26* —6C **120**
Measham Way. *Wolv* —2G **29**
Meaton Gro. *B32* —5H **129**
Medcroft Av. *B20* —3A **82**
Medina Clo. *Wolv* —3B **16**
Medina Rd. *B11* —1E **135**
Medina Way. *K'wfrd* —3A **92**
Medley Gdns. *Tip* —3D **78**
Medley Rd. *B11* —6D **118**
Medlicott Rd. *B11* —5C **118**
Medway Clo. *Brie H* —3E **93**
Medway Cft. *B36* —2B **106**
Medway Gro. *B38* —1A **160**
Medway Rd. *Wals* —3G **9**
Medway Tower. *B7* —4B **102**
Medway Wlk. *Wals* —3G **9**
Medwin Gro. *B23* —6D **68**
Meerash La. *Hamm* —2D **10**
Meer End. *B38* —2A **160**
Meerhill Av. *Shir* —3E **165**

Meetinghouse La. *B31*
　　—3E **145**
Meeting Ho. La. *Bal C*
　　—2H **169**
Meeting La. *Brie H* —2F **109**
　(in two parts)
Meeting La. Ind. Est. *Brie H*
　　—2F **109**
Meeting St. *Dud* —4E **95**
Meeting St. *Tip* —1D **78**
Meeting St. *W'bry* —2E **63**
Melbourne Av. *B19* —3E **101**
Melbourne Av. *Smeth* —2F **99**
Melbourne Clo. *K'wfrd* —5C **92**
Melbourne Clo. *W Brom*
　　—6G **63**
Melbourne Gdns. *Wals* —5F **49**
Melbourne Ho. *B34* —3A **106**
Melbourne Rd. *Hale* —6B **112**
Melbourne Rd. *Smeth* —2E **99**
Melbourne St. *Wolv*
　　—2H **43** (5C **170**)
Melbury Clo. *Wolv* —2E **43**
Melbury Gro. *B14* —2G **147**
Melchett Rd. *B30* —4B **146**
Melcote Gro. *B44* —5G **67**
Meldon Dri. *Bils* —3A **62**
Melford Clo. *Dud* —3G **59**
Melford Hall Rd. *Sol* —6D **136**
Melfort Gro. *B14* —4A **148**
Melksham Sq. *B35* —4E **87**
Mellis Gro. *B23* —2A **84**
Mellish Ct. Wals —6E **33**
　(off Mellish Rd.)
Mellish Dri. *Wals* —6F **33**
Mellish Rd. *Wals* —6E **33**
Mellor Dri. *S Cold* —6E **37**
Mellors Clo. *B17* —2F **131**
Mellowdew Rd. *Stourb*
　　—6A **92**
Mell Sq. *Sol* —3G **151**
Melplash Av. *Sol* —3E **151**
Melrose Av. *B11* —5B **118**
　(in two parts)
Melrose Av. *S'brk* —5A **118**
Melrose Av. *Stourb* —3D **124**
Melrose Av. *S Cold* —3E **69**
Melrose Av. *W Brom* —5B **64**
Melrose Clo. *B38* —6B **146**
Melrose Cotts. *Lich* —4H **11**
Melrose Dri. *Wolv* —5D **24**
Melrose Gro. *Loz* —2D **100**
Melrose Pl. *Smeth* —1B **98**
Melrose Rd. *B20* —6G **83**
Melstock Clo. *Tip* —2F **77**
Melstock Rd. *B14* —6F **133**
Melton Av. *Sol* —1E **137**
Melton Dri. *B15* —4E **117**
Melton Rd. *B14* —5H **133**
Melverley Gro. *B44* —5H **67**
Melverton Av. *Wolv* —1H **27**
Melville Hall. *Edg* —2H **115**
Melville Rd. *B16* —2G **115**
Melvina Rd. *B7* —5B **102**
Membury Rd. *B8* —3D **102**
Memorial Clo. *W'hall* —1A **46**
Memory La. *Darl* —3D **46**
Memory La. *Wolv* —4D **28**
Menai Clo. *W'hall* —3C **30**
Menai Wlk. *B37* —5D **106**
Mendip Av. *B8* —4E **103**
Mendip Clo. *Dud* —4H **75**
Mendip Clo. *Hale* —4F **127**
Mendip Clo. *Wolv* —5B **44**
Mendip Rd. *B8* —4E **103**
Mendip Rd. *Hale* —4E **127**

Mendip Rd. *Stourb* —5F **109**
Menin Cres. *B13* —6B **134**
Menin Pas. *B13* —5B **134**
Menin Rd. *B13* —5B **134**
Menin Rd. *Tip* —2F **77**
Mentone Ct. *B20* —4A **82**
Meon Gro. *B33* —3F **121**
Meon Gro. *Pert* —5F **25**
Meon Ri. *Stourb* —2G **125**
Meon Way. *Wolv* —2H **29**
Meranti Clo. *W'hall* —1C **30**
Mercer Av. *Wat O* —4C **88**
Mercer Gro. *Wolv* —2G **29**
Merchants Way. *Wals* —2C **34**
Mercia Dri. *Wolv* —4E **25**
Mercote Hall La. *Mer* —2G **155**
Mere Av. *B35* —4E **87**
Mere Clo. *W'hall* —4A **30**
Merecote Rd. *Sol* —6B **136**
Meredith Pool Clo. *B18*
—3B **100**
Meredith Rd. *Dud* —2E **75**
Meredith Rd. *Wolv* —1E **29**
Meredith St. *Crad H* —2F **111**
Mere Dri. *S Cold* —1H **53**
Mere Green. —6H 37
Mere Grn. Clo. *S Cold* —1A **54**
Mere Grn. Rd. *S Cold* —1H **53**
Mere Oak Rd. *Wolv* —4E **25**
Mere Pool Rd. *S Cold* —1B **54**
Mere Rd. *B23* —4C **84**
Mereside Way. *Sol* —5C **136**
Meres Rd. *Hale* —6E **111**
Merevale Rd. *Sol* —3F **137**
Mere Vw. *Wals* —1G **33**
Meriden. —4H 141
Meriden Av. *Stourb* —5B **108**
Meriden Clo. *B25* —4H **119**
Meriden Clo. *Stourb* —5B **108**
Meriden Cross. —4H 141
Meriden Dri. *B37* —3C **106**
Meriden Hall Mobile Home Pk.
Mer —5H **141**
Meriden Ri. *Sol* —2H **137**
Meriden Rd. *H Ard* —6B **140**
Meriden Rd. *Wolv* —1E **27**
Meriden St. *B5*
—1H **117** (6G **5**)
Merino Av. *B31* —1E **159**
Merlin Clo. *Dud* —1B **94**
Merlin Gro. *B26* —6F **121**
Merrick Clo. *Hale* —3F **127**
Merrick Rd. *Wolv* —3A **30**
Merridale. —2D 42
Merridale Av. *Wolv* —2D **42**
Merridale Cemetery Nature
Reserve. —3E 43
Merridale Ct. *Wolv* —2D **42**
Merridale Cres. *Wolv* —1E **43**
Merridale Gdns. *Wolv* —2E **43**
Merridale Gro. *Wolv* —2C **42**
Merridale La. *Wolv* —1E **43**
Merridale Rd. *Wolv* —2D **42**
Merridale St. *Wolv*
—2F **43** (5A **170**)
Merridale St. W. *Wolv* —3E **43**
Merrill Clo. *Wals* —3E **7**
Merrill's Hall La. *Wolv* —5G **29**
Merrington Clo. *Sol* —1G **165**
Merrions Clo. *B43* —1A **66**
Merrishaw Rd. *B31* —1E **159**
Merritts Brook Clo. *B29*
—2E **145**
Merritt's Brook La. *B31*
—3C **144**

Merritt's Hill. *B31 & N'fld*
—1B **144**
Merrivale Rd. *Hale* —3F **113**
Merrivale Rd. *Smeth* —1E **115**
Merryfield Clo. *Sol* —6H **137**
Merryfield Gro. *B17* —1G **131**
Merryfield Rd. *Dud* —1H **93**
Merry Hill. —2B 110
  (Brierley Hill)
Merry Hill. —4B 42
  (Wolverhampton)
Merry Hill. *Brie H* —2B **110**
Merry Hill Cen. *Brie H* —6B **94**
Merryhill Dri. *B18* —3B **100**
Mersey Gro. *B38* —1A **160**
Mersey Pl. *Wals* —6C **20**
Mersey Rd. *Wals* —6C **20**
Merstal Dri. *Sol* —6B **138**
Merstone Clo. *Bils* —5E **45**
Merstowe Clo. *B27* —2H **135**
Merton Clo. *O'bry* —1H **113**
Merton Ho. *B37* —1B **122**
Merton Rd. *B13* —2B **134**
Mervyn Pl. *Bils* —2H **61**
Mervyn Rd. *B21* —6A **82**
Mervyn Rd. *Bils* —2H **61**
Meryhurst Rd. *W'bry* —6G **47**
Messenger La. *W Brom*
—4B **80**
Messenger Rd. *Smeth* —3F **99**
Mesty Croft. —2H 63
Metchley Ct. *B17* —1H **131**
Metchley Cft. *Shir* —3D **164**
Metchley Dri. *B17* —6G **115**
Metchley Ho. *B17* —6H **115**
Metchley La. *B17* —1H **131**
Metchley Pk. Rd. *B15*
—1H **131**
Meteor Ho. *B35* —3E **87**
Metfield Cft. *B17* —1H **131**
Metfield Cft. *K'wfrd* —3D **92**
Metlin Gro. *B33* —6A **106**
Metric Wlk. *Smeth* —4E **99**
Metro Triangle. *B7* —2D **102**
Metro Way. *Smeth* —2G **99**
Mews, The. *B44* —6B **68**
Mews, The. *A Grn* —2A **136**
Mews, The. *Row R* —1B **112**
Meynell Ho. *B20* —4B **82**
Meyrick Rd. *W Brom* —1G **79**
Meyrick Wlk. *B16* —2B **116**
Miall Pk. Rd. *Sol* —2C **150**
Miall Rd. *B28* —5G **135**
Michael Blanning Gdns. *Dorr*
—6A **166**
Michael Dri. *B15* —4E **117**
Michael Rd. *Smeth* —3C **98**
Michael Rd. *W'bry* —4B **46**
Micklehill Dri. *Shir* —1H **163**
Mickle Mdw. *Wat O* —4D **88**
Mickleover Rd. *B8* —4A **104**
Mickleton Av. *B33* —3G **121**
Mickleton Rd. *Sol* —5B **136**
Mickley Av. *Wolv* —4A **28**
Midacre. *W'hall* —2A **46**
Middle Acre Rd. *B32* —3C **130**
Middle Av. *W'hall* —3G **45**
Middle Bickenhill La. *H Ard*
—1A **140**
Middle Cres. *Wals* —2E **33**
Middle Cross. *Wolv* —2H **43**
Middle Cross St. Wolv —2A **44**
  (off Warwick St.)
Middle Dri. *Redn* —5B **158**
Middlefield. *Wolv* —5C **14**

Middlefield Av. *Hale* —3F **113**
Middlefield Av. *Know* —6D **166**
Middlefield Clo. *Hale* —2F **113**
Middlefield Gdns. Hale
  (off Hurst Grn. Rd.) —3F 113
Middle Fld. Rd. *B31* —5G **145**
Middlefield Rd. *Tiv* —1A **96**
Middle Gdns. *W'hall* —1B **46**
Middlehill Ri. *B32* —3B **130**
Middle La. *Coven* —3D **14**
  (in two parts)
Middle La. *K Nor & Wyt*
—3E **161**
Middle La. *Oaken* —5C **12**
Middle Leaford. *B34* —4E **105**
Middle Leasowe. *B32* —1A **130**
Middlemist Gro. *B43* —1B **82**
Middlemore Bus. Pk. *Wals*
—4H **33**
Middlemore Ind. Est. *Hand*
—1F **99**
Middlemore La. *A'rdge* —3B **34**
Middlemore La. W. *Wals*
—3H **33**
Middlemore Rd. *N'fld* —5F **145**
Middlemore Rd. *Smeth &*
  Hand —2F **99**
Middle Pk. Clo. *B29* —5F **131**
Middle Pk. Rd. *B29* —5F **131**
Middlepark Rd. *Dud* —1A **94**
Middle Rd. *Wild* —5A **156**
Middle Roundhay. *B33*
—6E **105**
Middleton Clo. *Wals* —6D **48**
  (in two parts)
Middleton Gdns. *B30* —3H **145**
Middleton Grange. *B31*
—3G **145**
Middleton Hall Rd. *B30*
—3H **145**
Middleton Rd. *B14* —6G **133**
Middleton Rd. *Shir* —5G **149**
Middleton Rd. *S Cold* —2A **52**
Middleton Rd. *Wals* —4C **10**
Middletree Rd. *Hale* —4E **111**
Middle Vauxhall. *Wolv* —1E **43**
Middleway Av. *Stourb* —6A **92**
Middleway Grn. *Bils* —3E **45**
Middleway Rd. *Bils* —3E **45**
Middleway Vw. *B18* —6C **100**
Midford Gro. *B15* —3E **117**
Midgley Dri. *S Cold* —1G **53**
Midhill Dri. *Row R* —3C **96**
Midhurst Gro. *Wolv* —4A **26**
Midhurst Rd. *B30* —4D **146**
Midland Clo. *B21* —2C **100**
Midland Ct. *B3* —1C **4**
Midland Cft. *B33* —6H **105**
Midland Dri. *S Cold* —6A **54**
Midland Rd. *B30* —2B **146**
Midland Rd. *S Cold* —6G **53**
Midland Rd. *Wals* —2B **48**
Midland Rd. *W'bry* —3F **151**
Midland St. *B8 & B9* —6C **102**
Midpoint Boulevd. *Min*
—2G **87**
Midvale Dri. *B14* —5F **147**
Milburn Rd. *B44* —2A **68**
Milcote Dri. *S Cold* —2C **68**
Milcote Dri. *W'hall* —2F **45**
Milcote Rd. *B29* —5E **131**
Milcote Rd. *Smeth* —1D **114**
Milcote Rd. *Sol* —3F **151**
Milcote Way. *K'wfrd* —2H **91**
Mildenhall Rd. *B42* —4C **66**

Mildred Rd. *Crad H* —1G **111**
Mildred Way. *Row R* —3C **96**
Milebrook Gro. *B32* —5H **129**
Mile Flat. *K'wfrd* —3E **91**
Mile Oak Ct. *Smeth* —3F **99**
Milesbush Av. *B36* —6H **87**
Miles Gro. *Dud* —2H **95**
Miles Mdw. Clo. *W'hall*
—1C **30**
Milestone Ct. *Wolv* —6G **25**
Milestone La. *Hand* —1H **99**
Milestone Way. *W'hall* —1B **30**
Milford Av. *B12* —5A **118**
Milford Av. *W'hall* —4A **30**
Milford Clo. *Stourb* —6C **92**
Milford Cft. *B19* —4F **101**
Milford Cft. *Row R* —3H **95**
Milford Gro. *Shir* —2G **165**
Milford Pl. *K Hth* —5G **133**
Milford Rd. *B17* —6F **115**
Milford Rd. *Wolv* —4G **43**
Milholme Grn. *Sol* —5H **137**
Milking Bank. *Dud* —5H **75**
Milk St. *B5* —2H **117** (6H **5**)
Millard Rd. *Bils* —4D **60**
Millards Ind. Est. *W Brom*
—6G **79**
Mill Bank. *Dud* —5H **59**
Millbank Gro. *B23* —1B **84**
  (in two parts)
Millbank St. *Wolv* —6H **17**
Mill Brook Dri. *B31* —1C **158**
Millbrook Rd. *B14* —1E **147**
Millbrook Way. *Brie H*
—3F **109**
Mill Burn Way. *B9* —1B **118**
Mill Clo. *H'wd* —2A **162**
Mill Cft. *Bils* —5G **45**
Millcroft Clo. *B32* —3C **130**
Millcroft Rd. *S Cold* —3A **52**
Milldale Cres. *Wolv* —3H **15**
Milldale Rd. *Wolv* —3H **15**
Mill Dri. *Smeth* —4F **99**
Millennium Clo. *Wals* —4E **21**
Millennium Point. *B4*
—6H **101** (3H **5**)
Miller Cres. *Bils* —4C **60**
Millers Clo. *Wals* —2F **47**
Millers Ct. Smeth —4F 99
  (off Corbett St.)
Millersdale Dri. *W Brom*
—3D **64**
Millers Grn. Dri. *K'wfrd*
—1G **91**
Miller St. *B6* —4G **101**
Millers Va. *Wom* —2D **72**
Millers Wlk. *Pels* —4C **20**
Mill Farm Rd. *B17* —2G **131**
Millfield. *N'fld* —3E **145**
Millfield Av. *Pels* —6F **21**
Millfield Av. *Wals* —5B **20**
Millfield Ct. Dud —5C 76
  (off Eve Hill)
Millfield Rd. *B20* —2A **82**
Millfield Rd. *Wals* —6C **10**
Millfields. *B33* —6H **105**
  (in two parts)
Millfields Clo. *W Brom* —4H **63**
Millfields Rd. *W Brom* —4H **63**
Millfields Rd. *Wolv* —6C **44**
Millfields Way. *Wom* —1E **73**
Millfield Vw. *Hale* —1G **127**
Milford Clo. *B28* —2G **149**
Mill Gdns. *B14* —2D **148**
Mill Gdns. *Smeth* —6D **98**
Mill Green. —2H 35

Mill Grn.—Monwood Gro.

Mill Grn. *Wolv* —3H **15**
Mill Gro. *Cod* —4A **14**
Millhaven Av. *B30* —1D **146**
Mill Hill. *Smeth* —6D **98**
Millhouse Rd. *B25* —3H **119**
Millicent Pl. *B12* —5A **118**
Millichip Rd. *W'hall* —2G **45**
Millington Rd. *B36* —1C **104**
Millington Rd. *Tip* —4H **61**
Millington Rd. *Wolv* —3A **28**
Millison Gro. *Shir* —2E **165**
Mill La. *B5* —2H **117** (6G **5**)
Mill La. *A'rdge* —2H **35**
Mill La. *Cod* —1E **13**
Mill La. *Dorr & Ben H*
—5A **166**
Mill La. *Env* —6A **90**
Mill La. *Hale* —1C **128**
Mill La. *Hamm* —2F **11**
Mill La. *N'fld* —6D **144**
Mill La. *O'bry* —5G **97**
Mill La. *Quin* —3B **130**
Mill La. *Sol* —4G **151**
Mill La. *Ston* —3H **23**
Mill La. *Swind* —4D **72**
Mill La. *Tett W* —6G **25**
Mill La. *Wals* —5D **32**
Mill La. *Wed* —2C **28**
Mill La. *Wild* —6A **156**
Mill La. *W'hall* —4B **30**
Mill La. *Wom* —6H **57**
Millmead Lodge. *B13* —5D **134**
Millmead Rd. *B32* —3C **130**
Mill Pl. *Wals* —5C **32**
Mill Pool Clo. *Wom* —2D **72**
Millpool Gdns. *B14* —4H **147**
Millpool Hill. *B14* —3H **147**
Millpool, The. *Seis* —3A **56**
Millpool Way. *Smeth* —5E **99**
Mill Race La. *Stourb* —5E **109**
Mill Rd. *Bwnhls* —6C **10**
Mill Rd. *Crad H* —4G **111**
Mill Rd. *Pels* —6F **21**
Mill Rd. *Yard* —5F **119**
Mills Av. *S Cold* —1C **70**
Mills Clo. *Wolv* —1D **28**
Mills Cres. *Wolv* —3A **44**
Millside. *B28* —4E **149**
Mill Side. *Wom* —2E **73**
Mills Rd. *Wolv* —3A **44**
Millstream Clo. *Cod* —3H **13**
Mill St. *B6* —4H **101**
Mill St. *Bils* —6E **45**
Mill St. *Brie H* —1H **109**
Mill St. *Darl* —5C **46**
Mill St. *Hale* —4E **111**
Mill St. *S Cold* —6A **54**
Mill St. *Tip* —2D **78**
Mill St. *Wals* —6C **32**
Mill St. *W Brom* —3A **80**
Mill St. *W'hall* —1C **46**
Mill St. *Word* —1C **108**
Millsum Ho. Wals —2D *48*
(off Paddock La.)
Mills Wlk. *Tip* —6H **61**
Millthorpe Clo. *B8* —4F **103**
Mill Vw. *B33* —5G **105**
Millwalk Dri. *Wolv* —4E **15**
Mill Wlk., The. *B31* —6D **144**
Millward St. *B9* —2C **118**
Millward St. *W Brom* —4G **79**
Millwright Clo. *Tip* —2B **78**
Milner Rd. *B29* —4C **132**
Milner Way. *B13* —5D **134**
Milnes Walker Ct. *B44* —4G **67**
Milsom Gro. *B34* —3H **105**

Milstead Rd. *B26* —2E **121**
Milston Clo. *B14* —6G **147**
Milton Av. *B12* —5A **118**
Milton Clo. *Ben H* —5B **166**
Milton Clo. *Stourb* —4E **109**
Milton Clo. *Wals* —6B **45**
Milton Clo. *W'hall* —2E **31**
Milton Ct. *Pert* —5E **25**
Milton Ct. *Smeth* —2E **115**
Milton Cres. *B25* —4B **120**
Milton Cres. *Dud* —2E **75**
Milton Dri. *Hag* —6G **125**
Milton Gro. *S Oak* —2B **132**
Milton Pl. *Wals* —5B **48**
Milton Rd. *Ben H* —5B **166**
Milton Rd. *Bils* —5F **61**
Milton Rd. *Smeth* —4B **98**
Milton Rd. *Wolv* —4C **28**
Milton St. *B19* —3G **101**
Milton St. *Brie H* —3H **93**
Milton St. *Wals* —3B **48**
Milton St. *W Brom* —2H **79**
Milverton Clo. *Hale* —5A **112**
Milverton Clo. *S Cold* —6D **70**
Milverton Rd. *B23* —3E **85**
Milverton Rd. *Know* —4E **167**
Mimosa Clo. *B29* —5F **131**
Mimosa Wlk. *K'wfrd* —1C **92**
Mincing La. *Row R* —6D **96**
Mindelsohn Way. *Edg*
—1H **131**
Minden Gro. *B29* —4F **131**
Minehead Rd. *Dud* —1H **93**
Minehead Rd. *Wolv* —5F **15**
Miner St. *Wals* —6A **32**
Minerva Clo. *W'hall* —5E **31**
Minerva La. *Wolv* —2A **44**
Minewood Clo. *Wals* —4F **19**
Minith Rd. *Bils* —5F **61**
Miniva Dri. *S Cold* —4E **71**
Minivet Dri. *B12* —5G **117**
Minley Av. *B17* —4D **114**
Minories. *B4* —6G **101** (3E **5**)
Minories, The. *Dud* —6E **77**
Minstead Rd. *B24* —6D **84**
Minster Clo. *Know* —1D **166**
Minster Clo. *Row R* —6E **97**
Minster Ct. *Mose* —1A **134**
Minster Dri. *B10* —4D **118**
Minsterley Clo. *Wolv* —3C **42**
Minster, The. *Wolv* —4D **42**
Mintern Rd. *B25* —3A **120**
Minton Clo. *Wolv* —2C **44**
Minton Rd. *B32* —1D **130**
Minworth. —2H 87
Minworth Ind. Est. *Min*
—1E **87**
Minworth Ind. Pk. *Min*
—1G **87**
Minworth. *Wat O* —4C **88**
Miranda Clo. *Redn* —4G **143**
Mirfield Clo. *Pend* —4E **15**
Mirfield Rd. *B33* —1F **121**
Mirfield Rd. *Sol* —1E **151**
Mission Clo. *Crad H* —2A **112**
Mission Dri. *Tip* —4A **78**
Mistletoe Dri. *Wals* —2F **65**
Mitcham Gro. *B44* —4B **68**
Mitcheldean Covert. *B14*
—5F **147**
Mitchell Av. *Bils* —6D **46**
Mitchel Rd. *K'wfrd* —5D **92**
Mitford Dri. *Sol* —6H **137**
Mitre Clo. *Ess* —4A **18**
Mitre Clo. *W'hall* —2D **30**
Mitre Ct. *S Cold* —5A **54**

Mitre Fold. *Wolv*
—1G **43** (2A **170**)
Mitre Rd. *Stourb* —6A **110**
Mitre Rd. *Wals* —3C **6**
Mitten Av. *Redn* —6F **143**
Mitton Rd. *B20* —5A **82**
Moatbrook Av. *Cod* —3E **13**
Moatbrook La. *Cod* —2C **12**
Moat Coppice. *W'gte*
—4H **129**
Moat Cft. *B37* —1C **122**
Moat Cft. *S Cold* —6F **71**
Moat Dri. *Hale* —2E **113**
Moat Farm Dri. *B32* —4G **129**
Moat Farm Way. *Wals* —2E **21**
Moatfield Ter. *W'bry* —2G **63**
Moat Grn. Av. *Wolv* —2G **29**
Moat Ho. La. E. *Wolv* —2F **29**
Moat Ho. La. W. *Wolv* —2F **29**
Moat Ho. Rd. *B8* —5G **103**
Moat La. *B5* —2G **117** (6F **5**)
Moat La. *Sol* —1G **151**
Moat La. *Wals* —3G **7**
Moat La. *Yard* —4C **120**
Moat Meadows. *B32* —1C **130**
Moatmead Wlk. *B36* —1C **104**
Moat Rd. *O'bry* —1H **113**
Moat Rd. *Tip* —6A **62**
Moat Rd. *Wals* —1H **47**
Moatside Clo. *Wals* —2E **21**
Moat St. *W'hall* —1A **46**
Moatway, The. *B38* —2A **160**
Mobberley Rd. *Bils* —4C **60**
Mob La. *Wals* —5G **21**
Mockleywood Rd. *Know*
—2D **166**
Modbury Av. *B32* —4B **130**
Moden Clo. *Dud* —2H **75**
Moden Hill. *Dud* —1G **75**
Mogul La. *Hale* —4C **108**
Moilliett Ct. *Smeth* —3G **99**
Moilliett St. *B18* —5H **99**
Moira Cres. *B14* —3C **148**
Moises Hall Rd. *Wom* —6H **57**
Moland St. *B4* —5G **101**
Mole St. *B12 & B11* —5B **118**
Molineux All. *Wolv*
—6G **27** (1A **170**)
(in two parts)
Molineux Fold. *Wolv*
—6G **27** (1B **170**)
Molineux St. *Wolv*
—6G **27** (1B **170**)
Molineux Way. *Wolv*
—6G **27** (1B **170**)
Mollington Cres. *Shir* —4A **150**
Molyneux Rd. *Dud* —1G **111**
Monaco Ho. *B5* —3F **117**
Monarch Dri. *Tip* —1C **78**
Monarch's Way. *Hag* —6F **125**
Monarch's Way. *Wolv* —6E **41**
Monarch Way. *Dud* —5E **95**
Mona Rd. *Erd* —2F **85**
Monastery Dri. *Sol* —1B **150**
Monckton Rd. *O'bry* —4G **113**
Moncrieffe Clo. *Dud* —1G **95**
Moncrieffe St. *Wals* —2E **49**
Money La. *Chad* —4A **156**
Monica Rd. *B10* —4F **119**
Monins Av. *Tip* —4A **78**
Monk Clo. *Tip* —4B **78**
Monk Rd. *B8* —4H **103**
Monks Clo. *Wom* —1E **73**
Monkseaton Rd. *S Cold*
—3H **69**
Monksfield Av. *B43* —4H **65**

Monkshood M. *Erd* —6B **68**
Monkshood Retreat. *B38*
—1B **160**
Monks Kirby Rd. *S Cold*
—1D **70**
Monkspath. *S Cold* —4D **70**
Monkspath Bus. Pk. *Shir*
—2D **164**
Monkspath Clo. *Shir* —2B **164**
Monkspath Hall Rd. *Shir &*
Sol —3D **164**
Monkspath Street. —4F 165
Monksway. *B38* —6D **146**
Monkswell Clo. *B10* —4D **118**
Monkswell Clo. *Brie H*
—2H **109**
Monkswood Rd. *B31* —5G **145**
Monkton Rd. *B29* —2E **131**
Monmar Ct. *W'hall* —4B **30**
Monmer Clo. *W'hall* —6B **30**
Monmer La. *W'hall* —5B **30**
Monmore Green. —3A 44
Monmore Pk. Ind. Est. *Wolv*
—4B **44**
Monmore Rd. *Wolv* —3C **44**
Monmouth Dri. *S Cold* —2C **68**
Monmouth Dri. *W Brom*
—6H **63**
Monmouth Ho. *B33* —1A **122**
Monmouth Rd. *B32* —5B **130**
Monmouth Rd. *Smeth*
—3C **114**
Monmouth Rd. *Wals* —6E **31**
Monsal Av. *Wolv* —5A **28**
Monsaldale Clo. *Clay* —1H **21**
Monsal Rd. *B42* —6E **67**
Mons Rd. *Dud* —6G **77**
Montague Rd. *Edg* —2A **116**
Montague Rd. *Erd* —6G **85**
Montague Rd. *Hand* —1B **100**
Montague Rd. *Smeth* —6F **99**
Montague St. *Aston* —1B **102**
Montague St. *Bord* —1A **118**
Montana Av. *B42* —2C **82**
Monteagle Dri. *K'wfrd* —6B **74**
Montford Gro. *Dud* —6H **59**
Montfort Rd. *Col* —4H **107**
Montfort Rd. *Wals* —5H **47**
Montfort Wlk. *B32* —3G **129**
Montgomery Cres. *Brie H*
—4B **110**
Montgomery Cft. *B11*
—4C **118**
Montgomery Rd. *Wals* —1E **47**
Montgomery St. *B11* —4B **118**
Montgomery Wlk. *W Brom*
—3B **80**
Montgomery Way. *B8*
—5G **103**
Montpelier Rd. *B24* —6G **85**
Montpellier Gdns. *Dud* —5A **76**
Montpellier St. *B12* —5A **118**
Montrose Dri. *B35* —4E **87**
Montrose Dri. *Dud* —1C **94**
Montsford Clo. *Know* —3B **166**
Monument Av. *Stourb*
—1A **126**
Monument La. *Dud* —4A **60**
Monument La. *Hag* —6H **125**
Monument La. *Redn* —5F **157**
Monument Rd. *B16* —2B **115**
(in two parts)
Monway Ind. Est. W'bry
(off Monway Ter.) —2E *63*
Monway Ter. *W'bry* —2E **63**
Monwood Gro. *Sol* —5D **150**

Monyhull Hall Rd. *B30*
—5D **146**
Moodyscroft Rd. *B33*
—6G **105**
Moons La. *Wals* —3D **6**
Moor Cen., The. *Brie H*
—1H **109**
Moorcroft Dri. *W'bry* —3C **62**
Moorcroft Pl. *B7* —5A **102**
Moorcroft Rd. *B13* —2G **133**
Moordown Av. *Sol* —3E **137**
Moore Clo. *Pert* —5F **25**
Moore Clo. *S Cold* —3F **37**
Moore Cres. *O'bry* —6A **98**
Moorend Av. *B37* —3B **122**
Moor End La. *B24* —3G **85**
Moore Rd. *W'hall* —1D **30**
Moore's Row. *B5*
—2H **117** (6H **5**)
Moore St. *Wolv* —2B **44**
Moorfield Av. *Know* —3A **166**
Moorfield Dri. *Hale* —5H **111**
Moorfield Dri. *S Cold* —5F **69**
Moorfield Rd. *B34* —3E **105**
Moorfield Rd. *Wolv* —4G **43**
Moorfoot Av. *Hale* —4E **127**
Moor Green. —3E 133
Moor Grn. La. *B13* —4E **133**
Moor Hall Dri. *S Cold* —3A **54**
Moorhills Cft. *Shir* —1H **163**
Moorings, The. *Hurst B*
—5C **94**
Moorings, The. *O'bry* —1E **97**
Moorings, The. *Wolv* —5D **14**
Moorland Av. *Wolv* —3G **27**
Moorland Rd. *B16* —2H **115**
Moorland Rd. *Wals* —1G **31**
Moorlands Ct. *Row R* —5B **96**
Moorlands Dri. *Shir* —4A **150**
Moorlands Rd. *W Brom*
—4A **64**
Moorlands, The. *S Cold*
—2F **53**
Moor La. *B44 & B6* —1H **83**
Moor La. *Row R* —1A **112**
Moor La. Ind. Est. *B6* —2H **83**
Moor Leasow. *B31* —5G **145**
Moor Mdw. Rd. *S Cold*
—4B **54**
Moor Pk. *Pert* —4D **24**
Moor Pk. *Wals* —4H **19**
Moorpark Rd. *B31* —6E **145**
Moor Pool Av. *B17* —5G **115**
Moorpool Ter. *B17* —5G **115**
Moors Cft. *B32* —4H **129**
Moorside Gdns. *Wals* —6H **31**
Moorside Rd. *B14* —3C **148**
Moor's La. *B31* —5C **130**
Moors Mill La. *Tip* —6D **62**
Moorsom St. *B6* —4G **101**
Moors, The. *B36* —1D **104**
Moor Street. —3G 129
Moor St. *B5* —5F **5**
Moor St. *Brie H* —6E **93**
Moor St. *W'bry* —3H **63**
Moor St. *W Brom* —5A **80**
Moor St. Ind. Est. *Brie H*
—1G **109**
Moor St. Queensway. *B4*
—1G **117** (4F **5**)
Moor St. S. *B'hll* —4G **43**
Moor, The. *S Cold* —5E **71**
Moorville Wlk. *B11* —4A **118**
Morar Clo. *B35* —3G **87**
Moray Clo. *Hale* —3E **113**
Morcom Rd. *B11* —6E **119**

Morcroft. *Bils* —2A **62**
Mordaunt Dri. *S Cold* —1C **54**
Morden Rd. *B33* —6B **104**
Moreland Cft. *Min* —1F **87**
Morelands, The. *B31* —6F **145**
Morestead Av. *B26* —6G **121**
Moreton Av. *B43* —3E **67**
Moreton Av. *Wolv* —1A **60**
Moreton Clo. *B32* —6D **114**
(in two parts)
Moreton Clo. *Tip* —3B **62**
Moreton Rd. *Shir* —5A **150**
Moreton Rd. *Wolv* —6H **15**
Moreton St. *B1* —5D **100**
Morford Rd. *Wals* —2C **34**
Morgan Clo. *W'hall* —5B **30**
Morgan Dri. *Bils* —5D **60**
Morgan Gro. *B36* —6B **88**
Morgrove Av. *Know* —3B **166**
Morjon Dri. *B43* —3B **66**
Morland Rd. *B43* —1E **67**
Morley Gro. *Wolv* —5G **27**
Morley Rd. *B8* —3H **103**
Morlich Ri. *Brie H* —3F **109**
Morning Pines. *Stourb*
—1C **124**
Morningside. *S Cold* —5H **53**
Mornington Ct. *Col* —2H **107**
(off High St.)
Mornington Rd. *Smeth* —2F **99**
Morris Av. *Wals* —1E **47**
Morris Clo. *B27* —1B **136**
Morris Cft. *B36* —6B **88**
Morris Fld. Cft. *B28* —3E **149**
Morrison Av. *Wolv* —1H **27**
Morrison Rd. *Tip* —3C **78**
Morris Rd. *B8* —3H **103**
Morris St. *W Brom* —6A **80**
Mortimers Clo. *B14* —6B **148**
Morton Rd. *Brie H* —4H **109**
Morvale Gdns. *Stourb*
—6A **110**
Morvale St. *Stourb* —6A **110**
Morven Rd. *S Cold* —2G **69**
Morville Clo. *Dorr* —6H **165**
Morville Cft. *Bils* —1D **60**
Morville Rd. *Dud* —5F **95**
Morville St. *B16* —2C **116**
(in two parts)
Mosborough Cres. *B19*
—4E **101**
Mosedale Dri. *Wolv* —4H **29**
Moseley. —2A 134
(Birmingham)
Moseley. —3B 16
(Oxley)
Moseley. —1E 45
(Wolverhampton)
Moseley Ct. *Ess* —4H **17**
Moseley Ct. *W'hall* —2F **45**
Moseley Dri. *B37* —3B **122**
Moseley Hall Dovecote.
—2G **133**
Moseley Old Hall. —2C 16
Moseley Old Hall La. *F'stne*
—2C **16**
Moseley Rd. *B12* —6H **117**
(in two parts)
Moseley Rd. *W'hall & Bils*
—2F **45**
Moseley Rd. *Wolv & Westc*
—2B **16**
Moseley St. *B5 & B12*
—2H **117**
Moseley St. *Tip* —6C **62**
Moseley St. *Wolv* —5G **27**

Moss Clo. *A'rdge* —4C **34**
Moss Clo. *Wals* —6E **33**
Mossdale Way. *Sed* —6A **60**
Moss Dri. *S Cold* —2A **70**
Mossfield Rd. *B14* —6G **133**
Moss Gdns. *Bils* —2D **60**
Moss Gro. *B14* —1F **147**
Moss Gro. *K'wfrd* —2B **92**
Moss Ho. Clo. *B15* —2D **116**
Mossley Clo. *Wals* —6F **19**
Mossley La. *Wals* —5F **19**
Mossvale Clo. *Crad H*
—2H **111**
Mossvale Gro. *B8* —4F **103**
Moss Way. *S Cold* —4H **51**
Mostyn Cres. *W Brom* —6H **63**
Mostyn Pl. *Aston* —6G **83**
Mostyn Rd. *Edg* —1B **116**
Mostyn Rd. *Hand* —1B **100**
Mostyn St. *Wolv* —5F **27**
Mother Teresa Ho. *W Brom*
—4H **79**
Motorway Trad. Est. *B6*
—4H **101**
Mott Clo. *Ock H* —5C **62**
Mottram Clo. *W Brom* —5G **79**
Mottrams Clo. *S Cold* —3A **70**
Mott St. *B19* —5F **101** (1C **4**)
Mott St. Ind. Est. *B19* —5F **101**
Motts Way. *Col* —4H **107**
Moundsley Gro. *B14* —4A **148**
Moundsley Ho. *B14* —5H **147**
Mounds, The. *B38* —1A **160**
Mountain Ash Dri. *Stourb*
—3G **125**
Mountain Ash Rd. *Clay*
—2A **22**
Mount Av. *Brie H* —5G **93**
Mountbatten Clo. *W Brom*
—5D **80**
Mountbatten Rd. *Wals* —1F **47**
Mount Clo. *Dud* —6G **75**
Mount Clo. *Mose* —1H **133**
Mount Clo. *Wals* —3E **7**
Mount Clo. *Wom* —6G **57**
Mount Ct. *Wolv* —6H **25**
Mount Dri. *Wom* —6G **57**
Mountfield Clo. *B14* —5A **148**
Mountford Clo. *Row R* —6C **96**
Mountford Cres. *Wals* —1E **35**
Mountford Dri. *S Cold* —4H **53**
Mountford La. *Bils* —4F **45**
Mountford Rd. *Shir* —6D **148**
Mountford St. *B11* —6D **118**
Mount Gdns. *Cod* —3F **13**
Mountjoy Cres. *Sol* —2G **137**
Mount La. *Dud* —5G **75**
Mt. Pleasant. *B10* —2B **118**
Mt. Pleasant. *Bils* —5G **45**
Mt. Pleasant. *Brie H* —2A **110**
Mt. Pleasant. *K Hth* —4H **133**
Mt. Pleasant. *K'wfrd* —4H **91**
Mt. Pleasant. *Wals* —3D **6**
Mt. Pleasant Av. *B21* —6A **82**
Mt. Pleasant Av. *Wom* —6F **57**
Mt. Pleasant St. *Bils* —5D **60**
Mt. Pleasant St. *W Brom*
—5A **80**
Mountrath St. *Wals* —2C **48**
Mount Rd. *B21* —2H **99**
Mount Rd. *Lane* —3B **60**
Mount Rd. *Pels* —3E **21**
Mount Rd. *Penn* —6E **43**
Mount Rd. *Row R* —6E **97**
Mount Rd. *Stourb* —6F **109**
Mount Rd. *Tett W* —1G **41**

Mount Rd. *Tiv* —1C **96**
Mount Rd. *W'hall* —3G **45**
Mount Rd. *Wom* —6G **57**
Mount Rd. *Word* —1B **108**
Mounts Rd. *W'bry* —3F **63**
Mount St. *B7 & Nech* —3C **102**
Mount St. *Hale* —3A **128**
Mount St. *Stourb* —6E **109**
Mount St. *Tip* —1C **78**
Mount St. *Wals* —3C **48**
Mount St. Ind. Est. *B7*
—2D **102**
Mounts Way. *B7* —2C **102**
Mount, The. *Crad H* —2A **112**
Mount, The. *Curd* —1E **89**
Mount, The. *S Cold* —1C **70**
Mount Vw. *S Cold* —1C **70**
Mountwood Covert. *Wolv*
—6H **25**
Mousehall Farm Rd. *Brie H*
—3H **109**
Mouse Hill. *Wals* —4D **20**
Mouse Sweet. —6G 95
Mousesweet Clo. *Dud* —5G **95**
Mousesweet La. *Dud* —6G **95**
Mousesweet Wlk. *Crad H*
—3D **110**
Mowbray Clo. *Redn* —5G **143**
Mowbray St. *B5* —3G **117**
Mowe Cft. *B37* —4C **122**
Moxhull Clo. *W'hall* —6C **18**
Moxhull Dri. *S Cold* —5C **70**
Moxhull Gdns. *W'hall* —6C **18**
Moxhull Rd. *B37* —4C **106**
Moxley. —1B 62
Moxley Ct. *W'bry* —1A **62**
Moxley Ind. Cen. *W'bry*
—1C **62**
Moxley Rd. *W'bry* —1B **62**
Moyle Dri. *Hale* —4D **110**
Moyses Cft. *Smeth* —1E **99**
Muchall Rd. *Wolv* —6E **43**
Muckley Corner. —4H 11
Mucklow Hill. *Hale* —1C **128**
Mucklow Hill Trad. Est. *Hale*
—6C **112**
Muirfield Clo. *Blox* —4G **19**
Muirfield Cres. *Tiv* —2B **96**
Muirfield Gdns. *B38* —6H **145**
Muirhead Ho. *B5* —5E **117**
Muirville Clo. *Stourb* —6B **92**
Mulberry Dri. *B13* —4B **134**
Mulberry Grn. *Dud* —2C **76**
Mulberry Pl. *Wals* —6F **19**
Mulberry Rd. *B30* —2G **145**
Mulberry Rd. *Wals* —6F **19**
Mulberry Wlk. *S Cold* —3G **51**
Mull Clo. *Redn* —6E **143**
Mull Cft. *B36* —2C **106**
Mullens Gro. Rd. *B37*
—4C **106**
Mullett Rd. *Wolv* —2D **28**
Mullett St. *Brie H* —4F **93**
Mulliners Clo. *B37* —1E **123**
Mullion Cft. *B38* —6A **146**
Mulroy Rd. *S Cold* —5H **53**
Mulwych Rd. *B33* —1A **122**
Munslow Gro. *B31* —1D **158**
Muntz St. *B10* —3D **118**
Murcroft Rd. *Stourb* —4H **125**
Murdock Rd. *Bils* —5A **46**
Murdock Gro. *B21* —2A **100**
Murdock Pl. Smeth —5F **99**
(off Corbett St.)
Murdock Point. *B6* —1B **102**

Murdock Rd. *B21* —1A **100**
Murdock Rd. *Smeth* —3H **99**
Murdock Way. *Wals* —3F **31**
(in two parts)
Murray Ct. *S Cold* —2G **69**
Murrell Clo. *B5* —4F **117**
Musborough Clo. *B36* —6G **87**
Muscott Gro. *B17* —6F **115**
Muscovy Rd. *B23* —4C **84**
Musgrave Clo. *S Cold* —2C **70**
Musgrave Rd. *B18* —3B **100**
Mushroom Green. —1D 110
Mushroom Grn. *Dud* —2D **110**
Mushroom Hall Rd. *O'bry*
—4H **97**
Musk La. *Dud* —4F **75**
Musk La. W. *Dud* —4F **75**
Muswell Clo. *Sol* —2H **151**
Muxloe Clo. *Wals* —4G **19**
Myatt Av. *A'rdge* —4B **34**
Myatt Av. *Wolv* —5A **44**
Myatt Clo. *Wolv* —5A **44**
Myatt Way. *Wals* —4B **34**
Myddleton St. *B18* —5C **100**
Myles Ct. *Brie H* —5H **93**
Mynors Cres. *H'wd* —4A **162**
Myring Dri. *S Cold* —5D **54**
Myrtle Av. *B12* —6A **118**
Myrtle Av. *K Hth* —5H **147**
Myrtle Clo. *W'hall* —2E **31**
Myrtle Gro. *B19* —1E **101**
Myrtle Gro. *Wolv* —5C **42**
Myrtle Pl. *S Oak* —3D **132**
Myrtle Rd. *Dud* —4D **76**
Myrtle St. *Wolv* —5B **44**
Myrtle Ter. *Tip* —3B **62**
Myton Dri. *Shir* —5D **148**
Mytton Clo. *Dud* —6G **77**
Mytton Gro. *Tip* —2G **77**
Mytton Rd. *B30* —2G **145**
Mytton Rd. *Wat O* —4C **88**
Myvod Rd. *W'bry* —6G **47**

Naden Rd. *B19* —3D **100**
Nadin Rd. *S Cold* —5G **69**
Nafford Gro. *B14* —5H **147**
Nagersfield Rd. *Brie H* —6E **93**
Nailers Clo. *B32* —3F **129**
Nailers Fold. *Cose* —3F **61**
Nailstone Cres. *B27* —5A **136**
Nairn Clo. *B28* —2F **149**
Nairn Rd. *Wals* —3G **19**
Nally Dri. *Bils* —3C **60**
Nanaimo Way. *K'wfrd* —5E **93**
Nansen Rd. *Salt* —4E **103**
Nansen Rd. *S'hll* —2C **134**
Nantmel Gro. *B32* —5A **130**
Naomi Way. *Wals W* —3D **22**
Napier Dri. *Tip* —1C **78**
Napier Rd. *Wals* —4G **31**
Napier Rd. *Wolv* —4H **43**
Napton Gro. *B29* —3D **130**
Narraway Gro. *Tip* —5D **62**
Narrowboat Way. *Dud* —4C **94**
Narrowboat Way. *Hurst B*
—5C **54**
Narrow La. *Bwnhls* —5B **10**
Narrow La. *Hale* —3E **113**
Narrow La. *Wals* —4H **47**
Naseby Dri. *Hale* —3F **127**
Naseby Rd. *B8* —4F **103**
Naseby Rd. *Sol* —1F **151**
Naseby Rd. *Wolv* —6F **25**
Nash Av. *Wolv* —6E **25**
Nash Clo. *Row R* —2C **112**

Nash Ho. *B15* —3F **117**
Nash Sq. *B42* —3F **83**
Nash Wlk. Smeth —4G **99**
(off Poplar St.)
Nately Gro. *B29* —3G **131**
Nathan Clo. *S Cold* —3H **53**
National Distribution Pk. *Col*
—2H **89**
National Motorcycle Mus.
—3H **139**
National Sea Life Cen.
—1D **116**
Naunton Clo. *B29* —6E **131**
Naunton Rd. *Wals* —6G **31**
Navenby Clo. *Shir* —4C **148**
Navigation Dri. *Hurst B*
—5C **94**
Navigation La. *W'bry* —3D **64**
Navigation Roundabout. *Tip*
—1E **79**
Navigation St. *B2 & B5*
—1F **117** (5C **4**)
Navigation St. *Wals* —1B **48**
Navigation St. *Wolv* —2A **44**
Navigation Way. *W Brom*
—5F **79**
Nayland Cft. *B28* —2G **149**
Naylors Gro. *Dud* —3A **76**
Neachell. —1F 45
Neachells La. *Wolv & W'hall*
—4F **29**
Neachless Av. *Wom* —2G **73**
Neachley Gro. *B33* —5D **104**
Neale Ho. *W Brom* —6B **80**
Neale St. *Wals* —1A **48**
Nearhill Rd. *B38* —1G **159**
Near Lands Clo. *B32* —1H **129**
Nearmoor Rd. *B34* —3H **105**
Neasden Gro. *B44* —5B **68**
Neath Rd. *Wals* —5F **19**
Neath Way. *Dud* —1C **76**
Neath Way. *Wals* —5F **19**
Nebsworth Clo. *Shir* —2B **150**
Nechells. —2D 102
Nechells Pk. Rd. *B7* —3B **102**
Nechell's Parkway. *B7*
—5A **102**
Nechells Pl. *B7* —3B **102**
NEC Ho. *B37* —6F **123**
(in two parts)
Needham St. *B7* —2C **102**
Needhill Clo. *Know* —3B **166**
Needlers End. —3H 169
Needlers End La. *Bal C*
—3F **169**
Needless All. *B2*
—1F **117** (4D **4**)
Needwood Clo. *Wolv* —5F **43**
Needwood Dri. *Wolv* —1B **60**
Needwood Gro. *W Brom*
—4C **64**
Nelson Av. *Bils* —4E **45**
Nelson Building. *B4* —1G **5**
Nelson Ho. *Tip* —6A **62**
Nelson Rd. *B6* —6H **83**
Nelson Rd. *Dud* —6D **76**
Nelson St. *B1* —6D **100**
Nelson St. *O'bry* —3H **97**
Nelson St. *W Brom* —2A **80**
Nelson St. *W'hall* —6B **30**
Nelson St. *Wolv*
—3G **43** (6B **170**)
Nene Clo. *Stourb* —1E **125**
Nene Way. *B36* —1B **106**
Neptune Ind. Est. *W'hall*
—3B **46**

Neptune St. *Tip* —2G **77**
Nesbit Gro. *B9* —6H **103**
Nesfield Clo. *B38* —6G **145**
Nesfield Gro. *H Ard* —6B **140**
Nesscliffe Gro. *B23* —6D **68**
Nest Comn. *Wals* —2D **20**
(in three parts)
Neston Gro. *B33* —1A **120**
Netheravon Clo. *B14* —5F **147**
Netherby Rd. *Dud* —5G **59**
Nethercote Gdns. *Shir*
—4E **149**
Netherdale Clo. *S Cold* —6A **70**
Netherdale Rd. *B14* —6A **148**
Netherend. —4C 110
Netherend Clo. *Hale* —4C **110**
Netherend La. *Hale* —4D **110**
Netherend Sq. *Hale* —4C **110**
Netherfield Gdns. *B27*
—2H **135**
Nethergate. *Dud* —2B **76**
Netherstone Gro. *S Cold*
—4F **37**
Netherton. —4D 94
Netherton Bus. Pk. *Dud*
—5F **95**
Netherton Gro. *B33* —6H **105**
Netherton Hill. *Dud* —4E **95**
Netherton Lodge. *Dud* —4E **95**
Netherton Tunnel. —2H 95
Netherwood Clo. *Sol* —1C **150**
Nethy Dri. *Wolv* —4H **25**
Netley Gro. *B11* —2F **135**
Netley Rd. *Wals* —5E **19**
Netley Way. *Wals* —5E **19**
Nevada Way. *B37* —2E **123**
Neve Av. *Wolv* —6B **16**
Neve's Opening. *Wolv* —1B **44**
Neville Av. *Wolv* —6H **43**
Neville Rd. *Cas B* —6A **88**
Neville Rd. *Erd* —4C **84**
Neville Rd. *Shir* —6F **149**
Neville Wlk. *B35* —5E **87**
Nevin Gro. *B42* —2E **83**
Nevis Ct. *Wolv* —1C **42**
Nevis Gro. *W'hall* —6B **18**
Nevison Gro. *B43* —1D **66**
Newark Cft. *B26* —5F **121**
Newark Rd. *Dud* —1F **111**
Newark Rd. *W'hall* —2C **30**
New Bank Gro. *B9* —6G **103**
New Bartholomew St. *B5*
—1H **117** (4G **5**)
New Birmingham Rd. *Tiv*
—5H **77**
Newbold Clo. *Ben H* —4B **166**
Newbold Cft. *B7* —4B **102**
Newbolds. —3C 28
Newbolds Rd. *Wolv* —3C **28**
Newbolt Rd. *Bils* —5G **45**
Newbolt St. *Wals* —6C **48**
New Bond St. *B9* —2B **118**
New Bond St. *Dud* —1F **95**
Newborough Gro. *B28*
—3F **149**
Newborough Rd. *Hall G & Shir*
—3F **149**
Newbridge. —6C 26
Newbridge Av. *Wolv* —6C **26**
Newbridge Cres. *Wolv* —5C **26**
Newbridge Dri. *Wolv* —5C **26**
Newbridge Gdns. *Wolv*
—5C **26**
Newbridge M. *Wolv* —5D **26**
Newbridge Rd. *B9* —3H **119**
Newbridge Rd. *K'wfrd* —1A **92**

Newbridge St. *Wolv* —5D **26**
Newburn Cft. *B32* —6H **113**
Newbury Clo. *Hale* —2D **128**
Newbury Clo. *Wals* —2F **7**
Newbury Ho. *O'bry* —4D **96**
Newbury La. *O'bry* —3C **96**
Newbury Rd. *B19* —2G **101**
Newbury Rd. *Stourb* —1A **108**
Newbury Rd. *Wolv* —5G **15**
Newbury Wlk. *Row R* —3C **96**
Newby Gro. *B37* —4D **106**
New Canal St. *B5*
—1H **117** (5G **5**)
New Cannon Pas. *B2*
—1G **117** (4E **5**)
Newcastle Cft. *B35* —4G **87**
Newchurch Gdns. *B24* —5E **85**
New Chu. Rd. *S Cold* —5G **69**
New Cole Hall La. *B34*
—4F **105**
New College Clo. *Wals* —4E **49**
Newcombe Rd. *B21* —5H **81**
Newcomen Ct. *Wals* —2F **33**
Newcomen Dri. *Tip* —4H **77**
Newcott Clo. *Wolv* —5D **14**
New Ct. Brie H —1H 109
(off Promenade, The)
New Coventry Rd. *B26*
—6D **120**
New Cft. *B19* —2G **101**
Newcroft Gro. *B26* —4C **120**
New Cross. —4D 28
New Cross Ind. Est. *Wolv*
—6C **28**
New Cross St. *Tip* —2G **77**
New Cross St. *W'bry* —6D **46**
Newdigate Rd. *S Cold* —6E **55**
New Dudley Rd. *K'wfrd*
—1A **92**
Newells Dri. *Tip* —6D **62**
Newells Rd. *B26* —3E **121**
New England. *Hale* —4E **113**
New England Clo. *O'bry*
—6E **79**
Newent Clo. *W'hall* —6D **30**
New Enterprise Workshops.
B7 —3C **102**
Newent Rd. *B31* —3G **145**
Newey Clo. *Redn* —3G **157**
Newey Rd. *B28* —1F **149**
Newey Rd. *Wolv* —1A **30**
Newey St. *Dud* —5C **76**
New Farm Rd. *Stourb*
—1G **125**
Newfield Clo. *Sol* —1H **151**
Newfield Clo. *Wals* —3A **32**
Newfield Cres. *Hale* —6A **112**
Newfield Dri. *K'wfrd* —5C **92**
Newfield La. *Hale* —6A **112**
Newfield Rd. *O'bry* —1F **97**
New Forest Rd. *Wals* —4C **32**
New Gas St. *W Brom* —2G **79**
(in two parts)
New Hall Dri. *S Cold* —1B **70**
(in two parts)
Newhall Farm Clo. *S Cold*
—1B **70**
Newhall Hill. *B1*
—6E **101** (2A **4**)
Newhall Ho. Wals —3C 48
(off Newhall St.)
Newhall Pl. *B1* —6E **101** (2A **4**)
New Hall Pl. *W'bry* —2G **63**
Newhall Rd. *Row R* —6C **96**
Newhall St. *B3*
—6E **101** (2B **4**)

Newhall St. *Tip* —5G **61**
Newhall St. *Wals* —3C **48**
Newhall St. *W Brom* —5A **80**
Newhall St. *W'hall* —1A **46**
Newhall Wlk. *S Cold* —1A **70**
New Hampton Rd. E. *Wolv*
　　　　—6F **27** (1A **170**)
New Hampton Rd. W. *Wolv*
　　　　—5D **26**
Newhaven Clo. *B7* —5A **102**
Newhay Cft. *B19* —2E **101**
New Heath Clo. *Wolv* —4D **28**
New Henry St. *O'bry* —5G **97**
Newholme Gdns. *Sol* —4H **151**
Newhope Clo. *B15* —3F **117**
New Hope Rd. *Smeth* —5G **99**
New Horse Rd. *Wals* —2E **7**
New Ho. Cres. *Bal C* —3H **169**
Newhouse Farm Clo. *S Cold*
　　　　—2D **70**
Newick Av. *S Cold* —6B **36**
Newick Gro. *B14* —2E **147**
Newick St. *Dud* —5E **95**
Newington Rd. *B37* —3D **122**
New Inn Rd. *B19* —6F **83**
New Inns Clo. *B21* —1H **99**
New Inns La. *Redn* —6E **143**
New Invention. —2D 30
New John St. *B6* —4G **101**
New John St. *Hale* —2C **112**
New John St. W. *B19* —3E **101**
New King St. *Dud* —6E **77**
Newland Clo. *Wals* —5G **21**
Newland Ct. *B23* —5C **84**
Newland Gdns. *Crad H*
　　　　—4G **111**
Newland Gro. *Dud* —2B **94**
Newland Rd. *B9* —2F **119**
Newlands Clo. *W'hall* —2A **46**
Newlands Dri. *Hale* —4E **113**
Newlands Grn. *Smeth* —5E **99**
Newlands La. *B37* —5C **122**
Newlands Rd. *B30* —6D **132**
Newlands Rd. *Ben H* —5B **166**
Newlands, The. *B34* —2G **105**
Newlands Wlk. *O'bry* —5H **97**
　(off Jackson St.)
New Landywood La. *Ess*
　　　　—1E **19**
New Leasow. *S Cold* —6E **71**
Newlyn Rd. *B31* —4D **144**
Newlyn Rd. *Crad H* —3F **111**
Newman Av. *Wolv* —1H **60**
Newman College Clo. *B32*
　　　　—5A **130**
Newman Ct. *Hand* —6A **82**
Newman Pl. *Bils* —4H **45**
Newman Rd. *B23 & B24*
　　　　—3F **85**
Newman Rd. *Tip* —4C **62**
Newman Rd. *Wolv* —6C **16**
Newmans Clo. *Smeth* —5G **99**
Newman Way. *Redn* —2G **157**
Newmarket Clo. *Wolv* —4E **27**
New Mkt. St. *B3*
　　　　—6F **101** (3C **4**)
Newmarket Way. *B36*
　　　　—1H **103**
Newmarsh Rd. *Min* —1E **87**
New Mdw. Clo. *B31* —5F **145**
New Meeting St. *B4*
　　　　—1G **117** (4F **5**)
New Meeting St. *O'bry* —1G **97**
New Mills St. *Wals* —4B **48**
New Mill St. *Dud* —6E **77**
Newmore Gdns. *Wals* —6G **49**

New Moseley Rd. *B12*
　　　　—3A **118**
Newnham Gro. *B23* —1E **85**
Newnham Ho. *B36* —4D **106**
Newnham Ri. *Shir* —4B **150**
Newnham Rd. *B16* —1G **115**
New Oscott. —4C 68
New Pool Rd. *Crad H*
　　　　—3D **110**
Newport Rd. *B36* —1D **104**
Newport Rd. *Bal H* —1A **134**
Newport St. *Wals* —2C **48**
Newport St. *Wolv* —5A **28**
Newquay Clo. *Wals* —4A **50**
Newquay Rd. *Wals* —4H **49**
New Railway St. *W'hall*
　　　　—1B **46**
New Rd. *A'rdge* —4C **34**
New Rd. *Bwnhls* —6B **10**
New Rd. *Dud* —3E **95**
New Rd. *Hale* —1B **128**
New Rd. *H'wd* —1A **162**
New Rd. *N'bri* —5C **26**
New Rd. *Redn* —2F **157**
New Rd. *Sol* —4G **151**
New Rd. *Stourb* —6E **109**
New Rd. *Swind* —4A **72**
New Rd. *Tip* —1D **78**
New Rd. *Wat O* —4D **88**
New Rd. *W'bry* —5D **46**
New Rd. *Wed* —1D **28**
New Rd. *W'hall* —2A **46**
New Rowley Rd. *Dud* —2G **95**
New Spring St. *B18* —5C **100**
New Spring St. N. *B18*
　　　　—4C **100**
Newstead Rd. *B44* —2B **68**
New St. *Blox* —6H **19**
New St. *B2* —1F **117** (4C **4**)
New St. *Cas B* —1F **105**
New St. *Dud* —6E **77**
New St. *Erd* —2F **85**
New St. *Ess* —4A **18**
New St. *E'shll* —5C **44**
New St. *Gorn W* —4G **75**
New St. *Gt Wyr* —3G **7**
New St. *Hill T* —6G **63**
New St. *K'wfrd* —1A **92**
New St. *Mer H* —5B **42**
New St. *P'flds* —6A **44**
New St. *Quar B* —3C **110**
New St. *Redn* —5F **143**
New St. *Rus* —2F **33**
New St. *Shelf* —6H **21**
New St. *Smeth* —3E **99**
New St. *Tip* —2H **77**
New St. *Wals* —2D **48**
New St. *W'bry* —4F **63**
　(Potter's La.)
New St. *W'bry* —5D **46**
　(St Lawrence Way)
New St. *W Brom* —4B **80**
　(in two parts)
New St. *W'hall* —2G **45**
New St. *Word* —6D **108**
　(Bath Rd.)
New St. *Word* —1B **108**
　(Ryder St.)
New St. N. *W Brom* —4B **80**
New Summer St. *B19* —5F **101**
New Swan La. *W Brom*
　　　　—2G **79**
Newton. —5G 65
Newton Clo. *B43* —4G **65**
Newton Gdns. *B43* —5F **65**
Newton Gro. *B29* —3B **132**

Newton Ho. *W'hall* —2B **46**
Newton Mnr. Clo. *B43* —5H **65**
Newton Pl. *B18* —2B **100**
Newton Pl. *Wals* —3H **31**
Newton Rd. *Know* —2D **166**
Newton Rd. *S'hll* —6B **118**
Newton Rd. *Wals* —4H **31**
Newton Rd. *W Brom & Gt Barr*
　　　　—1C **80**
Newton Sq. *B43* —4A **66**
Newton St. *B4* —6G **101** (2F **5**)
Newton St. *W Brom* —6C **64**
Newtown. —3F 101
　(Birmingham)
Newtown. —2G 19
　(Bloxwich)
New Town. —3B 10
　(Brownhills)
Newtown. —1E 111
　(Netherton)
New Town. —3D 78
　(West Bromwich)
New Town. *Brie H* —5G **93**
　(in two parts)
Newtown. *Dud* —2F **111**
Newtown Dri. *B19* —3E **101**
Newtown La. *Crad H* —2F **111**
Newtown La. *Rom* —6C **142**
Newtown Middleway. *B6*
　　　　—4G **101**
New Town Row. —3G 101
New Town Row. *B6* —3G **101**
Newtown Shop. Cen. *B19*
　　　　—3G **101**
Newtown St. *Crad H* —1F **111**
New Village. *Dud* —2E **111**
New Wood. —3A 108
New Wood Clo. *Stourb*
　　　　—3A **108**
New Wood Gro. *Wals* —4C **22**
Ney Ct. *Tip* —5H **77**
Niall Clo. *B15* —3A **116**
Nicholas Rd. *S Cold* —3G **51**
Nicholds Clo. *Bils* —4D **60**
Nicholls Fold. *Wolv* —4F **29**
Nicholls Rd. *Tip* —4G **61**
Nicholls St. *W Brom* —5C **80**
Nichols Clo. *Sol* —6B **138**
Nigel Av. *B31* —2E **145**
Nigel Rd. *B8* —3E **103**
Nigel Rd. *Dud* —5C **76**
Nightingale Av. *B36* —1C **106**
Nightingale Cres. *Brie H*
　　　　—4H **109**
Nightingale Cres. *W'hall*
　　　　—1B **30**
Nightingale Dri. *Tip* —2C **78**
Nightingale Pl. *Bils* —5F **45**
Nightingale Wlk. *B15* —4E **117**
Nightjar Gro. *B23* —1C **84**
Nighwood Dri. *S Cold* —4H **51**
Nijon Clo. *B21* —6G **81**
Nimmings Clo. *B31* —3D **158**
Nimmings Rd. *Hale* —3D **112**
Nineacres Dri. *B37* —1C **122**
Nine Elms La. *Wolv* —4A **28**
Nine Leasowes. *Smeth*
　　　　—2C **98**
Nine Locks Ridge. *Brie H*
　　　　—1H **109**
Nine Pails Wlk. *W Brom*
　　　　—6B **80**
Nineveh Av. *B21* —2B **100**
Nineveh Rd. *B21* —2A **100**
Ninfield Rd. *B27* —2G **135**
Nith Pl. *Dud* —5D **76**

Noakes Ct. *W'bry* —4F **47**
Nock Rd. *Wolv* —6H **17**
Nock St. *Tip* —6C **62**
Noddy Pk. *Wals* —2D **34**
Noddy Pk. Rd. *Wals* —2D **34**
Noel Av. *B12* —5A **118**
Noel Rd. *B16* —2B **116**
Nolton Clo. *B43* —5H **65**
Nooklands Cft. *B33* —1E **121**
Nook, The. *Brie H* —4F **93**
Nook, The. *Wals* —4C **6**
Noose Cres. *W'hall* —1G **45**
Noose La. *W'hall* —1G **45**
Nora Rd. *B11* —2C **134**
Norbiton Rd. *B44* —5A **68**
Norbreck Clo. *B43* —4A **66**
Norbury Av. *Wals* —4D **20**
Norbury Cres. *Wolv* —1B **60**
Norbury Dri. *Brie H* —2H **109**
Norbury Gro. *Sol* —2E **137**
Norbury Rd. *B44* —2H **67**
Norbury Rd. *Bils* —5H **45**
Norbury Rd. *W Brom* —6G **63**
Norbury Rd. *Wolv* —3B **28**
Norcombe Gro. *Shir* —4E **165**
Nordley Rd. *Wolv* —4E **29**
Nordley Wlk. *Wolv* —3E **29**
Norfolk Av. *W Brom* —6B **64**
Norfolk Clo. *B30* —1D **146**
Norfolk Cres. *Wals* —1D **34**
Norfolk Dri. *W'bry* —1B **64**
Norfolk Gdns. *S Cold* —3H **53**
Norfolk Gro. *Wals* —4F **7**
Norfolk New Rd. *Wals* —5G **31**
Norfolk Pl. *Wals* —4B **32**
Norfolk Rd. *Dud* —2C **94**
Norfolk Rd. *Edg* —4H **115**
Norfolk Rd. *Erd* —2F **85**
Norfolk Rd. *O'bry* —4H **113**
Norfolk Rd. *Redn* —5F **143**
Norfolk Rd. *Stourb* —3D **108**
Norfolk Rd. *S Cold* —4H **53**
Norfolk Rd. *Wolv* —3E **43**
Norfolk Tower. *Hock* —4D **100**
Norgrave Rd. *Sol* —3G **137**
Norlan Dri. *B14* —4H **147**
Norland Rd. *B27* —4A **136**
Norley Gro. *B13* —6C **134**
Norley Trad. Est. *B33*
　　　　—3G **121**
Norman Av. *B32* —4C **114**
Normandy Rd. *B20* —6G **83**
Norman Rd. *N'fld* —4F **145**
Norman Rd. *Smeth* —2B **114**
Norman Rd. *Wals* —3G **49**
Norman St. *B18* —4A **100**
Norman St. *Dud* —1F **95**
Norman Ter. *Row R* —5C **96**
Normanton Av. *B26* —6H **121**
Normanton Tower. *B23*
　　　　—1G **85**
Norrington Gro. *B31* —4A **144**
Norrington Rd. *B31* —4A **144**
Norris Dri. *B33* —6D **104**
Norris Rd. *B6* —6H **83**
Norris Way. *S Cold* —6B **54**
Northampton St. *B18* —5E **101**
Northam Wlk. *Wolv* —5F **27**
Northanger Rd. *B27* —3H **135**
North Av. *B40* —6G **123**
North Av. *Wolv* —3E **29**
Northbrook Ct. *Shir* —2A **150**
Northbrook Rd. *Shir* —2A **150**
Northbrook St. *B16* —5B **100**
Northcote Rd. *B33* —5B **104**
Northcote St. *Wals* —5B **32**

Paddock, The—Parkview Dri.

Pk. View Rd. *B31* —4C **144**
Pk. View Rd. *Bils* —3E **45**
Pk. View Rd. *Stourb* —1B **126**
Pk. View Rd. *S Cold* —6D **36**
Park Vw. Trad. Est. *B30*
—4B **146**
Park Village. —4B 32
Park Vs. *B9* —1B **118**
Parkville Av. *B17* —1F **131**
Park Wlk. *Brie H* —3B **110**
Parkway. *B8* —4G **103**
Park Way. *Redn* —6H **143**
Parkway. *Wolv* —6A **18**
Parkway Ind. Cen. *B7*
—5A **102** (1H **5**)
Parkway Ind. Est., The. *W'bry*
—4E **63**
Parkway Rd. *Dud* —5C **76**
Parkway Roundabout. *W'bry*
—4E **63**
Parkway, The. *Pert* —3D **24**
Parkway, The. *Wals* —1G **33**
Parkwood Clo. *Wals* —2C **22**
Park Wood Ct. *S Cold* —1F **53**
Parkwood Cft. *B43* —4D **66**
Parkwood Dri. *S Cold* —3C **68**
Parkyn St. *Wolv* —3A **44**
Parliament St. *Aston* —3G **101**
Parliament St. *Small H*
—3C **118**
Parliament St. *W Brom*
—6B **80**
Parlows End. *B38* —2H **159**
Parry Rd. *Wolv* —1A **30**
Parsonage Dri. *Hale* —4C **110**
Parsonage Dri. *Redn* —5B **158**
Parsonage St. *O'bry* —2H **97**
Parsonage St. *W Brom*
—1B **80**
Parson's Hill. *B30* —5C **146**
Parsons Hill. *O'bry* —2H **113**
Parson's St. *Dud* —6E **77**
Parsons Way. *Wals* —3F **31**
Partons Rd. *B14* —1F **147**
Partridge Av. *W'bry* —5B **46**
Partridge Clo. *B37* —6E **107**
Partridge Ct. *W'bry* —2F **63**
Partridge Mill. *Pels* —4C **20**
Partridge Rd. *B26* —2E **121**
Partridge Rd. *Stourb* —1A **124**
Passey Rd. *B13* —3D **134**
Passfield Rd. *B33* —6E **105**
Pastures, The. *Pert* —5D **24**
Pastures Wlk. *B38* —2H **159**
Pasture Vw. *Pels* —5D **20**
Patent Dri. *W'bry* —2C **62**
Patent Shaft Roundabout.
W'bry —2D **62**
Paternoster Row. *B5*
—1G **117** (4F **5**)
Paternoster Row. *Wolv*
—1G **43** (2A **170**)
Paterson Ct. *Know* —3E **167**
Paterson Pl. *Wals* —2D **22**
Pathlow Cres. *Shir* —6F **149**
Pathway, The. *B14* —2D **146**
Paton Gro. *B13* —3H **133**
Patricia Av. *B14* —3C **148**
Patricia Av. *Wolv* —6G **43**
Patricia Cres. *Dud* —1D **76**
Patricia Dri. *Tip* —5A **78**
Patrick Collection, The.
—4C **146**
Patrick Gregory Rd. *Wolv*
—2H **29**
Patrick Rd. *B26* —4C **120**

Patriot Clo. *Wals* —5B **48**
Patshull Av. *Wolv* —4F **15**
Patshull Clo. *B43* —4H **65**
Patshull Gro. *Wolv* —4F **15**
Patshull Pl. *B19* —2E **101**
Patterdale Rd. *B23* —3D **84**
Patterdale Way. *Brie H*
—3F **109**
Patterton Dri. *S Cold* —5E **71**
Pattingham Rd. *Pert & Wolv*
—6A **24**
Pattison Gdns. *B23* —5D **84**
Pattison St. *Wals* —6C **48**
Paul Byrne Ct. *B20* —6D **82**
Paul Pursehouse Rd. *Bils*
—2F **61**
Pauls Coppice. *Wals* —2B **22**
Paul St. *Bils* —4C **60**
Paul St. *W'bry* —3G **63**
Paul St. *Wolv*
—3G **43** (6A **170**)
Paul Va. *Tip* —2B **78**
Pavenham Dri. *B5* —1E **133**
Pavilion Av. *Smeth* —6B **98**
Pavilion Clo. *A'rdge* —2D **34**
Pavilion Gdns. *Dud* —1E **111**
Pavilion Rd. *Witt* —4H **83**
Pavilions, The. *B4*
—1G **117** (4F **5**)
Pavior's Rd. *Burn* —1A **10**
Paxford Way. *B31* —1D **144**
Paxton Av. *Pert* —6E **25**
Paxton Rd. *B18* —4C **100**
Paxton Rd. *Stourb* —1C **126**
Payne St. *Row R* —2C **112**
Paynton Wlk. *B15* —3F **117**
Payton Clo. *O'bry* —6E **79**
Payton Rd. *B21* —1H **99**
Peace Clo. *Wals* —2E **7**
Peace Wlk. *B37* —2D **122**
Peach Av. *W'bry* —5C **46**
Peachley Clo. *Hale* —2B **128**
Peach Ley Rd. *B29* —6D **130**
Peach Rd. *W'hall* —3A **30**
Peacock Av. *Wolv* —1A **30**
Peacock Clo. *Tip* —3B **78**
Peacock Cft. *Wals* —3G **7**
Peacock Rd. *B13* —1H **147**
Peacock Rd. *W'bry* —4B **46**
Peak Cft. *B36* —1B **104**
Peak Dri. *Dud* —4H **75**
Peake Cres. *Wals* —2B **22**
Peake Dri. *Tip* —3B **78**
Peake Rd. *Wals* —2C **22**
Peak Ho. Rd. *B43* —2A **66**
Peakman Clo. *Redn* —3G **157**
Peak Rd. *Stourb* —5F **109**
Peal St. *Wals* —2D **48**
Pearce Clo. *Dud* —1A **94**
Pearl Gro. *B18* —5A **100**
Pearl Gro. *B27* —2H **135**
Pearman Rd. *Redn* —6D **142**
Pearman Rd. *Smeth* —6E **99**
Pearmans Cft. *H'wd* —3A **162**
Pearsall Dri. *O'bry* —1E **97**
Pearson Ct. *W'hall* —5D **30**
Pearson St. *Brie H* —6H **93**
Pearson St. *Crad H* —2G **111**
Pearson St. *Stourb* —1B **126**
Pearson St. *W Brom* —3H **79**
Pearson St. *Wolv*
—3G **43** (6B **170**)
Pear Tree Av. *Tip* —2H **77**
Peartree Av. *W'hall* —2B **46**
Pear Tree Clo. *B43* —4F **65**
Peartree Clo. *Shir* —5D **148**

Pear Tree Clo. *Stech* —1B **120**
Pear Tree Ct. *B43* —5G **65**
Peartree Cres. *Shir* —4C **148**
Pear Tree Dri. *B43* —5F **65**
Peartree Dri. *Stourb* —3E **125**
Peartree Gro. *Shir* —5C **148**
Peartree Ho. *O'bry* —4A **98**
Peartree Ind. Est. *Dud* —3C **94**
Peartree La. *Bils* —5F **61**
Peartree La. *Crad H* —2G **111**
Peartree La. *Dud* —4B **94**
Pear Tree La. *Wals* —3G **9**
Pear Tree La. *Wolv* —6D **16**
Pear Tree Rd. *Gt Barr* —4F **65**
Pear Tree Rd. *S End* —3G **105**
Pear Tree Rd. *Smeth* —5C **98**
Peascroft La. *Bils* —4G **45**
(in two parts)
Peasefield Clo. *B21* —1G **99**
Pebble Clo. *Stourb* —6F **109**
Pebble Mill Rd. *B5* —1E **133**
Pebworth Av. *Shir* —3F **165**
Pebworth Clo. *S Oak* —3D **132**
Pebworth Gro. *B33* —3G **121**
Pebworth Gro. *Dud* —4C **76**
Peckham Rd. *B44* —3A **68**
Peckingham St. *Hale* —2B **128**
Peckover Clo. *Row R* —2C **112**
Peddimore La. *Min* —1F **87**
(in two parts)
Pedmore. —4H 125
Pedmore Ct. Rd. *Stourb*
—4F **125**
Pedmore Gro. *B44* —3H **67**
Pedmore Hall La. *Stourb*
—5G **125**
Pedmore La. *Stourb* —4G **125**
Pedmore Rd. *Brie H & Dud*
—6B **94**
Pedmore Rd. *Stourb* —6H **109**
Pedmore Rd. Ind. Est. *Brie H*
—5B **94**
Pedmore Wlk. *O'bry* —4D **96**
Peel Clo. *Darl* —3D **46**
Peel Clo. *H Ard* —1B **154**
Peel Clo. *W'hall* —2A **46**
Peel St. *B18* —4A **100**
Peel St. *Dud* —1G **95**
Peel St. *Tip* —3A **78**
Peel St. *W Brom* —2A **80**
Peel St. *W'hall* —2A **46**
Peel St. *Wolv*
—2G **43** (4A **170**)
Peel Wlk. *B17* —4D **114**
Peel Way. *Tiv* —5C **78**
Pegasus Wlk. *B29* —4H **131**
Pegleg Wlk. *B14* —5E **147**
Pelham Dri. *Dud* —5C **76**
Pelham Rd. *B8* —5H **103**
Pelham St. *Wolv* —2E **43**
Pelsall. —4E 21
Pelsall La. *Blox* —4B **20**
Pelsall La. *Wals* —6E **21**
Pelsall Rd. *Wals* —1G **21**
Pelsall Wood. —2D 20
Pemberley Rd. *B27* —3G **135**
Pemberton Clo. *Smeth* —6F **99**
Pemberton Cres. *W'bry*
—6A **48**
Pemberton Rd. *Bils* —4F **61**
Pemberton Rd. *W Brom*
—1G **79**
Pemberton St. *B18* —5D **100**
Pembridge Clo. *B32* —6G **129**
Pembridge Clo. *Brie H*
—2B **110**

Pembridge Rd. *Dorr* —6H **165**
Pembroke Av. *Wolv* —4C **44**
Pembroke Clo. *W Brom*
—4H **63**
Pembroke Clo. *W'hall* —3C **30**
Pembroke Cft. *B28* —2G **149**
Pembroke Gdns. *Stourb*
—2A **108**
Pembroke Ho. *Wals* —3A **32**
(off Comwall Clo.)
Pembroke Rd. *B12* —1A **134**
Pembroke Rd. *W Brom*
—5H **63**
Pembroke Way. *B28* —2G **149**
Pembroke Way. *Salt* —4C **102**
Pembroke Way. *W Brom*
—6H **63**
Pembury Clo. *S Cold* —5H **51**
Pembury Cft. *B44* —4A **68**
Pencombe Dri. *Wolv* —6H **43**
Pencroft Rd. *B34* —2F **105**
Penda Ct. *Hand* —1C **100**
Penda Gro. *Wolv* —4F **25**
Pendeen Rd. *B14* —3B **148**
Pendeford. —5D 14
Pendeford Av. *Wolv* —1C **26**
Pendeford Bus. Pk. *Wolv*
—4D **14**
Pendeford Clo. *Wolv* —1C **26**
Pendeford Hall La. *Coven*
—2H **13**
Pendeford La. *Wolv* —3E **15**
Pendeford Mill La. *Cod*
—4H **13**
Pendennis Clo. *B30* —2H **145**
Pendennis Dri. *Tiv* —1A **96**
Penderell Clo. *F'stne* —1C **16**
Penderel St. *Wals* —1A **32**
Pendigo Way. *B40* —1G **139**
Pendinas Dri. *Wolv* —4H **13**
Pendleton Gro. *B27* —5H **135**
Pendragon Rd. *B42* —3E **83**
Pendrel Clo. *Wals* —5F **7**
Pendrell Clo. *B37* —6C **106**
Pendrell Clo. *Cod* —4G **13**
Pendrell Ct. *Cod* —4G **13**
Pendrill Rd. *Wolv* —4A **16**
Penfields Rd. *Stourb* —5E **109**
Penge Gro. *B44* —2G **67**
Penhallow Dri. *Wolv* —6A **44**
Penkridge Clo. *Wals* —5B **32**
Penkridge Gro. *B33* —5D **104**
Penkridge St. *Wals* —6B **32**
Penk Ri. *Wolv* —5G **25**
Penleigh Gdns. *Wom* —6F **57**
Penley Gro. *B8* —3H **103**
Penn. —6C 42
Pennant Ct. *Row R* —6B **96**
Pennant Gro. *B29* —3E **131**
Pennant Rd. *Crad H* —2F **111**
Pennant Rd. *Row R* —6B **96**
Pennard Gro. *B32* —1D **130**
Penn Clo. *Wals* —1A **32**
Penn Comn. Rd. *Wolv* —4C **58**
Penncricket La. *Row R &*
O'bry —6E **97**
Penn Fields. —5E 43
Penn Gro. *B29* —3F **131**
Pennhouse Av. *Wolv* —6D **42**
Penn Ind. Est. *Crad H* —2E **111**
Pennine Dri. *Dud* —4H **75**
Pennine Way. *Salt* —4D **102**
Pennine Way. *Stourb* —5E **109**
Pennine Way. *W'hall* —4D **30**
Pennington Clo. *W Brom*
—5G **79**

Pennington Ho. *O'bry* —1D **96**
Pennis Ct. *S Cold* —6D **70**
Penn Rd. *Dud* —4D **58**
Penn Rd. *Row R* —6E **97**
Penn Rd. *Wolv*
　　　　—2B **58** (6A **170**)
Penn Rd. Island. *Wolv*
　　　　—2G **43** (5A **170**)
Penns Lake Rd. *S Cold*
　　　　—5C **70**
Penns La. *Col* —2H **107**
Penns La. *S Cold* —6A **70**
Penn St. *B4* —6A **102** (2H **5**)
Penn St. *Crad H* —3H **111**
Penn St. *Wolv* —3F **43**
Penns Wood Clo. *Dud* —3G **59**
Penns Wood Dri. *S Cold*
　　　　—6D **70**
Pennwood La. *Wolv* —2D **58**
Pennyacre Rd. *B14* —5F **147**
Penny Ct. *Wals* —5F **7**
Pennycress Grn. *Cann* —1D **8**
Pennycroft Ho. *B33* —6C **104**
Pennyfield Cft. *B33* —6C **104**
Pennyhill La. *W Brom* —6C **64**
Penny Royal Clo. *Dud* —5H **75**
Pennyroyal Clo. *Wals* —2F **65**
Penrice Dri. *Tiv* —6H **77**
Penrith Clo. *Brie H* —3F **109**
Penrith Cft. *B32* —5B **130**
Penrith Gro. *B37* —1E **123**
Penryn Clo. *Wals* —4H **49**
Penryn Rd. *Wals* —4H **49**
Pensby Clo. *B13* —5D **134**
Pensford Rd. *B31* —4G **145**
Pensham Cft. *Shir* —3E **165**
Penshaw Clo. *Wolv* —4E **15**
Penshaw Gro. *B13* —4D **134**
Penshurst Av. *B20* —6F **83**
Pensnett. —3G 93
Pensnett Rd. *Brie H* —4G **93**
Pensnett Rd. *Brie H & Dud*
　　　　—2A **94**
Pensnett Trad. Est. *K'wfrd*
　　　　—1D **92**
Penstone La. *Wolv* —1E **57**
Pentland Cft. *B12* —4H **117**
Pentland Gdns. *Wolv* —1C **42**
Pentos Dri. *B11* —1D **134**
Pentridge Clo. *S Cold* —2D **86**
Penzer St. *K'wfrd* —2B **92**
Peolsford Rd. *Pels* —3E **21**
Peony Wlk. *B23* —4B **84**
Peplins Way. *B30* —4D **146**
Peplow Rd. *B33* —5E **105**
Pepperbox Dri. *Tip* —2A **78**
Peppercorn Pl. *W Brom*
　　　　—3A **80**
Pepper Hill. *Stourb* —1E **125**
Pepys Ct. *B43* —6A **66**
Perch Av. *B37* —6C **106**
Perch Rd. *Wals* —5G **31**
Percival Rd. *B16* —2G **115**
Percy Bus. Pk. *O'bry* —2F **97**
Percy Rd. *B11* —2D **134**
Percy Ter. *B11* —1D **134**
Peregrine Clo. *Dud* —6B **76**
Pereira Rd. *B17* —4G **115**
Perimeter Rd. *B40* —1F **139**
(in two parts)
Perivale Clo. *Bils* —5F **61**
Perivale Way. *Stourb* —3E **109**
Periwinkle Clo. *Clay* —1H **21**
Perkins Clo. *Dud* —1E **77**
Perks Rd. *Wolv* —6A **18**
Perott Dri. *S Cold* —1B **54**

Perrins Gro. *B8* —3G **103**
Perrin's La. *Stourb* —1B **126**
Perrins Ri. *Stourb* —1B **126**
Perrott Gdns. *Brie H* —2E **109**
Perrott's Folly. —2B 116
Perrott St. *B18* —3H **99**
Perry. —1G 83
Perry Av. *B42* —2E **83**
Perry Av. *Wolv* —1B **28**
Perry Barr. —2D 82
Perry Beeches. —6C 66
Perry Clo. *Dud* —1F **95**
Perry Common. —5D 68
Perry Comn. Rd. *B23* —6B **68**
Perryford Dri. *Sol* —1G **165**
Perry Hall Dri. *W'hall* —4B **30**
Perry Hall Rd. *Wolv* —3H **29**
Perry Hill Cres. *O'bry* —4H **113**
Perry Hill Ho. *O'bry* —3A **114**
Perry Hill La. *O'bry* —4H **113**
Perry Hill Rd. *O'bry* —4H **113**
Perry Pk. Cres. *B42* —1E **83**
Perry Pk. Rd. *Crad H &*
　　　　Row R —2B **112**
Perry St. *Bils* —2G **61**
Perry St. *Darl* —3D **46**
(in two parts)
Perry St. *Smeth* —2D **98**
Perry St. *Tip* —3A **78**
Perry St. *W'bry* —3F **63**
Perry Trad. Est. *Bils* —2G **61**
Perry Villa Dri. *B42* —2F **83**
Perry Wlk. *B23* —1B **84**
Perrywell Rd. *B6* —2H **83**
Perry Wood Rd. *B42* —5C **66**
Persehouse St. *Wals* —1D **48**
Pershore Av. *B29* —3D **132**
Pershore Clo. *Wals* —5F **19**
Pershore Rd. *Hale* —3A **128**
Pershore Rd. *B30 & B29*
　　　　—3C **146**
Pershore Rd. *Wals* —5F **19**
Pershore Rd. S. *B30* —3B **146**
Pershore St. *B5*
　　　　—2G **117** (6E **5**)
Pershore Tower. *B31* —5A **144**
Pershore Way. *Wals* —5F **19**
Perth Rd. *W'hall* —3B **30**
Perton. —5D 24
Perton Brook Va. *Wolv* —1F **41**
Perton Gro. *B29* —4E **131**
Perton Gro. *Wolv* —1F **41**
Perton Rd. *Wolv* —1F **41**
Peter Av. *Bils* —3H **61**
Peterbrook. *Shir* —6C **148**
Peterbrook Ri. *Shir* —6D **148**
Peterbrook Rd. *Shir* —5C **148**
Peterdale Dri. *Wolv* —2D **58**
Peters Av. *B31* —5D **144**
Petersfield Ct. *Hall G* —5F **135**
Petersfield Dri. *Row R* —6C **97**
Petersfield Rd. *B28* —6E **135**
Petersham Pl. *B15* —5A **116**
Petersham Rd. *B44* —4C **68**
Peter's Hill Rd. *Brie H*
　　　　—4G **109**
Petershouse Dri. *S Cold*
　　　　—4F **37**
Peter's St. *W Brom* —6G **63**
Petford St. *Crad H* —2G **111**
Pettitt Clo. *B14* —5G **147**
Pettyfield Clo. *B26* —5F **121**
Pettyfields Clo. *Know* —4B **166**
Petworth Clo. *W'hall* —3H **45**
Petworth Gro. *B26* —5C **120**
Pevensey Clo. *Tiv* —1H **95**

Peverell Dri. *B28* —6F **135**
Peveril Gro. *S Cold* —1C **70**
Peverill Rd. *Pert* —5F **25**
Peverill Rd. *Wolv* —2A **60**
Peveril Way. *B43* —3B **66**
Pheasant Cft. *B36* —1C **106**
Pheasant Rd. *Smeth* —1B **114**
Pheasant St. *Brie H* —6G **93**
Pheasey. —1F 67
Philip Ct. *S Cold* —2D **70**
Philip Rd. *Hale* —2H **127**
Philip Rd. *Tip* —2D **78**
Philip Sidney Rd. *B11*
　　　　—2C **134**
Philip St. *Bils* —4F **61**
Philip Victor Rd. *B20* —6B **82**
Phillimore Rd. *B8* —4D **102**
Phillip Rd. *Wals* —5A **48**
Phillips Av. *Wolv* —6H **17**
Phillips St. *B6* —3G **101**
Phillips St. Ind. Est. *B6*
　　　　—3H **101**
Phipson Rd. *B11* —2B **134**
Phoenix Dri. *Wals* —2C **34**
Phoenix Grn. *B15* —4A **116**
Phoenix Ind. Est. *Bils* —1H **61**
Phoenix Ind. Est. *W Brom*
　　　　—2F **79**
Phoenix Pk. *B7* —3A **102**
Phoenix Ri. *B23* —6B **68**
Phoenix Ri. *W'bry* —1D **62**
Phoenix Rd. *Tip* —1H **77**
Phoenix Rd. *Wolv* —6F **29**
Phoenix Rd. Ind. Est. *Wolv*
　　　　—6F **29**
Phoenix St. *W Brom* —3F **79**
Phoenix St. *Wolv* —5H **43**
Piccadilly Arc. *B2* —4D **4**
Piccadilly Clo. *B37* —2E **123**
Pickenham Rd. *B14* —6A **148**
Pickering Cft. *B32* —4A **130**
Pickering Rd. *Wolv* —4F **29**
Pickersleigh Clo. *Hale*
　　　　—2A **128**
Pickford St. *B5*
　　　　—1H **117** (5H **5**)
Pickrell Rd. *Bils* —4D **60**
Pickwick Gro. *B13* —3C **134**
Pickwick Pl. *Bils* —1G **61**
Picton Cft. *B37* —1F **123**
Picton Gro. *B13* —2B **148**
Picturedrome Way. *Darl*
　　　　—5D **46**
Piddock Rd. *Smeth* —4E **99**
Pierce Av. *Sol* —2C **136**
Piercy St. *W'bry* —2H **63**
Piercy St. *W Brom* —4G **79**
Piers Rd. *B21* —2C **100**
(in two parts)
Pier St. *Wals* —6B **10**
Piggotts Cft. *B37* —6B **106**
Pike Clo. *Hand* —6B **82**
Pike Dri. *B37* —6E **107**
Pikehelve St. *W Brom* —6E **63**
Pikehorne Cft. *B36* —5H **87**
Pike Rd. *Wals* —5G **31**
Pikes, The. *Redn* —1F **157**
Pikewater Rd. *B9* —1E **119**
Pilkington Av. *S Cold* —2H **69**
Pilson Clo. *B36* —1D **104**
Pimbury Rd. *W'hall* —3D **30**
Pimlico Ct. *Dud* —4H **75**
Pimpernel Dri. *Wals* —2E **65**
Pinbury Cft. *B37* —3D **122**
Pineapple Gro. *B30* —5E **133**
Pineapple Rd. *B30* —6E **133**

Pine Av. *Smeth* —2C **98**
Pine Av. *W'bry* —6F **47**
Pine Clo. *Gt Wyr* —1F **7**
Pine Clo. *K'wfrd* —4B **92**
Pine Clo. *Sol* —5D **150**
Pine Clo. *Wolv* —2E **43**
Pine Grn. *Dud* —1C **76**
Pine Gro. *K Hth* —2A **148**
Pine Ho. *B36* —1D **104**
Pinehurst Dri. *B38* —4B **146**
Pine Leigh. *S Cold* —2H **53**
Pine Needle Cft. *W'hall* —5E **31**
Pine Rd. *Dud* —2E **77**
Pine Rd. *Tiv* —1A **96**
Pine Sq. *B37* —1D **122**
Pines, The. *Redn* —6G **143**
Pines, The. *Shir* —4B **164**
Pines, The. *Wals* —3D **48**
Pines, The. *Wolv* —2B **42**
Pine St. *Wals* —5B **20**
Pinetree Dri. *S Cold* —2F **51**
Pineview. *B31* —5D **144**
Pine Wlk. *B31* —4F **145**
Pine Wlk. *Cod* —5F **13**
Pine Wlk. *Stourb* —2H **125**
Pinewall Av. *B38* —6C **146**
Pineways. *Stourb* —1A **108**
Pineways. *S Cold* —6C **36**
Pineways Dri. *Wolv* —5C **26**
Pineways, The. *O'bry* —4C **96**
Pinewood Clo. *Bwnhls* —3A **10**
Pinewood Clo. *Gt Barr* —6G **67**
Pinewood Clo. *Redn* —1D **156**
Pinewood Clo. *Wals* —1F **65**
Pinewood Clo. *W'hall* —3D **30**
Pinewood Clo. *Wolv* —3G **41**
Pinewood Clo. *Wom* —1G **73**
Pinewood Dri. *B32* —4G **129**
Pinewood Gro. *Sol* —5D **150**
Pinewoods. *Bart G* —3G **129**
Pinewoods. *Hale* —4G **113**
Pinewoods. *N'fld* —5D **130**
Pinewood Wlk. *K'wfrd* —1C **92**
Pinfold Ct. *W'bry* —6C **46**
Pinfold Cres. *Wolv* —5B **42**
Pinfold Gdns. *Wolv* —4F **29**
Pinfold Gro. *Wolv* —5B **42**
Pinfold La. *Cann* —1C **8**
Pinfold La. *C Hay* —3C **6**
Pinfold La. *Wals* —4D **50**
Pinfold La. *Wolv* —5B **42**
Pinfold Rd. *Sol* —2A **152**
Pinfold St. *B2* —1F **117** (4C **4**)
Pinfold St. *Bils* —6F **45**
Pinfold St. *O'bry* —1G **97**
Pinfold St. *W'bry* —6C **46**
(in two parts)
Pinfold St. Extension. *W'bry*
　　　　—6C **46**
Pinfold, The. *Wals* —1A **32**
Pingle Clo. *W Brom* —4D **64**
Pingle La. *Hamm* —1F **11**
Pinkney Pl. *O'bry* —6A **98**
Pink Pas. *Smeth* —5F **99**
Pinley Gro. *B43* —2D **66**
Pinley Way. *Sol* —1E **165**
Pinner Gro. *B32* —1C **130**
Pinson Rd. *W'hall* —2H **45**
Pintail Dri. *B23* —5C **84**
Pinto Clo. *B16* —1B **116**
Pinza Cft. *B36* —1B **104**
Pioli Pl. *Wals* —4B **32**
Piper Clo. *Pert* —5F **25**
Piper Pl. *Stourb* —3D **108**
Piper Rd. *Wolv* —3A **42**
Pipers Grn. *B28* —2F **149**

Piper's Row. *Wolv*
—1H **43** (3D **170**)
Pipes Mdw. *Bils* —6G **45**
Pippin Av. *Hale* —4D **110**
Pirbright Clo. *Bils* —2G **61**
Pirrey Clo. *Cose* —4G **61**
Pitcairn Clo. *B30* —1D **146**
Pitcairn Dri. *Hale* —6B **112**
Pitcairn Rd. *Smeth* —2B **114**
Pitclose Rd. *B31* —6F **145**
Pitfield Rd. *B33* —2H **121**
Pitfield Row. *Dud* —6D **76**
Pitfields Clo. *O'bry* —3G **113**
Pitfields Rd. *O'bry* —3G **113**
Pitfield St. *Dud* —6E **77**
Pithall Rd. *B34* —4H **105**
Pit Leasow Clo. *B30* —5D **132**
Pitman Rd. *B32* —6A **114**
Pitmaston Ct. *B13* —2F **133**
Pitmaston Rd. *B28* —1G **149**
Pitney St. *B7* —5B **102**
Pitsford St. *B18* —4C **100**
Pitt La. *Bick* —3F **139**
Pitts Farm Rd. *B24* —2A **86**
Pitt St. *B4* —6A **102**
Pitt St. *Wolv* —2G **43** (4A **170**)
Pixall Dri. *Edg* —4D **116**
Pixhall Wlk. *B35* —4F **87**
Plainview Clo. *A'rdge* —1G **51**
Plaistow Av. *B36* —2A **104**
Plane Gro. *B37* —2D **122**
Planetary Ind. Est. *W'hall*
—6E **29**
Planetary Rd. *W'hall* —5E **29**
Plane Tree Rd. *S Cold* —3F **57**
Plane Tree Rd. *Wals* —1F **65**
Planet Rd. *Brie H* —5H **93**
Plank La. *Wat O* —5C **88**
Planks La. *Wom* —1F **73**
Plantation La. *Himl* —3H **73**
Plantation Rd. *Wals* —2E **65**
Plantation, The. *Brie H* —2F **93**
*Plant Ct. Brie H —1H 109
(off Hill St.)*
***Plants Brook Nature
Reserve. —2E 93***
Plants Brook Rd. *S Cold*
—1D **86**
Plants Clo. *Gt Wyr* —5G **7**
Plant's Clo. *S Cold* —4D **68**
Plants Gro. *B24* —2A **86**
Plants Hollow. *Brie H* —2A **110**
Plant St. *Crad H* —2G **111**
Plant St. *Stourb* —1C **108**
Plant Way. *Wals* —3D **20**
Plascom Rd. *Wolv* —2C **44**
Platts Cres. *Stourb* —3C **108**
Platts Dri. *Stourb* —3C **108**
Platts Rd. *Stourb* —3C **108**
Platt St. *W'bry* —6D **46**
Playdon Gro. *B14* —4A **148**
Pleasant Clo. *K'wfrd* —5A **92**
Pleasant Mead. *Wals* —4A **34**
Pleasant St. *Hill T* —5G **63**
Pleasant St. *Lyng* —5A **80**
Pleasant Vw. *Dud* —5H **75**
Pleck. —4H 47
Pleck Bus. Pk. *Wals* —3A **48**
Pleck Ind. Est. *Wals* —3A **48**
Pleck Rd. *Wals* —3A **48**
Pleck, The. *Hock* —2B **100**
Pleck Wlk. *B38* —6C **146**
Plestowes Clo. *Shir* —2H **149**
Plimsoll Gro. *B32* —6A **114**
Plough & Harrow Rd. *B16*
—2B **116**

Plough Av. *B32* —3A **130**
Ploughmans Wlk. *K'wfrd*
—2G **91**
Ploughmans Wlk. *Wolv*
—6C **14**
Plover Clo. *F'stne* —1D **16**
Ploverdale Cres. *K'wfrd*
—2E **93**
Plowden Rd. *B33* —5D **104**
Plume St. *B6* —1C **102**
Plumstead Rd. *B44* —5A **68**
Plym Clo. *Wolv* —4E **29**
Plymouth Clo. *B31* —2E **159**
Plymouth Rd. *K Nor* —6D **132**
Pocklington Pl. *B31* —1G **145**
Poets Corner. *Small H*
—4D **118**
Pointon Clo. *Bils* —3C **60**
Polden Clo. *Hale* —4E **127**
Polesworth Gro. *B34* —3F **105**
Pollard Rd. *B27* —4A **136**
Pollards, The. *B23* —5E **69**
Polo Fields. *Stourb* —4F **125**
Pomeroy Rd. *Bart G* —4A **130**
Pomeroy Rd. *Gt Barr* —1F **67**
Pommel Clo. *Wals* —1D **64**
Pond Cres. *Wolv* —4A **44**
Pond Gro. *Wolv* —4A **44**
Pond La. *Wolv* —3H **43**
Pool Cotts. *Burn* —1A **10**
Poole Cres. *B17* —2G **131**
Poole Cres. *Bils* —3F **61**
Poole Cres. *Wals* —3G **9**
Poole Ho. Rd. *B43* —2A **66**
Pool End Clo. *Know* —3B **166**
Pooles La. *W'hall* —1E **31**
Poole St. *Stourb* —1C **124**
Pool Farm Rd. *B27* —4H **135**
Pool Fld. Av. *B31* —1C **144**
Poolfield Dri. *Sol* —4D **150**
Pool Green. —4C 34
Pool Grn. *Wals* —4C **34**
Pool Grn. Ter. *Wals* —4C **34**
Pool Hall Cres. *Wolv* —3F **41**
Pool Hall Rd. *Wolv* —3F **41**
Pool Hayes La. *W'hall* —4A **30**
Pool Ho. Rd. *Wom* —2D **72**
Pool La. *O'bry* —5F **97**
Poolmeadow. *S Cold* —5E **71**
Pool Mdw. Clo. *B13* —4D **134**
Pool Mdw. Clo. *Sol* —6B **152**
Pool Rd. *Burn & Bwnhls*
(in three parts) —1A **10**
Pool Rd. *Hale* —2B **128**
Pool Rd. *Smeth* —4F **99**
Pool Rd. *Wolv* —3A **30**
Pool St. *B6* —3H **101**
Pool St. *Dud* —1C **76**
Pool St. *Wals* —2D **48**
Pool St. *Wolv*
—3G **43** (6A **170**)
(in two parts)
Pooltail Wlk. *B31* —6B **144**
Pool Vw. *Gt Wyr* —1G **7**
Pool Vw. *Rus* —2H **33**
Pool Way. *B26 & B33*
—2E **137**
Pope Rd. *Wolv* —1C **28**
Popes La. *B30 & B38*
—3H **145**
Pope's La. *O'bry* —3H **97**
Popes La. *Wolv* —3G **25**
Pope St. *B1* —6D **100**
Pope St. *Smeth* —2F **99**
Poplar Av. *B19* —1E **101**
Poplar Av. *B12* —1A **134**

Poplar Av. *B11* —5B **118**
Poplar Av. *Bntly* —6D **30**
Poplar Av. *Bwnhls* —5C **10**
Poplar Av. *Chel W* —3E **123**
Poplar Av. *Edg* —2E **115**
Poplar Av. *Erd* —3F **85**
Poplar Av. *K Hth* —5H **133**
Poplar Av. *O'bry* —5G **97**
Poplar Av. *S Cold* —4D **54**
Poplar Av. *Tip* —2F **77**
Poplar Av. *Tiv* —1B **96**
Poplar Av. *Wals* —1E **65**
Poplar Av. *W Brom* —5C **80**
Poplar Av. *Wolv* —2D **28**
Poplar Clo. *Tiv* —6C **78**
Poplar Clo. *Wals* —5E **31**
Poplar Clo. *Wom* —1H **73**
Poplar Cres. *Dud* —4D **76**
Poplar Cres. *Stourb* —2C **124**
Poplar Dri. *Witt* —2H **83**
Poplar Grn. *Dud* —1C **76**
Poplar Gro. *B19* —1E **101**
Poplar Gro. *Smeth* —5F **99**
Poplar Gro. *W Brom* —6C **80**
Poplar La. *Rom* —3H **159**
Poplar Ri. *S Cold* —4D **36**
Poplar Ri. *Tiv* —1C **96**
Poplar Rd. *Bils* —4H **45**
Poplar Rd. *Bwnhls* —5C **10**
Poplar Rd. *Dorr* —5B **166**
Poplar Rd. *Gt Wyr* —4F **7**
Poplar Rd. *K Hth* —5G **133**
Poplar Rd. *K'wfrd* —4C **92**
Poplar Rd. *O'bry* —1G **97**
Poplar Rd. *Smeth* —2E **115**
Poplar Rd. *Sol* —3G **151**
Poplar Rd. *S'hll* —6B **118**
Poplar Rd. *Stourb* —2C **124**
Poplar Rd. *W'bry* —5G **47**
Poplar Rd. *Wolv* —5B **42**
Poplars Dri. *B36* —1F **105**
Poplars Dri. *Cod* —5F **13**
Poplars Ind. Est., The. *B6*
—2H **83**
Poplars, The. *B16* —5B **100**
Poplars, The. *B11* —5C **118**
Poplars, The. *Smeth* —5G **99**
Poplars, The. *Stourb* —1D **108**
Poplar St. *Smeth* —4G **99**
Poplar St. *Wolv* —5H **43**
*Poplar Trees. H'wd —3A 162
(off May Farm Clo.)*
Poplar Way Shop. Cen. *Sol*
—3G **151**
Poplarwoods. *B32* —3H **129**
Poppy Dri. *Wals* —2E **65**
Poppy Gro. *Salt* —5F **103**
Poppy La. *B24* —2A **86**
Poppymead. *Erd* —5B **68**
Porchester Clo. *Wals W*
—4C **22**
Porchester Dri. *B19* —3F **101**
Porchester St. *B19* —3F **101**
Porlock Cres. *B31* —4B **144**
Porlock Rd. *Stourb* —5E **109**
Portal Rd. *Wals* —1F **47**
Portchester Dri. *Wolv* —4F **29**
Porter Clo. *S Cold* —6H **69**
Porters Cft. *B17* —3E **115**
Porter's Fld. *Dud* —6F **77**
Portersfield Ind. Est. *Crad H*
—4F **111**
Portersfield Rd. *Crad H*
—3E **111**
Portershill Dri. *Shir* —6A **150**
Porter St. *Dud* —6F **77**

Porters Way. *B9* —1E **119**
Portfield Dri. *Tip* —4A **78**
Portfield Gro. *B23* —1G **85**
Porth Kerry Gro. *Dud* —6F **59**
Port Hope Rd. *B11* —4A **118**
Porthouse Gro. *Bils* —2D **60**
Portia Av. *Shir* —5H **149**
Portland Av. *Wals* —4D **34**
Portland Ct. *Wals* —4D **34**
Portland Cres. *Stourb* —4F **125**
Portland Dri. *Stourb* —4F **125**
Portland Pl. *Bils* —6D **60**
Portland Rd. *B17 & B16*
—6F **99**
Portland Rd. *Wals* —3D **34**
Portland St. *B6* —2A **102**
Portland St. *Wals* —4C **32**
Port La. *Coven* —1H **13**
Portman Rd. *B13* —6H **133**
Portobello. —3G 45
Portobello Clo. *W'hall* —2F **45**
Portobello Rd. *W Brom*
—5F **63**
Portrush Av. *B38* —6H **145**
Portrush Rd. *Pert* —5D **24**
Portsdown Clo. *Wolv* —2B **28**
Portsdown Rd. *Hale* —4E **127**
Portsea St. *Wals* —3A **32**
Port St. *Wals* —4B **48**
Portswood Clo. *Wolv* —6D **14**
Portway. —4C 96
Portway Clo. *K'wfrd* —4C **92**
Portway Clo. *Sol* —6C **150**
Portway Hill. *Row R* —3B **96**
Portway La. *W'bry* —3E **63**
Portway Rd. *Bils* —4G **45**
Portway Rd. *O'bry* —2E **97**
Portway Rd. *Row R* —5B **96**
Portway Rd. *W'bry* —2E **63**
Portway, The. *K'wfrd* —4B **92**
Portway Wlk. *Row R* —3C **96**
Posey Clo. *B21* —4H **81**
Poston Cft. *B14* —3F **147**
Potter Clo. *B23* —5D **68**
*Potter Ct. Brie H —1H 109
(off Promenade, The)*
Potters La. *Aston* —3G **101**
Potter's La. *W'bry* —3E **63**
Potterton Way. *Smeth* —1D **98**
Pottery Rd. *O'bry* —2A **114**
Pottery Rd. *Smeth* —2E **99**
Pouk Hill Clo. *Wals* —6G **31**
Pouk La. *Lich* —5G **11**
Poultney St. *W Brom* —6F **63**
Poulton Clo. *B13* —3A **134**
Pound Clo. *O'bry* —6F **97**
Pound Grn. *B8* —3F **103**
Pound La. *Fran* —4F **143**
Poundley Clo. *B36* —1G **105**
Pound Rd. *B14* —6G **147**
Pound Rd. *O'bry* —6F **97**
(in two parts)
Pound Rd. *W'bry* —2G **63**
Pountney St. *Wolv*
—3G **43** (6A **170**)
Powell Av. *B32* —5G **113**
Powell Pl. *Bils* —2G **61**
Powell Pl. *Tip* —2C **78**
Powell Rd. *B1* —6D **100**
Powell St. *Hale* —2B **128**
Powell St. *Wolv & Hth T*
—5B **28**
Power Cres. *B16* —1C **116**
Power Way. *Tip* —5D **62**
Powick Pl. *B19* —2E **101**

Ravensdale Clo. *Wals* —4F **49**
Ravensdale Gdns. *Wals*
    —5F **49**
Ravensdale Rd. *B10* —4F **119**
Ravenshaw. *Sol* —5D **152**
Ravenshaw La. *Sol* —3C **152**
Ravenshaw Rd. *B16* —1G **115**
Ravenshaw Way. *Sol* —5C **152**
Ravenshill Rd. *B14* —3C **148**
Ravensholme. *Wolv* —1F **41**
Ravenside Retail Pk. *Erd*
    —4C **86**
Ravensitch Wlk. *Brie H*
    —2A **110**
Ravenswood. *B15* —3A **116**
Ravenswood Clo. *S Cold*
    —3H **53**
Ravenswood Dri. *Sol* —6D **150**
Ravenswood Dri. S. *Sol*
    —6C **150**
Ravenswood Hill. *Col* —2H **107**
Rawdon Gro. *B44* —5B **68**
Rawlings Rd. *Smeth* —1D **114**
Rawlins Cft. *B35* —4G **87**
Rawlins St. *B16* —2C **116**
Raybon Cft. *Redn* —3G **157**
Rayboulds Bri. Rd. *Wals*
    —5A **32**
Rayboulds Fold. *Dud* —4E **95**
Rayford Dri. *W Brom* —3D **64**
Ray Hall La. *B43* —4E **65**
Rayleigh Rd. *Wolv* —3E **43**
Raymond Av. *B42* —1D **82**
Raymond Clo. *Wals* —4B **32**
Raymond Gdns. *Wolv* —4G **29**
Raymond Rd. *B8* —5E **103**
Raymont Gro. *B43* —1D **66**
Rayners Cft. *B26* —2D **120**
Raynor Rd. *Wolv* —3B **28**
Rea Av. *Redn* —1E **157**
Reabrook Rd. *B31* —1C **158**
Rea Clo. *B31* —2E **159**
Readers Wlk. *B43* —4B **66**
Rea Fordway. *Redn* —6F **143**
Reansway Sq. *Wolv* —5E **27**
Reapers Clo. *W'hall* —4D **30**
Reapers Wlk. *Pend* —6D **14**
Reaside Cres. *B14* —2D **146**
Reaside Cft. *B12* —5G **117**
Rea St. *B5* —2H **117** (6G **5**)
Rea St. S. *B5* —3G **117**
Rea Tower. B19 —4E 101
    (off Mosborough Cres.)
Rea Valley Dri. *B31* —5H **145**
Reaview Dri. *S Oak* —3D **132**
Reaymer Clo. *Wals* —3H **31**
Reay Nadin Dri. *S Cold*
    —1B **68**
Rebecca Dri. *B29* —3A **132**
Rebecca Gdns. *Penn* —1D **58**
Recreation St. *Dud* —4F **95**
Rectory Av. *W'bry* —5D **46**
Rectory Clo. *Stourb* —2F **125**
Rectory Fields. *Stourb*
    —1C **108**
Rectory Gdns. *B36* —1E **105**
Rectory Gdns. *O'bry* —4H **97**
Rectory Gdns. *Sol* —4G **151**
Rectory Gdns. *Stourb* —2F **125**
Rectory Gro. *B18* —3A **100**
Rectory La. *B36* —1E **105**
Rectory Pk. Av. *S Cold* —1C **70**
Rectory Pk. Clo. *S Cold*
    —1C **70**

Rectory Pk. Rd. *B26* —6F **121**
Rectory Rd. *B31* —4F **145**
Rectory Rd. *Sol* —4G **151**
Rectory Rd. *Stourb* —2F **125**
Rectory Rd. *S Cold* —6A **54**
Rectory St. *Stourb* —6B **92**
Redacre Rd. *S Cold* —3F **69**
Redacres. *Wolv* —3C **26**
Redbank Av. *B23* —4C **84**
Redbourn Rd. *Wals* —3G **19**
Red Brick Clo. *Crad H*
    —4F **111**
Redbrook Covert. *B38*
    —1A **160**
Red Brook Rd. *Wals* —4G **31**
Redbrooks Clo. *Sol* —6E **151**
Redburn Dri. *B14* —5F **147**
Redcar Cft. *B36* —1A **104**
Redcar Rd. *Wolv* —3H **15**
Redcliffe Dri. *Wom* —1H **73**
Redcott's Clo. *Wolv* —1C **28**
Redcroft Dri. *B24* —2A **86**
Redcroft Rd. *Dud* —3G **95**
Reddal Hill Rd. *Crad H*
    —2G **111**
Reddicap Heath. —1C 70
Reddicap Heath Rd. *S Cold*
    —1D **70**
Reddicap Hill. *S Cold* —1C **70**
Reddicap Trad. Est. *S Cold*
    —6B **54**
Reddicroft. *S Cold* —6A **54**
Reddings La. *Hall G & Tys*
    —3E **135**
Reddings Rd. *B13* —3F **133**
Reddings, The. *H'wd* —4A **162**
Redditch Ho. *B33* —1A **122**
Redditch Rd. *B31 & B38*
    —2G **159**
Redditch Rd. *A'chu* —6G **159**
Redfern Clo. *Sol* —4F **137**
Redfern Dri. *Burn* —1D **10**
Redfern Pk. Way. *B11*
    —6G **119**
Redfern Rd. *B11* —6F **119**
Redfly La. *Brie H* —3G **93**
Redford Clo. *B13* —3B **134**
Redgate Clo. *B38* —5H **145**
Redhall Rd. *B32* —4C **114**
Redhall Rd. *Dud* —5G **75**
Redhill. *Dud* —1F **95**
Red Hill. *Stourb* —1F **125**
Redhill Av. *Wom* —1G **73**
Red Hill Clo. *Stourb* —1F **125**
Red Hill Gro. *B38* —2B **160**
Redhill La. *Chad & Redn*
    —4C **156**
Redhill Pl. *Hunn* —6A **128**
Redhill Rd. *N'fld & K Nor*
    —1F **159**
Redhill Rd. *Yard* —5G **119**
Red Hill St. *Wolv* —6G **27**
Redhill Ter. *Yard* —5H **119**
Redholme Ct. *Stourb* —1E **125**
Red Ho. Av. *W'bry* —2H **63**
Redhouse Clo. *Ben H*
    —4A **166**
Redhouse Glassworks Mus.
    —2C 108
Redhouse Ind. Est. *A'rdge*
    —3H **33**
Redhouse La. *Wals* —4A **34**
Red Ho. Pk. Rd. *B43* —3A **66**
Redhouse Rd. *B33* —6C **104**
Redhouse Rd. *Wolv* —4G **25**
Redhouse St. *Wals* —4C **48**

Redhurst Dri. *Wolv* —4F **15**
Redlake Dri. *Stourb* —4F **125**
Redlake Rd. *Stourb* —4F **125**
Redlands Clo. *Sol* —2H **151**
Redlands Rd. *Sol* —2G **151**
Redlands Way. *S Cold* —2A **52**
Red La. *Dud* —5F **59**
Red Leasowes Rd. *Hale*
    —2H **127**
Rediff Av. *B36* —6H **87**
Red Lion Av. *Cann* —1E **9**
Red Lion Clo. *Tiv* —1A **96**
Red Lion Cres. *Cann* —1E **9**
Red Lion La. *Cann* —1E **9**
Red Lion St. *Wals* —6C **32**
Red Lion St. *Wolv*
    —1G **43** (2A **170**)
Redmead Clo. *B30* —3G **145**
Redmoor Gdns. *Wolv* —6E **43**
Redmoor Way. *Min* —1G **87**
Rednal. —3A 158
Rednal Hill La. *Redn* —3F **157**
Rednall Dri. *S Cold* —6A **38**
Rednal Mill Dri. *Redn*
    —2B **158**
Rednal Rd. *B38* —1G **159**
Redoak Ho. *Wolv* —6B **28**
Redpine Crest. *W'hall* —5D **30**
Red River Rd. *Wals* —4G **31**
Red Rock Dri. *Cod* —5F **13**
Redruth Clo. *K'wfrd* —1B **92**
Redruth Clo. *Wals* —4H **49**
Redruth Rd. *Wals* —4H **49**
Redstone Dri. *Wolv* —4H **29**
Redstone Farm Rd. *B28*
    —1H **149**
Redthorn Gro. *B33* —6B **104**
Redvers Rd. *B9* —2E **119**
Redway Ct. *S Cold* —1C **70**
Redwing Clo. *Hamm* —1F **11**
Redwing Gro. *Erd* —6B **68**
Red Wing Wlk. *B36* —1C **106**
Redwood Av. *Dud* —2B **76**
Redwood Clo. *B30* —3A **146**
Redwood Clo. *S Cold* —1H **51**
Redwood Cft. *B14* —6G **133**
Redwood Dri. *Tiv* —5B **78**
Redwood Gdns. *B27* —6H **119**
Redwood Ho. *B37* —4C **106**
Redwood Rd. *B30* —3A **146**
Redwood Rd. *Bils* —3F **61**
Redwood Rd. *Wals* —1F **65**
Redwood Way. *W'hall* —1B **30**
Redworth Ho. *Redn* —1F **157**
    (off Deelands Rd.)
Reedham Gdns. *Wolv* —6B **42**
Reedly Rd. *W'hall* —6C **18**
Reedmace Clo. *B38* —1B **160**
Reed Sq. *B35* —3F **87**
Reedswood Clo. *Wals* —6A **32**
Reedswood Gdns. *Wals*
    —6A **32**
Reedswood La. *Wals* —6A **32**
Reedswood Way. *Wals*
    —5G **31**
Rees Dri. *Wom* —6H **57**
Reeves Gdns. *Cod* —3G **13**
Reeves Rd. *B14* —1E **147**
Reeves St. *Wals* —1H **31**
Reflex Ind. Pk. *W'hall* —6H **29**
Reform St. *W Brom* —4B **80**
Regal Cft. *B36* —1H **103**
Regal Dri. *Wals* —3A **48**
Regan Av. *Shir* —6G **149**
Regan Ct. *S Cold* —6G **55**
Regan Cres. *B23* —1E **85**

Regency Clo. *B9* —2D **118**
Regency Ct. *Wolv*
    —6G **27** (1A **170**)
Regency Dri. *B38* —5B **146**
Regency Gdns. *B14* —4C **148**
Regency Wlk. *S Cold* —4D **36**
Regent Av. *Tiv* —6A **78**
Regent Clo. *B5* —5F **117**
Regent Clo. *Hale* —1A **128**
Regent Clo. *K'wfrd* —3B **92**
Regent Clo. *Tiv* —1A **96**
Regent Ct. *Smeth* —4E **99**
Regent Dri. *Tiv* —6A **78**
Regent Ho. Wals —6B 32
    (off Green La.)
Regent Pde. *B1*
    —5E **101** (1A **4**)
Regent Pk. Rd. *B10* —2C **118**
Regent Pl. *B1* —5E **101** (1A **4**)
Regent Pl. *Tiv* —5B **78**
Regent Rd. *Hand* —1H **99**
Regent Rd. *Harb* —5H **115**
Regent Rd. *Tiv* —1A **96**
Regent Rd. *Wolv* —6C **42**
Regent Row. *B1*
    —5E **101** (1A **4**)
Regents, The. *Edg* —3H **115**
Regent St. *B1* —5E **101** (1A **4**)
Regent St. *Bils* —5F **45**
Regent St. *Crad H* —1H **111**
Regent St. *Dud* —1E **77**
Regent St. *Smeth* —3E **99**
Regent St. *Stir* —6C **132**
Regent St. *Tip* —5G **61**
Regent St. *W'hall* —6A **30**
Regent Wlk. *B8* —2H **103**
Regina Av. *B44* —5G **67**
Regina Clo. *Redn* —5E **143**
Regina Cres. *Wolv* —5H **25**
Regina Dri. *B42* —4E **83**
Regina Dri. *Wals* —5E **33**
Reginald Rd. *B8* —5D **102**
Reginald Rd. *Smeth* —1D **114**
Regis Beeches. *Wolv* —4A **26**
Regis Gdns. *Row R* —1C **112**
Regis Heath Rd. *Row R*
    —1D **112**
Regis Ho. *O'bry* —1A **114**
Regis Rd. *Row R* —2C **112**
Regis Rd. *Wolv* —4H **25**
Reid Av. *W'hall* —3D **30**
Reid Rd. *O'bry* —2A **114**
Reigate Av. *B8* —5H **103**
Reliance Trad. Est. *Bils*
    —6D **44**
Relko Dri. *B36* —2A **104**
Remembrance Rd. *W'bry*
    —2A **64**
Remington Pl. *Wals* —4A **32**
Remington Rd. *Wals* —3H **31**
Renfrew Clo. *Stourb* —6A **92**
Renfrew Sq. *B35* —3F **87**
Rennie Gro. *B32* —6B **114**
Rennison Dri. *Wom* —1G **73**
Renown Clo. *Brie H* —1F **93**
Renton Gro. *Wolv* —6E **15**
Renton Rd. *Wolv* —6E **15**
Repington Way. *S Cold*
    —5F **55**
Repton Av. *Wolv* —6E **25**
Repton Gro. *B9* —6H **103**
Repton Ho. *B23* —1F **85**
Repton Rd. *B9* —6H **103**
Reservoir Clo. *Wals* —3H **47**
Reservoir Pas. *W'bry* —2F **63**
Reservoir Pl. *Wals* —3H **47**

Rowlands Clo. *Wals* —5E **31**
Rowlands Cres. *Sol* —5F **137**
Rowlands Rd. *B26* —4C **120**
Rowland St. *Wals* —6A **32**
Rowley Gro. *B33* —6H **105**
Rowley Hall Av. *Row R*
—5C **96**
Rowley Hill Vw. *Crad H*
—3H **111**
Rowley Pl. *Wals* —2F **33**
Rowley Regis. —6B 96
Rowley St. *Wals* —1D **48**
Rowley Vw. *Bils* —2A **62**
Rowley Vw. *W'bry* —1C **62**
Rowley Vw. *W Brom* —4H **79**
Rowley Village. *Row R* —6C **96**
Rowney Cft. *B28* —3E **149**
Rowood Dri. *Sol* —6G **137**
Rowthorn Clo. *S Cold* —4A **52**
Rowthorn Dri. *Shir* —3E **165**
Rowton Av. *Wolv* —6E **25**
Rowton Dri. *S Cold* —6H **51**
Roxburgh Gro. *B43* —1E **67**
Roxburgh Rd. *S Cold* —2G **69**
Roxby Gdns. *Wolv* —4E **27**
Royal Birmingham Society
of Artists Gallery. —1F 117
Royal Brierley Crystal.
—6H **93**
Royal Clo. *Brie H* —3G **109**
Royal Clo. *Row R* —4C **96**
Royal Ct. *S Cold* —3H **69**
Royal Doulton Crystal.
—4D **108**
Royal Mail St. *B1*
—1F **117** (5C **4**)
Royal Oak Rd. *Hale* —1F **129**
Royal Oak Rd. *Row R* —4H **95**
Royal Rd. *S Cold* —6A **54**
Royal Scot Gro. *Wals* —6C **48**
Royal Star Clo. *B33* —1G **121**
Royal, The. —2A 44
Royal Way. *Tip* —5A **78**
Roydon Rd. *B27* —5A **136**
Roylesden Cres. *S Cold*
—3C **68**
Royston Chase. *S Cold*
—6B **36**
Royston Cft. *B12* —5H **117**
Royston Way. *Dud* —5G **59**
Rubens Clo. *Dud* —2H **75**
Rubery. —2F 157
Rubery By-Pass. *Redn*
—2E **157**
Rubery Ct. *W'bry* —4C **46**
Rubery Farm Gro. *Redn*
—1F **157**
Rubery La. *Redn* —6F **143**
Rubery La. S. *Redn* —1F **157**
Rubery St. *W'bry* —3D **46**
Ruckley Av. *B19* —2E **101**
Ruckley Rd. *B29* —5F **131**
Ruddington Way. *B19*
—4G **101**
Rudge Av. *Wolv* —6D **28**
Rudge Clo. *W'hall* —5C **30**
Rudge Cft. *B33* —5E **105**
Rudge St. *Bils* —3G **61**
Rudge Wlk. *B18* —6C **100**
Rudgewick Cft. *B6* —3H **101**
Rudyard Clo. *Wolv* —3A **16**
Rudyard Gro. *B33* —6F **105**
Rudyngfield Dri. *B33* —6D **104**
Rufford Clo. *B23* —5D **68**
Rufford Rd. *Stourb* —1G **125**
Rufford St. *Stourb* —5H **109**

Rufford Way. *Wals* —2A **34**
Rugby Rd. *Stourb* —4B **108**
Rugby St. *Wolv* —6F **27**
Rugeley Av. *W'hall* —1D **30**
Rugeley Cl. *Tip* —2G **77**
Rugeley Gro. *B7* —3B **102**
Ruislip Clo. *B35* —3E **87**
Ruiton. —3H 75
Ruiton St. *Dud* —3H **75**
Rumbow. *Hale* —1B **128**
Rumbush. —6E 163
Rumbush La. *Earls* —6E **163**
Rumbush La. *Shir* —3G **163**
Runcorn Clo. *B37* —5E **107**
Runcorn Rd. *B12* —6H **117**
Runnymede Rd. *B11* —2E **135**
Rupert St. *B7* —5A **102**
Rupert St. *Wolv* —1E **43**
Rushall. —2G 33
Rushall Clo. *Stourb* —3C **108**
Rushall Clo. *Wals* —5F **33**
Rushall Ct. B43 —6A **66**
(off West Rd.)
Rushall Mnr. Clo. *Wals* —5F **33**
Rushall Mnr. Rd. *Wals* —5F **33**
Rushall Rd. *Wolv* —5A **16**
Rushbrook Clo. *Clay* —1A **22**
Rushbrook Clo. *Sol* —3C **136**
Rushbrooke Clo. *B13* —1H **133**
Rushbrooke Dri. *S Cold*
—2C **68**
Rushbrook Gro. *B14* —4E **147**
Rushbury Clo. *Bils* —6D **44**
Rushbury Clo. *Shir* —3B **150**
Rushden Cft. *B44* —4H **67**
Rushes Mill. *Pels* —4C **20**
Rushey La. *B11* —6G **119**
Rushford Av. *Wom* —1G **73**
Rushford Clo. *Shir* —2E **165**
Rush Grn. *B32* —3C **130**
Rushlake Grn. *B34* —4F **105**
Rushleigh Rd. *Shir* —1E **163**
Rushmead Gro. *Redn*
—2G **157**
Rushmere Rd. *Tip* —5A **62**
Rushmoor Clo. *S Cold*
—5H **53**
Rushmore Ho. *Redn* —1F **157**
Rushwater Clo. *Wom* —1E **73**
Rushwick Cft. *B34* —3H **105**
Rushwick Gro. *Shir* —3E **165**
Rushwood Clo. *Wals* —6E **33**
Rushy Piece. *B32* —2B **130**
Ruskin Av. *Dud* —2E **75**
Ruskin Av. *Row R* —1D **112**
Ruskin Av. *Wolv* —3B **60**
Ruskin Clo. *B6* —2H **101**
Ruskin Gro. *B27* —3H **135**
Ruskin Rd. *Wolv* —1B **28**
Ruskin St. *W Brom* —2A **80**
Russell Bank Rd. *S Cold*
—5E **37**
Russell Clo. *Tip* —4C **62**
Russell Clo. *Tiv* —5D **78**
Russell Clo. *Wolv* —6H **17**
Russell Ct. *Wolv* —2F **43**
Russell Ho. *Cod* —3E **13**
Russell Ho. *W'bry* —3F **63**
Russell Rd. *Bils* —4H **45**
Russell Rd. *Hall G* —3E **135**
Russell Rd. *Mose* —2F **133**
Russell's Hall. —6B 76
Russells Hall Rd. *Dud* —6A **76**
Russells, The. *Mose* —2F **133**
Russell St. *Dud* —6D **76**
Russell St. *W'bry* —3F **63**

Russell St. *W'hall* —1B **46**
Russell St. *Wolv* —2F **43**
Russett Clo. *Wals* —3A **50**
Russett Way. *Brie H* —2F **93**
Russet Wlk. *Pend* —6C **14**
Russet Way. *B31* —1C **144**
Ruston St. *B16* —2D **116**
Ruthall Clo. *B29* —6G **131**
Ruth Clo. *Tip* —3C **62**
Rutherford Rd. *B23* —6E **69**
Rutherford Rd. *Wals* —3G **31**
Rutland Av. *Wolv* —1B **58**
Rutland Ct. *B29* —6G **131**
Rutland Cres. *Bils* —4F **45**
Rutland Cres. *Wals* —6D **22**
Rutland Dri. *B26* —4C **120**
Rutland Pas. *Dud* —6E **77**
Rutland Pl. *Stourb* —3B **108**
Rutland Rd. *Smeth* —2E **115**
Rutland Rd. *W'bry* —1A **64**
Rutland Rd. *W Brom* —6A **64**
Rutland St. *Wals* —4C **32**
Rutley Gro. *B32* —1D **130**
Rutters Mdw. *B32* —1H **129**
Rutter St. *Wals* —4B **48**
Ryan Av. *Wolv* —1A **30**
Ryan Pl. *Dud* —3E **95**
(in two parts)
Rycroft Gro. *B33* —1G **121**
Rydal Clo. *S Cold* —1H **51**
Rydal Clo. *Wolv* —2E **29**
Rydal Dri. *Pert* —5F **25**
Rydal Ho. *O'bry* —4D **96**
Rydal Way. *B28* —6F **135**
Rydding La. *W Brom* —5H **63**
Rydding Sq. *W Brom* —5H **63**
Ryde Gro. *B27* —4G **135**
Ryde Pk. Rd. *Redn* —3A **158**
Ryder Ho. *W Brom* —4E **79**
Ryders Grn. Rd. *W Brom*
—3E **79**
Ryders Hayes La. *Wals*
—3E **21**
Ryder St. *B4* —6G **101** (2F **5**)
Ryder St. *Stourb* —1B **108**
Ryder St. *W Brom* —2E **79**
Ryebank Clo. *B30* —2G **145**
Ryeclose Cft. *B37* —6F **107**
Ryecroft. —5C 32
Rye Cft. *B27* —6A **120**
Rye Cft. *H'wd* —4A **162**
Rye Cft. *Stourb* —3A **126**
Ryecroft Av. *Wolv* —6F **43**
Ryecroft Clo. *Dud* —5G **59**
Ryecroft Pk. *Wals* —6C **32**
Ryecroft Pl. *Wals* —3D **32**
Ryecroft St. *Wals* —6C **32**
Ryefield. *Wolv* —5C **14**
Ryefield Clo. *Sol* —3C **150**
Rye Grass Wlk. *B35* —4F **87**
Rye Gro. *B11* —1F **135**
Ryemarket. *Stourb* —6E **109**
Ryhope Wlk. *Wolv* —4E **15**
(in two parts)
Ryknild Clo. *S Cold* —3F **37**
Ryland Clo. *Hale* —3G **127**
Ryland Clo. *Tip* —2B **78**
Ryland Ho. B19 —4F **101**
(off Gt. Hampton Row)
Ryland Rd. *Edg* —4E **117**
Ryland Rd. *Erd* —6F **85**
Ryland Rd. *S'hll* —1D **134**
Rylands Dri. *Wolv* —1D **58**
Ryland St. *B16* —2D **116**
Ryle St. *Wals* —5A **20**
Rymond Rd. *B34* —3C **104**

Ryton Clo. *S Cold* —6H **53**
Ryton Clo. *Wolv* —4C **28**
Ryton End La. *Bars* —6C **154**
Ryton Gro. *B34* —2H **105**

S

Sabell Rd. *Smeth* —3D **98**
Sabrina Rd. *Wolv* —2E **41**
Saddle Dri. *B32* —2D **130**
Saddlers Cen. *Wals* —2C **48**
Saddlers Ct. *Wals* —4H **47**
Saddlers Ct. Ind. Est. *Wals*
—2G **31**
Saddlers M. *Sol* —6G **151**
Saddlestones, The. *Pert*
—5D **24**
Saddleworth Rd. *Wals* —3G **19**
Sadler Ho. *B19* —3E **101**
Sadler Rd. *S Cold* —4D **54**
Sadler Rd. *Wals* —6C **10**
Sadlers Mill. *Wals* —6C **10**
Sadlers Wlk. *B16* —2C **116**
Saffron Gdns. *Wolv* —1E **59**
Sage Cft. *B31* —2D **144**
St Agatha's Rd. *B8* —4H **103**
St Agnes Clo. *B13* —3B **134**
St Agnes Rd. *B13* —3B **134**
St Aidans Wlk. *B10* —3C **118**
St Albans Clo. *Smeth* —3C **98**
St Albans Clo. *Wolv* —1A **30**
St Albans Rd. *B13* —2A **134**
St Alban's Rd. *Smeth* —3C **98**
St Alphege Clo. *Sol* —4G **151**
St Andrew's Av. *Wals* —2E **21**
St Andrews Clo. *B32* —2E **131**
St Andrews Clo. *Dud* —4E **75**
St Andrews Clo. *Stourb*
—3D **124**
St Andrew's Clo. *Wolv* —5E **27**
St Andrews Dri. *Pert* —4D **24**
St Andrews Dri. *Tiv* —2B **96**
St Andrew's Ho. *Wolv* —5F **27**
St Andrews Ind. Est. *B9*
—1C **118**
St Andrew's Rd. *B9* —1B **118**
St Andrews Rd. *S Cold*
—4A **54**
St Andrews St. *B9* —1B **118**
St Andrew's St. *Dud* —4E **95**
St Annes Clo. *B20* —3B **82**
St Anne's Clo. *Burn* —1A **10**
St Annes Ct. *B44* —6A **68**
St Annes Ct. *B13* —1G **133**
St Annes Ct. *Crad H* —2E **111**
St Anne's Ct. *W'hall* —2B **46**
St Annes Gro. *Know* —3C **166**
St Annes Ind. Est. *W'hall*
—6B **30**
St Anne's Rd. *Dud & Crad H*
—2E **111**
St Annes Rd. *W'hall* —6B **30**
St Anne's Rd. *Wolv* —5G **15**
St Anne's Way. *B44* —6A **68**
St Ann's Ter. *W'hall* —6B **30**
St Anthony's Dri. *Wals* —2F **21**
St Athan Cft. *B35* —4F **87**
St Audries Ct. *Sol* —5D **150**
St Augustine's Rd. *B16*
—2H **115**
St Augustus Clo. *W Brom*
—5D **80**
St Austell Rd. *Wals* —4A **50**
St Bartholomew's Ter. *W'bry*
—2F **63**
St Benedict's Clo. *W Brom*
—5D **80**

St Benedicts Rd.—St Paul's Rd.

St Benedicts Rd. *B10*
　　　　　　—4F **119**
St Benedicts Rd. *Wom*
　　　　　　—1G **73**
St Bernard's Rd. *Sol* —2B **150**
St Bernards Rd. *S Cold*
　　　　　　—3A **70**
St Blaise Av. *Wat O* —5D **88**
St Blaise Rd. *S Cold* —6B **38**
St Brades Clo. *Tiv* —2C **96**
St Brides Clo. *Dud* —5G **59**
Saintbury Dri. *Sol* —2G **165**
St Caroline Clo. *W Brom*
　　　　　　—5D **80**
St Catharines Clo. *Wals*
　　　　　　—4E **49**
St Catherine's Clo. *Dud*
　　　　　　—6A **78**
St Catherines Clo. *S Cold*
　　　　　　—4D **54**
St Catherine's Cres. *Wolv*
　　　　　　—1D **58**
St Chads Cir. Queensway. *B4*
　　　　—5F **101** (1D **4**)
St Chad's Clo. *Dud* —4F **75**
St Chads Ind. Est. *B19*
　　　　　　—4G **101**
St Chad's Queensway. *B4*
　　　　—5G **101** (2D **4**)
St Chads Rd. *Bils* —4H **45**
St Chad's Rd. *Redn* —2F **157**
St Chads Rd. *S Cold* —6C **54**
St Chads Rd. *Wolv* —1B **28**
St Christopher Clo. *W Brom*
　　　　　　—5D **80**
St Christophers. *B20* —3B **82**
St Clements Av. *Wals* —2B **32**
St Clements Ct. *Hale* —2A **128**
St Clements La. *W Brom*
　　　　　　—3B **80**
St Clements Rd. *B7* —3C **102**
St Columbas Dri. *Redn*
　　　　　　—2B **158**
St Cuthbert's Clo. *W Brom*
　　　　　　—5D **80**
St David's Clo. *Wals* —2F **21**
St David's Clo. *W Brom*
　　　　　　—5D **80**
St Davids Dri. *B32* —6H **113**
St Davids Gro. *B20* —3B **82**
St Davids Pl. *Wals* —5B **20**
St Denis Rd. *B29* —1E **145**
St Dominic's Rd. *B24* —6E **85**
(in two parts)
St Edburgh's Rd. *B25*
　　　　　　—2C **120**
St Edmund's Clo. *W Brom*
　　　　　　—5D **80**
St Edmund's Clo. *Wolv*
　　　　　　—6D **26**
St Edwards Rd. *B29* —3B **132**
St Eleanors Clo. *W Brom*
　　　　　　—5D **80**
St Francis Av. *Sol* —1C **150**
St Francis' Clo. *Wals* —2F **21**
St Francis Factory Est.
　　　W Brom —5B **80**
St George Dri. *Smeth* —2E **99**
St Georges. —2H **43** (4C **170**)
St Georges Av. *B23* —2G **85**
St Georges Clo. *B15* —4C **116**
St George's Clo. *S Cold*
　　　　　　—5D **54**
St George's Clo. *W'bry*
　　　　　　—4D **46**
St Georges Ct. *B'vlle* —6A **132**

St Georges Ct. *S Cold* —4E **37**
St Georges Ct. Wals —1D **48**
(off Persehouse St.)
St George's Ct. W'bry —4D **46**
(off St George's St.)
St George's Pde. *Wolv*
　　　　—2H **43** (4C **170**)
St Georges Pl. *Wals* —1D **48**
St Georges Pl. *W Brom*
　　　　　　—3A **80**
St George's Rd. *Dud* —3F **95**
St Georges Rd. *Shir* —1B **164**
St George's Rd. *Stourb*
　　　　　　—3B **124**
St George's St. *B19* —5F **101**
St George's St. *W'bry* —4D **46**
St Gerards Ct. *Sol* —5C **150**
St Gerards Rd. *Sol* —5C **150**
St Giles Av. *Row R* —5B **96**
St Giles Clo. *Row R* —5C **96**
St Giles Ct. *Row R* —6D **96**
St Giles Ct. *W'hall* —2B **46**
St Giles Cres. *Wolv* —1C **44**
St Giles Rd. *B33* —1H **121**
St Giles Rd. *W'hall* —2B **46**
St Giles Rd. *Wolv* —1C **44**
St Giles St. *Dud* —4E **95**
St Helens Av. *Tip* —2C **78**
St Helens Pas. *B1*
　　　　—6E **101** (1A **4**)
St Helens Rd. *Sol* —1E **151**
St Heliers Rd. *B31* —3C **144**
St Ives Rd. *Wals* —4H **49**
St James Av. *Row R* —5B **96**
St James' Clo. *Wals* —2F **21**
St James Clo. *W Brom*
　　　　　　—5D **80**
St James Pl. *B7* —6A **102**
St James Pl. *Shir* —5H **149**
St James' Rd. *Edg* —3D **116**
St James' Rd. *Hand* —1H **99**
St James Rd. *O'bry* —1D **96**
St James Rd. *S Cold* —1A **54**
St James's Priory. **—4E 77**
St James's Rd. *Dud* —5D **76**
St James's Ter. *Dud* —5C **76**
St James' St. *Dud* —4H **75**
St James St. *W'bry* —3E **63**
St James St. *Wolv* —2A **44**
St James Wlk. *Wals* —6B **10**
St John Bosco Clo. *W Brom*
　　　　　　—6H **63**
St John Clo. *S Cold* —5B **38**
St John's Arc. *Wolv*
　　　　—1G **43** (3B **170**)
St Johns Av. *Row R* —5B **96**
St John's Clo. *Know* —3D **166**
St John's Clo. *Swind* —5D **72**
St John's Clo. *Wals* —4B **22**
St John's Clo. *W Brom*
　　　　　　—5D **80**
St Johns Ct. Brie H —1H **109**
(off Hill St.)
St Johns Ct. *Wals* —6H **19**
St Johns Gro. *B37* —6B **106**
St John's Ho. *W Brom* —5A **80**
St Johns Retail Pk. *Wolv*
　　　　—2G **43** (5B **170**)
St John's Rd. *Dud* —1G **95**
St Johns Rd. *Ess* —4A **18**
St John's Rd. *Hale* —1G **127**
St John's Rd. *Harb* —5H **115**
St John's Rd. *O'bry* —4A **98**
St John's Rd. *S'hll* —6C **118**
St Johns Rd. *Stourb* —5E **109**
St Johns Rd. *Tip* —6H **61**

St John's Rd. *Wals* —3H **47**
(WS2)
St John's Rd. *Wals* —2F **21**
(WS3)
St Johns Rd. *Wals* —2C **22**
(WS8)
St Johns Rd. *W'bry* —6C **46**
St John's Sq. *Wolv*
　　　　—2G **43** (5B **170**)
St John's St. *Dud* —4E **95**
St Johns St. Wolv
　　　　—2G **43** (4B **170**)
(off Victoria St.)
St Johns Wlk. *B42* —3F **83**
St John's Way. *Know* —3E **167**
St Johns Wood. *Redn*
　　　　　　—4H **157**
St Joseph's Av. *B31* —2F **145**
St Josephs Clo. *Wals* —3E **21**
St Joseph's Ct. *Wolv* —5A **42**
St Joseph's Rd. *B8* —4A **104**
St Joseph St. *Dud* —6F **77**
St Jude's Clo. *B14* —5H **147**
St Judes Clo. *S Cold* —5D **54**
St Judes Pas. *B5*
　　　　　　—2F **117** (6D **4**)
St Jude's Rd. *Wolv* —6D **26**
St Jude's Rd. W. *Wolv* —6D **26**
St Katherines Rd. *O'bry*
　　　　　　—1H **113**
St Kenelms Av. *Hale* —4G **127**
St Kenelm's Clo. *W Brom*
　　　　　　—5D **80**
St Kenelm's Rd. *Rom* —3A **142**
St Kilda's Rd. *B8* —5E **103**
St Laurence M. *B31* —4E **145**
St Laurence Rd. *B31* —2F **145**
St Lawrence Clo. *Know*
　　　　　　—4D **166**
St Lawrence Way. *W'bry*
　　　　　　—4D **46**
St Leonard's Clo. *B37*
　　　　　　—4C **122**
St Loye's Clo. *Hale* —4D **112**
St Lukes Clo. *Row R* —5B **96**
St Luke's Rd. *B5* —3F **117**
(in two parts)
St Luke's Rd. *W'bry* —2G **63**
(in two parts)
St Lukes St. *Crad H* —2F **111**
St Luke's Ter. *Dud* —1C **94**
St Margaret's. *S Cold* —6C **36**
St Margarets Av. *B8* —3H **103**
St Margarets Dri. *Hale*
　　　　　　—3H **127**
St Margaret's Rd. *Gt Barr*
　　　　　　—3B **66**
St Margarets Rd. *Sol* —4C **136**
St Margarets Rd. *Wals* —3E **21**
St Marks Cres. *B1* —6C **100**
St Marks Rd. *Bwnhls* —2C **22**
St Marks Rd. *Dud* —5H **77**
St Mark's Rd. *Pels* —3E **21**
St Marks Rd. *Smeth* —6B **98**
St Marks Rd. *Stourb* —6H **109**
St Marks Rd. *Tip* —5H **61**
St Mark's Rd. *Wolv* —2E **43**
(in two parts)
St Marks St. *B1* —6D **100**
St Mark's St. *Wolv*
　　　　—2F **43** (4A **170**)
St Martin's Cir. Queensway. *B2*
　　　　—1G **117** (5E **5**)
St Martin's Clo. *W Brom*
　　　　　　—5D **80**

St Martins Clo. *Wolv* —5A **44**
St Martins Dri. *Tip* —2A **78**
St Martins La. *B5*
　　　　　　—1G **117** (5F **5**)
St Martin's Rd. *S Cold* —6D **54**
St Martin's St. *B15* —2D **116**
St Martin's Ter. *Bils* —1G **61**
St Mary's Clo. *B24* —3B **85**
St Marys Clo. *B27* —2H **135**
St Marys Clo. *Dud* —5B **60**
St Marys Ct. *Brie H* —1H **109**
St Mary's Ct. W'hall —1A **46**
(off Wolverhampton St.)
St Mary's La. *Stourb* —2F **125**
St Mary's Mobile Home Pk.
　　　　Wyt —6G **161**
St Mary's Rd. *Harb* —6G **115**
St Mary's Rd. *Smeth* —2D **114**
St Mary's Rd. *W'bry* —2F **63**
St Mary's Row. *B4*
　　　　　　—6G **101** (2E **5**)
St Marys Row. *Mose* —2H **133**
St Mary's St. *Wolv*
　　　　—1H **43** (2C **170**)
St Mary's Vw. *B23* —5D **68**
St Marys Way. *Wals* —4C **34**
St Matthew's Clo. *Pels* —2F **21**
St Matthews Clo. *Wals*
　　　　　　—2D **48**
St Matthews Rd. *O'bry*
(in two parts) —1G **113**
St Matthews Rd. *Smeth*
　　　　　　—4G **99**
St Matthews St. *Wolv* —2B **44**
St Mawes Rd. *Pert* —6F **25**
St Mawgan Clo. *B35* —3G **87**
St Michaels Clo. *Wals* —5E **21**
St Michaels Ct. *W Brom*
　　　　　　—4A **80**
St Michaels Ct. *Wolv* —4C **26**
St Michaels Cres. *O'bry*
　　　　　　—5F **97**
St Michael's Gro. *Dud* —6A **78**
St Michael's Hill. *B18* —2C **100**
St Michael's M. *Tiv* —5A **78**
St Michael's Rd. *B18* —2C **100**
St Michael's Rd. *Dud* —2D **74**
St Michael's Rd. *S Cold*
　　　　　　—5F **69**
St Michael St. *Wals* —3C **48**
St Michael St. *W Brom*
　　　　　　—4A **80**
St Michaels Way. *Tip* —4A **78**
St Nicholas Clo. *Wals* —3E **21**
St Nicholas Ct. *B38* —5B **146**
St Nicholas Gdns. *B38*
　　　　　　—5B **146**
St Nicholas Wlk. *Curd* —1D **88**
St Oswald's Rd. *B10* —3E **119**
St Patricks Clo. *B14* —2G **147**
St Paul's Av. *B12* —6A **118**
St Paul's Clo. *Wals* —1C **48**
St Pauls Ct. *B3*
　　　　　　—5E **101** (1B **4**)
St Pauls Ct. *Row R* —2D **112**
St Pauls Ct. *Wat O* —4D **88**
St Paul's Cres. *Col* —2H **107**
St Paul's Cres. *Wals* —3F **21**
St Paul's Cres. *W Brom*
　　　　　　—6E **63**
St Pauls Dri. *Hale* —2D **112**
St Pauls Dri. *Tip* —3B **78**
St Paul's Rd. *B12* —5H **117**
St Paul's Rd. *Dud* —4F **95**
St Paul's Rd. *Smeth* —2B **98**
St Paul's Rd. *W'bry* —6H **47**

St Paul's Sq. *B3*
　　　　—6E **101** (2B **4**)
St Paul's St. *Wals* —1C **48**
St Pauls Ter. *B3*
　　　　—5E **101** (1B **4**)
St Peters Clo. *B28* —1D **148**
St Peter's Clo. *Ston* —3G **23**
St Peter's Clo. *S Cold* —2H **69**
St Peter's Clo. *Tip* —3D **78**
St Peters Clo. *Wat O* —5D **88**
St Peters Clo. *Wolv*
　　　　—1G **43** (2B **170**)
St Peters Ct. *Blox* —6H **19**
St Peter's Dri. *Wals* —3E **21**
St Peters La. *Sol* —4F **139**
St Peter's Rd. *Dud* —3F **95**
St Peter's Rd. *Hand* —6E **83**
St Peter's Rd. *Harb* —6F **115**
St Peters Rd. *Stourb* —4G **125**
St Peter's Sq. *Wolv*
　　　　—1G **43** (2B **170**)
St Peters Ter. *Wals* —5C **32**
St Philips Av. *Wolv* —4D **42**
St Philips Gro. *Wolv* —4D **42**
St Phillips Pl. *B3*
　　　　—6G **101** (3E **5**)
St Phillips Ct. *Col* —2H **107**
St Quentin St. *Wals* —3A **48**
St Saviours Clo. *Wolv* —5B **44**
St Saviour's Rd. *B8* —5D **102**
St Silas' Sq. *B19* —2D **100**
St Simons Clo. *S Cold* —5D **54**
St Stephens Av. *W'hall*
　　　　—1H **45**
St Stephen's Ct. *W'hall*
　　　　—2H **45**
St Stephens Gdns. *W'hall*
　　　　—1A **46**
St Stephens Rd. *S Oak*
　　　　—5D **132**
St Stephens Rd. *W Brom*
　　　　—1F **99**
St Stephen's St. *B6* —3G **101**
St Thomas' Clo. *A'rdge*
　　　　—6D **22**
St Thomas Clo. *S Cold*
　　　　—6D **54**
St Thomas Clo. *Wals* —3C **32**
St Thomas' Rd. *B23* —4D **84**
St Thomas St. *Dud* —4E **95**
St Thomas St. *Stourb*
　　　　—6D **108**
St Valentines Clo. *W Brom*
　　　　—5D **80**
St Vincent Cres. *W Brom*
　　　　—1F **79**
St Vincent St. *B16* —1D **116**
St Vincent St. W. *B16*
　　　　—1C **116**
Saladin Av. *O'bry* —4E **97**
Salcombe Av. *B26* —6G **121**
Salcombe Dri. *Brie H* —4G **109**
Salcombe Gro. *Bils* —4F **61**
Salcombe Rd. *Smeth* —4F **99**
Saldavian Ct. *Wals* —5H **47**
Salem St. *Tip* —2D **78**
Salford Circ. *B6* —6D **84**
Salford St. *B6* —1C **102**
Salford Trad. Est. *B6* —1C **102**
Salisbury Clo. *B13* —1G **133**
Salisbury Clo. *Dud* —4B **76**
Salisbury Ct. *Sol* —3G **151**
Salisbury Dri. *Wat O* —4E **89**
Salisbury Gro. *S Cold* —6A **70**
Salisbury Pl. Ind. Est. Wolv
　(off Rosebery La.) —2F **43**

Salisbury Rd. *B'fld* —1F **101**
Salisbury Rd. *Mose* —1G **133**
Salisbury Rd. *Salt* —4E **103**
Salisbury Rd. *Smeth* —5F **99**
Salisbury Rd. *W Brom* —6C **80**
Salisbury St. *W'bry* —4E **47**
Salisbury St. *Wolv* —2F **43**
Salisbury Tower. *B18* —6C **100**
Sallow Gro. *Wals* —4B **10**
Sally Ward Dri. *Wals* —3C **22**
Salop Clo. *W Brom* —1H **79**
Salop Dri. *O'bry* —1A **114**
Salop Rd. *O'bry* —6A **98**
Salop St. *B12* —3H **117**
Salop St. *Bils* —1G **61**
Salop St. *Dud* —5D **76**
Salop St. *O'bry* —6E **79**
Salop St. *Wolv*
　　　　—2G **43** (4A **170**)
Salstar Clo. *B6* —3G **101**
Saltash Gro. *B25* —2A **120**
Saltbrook Rd. Stourb & Hale
　(in two parts) —5B **110**
Saltbrook Trad. Est. *Hale*
　　　　—4C **110**
Salter Rd. *Tip* —6H **61**
Salter's La. *W Brom* —3C **80**
Salter's Rd. *Wals* —3C **22**
Salter St. *Earls & H'ley H*
　　　　—6A **164**
Salters Va. *W Brom* —6C **80**
Saltley. —5D 102
Saltley Bus. Pk. *Salt* —3D **102**
Saltley Ind. Est. *B8* —6C **102**
Saltley Rd. *B7* —4B **102**
Saltley Trad. Est. *B8* —3D **102**
Saltley Viaduct. *B7* —4C **102**
Saltney Clo. *B24* —2B **86**
Saltwells. *Brie H* —1C **110**
Saltwells La. *Brie H* —1B **110**
Saltwells Rd. *Dud* —1D **110**
Saltwells Wood Nature
　　　Reserve. —6C 94
Salwarpe Gro. *B29* —3D **130**
Sambourn Clo. *Sol* —1A **152**
Sambourne Dri. *B34* —2H **105**
Sambrook Rd. *Wolv* —3C **28**
Sampson Clo. *B21* —6G **81**
Sampson Clo. *Tiv* —2C **96**
Sampson Rd. *B11* —4B **118**
Sampson Rd. N. *B11* —3B **118**
Sampson St. *W'bry* —2H **63**
Sams La. *W Brom* —5A **80**
Samuels Rd. *B32* —6G **113**
Samuel St. *Wals* —6H **19**
Sanda Cft. *B36* —3D **106**
Sandalls Clo. *B31* —6B **144**
Sandal Ri. *Sol* —4A **152**
Sandals Ri. *Hale* —2D **128**
Sandalwood Clo. *W'hall*
　　　　—1B **30**
Sandbank. *Wals* —6G **19**
Sandbarn Clo. *Shir* —3D **164**
Sandbeds Rd. *W'hall* —5C **30**
Sandbourne Rd. *B8* —5G **103**
Sandcroft, The. *B33* —2H **121**
Sanderling Ri. *K'wfrd* —3E **93**
Sanders Clo. *Dud* —2G **95**
Sanders St. *Tip* —2B **78**
Sandfield. *Smeth* —2C **98**
Sandfield Bri. *K'wfrd* —6F **75**
Sandfield Clo. *Shir* —1G **163**
Sandfield Gro. *Dud* —5F **75**
Sandfield Rd. *Stourb* —1D **108**
Sandfield Rd. *W Brom* —4C **64**
Sandfields Av. *B10* —3B **118**

Sandfields Rd. *O'bry* —1A **114**
Sandford Av. *Row R* —6C **96**
Sandford Ri. *Wolv* —3C **26**
Sandford Rd. *B13* —1A **134**
Sandford Rd. *Dud* —6A **76**
Sandford Wlk. *B12* —6H **117**
Sandgate Rd. *B28* —3F **149**
Sandgate Rd. *Tip* —5A **62**
Sandhill Farm Clo. *B19*
　　　　—2F **101**
Sandhills Cres. *Sol* —1F **165**
Sandhill St. *Wals* —6G **19**
Sandhurst Av. *B36* —3B **104**
Sandhurst Av. *Stourb*
　　　　—3H **125**
Sandhurst Dri. *Wolv* —1E **59**
Sandhurst Gro. *Stourb* —6C **92**
Sandhurst Rd. *B13* —3G **133**
Sandhurst Rd. *K'wfrd* —5E **93**
Sandhurst Rd. *S Cold* —4F **37**
Sandland Clo. *Bils* —5H **45**
Sandland Rd. *W'hall* —1D **30**
Sandmartin Clo. *Dud* —1E **111**
Sandmere Gro. *B14* —4D **148**
Sandmere Ri. *Wolv* —6A **16**
Sandmere Rd. *B14* —4D **148**
Sandon Gro. *B24* —3H **85**
Sandon Rd. *Smeth & B17*
　　　　—1E **115**
Sandon Rd. *Stourb* —1B **126**
Sandon Rd. *Wolv* —5F **15**
Sandown Av. *Wals* —2E **7**
Sandown Dri. *Pert* —5F **25**
Sandown Rd. *B36* —1B **104**
Sandown Tower. *B31* —6E **145**
Sandpiper Clo. *Stourb*
　　　　—6B **110**
Sandpiper Gdns. *B38* —2B **160**
Sandpit Clo. *W'bry* —3C **64**
Sand Pits. *B1* —6D **100** (3A **4**)
Sandpits Clo. *Curd* —1D **88**
Sandpits Ind. Est. *B1* —6D **100**
Sandpits, The. *B30* —5A **132**
Sandra Clo. *Wals* —4D **34**
Sandringham Av. *W'hall*
　　　　—2B **30**
Sandringham Dri. *Row R*
　　　　—5C **96**
Sandringham Dri. *Wals*
　　　　—6D **22**
Sandringham Pl. *Stourb*
　　　　—2B **108**
Sandringham Rd. *B42* —1D **82**
Sandringham Rd. *Hale*
　　　　—4B **112**
Sandringham Rd. *Stourb*
　　　　—2A **108**
Sandringham Rd. *Wolv*
　　　　—1E **59**
Sandringham Rd. *Wom*
　　　　—1F **73**
Sandringham Way. *Brie H*
　　　　—3G **109**
Sandstone Av. *Redn* —1G **157**
Sandstone Clo. *Dud* —3H **75**
Sand St. *W Brom* —3E **79**
Sandway Gdns. *B8* —3D **102**
Sandway Gro. *B13* —6C **134**
Sandwell. —1E 99
Sandwell Av. *W'bry* —6B **46**
Sandwell Bus. Development
　　　Cen. *Smeth* —2A **98**
Sandwell Bus. Pk. *Smeth*
　　　　—1A **98**
Sandwell Cen. *W Brom*
　(in two parts) —4B **80**

Sandwell Ind. Est. *Smeth*
　　　　—1A **98**
Sandwell Pk. Farm & Mus.
　　　　—4D 80
Sandwell Pl. *Smeth* —1E **99**
Sandwell Pl. *W'hall* —2D **30**
Sandwell Rd. *B21* —6H **81**
Sandwell Rd. *W Brom* —3A **80**
Sandwell Rd. *Wolv* —6F **15**
Sandwell Rd. N. *W Brom*
　　　　—3B **80**
Sandwell Rd. Pas. *W Brom*
　　　　—3A **80**
Sandwell St. *Wals* —3D **48**
Sandwell Valley Bird
　　　Sanctuary. —1G 81
Sandwell Valley Country Pk.
　　　　—4D 80
Sandwell Wlk. *Wals* —3D **48**
Sandwood Dri. *B44* —5H **67**
Sandyacre Way. *Stourb*
　　　　—6F **109**
Sandy Cres. *Wolv* —1A **30**
Sandy Cft. *B13* —6C **134**
Sandycroft. *S Cold* —2A **70**
Sandyfields Est. *Dud* —6G **59**
Sandyfields Rd. *Dud* —2D **74**
Sandy Gro. *Bwnhls* —4B **10**
Sandy Hill Ri. *Shir* —2G **149**
Sandy Hill Rd. *Shir* —3G **149**
Sandy Hollow. *Wolv* —1A **42**
Sandy La. *Aston* —2B **102**
Sandy La. *Cod* —2F **13**
Sandy La. *Gt Barr* —5E **67**
Sandy La. *Stourb* —1B **124**
Sandy La. *Tett* —3C **26**
Sandy La. *W'bry* —2D **64**
Sandy La. *Wild & L Ash*
　　　　—4A **156**
Sandy La. *Wolv & Bush*
　　　　—6A **16**
Sandy Mt. *Wom* —6H **57**
Sandymount Rd. *Wals* —3D **48**
Sandy Rd. *Stourb* —4B **124**
Sandys Gro. *Tip* —2G **77**
Sandy Way. *B15*
　　　　—2D **116** (6A **4**)
Sangwin Rd. *Bils* —6E **61**
Sansome Ri. *Shir* —5F **149**
Sansome Rd. *Shir* —5F **149**
Sanstone Clo. *Wals* —4A **20**
Sanstone Rd. *Wals* —4H **19**
Santolina Dri. *Wals* —2E **65**
Sant Rd. *B31* —2F **159**
Sapcote Trad. Est. *Crad H*
　　　　—6H **95**
Saplings, The. *S Cold* —5E **71**
Sapphire Ct. *B3*
　　　　—5E **101** (1B **4**)
Sapphire Ct. *Sol* —4D **136**
Sapphire Tower. Aston
　(off Park La.) —3H **101**
Saracen Dri. *Bal C* —3E **169**
Sara Clo. *S Cold* —6G **37**
Sarah Clo. *Bils* —4G **61**
Sarah Gdns. *Wals* —1D **64**
Sarah St. *B9* —1B **118**
Saredon Clo. *Pels* —6E **21**
Saredon Rd. *C Hay* —1B **6**
Sarehole Rd. *B28* —6D **134**
Sarehole Watermill. —5D 134
Sargent Clo. *B43* —1F **67**
Sargent Ho. *B16* —1D **116**
Sargent's Hill. *Wals* —5G **49**
Sark Dri. *B36* —3D **106**
Saunton Rd. *Wals* —4G **19**

Saunton Way. *B29* —4G **131**
Saveker Dri. *S Cold* —1C **70**
Savernake Clo. *Redn*
—5G **143**
Saville Clo. *Redn* —2H **157**
Savoy Clo. *B32* —6D **114**
Saw Mill Clo. *Wals* —6C **32**
Saxelby Clo. *B14* —5G **147**
(in two parts)
Saxelby Ho. *B14* —5G **147**
Saxon Clo. *Wals* —3G **7**
Saxon Ct. *Wolv* —4A **26**
Saxondale Av. *B26* —5D **120**
Saxon Dri. *Row R* —5C **96**
Saxonfields. *Wolv* —4A **26**
Saxons Way. *B14* —5A **148**
Saxon Way. *B37* —6B **106**
Saxon Wood Clo. *B31*
—3E **145**
Saxon Wood Rd. *Shir*
—4B **164**
Saxton Dri. *S Cold* —3F **37**
Sayer Ho. *B19* —3F **101**
Scafell Dri. *B23* —2D **84**
Scafell Dri. *Bils* —4H **45**
Scafell Rd. *Stourb* —5F **109**
Scampton Clo. *Wolv* —4E **25**
Scarborough Clo. *Wals*
—3H **47**
Scarborough Rd. *Wals*
—3H **47**
Scarsdale Rd. *B42* —5F **67**
Schofield Av. *W Brom* —5H **63**
Schofield Rd. *B37* —4C **106**
Scholars Ga. *B33* —1F **121**
Scholefield Tower. *B19*
(off Uxbridge St.) —4F **101**
Schoolacre Ri. *S Cold* —2G **51**
Schoolacre Rd. *B34* —3F **105**
School Av. *Wals* —1A **32**
(WS3)
School Av. *Wals* —5B **10**
(WS8)
School Clo. *B37* —3C **106**
School Clo. *Tiv* —2C **96**
School Clo. *Try* —5C **56**
School Clo. *Wolv* —4H **41**
School Dri. *Bils* —3A **62**
School Dri. *Stourb* —3D **108**
School Dri. *Wyt* —6A **162**
School Dri., The. *Dud* —2F **95**
Schoolgate Clo. *B8* —3G **103**
Schoolgate Clo. *Shelf* —6H **21**
School Grn. *Bils* —3E **45**
Schoolhouse Clo. *B38*
—5D **146**
School La. *Brie H* —5F **93**
School La. *Buc E* —2F **105**
School La. *Hag* —6H **125**
School La. *Hale* —3H **127**
School La. *Kitts G* —2D **120**
School La. *Pels* —3C **8**
(Gorsey La.)
School La. *Pels* —3D **20**
(Wolverhampton Rd.)
School La. *Sol* —2H **151**
School La. *Wolv*
(WV3) —2G **43** (4A **170**)
School La. *Wolv* —5H **15**
(WV10)
School Pas. *Brie H* —2C **110**
School Rd. *Brie H* —1C **110**
School Rd. *Hall G* —5F **135**
School Rd. *Himl* —4H **73**
School Rd. *Mose* —4H **133**
School Rd. *Redn* —3E **157**

School Rd. *Shir* —5H **149**
School Rd. *Tett W* —5G **25**
School Rd. *Try* —5C **56**
School Rd. *W'bry* —3B **64**
School Rd. *Wed* —3D **28**
School Rd. *Wom* —6H **57**
School Rd. *Yard W* —3B **148**
School St. *Bils* —5E **61**
School St. *Brie H* —2H **93**
School St. *Crad H* —2F **111**
School St. *Darl* —5C **46**
School St. *Dud* —6D **76**
(in two parts)
School St. *Sed* —5A **60**
School St. *Stourb* —5D **108**
School St. *Wals* —6H **21**
School St. *W'bry* —6D **46**
(in two parts)
School St. *W'hall* —1H **45**
School St. *Wolv*
—2G **43** (4A **170**)
School St. W. *Bils* —5E **61**
School Ter. *B29* —3B **132**
Scorers Clo. *Shir* —1H **149**
Scotchings, The. *B36* —1C **104**
Scotland La. *B32* —5H **129**
Scotland Pas. *W Brom* —4B **80**
Scotlands. —1C 28
Scotland St. *B1*
—6E **101** (3A **4**)
Scott Arms Shop. Cen. *Gt Barr*
—4B **66**
Scott Av. *W'bry* —3H **63**
Scott Av. *Wolv* —1C **58**
Scott Clo. *W Brom* —2B **80**
Scott Gro. *Sol* —2C **136**
Scott Ho. *B43* —6B **66**
Scott Rd. *B43* —3B **66**
Scott Rd. *Sol* —2C **136**
Scott Rd. *Wals* —5H **49**
Scott's Green. —1C 94
Scotts Grn. Clo. *Dud* —1B **94**
Scott's Rd. *Stourb* —5D **108**
Scott St. *Tip* —2C **78**
Scotwell Clo. *Row R* —6B **96**
Scout Clo. *B33* —1G **121**
Scribbans Clo. *Smeth* —5F **99**
Scriber's La. *B28* —3E **149**
Scrimshaw Ho. *Wals* —4A **48**
(off Pleck Rd.)
Seacroft Av. *B25* —2C **120**
Seafield Clo. *K'wfrd* —5C **92**
Seaforth Gro. *W'hall* —6B **18**
Seagar St. *W Brom* —3C **80**
Seagers La. *Brie H* —1H **109**
Seagull Bay Dri. *Cose* —4F **61**
Seal Clo. *S Cold* —1C **70**
Seals Grn. *B38* —2H **159**
Seamless Dri. *Wolv* —5F **29**
Sear Hills Clo. *Bal C* —3H **169**
Seaton Clo. *Wolv* —4H **29**
Seaton Gro. *B13* —4F **133**
Seaton Pl. *Stourb* —1A **108**
Seaton Rd. *Smeth* —4F **99**
Seaton Tower. *B31* —5A **144**
Second Av. *Bord G* —2E **119**
Second Av. *K'wfrd* —2D **92**
Second Av. *S Oak* —2D **132**
Second Av. *Wals* —4C **10**
Second Av. *Witt* —4H **83**
Second Av. *Wolv* —2A **28**
Second Exhibition Av. *B40*
—6F **123**
Security Ho. *Wolv* —4B **170**
Sedge Av. *B38* —4B **146**

Sedgeberrow Covert. *B38*
—1A **160**
Sedgeberrow Rd. *Hale*
—3A **128**
Sedgefield Clo. *Dud* —4A **76**
Sedgefield Gro. *Pert* —5F **25**
Sedgeford Clo. *Brie H*
—3H **109**
Sedgehill Av. *B17* —1F **131**
Sedgemere Gro. *Wals* —1G **33**
Sedgemere Rd. *B26* —2D **120**
Sedgley. —4H 59
Sedgley Gro. *B20* —3A **82**
Sedgley Hall Av. *Dud* —5G **59**
Sedgley Hall Est. *Dud* —4G **59**
Sedgley Rd. *Dud & Tip*
—1D **76**
Sedgley Rd. *Wolv* —2C **58**
Sedgley Rd. E. *Tip* —3A **78**
Sedgley Rd. W. *Tip* —1F **77**
Sedgley St. *Wolv* —4G **43**
Seedhouse Ct. *Crad H*
—3A **112**
Seeds La. *Wals* —5B **10**
Seeleys Rd. *B11* —6D **118**
Sefton Dri. *Row R* —3H **95**
Sefton Gro. *Tip* —3C **62**
Sefton Rd. *B16* —1B **116**
Segbourne Rd. *Redn* —1E **157**
Segundo Clo. *Wals* —1D **64**
Segundo Rd. *Wals* —1D **64**
Seisdon. —2A 56
Seisdon Rd. *Try* —3A **56**
Selborne Clo. *Wals* —2E **49**
Selborne Gro. *B13* —2C **148**
Selborne Rd. *B20* —5C **82**
Selborne Rd. *Dud* —2F **95**
Selborne St. *Wals* —2E **49**
Selbourne Cres. *Wolv* —2D **44**
Selby Clo. *B26* —2D **120**
Selby Gro. *B13* —2B **148**
Selby Ho. *O'bry* —3D **96**
Selby Way. *Wals* —5E **19**
Selcombe Way. *B38* —2B **160**
Selcroft Av. *B32* —6C **114**
Selecta Av. *B44* —3F **67**
Selkirk Clo. *W Brom* —1A **80**
Selly Av. *B29* —3C **132**
Selly Clo. *B29* —3D **132**
Selly Hall Cft. *B30* —1C **146**
Selly Hill Rd. *B29* —3B **132**
Selly Oak. —3H **131**
Selly Oak Rd. *B30* —6A **132**
Selly Park. —3D 132
Selly Pk. Rd. *B29* —2C **132**
Selly Wharf. *S Oak* —3A **132**
Selly Wick Dri. *B29* —3D **132**
Selly Wick Rd. *B29* —3C **132**
Sellywood Rd. *B30* —5A **132**
Selma Gro. *B14* —2D **148**
Selman's Hill. *Wals* —4A **20**
Selman's Pde. *Wals* —5A **20**
Selsdon Clo. *Wyt* —4C **162**
Selsdon Rd. *Wals* —4F **19**
Selsey Av. *B17* —6F **99**
Selsey Rd. *B17* —6F **99**
Selston Rd. *B6* —2G **101**
Selvey Av. *B43* —2D **66**
Selworthy Rd. *B36* —2B **106**
Selwyn Clo. *Wolv* —4G **43**
Selwyn Ho. *B37* —6F **107**
Selwyn Rd. *B16* —6H **99**
Selwyn Rd. *Bils* —5H **45**
Selwyn Wlk. *S Cold* —5C **36**
Senator Ho. *Shir* —1C **164**

Senior Clo. *Ess* —4A **18**
Senneley's Pk. Rd. *B31*
—5C **130**
Sennen Clo. *W'hall* —2H **45**
Sensall Rd. *Stourb* —2B **126**
Serpentine Rd. *Aston* —6A **84**
Serpentine Rd. *Harb* —5G **115**
Serpentine Rd. *S Oak* —2C **132**
Servite Ct. *B14* —5A **148**
Settle Av. *B34* —3E **105**
Settle Cft. *B37* —2B **122**
Setton Dri. *Dud* —6A **60**
Seven Acres. *Wals* —4D **34**
Seven Acres Rd. *B31* —6G **145**
Seven Acres Rd. *Hale*
—6G **113**
Seven Star Rd. *Sol* —2E **151**
Seven Stars Rd. *O'bry* —2G **97**
Severn Clo. *B36* —2B **106**
Severn Clo. *Tip* —2H **77**
Severn Clo. *W'hall* —2A **30**
Severn Ct. *B23* —4B **84**
Severn Dri. *Brie H* —2F **93**
Severn Dri. *Wolv* —5E **25**
Severne Gro. *B27* —4A **136**
Severne Rd. *B27* —5A **136**
Severn Gro. *B19* —2E **101**
(in two parts)
Severn Gro. *B11* —5C **118**
Severn Rd. *Bwnhls* —3G **9**
Severn Rd. *Hale* —6D **110**
Severn Rd. *Stourb* —2D **124**
Severn Rd. *Wals* —6C **20**
Severn St. *B1* —2F **117** (6C **4**)
Severn Tower. *B7* —4B **102**
Severn Way. *Wyt* —6G **161**
Sevington Clo. *Sol* —1G **165**
Seymour Clo. *B29* —3C **132**
Seymour Clo. *Wals* —4D **6**
Seymour Gdns. *S Cold* —6E **37**
Seymour Rd. *O'bry* —2A **98**
Seymour Rd. *Stourb* —6B **110**
Seymour Rd. *Tip* —4C **62**
Seymour St. *B5*
—6H **101** (4G **5**)
Seymour St. *B12* —4H **117**
Shackleton Dri. *Wolv* —4E **25**
Shackleton Rd. *Wals* —5D **20**
Shadowbrook La. *H Ard*
—5F **139**
Shadwell Dri. *Dud* —4H **75**
Shadwell St. *B4*
—5F **101** (1D **4**)
Shady La. *B44* —3F **67**
Shadymoor Dri. *Brie H*
—3G **109**
Shaftesbury Av. *Hale* —4D **110**
Shaftesbury Av. *Stourb*
—2G **125**
Shaftesbury Rd. *W'bry*
—3H **63**
Shaftesbury Sq. *W Brom*
—2A **80**
Shaftesbury St. *W Brom*
—3A **80**
Shaftmoor Ind. Est. *Hall G*
—3F **135**
Shaftmoor La. *Hall G & A Grn*
—3E **135**
Shaftsbury Clo. *Bils* —4H **45**
Shaftsbury Rd. *B26* —6G **121**
Shakespeare Clo. *Bils* —3F **61**
Shakespeare Cres. *Wals*
—1C **32**
Shakespeare Dri. *Shir*
—6G **149**

Short Rd. *Smeth* —6B **98**
Short Rd. *Wolv* —6A **16**
Short St. *Bils* —5F **45**
Short St. *Bwnhls* —5B **10**
Short St. *Darl* —4F **47**
Short St. *Dud* —5C **76**
Short St. *Hale* —1H **127**
Short St. *Prem B* —2B **48**
Short St. *Row R* —1C **112**
(in two parts)
Short St. *Stourb* —6D **108**
Short St. *Tip* —5G **61**
Short St. *W'bry* —2E **63**
Short St. *W'hall* —4C **30**
Short St. *Wolv*
—1H **43** (2C **170**)
Shortwood Clo. *B34* —3E **105**
Shorwell Pl. *Brie H* —3F **109**
Shottery Clo. *S Cold* —4D **70**
Shottery Gro. *S Cold* —4D **70**
Shottery Gro. *Tys* —6H **119**
Shottery Rd. *Shir* —6H **149**
Shotteswell Rd. *Shir* —2H **163**
Showell Cir. *Wolv* —2A **28**
Showell Green. —1B 134
Showell Grn. La. *B11* —2B **134**
Showell Ho. *O'bry* —2G **97**
Showell La. *Wolv* —2G **57**
Showell Rd. *Wolv* —2H **27**
Showells Gdns. *B7* —2C **102**
Shrawley Clo. *Hale* —3A **128**
Shrawley Clo. *Redn* —2F **157**
Shrawley Ho. *B31* —5H **145**
Shrawley Rd. *B31* —5G **145**
Shrewley Cres. *B33* —2A **122**
Shrewsbury Clo. *Wals* —6F **19**
Shrewton Av. *B14* —6F **147**
Shrops Row. *K'wfrd* —6E **75**
Shrubbery Av. *Tip* —2F **77**
Shrubbery Clo. *S Cold* —1B **86**
Shrubbery Pl. *Tip* —1G **77**
Shrubbery, The. *B16* —6B **100**
Shrubbery, The. *Tip* —1C **78**
Shrublands Av. *O'bry* —4H **113**
Shrub La. *B24* —4H **85**
Shugborough Clo. *Blox*
—6H **19**
Shugborough Dri. *Dud*
—5A **76**
Shustoke La. *Wals* —1F **65**
Shustoke Rd. *B34* —3G **105**
Shustoke Rd. *Sol* —2H **151**
Shut End. —6E 75
Shut La. *B4* —1G **117** (4F **5**)
Shutlock La. *B13* —4F **133**
Shyltons Cft. *B16* —1C **116**
Sibdon Gro. *B31* —1F **159**
Sidaway Clo. *Row R* —3C **96**
Sidaway St. *Crad H* —2G **111**
Sidbury Gro. *Dorr* —6A **166**
Sidcup Clo. *Bils* —2D **60**
Sidcup Rd. *B44* —4A **68**
Siddeley Wlk. *B36* —6B **88**
Siddons Factory Est. *W Brom*
—5F **63**
Siddons Rd. *Bils* —3F **61**
Siddons Way. *W Brom*
—6G **63**
Sidenhill Clo. *Shir* —1H **163**
Sidford Gdns. *B24* —4A **86**
Sidford Gro. *B23* —6E **69**
Sidings, The. *Hand* —1E **101**
Sidlaw Clo. *Hale* —3F **127**
Sidlaw Clo. *Wolv* —3G **27**
Sidney St. *Wolv*
—3G **43** (6A **170**)

Sidwick Cres. *Wolv* —5D **44**
Sigmund Clo. *Wolv* —6D **28**
Signal Gro. *Wals* —6G **19**
Signal Hayes Rd. *S Cold*
(in two parts) —3D **70**
Silesbourne Clo. *B36* —1G **105**
Silhill Hall Rd. *Sol* —1E **151**
Silva Av. *K'wfrd* —5D **92**
Silver Birch Coppice. *S Cold*
—4D **36**
Silverbirch Ct. *B24* —1H **85**
Silver Birch Dri. *H'wd*
—3B **162**
Silver Birch Rd. *Erd* —1H **85**
Silver Birch Rd. *K'hrst*
—3B **106**
Silver Birch Rd. *Nort C* —1F **9**
Silverbirch Rd. *Sol* —4A **152**
Silver Birch Rd. *S Cold*
—2H **51**
Silver Birch Rd. *Wolv* —4A **44**
Silver Ct. *Wals* —6B **10**
Silver Ct. Gdns. *Wals* —6B **10**
Silvercroft Av. *B20* —4H **81**
Silverdale Dri. *Wolv* —5A **28**
Silverdale Gdns. *Stourb*
—6A **92**
Silverdale Rd. *B24* —2B **86**
Silver End. —2G 109
Silver End Ind. Est. *Brie H*
—2F **109**
Silver End Trad. Est. *Brie H*
—2G **109**
Silverfield Clo. *B14* —5G **133**
Silver Innage. *Hale* —4E **111**
Silverlands Av. *O'bry* —6H **97**
Silverlands Clo. *B28* —4F **135**
Silvermead Rd. *S Cold* —4G **69**
Silvermere Rd. *B26* —5H **121**
Silvers Clo. *Wals* —2D **20**
Silverstone Clo. *Wals* —6E **31**
Silverstone Dri. *S Cold*
—5H **51**
Silver Street. —4G 161
Silver St. *Brie H* —1F **109**
Silver St. *Bwnhls* —6A **10**
Silver St. *K Hth* —5G **133**
Silver St. *K Nor & Wyt*
—4F **161**
Silverthorne Av. *Tip* —2F **77**
Silverthorne La. *Crad H*
—2D **110**
Silverton Cres. *B13* —4D **134**
Silverton Heights. *Smeth*
—3D **98**
Silverton Rd. *Smeth* —3C **98**
Silverton Way. *Wolv* —4H **29**
Silvester Ct. *W Brom* —4B **80**
Silvester Rd. *Bils* —5G **45**
Silvester Way. *Brie H* —3F **109**
Silvington Clo. *B29* —6G **131**
Simcox Gdns. *B32* —3B **130**
Simcox Rd. *W'bry* —6F **47**
Simeon Bissell Clo. *Tip*
—2A **78**
Simeon's Wlk. *Brie H* —4B **110**
Simmonds Clo. *Wals* —4B **20**
Simmonds Pl. *Wals* —4B **20**
Simmonds Pl. *W'bry* —4E **47**
Simmonds Rd. *Wals* —4B **20**
Simmonds Way. *Wals* —2C **22**
Simmons Dri. *B32* —6A **114**
Simmons Leasow. *B32*
—3B **130**
Simmons Rd. *Wolv* —6B **18**
Simms La. *Dud* —4E **95**

Simms La. *H'wd* —4A **162**
(in two parts)
Simon Cl. *Tip* —2G **77**
Simon Clo. *W Brom* —4C **64**
Simon Rd. *H'wd* —2A **162**
Simpkins Clo. *Wals* —4C **22**
Simpson Gro. *Wolv* —3A **28**
Simpson Rd. *S Cold* —4A **70**
Simpson Rd. *Wals* —4H **31**
Simpson Rd. *Wolv* —3A **28**
Simpson St. *O'bry* —2G **97**
Singer Cft. *B36* —6B **88**
Singh Clo. *B21* —6A **82**
Singing Cavern Experience.
—3F **77**
(Black Country Mus.)
Sion Clo. *Brie H* —6H **93**
Sir Alfred's Way. *S Cold*
—2C **70**
Sir Harrys Rd. *Edg & B5*
—5D **116**
Sir Hilton's Rd. *B31* —2F **159**
Sir Johns Rd. *B29* —2E **133**
Sir Richards Dri. *B17*
—4D **114**
Sisefield Rd. *B38* —6C **146**
Siskin Clo. *Hamm* —1F **11**
Siskin Dri. *B12* —5G **117**
Siskin Rd. *Stourb* —2H **125**
Sister Dora Gdns. *Wals*
—2C **48**
Siviters Clo. *Row R* —6C **96**
Siviters La. *Row R* —6B **96**
Siviter St. *Hale* —1B **128**
Six Acres. *B32* —1A **130**
Six Foot Rd. *Dud* —4E **95**
Six Towers Rd. *Wals* —5A **32**
Six Ways. *B23* —3F **85**
Skelcher Rd. *Shir* —3G **149**
Skemp Clo. *Bils* —1F **61**
Sketchley Clo. *Smeth* —3E **99**
Skiddaw Clo. *B23* —1D **84**
Skidmore Av. *Wolv* —3D **42**
Skidmore Dri. *W Brom*
—4G **79**
Skidmore Rd. *Bils* —3F **61**
Skinner La. *B5* —2G **117**
Skinner St. *Wolv*
—1G **43** (3A **170**)
Skip La. *Wals* —6H **49**
Skipton Grn. *Wolv* —4E **27**
Skipton Rd. *B16* —2C **116**
Skomer Clo. *Redn* —6E **143**
Skye Clo. *B36* —3D **106**
Skye Wlk. *Crad H* —2G **111**
Sky Lark Clo. *Brie H* —6G **75**
Skywalk. *B40* —1G **139**
Slack La. *B20* —5A **82**
Slacky La. *Wals* —6C **20**
Slade Clo. *W Brom* —3D **64**
Sladefield Rd. *B8* —4G **103**
Slade Gdns. *Cod* —3G **13**
Slade Gro. *Know* —3B **166**
Slade Hill. *Wolv* —6D **26**
Slade La. *B28* —4H **135**
Slade La. *S Cold* —6E **39**
Slade Lanker. *B34* —4E **105**
Sladepool Farm Rd. *B14*
—4H **147**
Slade Rd. *B23* —3D **84**
Slade Rd. *Hale* —5E **111**
Slade Rd. *S Cold & Can*
—6C **38**
Slade Rd. *Wolv* —4G **15**
Slaithwaite Rd. *W Brom*
—3C **80**

Slaney Ct. *Wals* —4A **48**
Slaney Rd. *Wals* —5H **47**
Slatch Ho. Rd. *Smeth*
—1C **114**
Slate La. *Cod* —2D **12**
Slateley Cres. *Shir* —3E **165**
Slate Row. *Wals* —4E **21**
Slater Rd. *Ben H* —5A **166**
Slater's La. *Wals* —4H **47**
Slater's Pl. *Wals* —4H **47**
Slater St. *Bils* —1G **61**
Slater St. *Gt Bri* —2D **78**
Slater St. *Tip* —3A **78**
Slater St. *W'bry* —4D **46**
Slater St. *W'hall* —6C **30**
Sleaford Gro. *B28* —6G **135**
Sleaford Rd. *B28* —6H **135**
Sledmore Rd. *Dud* —2F **95**
Slieve, The. *B20* —4C **82**
Slim Av. *Bils* —2G **61**
Slimbridge Clo. *Shir* —3E **165**
Slim Rd. *Wals* —1E **47**
Slims Ga. *Hale* —1A **128**
Slingfield Rd. *B31* —5G **145**
Sling, The. *Dud* —3E **95**
Slitting Mill Clo. *B21* —1G **99**
Sloane Ho. *B1* —2A **4**
Sloane St. *B1* —6E **101** (3A **4**)
Slough La. *K Nor & H'wd*
(in two parts) —1G **161**
Smallbrook La. *Wom* —6H **57**
Smallbrook Queensway. *B5*
—2F **117** (6D **4**)
Small Clo. *Smeth* —4B **98**
Smalldale Rd. *B42* —6F **67**
Small Heath. —3D 118
Small Heath Bri. *B11* —4B **118**
Small Heath Bus. Pk. *B10*
—4F **119**
Small Heath Highway. *B10*
—3B **118**
Small Heath Trad. Est. *B11*
—5D **118**
Smallshire Way. *Stourb*
—3B **108**
Small St. *Wals* —3C **48**
Small St. *W Brom* —1H **79**
Smallwood Clo. *B24* —4B **86**
Smallwood Clo. *S Cold*
—2C **70**
Smallwood Rd. *Pend* —5C **14**
Smarts Av. *Lich* —2G **37**
Smeaton Gdns. *B18* —5A **100**
Smeed Gro. *B24* —4H **85**
Smestow. —3C 72
Smestow La. *Swind* —3C **72**
Smestow St. *Wolv* —5H **27**
Smestow Wildlife Cen.
—3D **72**
Smethwick. —3D 98
Smethwick Ho. *O'bry* —1A **114**
Smethwick New Enterprise
Cen. *Smeth* —3E **99**
Smirrells Rd. *B28* —2E **149**
Smith Av. *W'bry* —1D **62**
Smith Clo. *Bils* —4C **60**
Smith Clo. *Smeth* —6B **98**
Smithfield Rd. *Wals* —6B **20**
Smithfields. *Stourb* —6E **109**
Smithfield St. *B5*
—2H **117** (6G **5**)
Smith Ho. *Wals* —4A **20**
Smithmoor Cres. *W Brom*
—5D **64**
Smith Pl. *Tip* —3B **78**
Smith Rd. *Wals* —5A **48**

Stourmore Clo. *W'hall* —3D **30**
Stour St. *B18* —6C **100**
Stour St. *W Brom* —4E **79**
Stourton Clo. *Know* —2D **166**
Stourton Clo. *S Cold* —1D **70**
Stourton Dri. *Wolv* —6A **42**
Stourton Rd. *B32* —6H **113**
Stour Va. Rd. *Stourb* —5B **110**
Stour Valley Clo. *Brie H*
　　　　—4H **109**
Stow Dri. *Brie H* —5F **109**
Stowell Rd. *B44* —6H **67**
Stowe St. *Wals* —2A **32**
Stow Gro. *B36* —2C **104**
Stow Heath. —4D 44
Stowheath La. *Wolv & Mose V*
　　　　—4D **44**
Stow Lawn. —3D 44
Stowmans Clo. *Bils* —2D **60**
Straight Rd. *W'hall* —3C **30**
Straits Est. *Dud* —3E **75**
Straits Grn. *Dud* —3F **75**
Straits Rd. *Dud* —4F **75**
Straits, The. —3F 75
Straits, The. *Dud* —2D **74**
Stratford Clo. *Dud* —5A **76**
Stratford Ct. *S Cold* —2H **69**
Stratford Dri. *Wals* —1E **35**
Stratford Pl. *S'brk* —3A **118**
Stratford Rd. *B28 & Shir*
　　　　—2G **149**
Stratford Rd. *H'ley H & Lapw*
　　　　—6F **165**
Stratford Rd. *S'hll* —6C **118**
Stratford Rd. *S'hll & Hall G*
(in two parts)　　—4A **118**
Stratford St. N. *B11* —3A **118**
Stratford Wlk. *B36* —2A **104**
Strathdene Gdns. *B29*
　　　　—4G **131**
Strathdene Rd. *B29* —3G **131**
Strathern Dri. *Cose* —4C **60**
Strathfield Wlk. *Wolv* —5A **42**
Strathmore Cres. *Wom*
　　　　—4G **57**
Strathmore Rd. *Tip* —5A **62**
Stratton St. *Wolv* —5A **28**
Strawberry Clo. *Tiv* —2C **96**
Strawberry Fields. *Mer*
　　　　—4H **141**
Strawberry La. *Wals* —5E **7**
Strawberry La. *W'hall* —6E **29**
Strawmoor La. *Cod* —5B **12**
Stray, The. *Brie H* —3G **93**
Stream Mdw. *Wals* —6G **21**
Stream Pk. *K'wfrd* —5C **92**
Stream Rd. *K'wfrd & Stourb*
(in two parts)　　—4B **92**
Streamside Way. *Shelf*
　　　　—1H **33**
Streamside Way. *Sol* —1H **137**
Streatham Gro. *B44* —3A **68**
Streather Rd. *S Cold* —1A **54**
Streetly. —2H 51
Streetly Cres. *S Cold* —6D **36**
Streetly Dri. *S Cold* —6D **36**
Streetly La. *S Cold* —1C **52**
Streetly Rd. *B23* —2D **84**
Streetly Wood. *S Cold* —1A **52**
Streetsbrook Rd. *Shir*
　　　　—1H **149**
Streetsbrook Rd. *Sol* —2C **150**
Streets Corner Gdns. *Wals*
　　　　—3C **22**
Streets La. *C Hay* —5E **7**

Strensham Hill. *B13* —1G **133**
Strensham Rd. *B12* —1G **133**
Stretton Ct. *B24* —5E **85**
Stretton Gdns. *Cod* —3F **13**
Stretton Gro. *B19* —2E **101**
Stretton Gro. *B8* —3A **104**
Stretton Gro. *B11* —3B **115**
Stretton Gro. *Bal H* —6B **118**
Stretton Pl. *Bils* —4C **60**
Stretton Pl. *Dud* —5F **95**
Stretton Rd. *Aston* —3A **102**
Stretton Rd. *Shir* —1H **163**
Stretton Rd. *W'hall* —1C **30**
Stringer Clo. *S Cold* —5G **37**
Stringes Clo. *W'hall* —6C **30**
Stringes La. *W'hall* —6B **30**
Strode Rd. *Wolv* —5G **43**
Stronsay Clo. *Redn* —6F **143**
Stroud Av. *W'hall* —5C **30**
Stroud Clo. *W'hall* —5C **30**
Stroud Rd. *Shir* —5F **149**
Strutt Clo. *B15* —3H **115**
Stuart Cres. *Dud* —6G **77**
Stuart Ho. *Col* —2H **107**
Stuart Rd. *Hale* —6F **113**
Stuart Rd. *Row R* —5C **96**
Stuarts Dri. *B33* —2B **120**
Stuarts Grn. *Stourb* —5F **125**
Stuarts Rd. *B33* —1B **120**
Stuart St. *B7* —2C **102**
Stuart St. *Wals* —1H **31**
Stuarts Way. *B32* —6H **129**
Stubbers Green. —1A 34
Stubbers Grn. Rd. *Wals*
　　　　—6H **21**
Stubbington Clo. *W'hall*
　　　　—2F **45**
Stubbs Rd. *Wolv* —4E **43**
Stubby La. *Wolv* —3H **29**
Stubley Dri. *Wolv* —3A **28**
Studland Rd. *B28* —5G **135**
Stud La. *B33* —6D **104**
Studley Cft. *Sol* —1H **137**
Studley Dri. *Brie H* —3G **109**
Studley Ga. *Stourb* —1B **124**
Studley Rd. *Wolv* —3A **42**
Studley St. *B12* —5B **118**
Sturman Dri. *Row R* —2B **112**
Suckling Grn. La. *Cod* —5F **13**
Sudbury Clo. *Wolv* —1G **29**
Sudbury Gro. *B44* —3B **68**
Sudeley Clo. *B36* —6F **87**
Sudeley Gdns. *Dud* —5H **75**
Suffield Gro. *B23* —2B **84**
Suffolk Clo. *O'bry* —5H **97**
Suffolk Clo. *Wed* —2E **29**
Suffolk Dri. *Brie H* —4G **109**
Suffolk Gro. *Wals* —1D **34**
Suffolk Pl. *B1* —2F **117** (6D **4**)
Suffolk Pl. *Wals* —4B **32**
Suffolk Rd. *Dud* —2C **94**
Suffolk Rd. *W'bry* —2A **64**
Suffolk St. Queensway. *B1*
　　　　—1F **117** (5C **4**)
Suffrage St. *Smeth* —4F **99**
Sugar Loaf La. *Ism & I'ley*
(in two parts)　　—5A **124**
Sugden Gro. *B5* —3G **117**
Sulgrave Clo. *Dud* —4B **76**
Sumburgh Cft. *B35* —4E **87**
Summercourt Dri. *K'wfrd*
　　　　—3A **92**
Summercourt Sq. *K'wfrd*
　　　　—4A **92**
Summer Cft. *B19* —3F **101**
Summer Dri. *Dud* —4G **75**

Summerfield Av. *K'wfrd*
　　　　—2A **92**
Summerfield Av. *W Brom*
(in two parts)　　—3A **80**
Summerfield Ct. *Edg* —3G **115**
Summerfield Cres. *B16*
　　　　—6A **100**
Summerfield Dri. *B29*
　　　　—6E **131**
Summerfield Gro. *B18*
　　　　—5A **100**
Summerfield Ind. Est. *B18*
　　　　—5C **100**
Summerfield Rd. *B16*
　　　　—6A **100**
Summerfield Rd. *Dud* —2F **95**
Summerfield Rd. *Sol* —3E **137**
Summerfield Rd. *Wolv* —1F **43**
Summerfields Av. *Hale*
　　　　—3F **113**
Summergate. *Dud* —4G **75**
Summerhill. —4H 11
(Brownhills)
Summer Hill. —6A 62
(Dudley)
Summer Hill. *Hale* —2B **128**
Summer Hill. *K'wfrd* —3A **92**
Summer Hill Ind. Pk. B1
*(off Goodman St.) —6D **100**
Summer Hill Rd. *B1* —6D **100**
Summer Hill Rd. *Bils* —4F **61**
Summerhill Rd. *Tip* —6H **61**
Summer Hill St. *B1* —6D **100**
Summer Hill Ter. *B1*
　　　　—6D **100** (3A **4**)
Summerhouse Rd. *Bils*
　　　　—4C **60**
Summer La. *B19*
　　　　—5F **101** (1D **4**)
Summer La. *Dud* —4G **75**
Summer La. *Min* —1H **87**
Summer La. *Wals* —5G **21**
Summerlee Rd. *B24* —5H **85**
Summer Rd. *A Grn* —3G **135**
Summer Rd. *Col* —3H **107**
Summer Rd. *Dud* —3C **76**
Summer Rd. *Edg* —4E **117**
(in two parts)
Summer R:t. *Erd* —2F **85**
Summer Rd. *Row R* —6D **96**
Summer Row. *B3*
　　　　—6E **101** (3B **4**)
Summer Row. *Wolv*
　　　　—2G **43** (4B **170**)
Summer St. *K'wfrd* —3B **92**
Summer St. *Lye* —6A **110**
Summer St. *Stourb* —6D **108**
Summer St. *W Brom* —3B **80**
Summer St. *W'hall* —1H **45**
Summerton Rd. *O'bry* —6D **78**
Summerville Ter. *B17*
　　　　—6G **115**
Summit Cres. *Smeth* —1C **98**
Summit Gdns. *Hale* —2H **127**
Summit Pl. *Dud* —5F **75**
Summit, The. *Stourb* —1H **125**
Sumpner Building. *B4* —2G **5**
Sunbeam Clo. *B36* —6B **88**
Sunbeam Dri. *Wals* —2F **7**
Sunbeam St. *Wolv* —4G **43**
Sunbeam Way. *B33* —1G **121**
Sunbury Clo. *Bils* —4G **61**
Sunbury Cotts. *N'fld* —3E **145**
Sunbury Rd. *B31* —2C **158**
Sunbury Rd. *Hale* —1H **127**
Suncroft. *B32* —6A **114**

Sundbury Ri. *B31* —2F **145**
Sunderland Dri. *Stourb*
　　　　—3E **109**
Sunderton Rd. *B14* —2G **147**
Sundew Cft. *B36* —1B **104**
Sundial La. *B43* —4B **66**
Sundour Cres. *Wolv* —6D **16**
Sundridge Rd. *B44* —1G **67**
Sundridge Wlk. *Wolv* —5A **42**
Sunfield Gro. *B11* —1E **135**
Sunleigh Gro. *B27* —1C **136**
Sunningdale. *Hale* —1E **129**
Sunningdale Av. *Pert* —4D **24**
Sunningdale Clo. *B20* —3A **82**
Sunningdale Clo. *Stourb*
　　　　—3D **124**
Sunningdale Clo. *S Cold*
　　　　—3G **69**
Sunningdale Dri. *Tiv* —2A **96**
Sunningdale Rd. *B11* —2G **135**
Sunningdale Rd. *Dud* —5F **59**
Sunningdale Way. *Wals*
　　　　—4G **19**
Sunny Av. *B12* —6A **118**
Sunnybank Av. *B44* —6B **68**
Sunnybank Clo. *A'rdge*
　　　　—1G **51**
Sunny Bank Ct. *O'bry* —4A **114**
Sunnybank Rd. *Dud* —2A **76**
Sunny Bank Rd. *O'bry*
　　　　—4A **114**
Sunnybank Rd. *S Cold* —5G **69**
Sunnydale Wlk. *W Brom*
　　　　—3A **80**
Sunnydene. *B8* —4G **103**
Sunny Hill Clo. *Wom* —1H **73**
Sunnymead Rd. *B26* —5D **120**
Sunnymead Way. *S Cold*
　　　　—4H **51**
Sunnymede Rd. *K'wfrd*
　　　　—5E **93**
Sunnyside. *Tiv* —2B **96**
Sunnyside. *Wals* —5C **22**
Sunnyside Av. *B23* —4E **85**
Sunridge Av. *B19* —3F **101**
Sunridge Av. *Wom* —6G **57**
Sunrise Wlk. *O'bry* —6A **98**
Sunset Clo. *Wals* —2F **7**
Sunset Pl. *Wolv* —2B **60**
Sun St. *Brie H* —2B **110**
Sun St. *Wals* —4B **48**
(in two parts)
Sun St. *Wolv* —1A **44**
Surfeit Hill Rd. *Crad H*
　　　　—3F **111**
Surrey Cres. *W Brom* —5G **63**
Surrey Dri. *K'wfrd* —5D **92**
Surrey Dri. *Wolv* —2C **42**
Surrey Rd. *B44* —1G **67**
Surrey Rd. *Dud* —2C **94**
Surrey Wlk. *Wals* —6C **22**
Sussex Av. *Wals* —1C **34**
Sussex Av. *W'bry* —1B **64**
Sussex Av. *W Brom* —1A **80**
Sussex Dri. *Wolv* —2C **42**
Sutherland Av. *Shir* —4A **150**
Sutherland Av. *Wolv* —3B **44**
Sutherland Clo. *B43* —1F **67**
Sutherland Dri. *B13* —1H **133**
Sutherland Dri. *Wom* —5G **57**
Sutherland Gro. *Pert* —5F **25**
Sutherland Ho. *Wolv* —1E **43**
Sutherland Pl. *Wolv*
　　　　—2H **43** (5D **170**)
Sutherland Rd. *Crad H*
　　　　—3G **111**

Sutherland Rd. *Wals* —2E **7**
Sutherland Rd. *Wolv* —6F **43**
Sutherland St. *B6* —1B **102**
Sutton App. *B8* —5G **103**
Sutton Coldfield. —6H 53
Sutton Coldfield By-Pass.
(B75)   *S Cold* —1F **55**
Sutton Coldfield By-Pass.
(B76)   *S Cold* —1G **87**
Sutton Ct. *B43* —6A **66**
Sutton Ct. *S Cold* —4A **54**
Sutton Ct. *Wolv* —3A **60**
Sutton Cres. *W Brom* —4G **79**
Sutton New Rd. *B23* —3F **85**
Sutton Oak Corner. *S Cold*
          —6A **52**
Sutton Oak Rd. *S Cold* —1A **68**
Sutton Pk. Ct. *S Cold* —3H **69**
Sutton Pk. Vis. Cen. —6G 53
Sutton Rd. *B23* —2G **85**
Sutton Rd. *Wals* —3D **48**
(WS1)
Sutton Rd. *Wals* —3F **49**
(WS5)
Sutton Rd. *W'bry* —6A **46**
Suttons Dri. *B43* —1B **66**
Sutton Sq. *Min* —1B **88**
Sutton St. *B1* —2F **117**
Sutton St. *B6 & Aston*
          —3H **101**
Sutton St. *Stourb* —2C **108**
Swains Gro. *B44* —1H **67**
Swale Gro. *B38* —6B **146**
Swale Gro. *W'hall* —1D **46**
Swale Rd. *S Cold* —4E **71**
Swallow Av. *B36* —1C **106**
Swallow Clo. *B12* —6B **103**
Swallow Clo. *Dud* —1F **111**
Swallow Clo. *W'bry* —1H **63**
Swallow Ct. *Wolv* —2H **27**
Swallowdale. *Wals W* —3D **22**
Swallowdale. *Wolv* —1F **41**
Swallowfall Av. *Stourb*
          —1A **124**
Swallowfields Rd. *Dud* —3G **59**
Swallows Clo. *Wals* —2E **21**
Swallows Mdw. *Shir* —1B **164**
(in two parts)
Swallow St. *B2*
          —1F **117** (5C **4**)
Swanage Rd. *B10* —3D **118**
Swan Av. *Smeth* —2C **98**
Swan Bank. *Wolv* —1D **58**
Swan Clo. *Wals* —3D **6**
Swan Copse. *B25* —6A **120**
Swancote Dri. *Wolv* —5A **42**
Swancote Rd. *B33* —4D **104**
Swancote Rd. *Dud* —6D **76**
Swancote St. *Dud* —1C **94**
Swan Cres. *O'bry* —5F **97**
Swancroft Rd. *Tip* —5H **61**
Swanfield Rd. *Stourb* —2D **108**
Swan Gdns. *B23* —3F **85**
Swan La. *Stourb* —1D **108**
Swan La. *W Brom* —2G **79**
Swan La. Ind. Est. *W Brom*
          —2G **79**
Swanley Clo. *Hale* —2G **129**
Swanmore Clo. *Wolv* —3C **42**
Swann Rd. *Bils* —3C **60**
Swann Wlk. *Tip* —5A **62**
Swan Pool Gro. *Shelf* —6H **21**
Swan Roundabout. *W Brom*
          —2F **79**
Swansbrook Gdns. *B38*
          —5E **147**

Swan Shop. Cen., The. *Yard*
          —5B **120**
Swanshurst La. *B13* —5C **134**
Swan St. *Brie H* —2G **93**
Swan St. *Dud* —3E **95**
Swan St. *Stourb* —6C **108**
Swan St. *Wolv* —1B **44**
Swanswell Rd. *Sol* —5B **136**
Swanswood Gro. *B37*
          —6E **107**
Swan Village. —6D 60
(Sedgley)
Swan Village. —2G 79
(West Bromwich)
Swan Village. *W Brom* —2G **79**
Swan Village Ind. Est. *W Brom*
          —2G **79**
Swarthmore Rd. *B29* —6E **131**
Sweetbriar Dri. *Stourb*
          —2C **108**
Sweetbriar La. *W'hall* —4D **30**
Sweetbriar Rd. *Wolv* —4C **44**
Sweetman Pl. *Wolv* —6E **27**
Sweetman St. *Wolv* —5E **27**
(in two parts)
Sweetmoor Clo. *B36* —1G **105**
Swift Clo. *B36* —1C **106**
Swinbrook Gro. *B44* —4G **67**
Swinbrook Way. *Shir* —3B **150**
Swincross Rd. *Stourb*
          —1F **125**
Swindell Rd. *Stourb* —4G **125**
Swindon. —5E 73
Swindon Rd. *B17* —6F **99**
Swindon Rd. *K'wfrd* —1F **91**
Swinford Gro. *Dorr* —6A **166**
Swinford Leys. *Wom* —2D **72**
Swinford Rd. *B29* —2E **131**
Swinford Rd. *Stourb* —3E **125**
Swinford Rd. *Wolv* —4A **28**
Swin Forge Way. *Swind*
          —5E **73**
Swiss Dri. *Stourb* —1D **108**
Swynnerton Dri. *Ess* —3H **17**
Sycamore Av. *B12* —6A **118**
Sycamore Clo. *Stourb*
          —3B **124**
Sycamore Clo. *S Cold* —3D **70**
Sycamore Clo. *Wals* —1F **33**
Sycamore Cres. *B37* —3C **122**
Sycamore Cres. *Erd* —4F **85**
Sycamore Cres. *Tip* —6H **61**
Sycamore Dri. *H'wd* —4A **162**
Sycamore Dri. *Wolv* —2B **42**
Sycamore Grn. *Dud* —2B **76**
Sycamore Paddock. *Word*
          —2E **109**
Sycamore Pl. *Bils* —2A **62**
Sycamore Pl. *Smeth* —5D **98**
Sycamore Rd. *Aston* —1A **102**
Sycamore Rd. *B'ville* —6B **132**
Sycamore Rd. *Erd* —6F **69**
Sycamore Rd. *Gt Barr* —2A **66**
Sycamore Rd. *Hand* —2H **99**
Sycamore Rd. *K'wfrd* —3C **92**
Sycamore Rd. *O'bry* —5G **97**
Sycamore Rd. *Shelf* —1F **33**
Sycamore Rd. *Smeth* —6F **99**
Sycamore Rd. *Tip* —6H **61**
Sycamore Rd. *Wals* —6D **48**
Sycamore Rd. *W'bry* —3G **63**
Sycamores, The. *Wolv* —1B **28**
Sycamore Ter. *K Hth* —1E **147**
Sycamore Way. *B27* —1A **136**
Sydenham Rd. *B11 & New S*
          —5C **118**

Sydenham Rd. *Smeth* —2E **99**
Sydenham Rd. *Wolv* —1D **44**
Sydney Clo. *W Brom* —6G **63**
Sydney Ho. *B34* —3A **106**
Sydney Rd. *B9* —1C **118**
Sydney Rd. *Crad H* —2E **111**
Sydney Rd. *Smeth* —1C **114**
Sylvan Av. *B31* —4D **144**
Sylvan Grn. *Hale* —6D **111**
Sylvan Gro. *Shir* —2H **149**
Sylvia Av. *B31* —1F **159**
Symphony Ct. *B16* —1D **116**
Sytch La. *Wom* —2G **73**

Tack Farm Rd. *Stourb*
          —2B **108**
Tackford Clo. *B36* —6G **87**
Tackley Clo. *Shir* —1H **163**
Tadmore Clo. *Bils* —6E **45**
Tadworth Clo. *Wolv* —1C **44**
Tait Cft. *Sol* —5B **138**
Talaton Clo. *Wolv* —5E **15**
Talbot Av. *S Cold* —6B **36**
Talbot Clo. *B23* —5D **68**
Talbot Clo. *Wals* —3A **32**
Talbot Pl. *Bils* —5E **45**
Talbot Rd. *Dud* —5D **94**
Talbot Rd. *Smeth* —6E **99**
Talbot Rd. *Wolv* —5G **43**
Talbots La. *Brie H* —2A **110**
Talbot St. *B18* —3B **100**
Talbot St. *Brie H* —6H **93**
Talbot St. *Hale* —5E **111**
Talbot St. *Lye* —6B **110**
Talbot St. *Stourb* —6E **109**
Talbot Way. *B10* —5F **119**
Talfourd St. *B9* —2D **118**
Talgarth Covert. *B38* —2A **160**
Talke Rd. *Wals* —6D **48**
Talladale. *B32* —6H **129**
Tallington Rd. *B33* —4G **121**
Tall Trees Clo. *S Cold* —5D **36**
Tall Trees Clo. *W'hall* —3D **30**
Tall Trees Dri. *Stourb* —3H **125**
Talton Clo. *Shir* —4E **165**
Tamar Clo. *Wals* —3G **9**
Tamar Dri. *B36* —1B **106**
Tamar Dri. *Dud* —1B **76**
Tamar Dri. *S Cold* —6F **71**
Tamar Gro. *Pert* —5E **25**
Tamar Gro. *W'hall* —1C **46**
Tamarisk Clo. *B29* —5F **131**
Tamar Ri. *Stourb* —3E **109**
Tame Av. *W'bry* —1A **64**
Tame Bri. *Wals* —1D **64**
Tame Bri. Factory Est. *Wals*
          —3F **65**
Tamebridge Ind. Est. *P Barr*
          —3G **83**
Tame Clo. *Wals* —5C **48**
Tame Cres. *W Brom* —1A **80**
Tame Dri. *Wals* —6E **21**
Tame Ri. *O'bry* —3H **113**
Tame Rd. *B6* —5A **84**
Tame Rd. *O'bry* —3G **113**
Tame Rd. *Tip* —2C **78**
Tame Rd. Ind. Est. *B6* —6A **84**
Tamerton Rd. *B32* —4B **130**
Tameside Dri. *B35 & Cas V*
          —6D **86**
Tameside Dri. *Holf* —3H **83**
Tame St. *Bils* —6H **45**
Tame St. *Wals* —5C **48**
Tame St. *W Brom* —5F **63**
Tame St. E. *Wals* —5D **48**

Tamworth Clo. *Wals* —3B **10**
Tamworth Rd. *Bass P* —1F **55**
Tamworth Rd. *Four O & S Cold*
          —4A **54**
Tanacetum Dri. *Wals* —2F **65**
Tandy Dri. *B14* —4H **147**
Tanfield Clo. *Wolv* —6H **25**
Tanfield Rd. *B33* —6D **104**
Tanfield Rd. *Dud* —2D **94**
Tanford Rd. *Sol* —2G **137**
Tanglewood Clo. *B34* —4G **105**
Tanglewood Clo. *Quin*
          —6H **113**
Tanglewood Gro. *Dud* —3G **59**
Tangmere Clo. *Wolv* —4E **25**
Tangmere Dri. *B35* —5D **86**
Tanhouse Av. *B43* —6G **65**
Tanhouse Farm Rd. *Sol*
          —3G **137**
Tanhouse La. *Hale* —5D **110**
Tanners Clo. *S Cold* —4D **54**
Tanners Ct. *Wals* —3C **48**
Tannery Clo. *Wals* —6B **32**
Tansey. *S Cold* —4F **37**
Tansey Ct. *Brie H* —2F **93**
Tansey Green. —2F 93
Tansey Grn. Rd. *Brie H* —1E **93**
Tansley Clo. *Dorr* —5B **166**
Tansley Gro. *B44* —4H **67**
Tansley Hill Av. *Dud* —1H **95**
Tansley Hill Rd. *Dud* —1G **95**
Tansley Rd. *B44* —5H **67**
Tansley Vw. *Wolv* —4H **43**
Tantallan Dri. *B32* —4B **130**
Tantany La. *W Brom* —3A **80**
Tantarra St. *Wals* —2D **48**
(in two parts)
Tanwood Clo. *Sol* —1F **165**
Tanworth Gro. *B12* —5H **117**
Tanworth La. *Shir* —2H **163**
Tanyards. *B27* —2A **136**
Tapestries Av. *W Brom*
          —3G **79**
Tapton Clo. *Wals* —4A **20**
Tarmac Rd. *Wolv* —6D **44**
Tarragon Gdns. *B31* —5A **144**
Tarrant Gro. *B32* —6D **114**
Tarrington Covert. *B38*
          —1A **160**
Tarry Hollow Rd. *Brie H*
          —1F **93**
Tarry Rd. *B8* —5E **103**
Tarvin M. *Brie H* —2H **109**
Taryn Dri. *Darl* —4D **46**
Tasker St. *Wals* —3B **48**
Tasker St. *W Brom* —3E **79**
Tasman Gro. *Wolv* —4E **25**
Tat Bank. —3H 97
Tat Bank Rd. *O'bry* —2G **97**
Taunton Av. *Wolv* —3H **15**
Taunton Rd. *B12* —1A **134**
Taunton Tower. *B31* —5A **144**
Taverners Clo. *W'hall* —6C **18**
Taverners Grn. *B20* —4B **82**
Tavistock Rd. *B27* —6A **136**
Taw Clo. *B36* —1B **106**
Tay Cft. *B37* —5E **107**
Tay Gro. *B38* —1A **160**
Tay Gro. *Hale* —3E **113**
Taylor Av. *Wals* —1B **32**
Taylor Ho. Wals —4A 48
(off Oxford St.)
Taylor Rd. *B13* —2H **147**
Taylor Rd. *Dud* —1G **111**
Taylor Rd. *Wolv* —6B **44**
Taylor's La. *O'bry* —2E **97**

Taylors La. *Smeth* —4D **98**
Taylor's La. *W Brom* —3B **80**
Taylors Orchard. *B23* —3B **84**
Taylor St. *Wolv* —4F **29**
Taynton Covert. *B30* —4E **147**
Tay Rd. *Redn* —6H **143**
Taysfield Rd. *B31* —1C **144**
Taywood Dri. *B10* —4C **118**
Tealby Gro. *B29* —4C **132**
Teal Dri. *B23* —4B **84**
Teal Gro. *W'bry* —3B **62**
Teall Cft. *B27* —2A **136**
Teall Rd. *B8* —4E **103**
Tean Clo. *B11* —2G **135**
Teasdale Way. *Stourb*
—1H **125**
Teasel Rd. *Wed* —4G **29**
Teazel Av. *B30* —1H **145**
Tebworth Clo. *Wolv* —5D **14**
Tedbury Cres. *B23* —1E **85**
Tedder Rd. *Wals* —1F **47**
Teddesley Gro. *B33* —5G **105**
Teddesley St. *Wals* —6D **32**
Teddington Clo. *S Cold*
—3G **69**
Teddington Gro. *B42* —4F **83**
Tedstone Rd. *B32* —6C **114**
Teesdale Av. *B34* —3D **104**
Teesdale Clo. *Wolv* —1C **44**
Tees Gro. *B38* —6B **146**
Teignmouth Rd. *B29* —3B **132**
Telford Av. *Wals* —2F **7**
Telford Clo. *Smeth* —2B **114**
Telford Clo. *Wals* —4G **31**
Telford Clo. *W Brom* —5G **63**
Telford Gdns. *Wolv* —4B **42**
Telford Rd. *Wals* —4G **31**
Teme Gro. *W'hall* —1D **46**
Teme Rd. *Hale* —6D **110**
Teme Rd. *Stourb* —2D **124**
Tempest St. *Wolv*
—2H **43** (4C **170**)
Templars, The. *O'bry* —4E **97**
Temple Av. *B28* —1G **149**
Temple Av. *Bal C* —3F **169**
Temple Balsall. —4B 168
Temple Bar. *W'hall* —1A **46**
Temple Ct. *Col* —6H **89**
Templefield Gdns. *B9* —2C **118**
Templefield Sq. *B15* —4D **116**
Templefield St. *B9* —2C **118**
Temple La. *Know* —6A **168**
Temple Meadows Rd. *W Brom*
—2C **80**
Templemore Dri. *B43* —6A **66**
Temple Pas. *B2*
—1F **117** (4D **4**)
Temple Rd. *Dorr* —6C **166**
Temple Rd. *W'hall* —6A **30**
Temple Row. *B2*
—1F **117** (4D **4**)
Temple Row W. *B2*
—1F **117** (3D **4**)
Temple Sq. *W'hall* —6B **30**
Temple St. *B2* —1F **117** (4D **4**)
Temple St. *Bils* —6G **45**
Temple St. *Dud* —4H **75**
Temple St. *W Brom* —3A **80**
Temple St. *Wolv*
—2G **43** (4B **170**)
Templeton Clo. *Dorr* —6C **166**
Templeton Rd. *B44* —3G **67**
Temple Way. *Col* —6H **89**
Temple Way. *Tiv* —5C **78**
Tenacre La. *Dud* —1A **76**
Ten Acres. —5D 132

Ten Ashes La. *Redn* —5A **158**
Tenbury Clo. *A'rdge* —1E **35**
Tenbury Clo. *Bntly* —6D **30**
Tenbury Ct. *Wolv* —6B **42**
Tenbury Gdns. *Wolv* —1B **58**
Tenbury Rd. *B14* —1F **147**
Tenby Rd. *B13* —4D **134**
Tenby St. *B1* —5D **100** (1A **4**)
Tenby St. N. *B1*
—5D **100** (1A **4**)
Tenby Tower. *B31* —6E **145**
Tenlands Rd. *Hale* —2H **127**
Tennal Dri. *B32* —5D **114**
Tennal Gro. *B32* —5D **114**
Tennal La. *B32* —6C **114**
Tennal Rd. *B32* —5C **114**
Tennant St. *B15*
—2D **116** (6A **4**)
Tennis Ct., The. *B15* —6C **116**
Tennscore Av. *Wals* —2E **7**
Tennyson Av. *S Cold* —3F **37**
Tennyson Ho. *O'bry* —5A **98**
Tennyson Rd. *B10* —4E **119**
Tennyson Rd. *Dud* —2E **75**
Tennyson Rd. *Wals* —1C **32**
Tennyson Rd. *W'hall* —1E **31**
Tennyson Rd. *Wolv* —6C **16**
Tennyson St. *Brie H* —3H **93**
Tenter Clo. *Hale* —1B **128**
Tenter Dri. *Hale* —1B **128**
Tenterfields. *Hale* —1B **128**
Tern Clo. *Wolv* —2H **59**
Tern Gro. *B38* —6A **146**
Terrace Rd. *B19* —2C **100**
Terrace St. *Brie H* —4A **94**
Terrace St. *Row R* —2B **112**
Terrace St. *W'bry* —2G **63**
Terrace, The. *Crad H* —3G **111**
Terrace, The. *Wolv* —2A **42**
Terry Dri. *S Cold* —3D **70**
Terry St. *Dud* —6F **77**
Tessall La. *B31* —6H **143**
(in two parts)
Tetbury Gro. *B31* —4B **144**
Tetley Av. *Wals* —5E **33**
Tetley Rd. *B11* —2E **135**
Tetnall St. *Dud* —1F **95**
Tettenhall. —5A 26
Tettenhall Rd. *Wolv* —5C **26**
Tettenhall Wood. —6A 26
Teviot Gdns. *Brie H* —3E **93**
Teviot Gro. *B38* —1B **160**
Teviot Tower. *B19* —4E **101**
(off Mosborough Cres.)
Tewkesbury Dri. *Dud* —6F **95**
Tewkesbury Rd. *B20* —6G **83**
Tewkesbury Rd. *Wals* —5E **19**
Tew Pk. Rd. *B21* —2A **100**
Thackeray Rd. *B30* —2H **145**
Thames Clo. *Brie H* —2F **93**
Thames Ct. *S Cold* —6H **53**
Thames Ct. *Wyt* —6G **161**
(off Chapel La.)
Thames Gdns. *Bils* —4C **60**
Thames Rd. *Wals* —1B **32**
Thames Tower. *B7* —4B **102**
Thanet Clo. *K'wfrd* —3A **92**
Thanet Gro. *B42* —3E **83**
Thatchway Gdns. *B38*
—2A **160**
Thaxted Rd. *B33* —6A **106**
Theatre App. *B5*
Thelbridge Rd. *B31* —3C **158**
Thelma Rd. *Tip* —2G **77**
Thelma St. *Wals* —4B **48**

Thelsford Way. *Sol* —5H **137**
Theodore Clo. *B17* —1H **131**
Theodore Clo. *O'bry* —6E **79**
Theresa Rd. *B11* —4B **118**
Thetford Clo. *Tip* —2F **77**
Thetford Gdns. *Wolv* —3F **29**
Thetford Rd. *B42* —6D **66**
Thetford Way. *Wals* —2G **65**
Thickett Clo. *Wals* —3H **47**
Thicknall Dri. *Stourb* —3F **125**
Thimble End. —4D 70
Thimble End Rd. *S Cold*
—2D **70**
Thimble Mill La. *B6 & B7*
—2B **102**
Thimblemill Rd. *Smeth*
—5B **98**
Third Av. *Bord G* —1F **119**
Third Av. *K'wfrd* —1D **92**
Third Av. *S Oak* —2E **133**
Third Av. *Wals* —4C **10**
Third Av. *Witt* —4H **83**
Third Av. *Wolv* —2A **28**
Third Exhibition Av. *B40*
—6F **123**
Third Rd. *Wild* —5A **156**
Thirlmere Clo. *Tett* —1B **26**
Thirlmere Dri. *B13* —5C **134**
Thirlmere Dri. *Ess* —5A **18**
Thirlmere Gro. *Pert* —5F **25**
Thirlmere Rd. *Tett* —1B **26**
Thirlmere Wlk. *Brie H*
—4F **109**
Thirsk Cft. *B36* —1A **104**
Thirston Clo. *Wolv* —4A **30**
Thistle Clo. *Dud* —1B **76**
Thistle Cft. *Wed* —4F **29**
Thistle Down Clo. *S Cold*
—1A **52**
Thistledown Rd. *B34* —2G **105**
Thistledown Wlk. *Dud* —4G **59**
Thistle Grn. *B38* —1A **160**
Thistle Grn. Clo. *Row R*
—4H **95**
Thistlegreen Rd. *Dud* —5G **95**
Thistle Ho. *B36* —1B **104**
Thistle La. *Bart G* —5H **129**
Thomas Cres. *Smeth* —4G **99**
Thomas Guy Rd. *W Brom*
—6E **63**
Thomas Ho. *Wals* —4B **20**
Thomas Mason Clo. *Wolv*
—2F **29**
Thomas St. *B6* —3H **101**
Thomas St. *Smeth* —4F **99**
Thomas St. *Wals* —1B **48**
Thomas St. *W Brom* —5B **80**
Thomas St. *Wolv*
—3G **43** (6B **170**)
Thomas Wlk. *Cas V* —4F **87**
Thompson Av. *Wolv* —4H **43**
Thompson Clo. *Dud* —1D **110**
Thompson Clo. *W'hall* —6A **30**
Thompson Dri. *Erd* —1F **103**
Thompson Gdns. *Smeth*
—5D **98**
Thompson Ho. *Tip* —5C **62**
Thompson Rd. *O'bry* —5H **97**
Thompson Rd. *Smeth* —5D **98**
Thompson St. *Bils* —6F **45**
Thompson St. *W'hall* —6A **30**
Thomson Av. *B38* —6H **145**
Thoresby Cft. *Dud* —4B **76**
Thornberry Dri. *Dud* —1H **93**
Thornberry Wlk. *B7* —3C **102**
Thornbridge Av. *B42* —6E **67**

Thorn Brook Ct. *Wals* —6D **32**
(off Butts Rd.)
Thornbury Ct. *Pert* —6G **25**
Thornbury Rd. *B20* —5F **83**
Thornby Av. *Sol* —2F **151**
Thornby Rd. *B23* —5C **68**
Thorncliffe Rd. *B44* —3G **67**
Thorn Clo. *W'bry* —1F **63**
Thorncroft Way. *Wals* —1F **65**
Thorne Av. *Wolv* —2A **28**
Thorne Pl. *Row R* —1C **112**
Thorne Rd. *W'hall* —6A **30**
Thornes. —4G 23
Thornes Cft. *Wals* —3G **23**
Thorne St. *Wolv* —4C **44**
Thorneycroft La. *Wolv* —4C **28**
Thorneycroft Pl. *Bils* —2B **62**
Thorneycroft Rd. *Bils* —2A **62**
Thorneyfield Rd. *Shir* —4A **150**
Thorney Rd. *S Cold* —2H **51**
Thornfield Cft. *Sed* —6A **60**
Thornfield Rd. *B27* —3A **136**
Thorngrove Av. *Sol* —1G **165**
Thornham Way. *B14* —6F **147**
Thornhill Gro. *B21* —1B **100**
Thornhill Pk. *S Cold* —3A **52**
Thornhill Rd. *Brie H* —3A **110**
Thornhill Rd. *Dud* —3E **77**
Thornhill Rd. *Hale* —2G **127**
Thornhill Rd. *Hand* —2B **100**
Thornhill Rd. *Sol* —6G **137**
Thornhill Rd. *S'hll* —2D **134**
Thornhill Rd. *S Cold* —5A **52**
Thornhurst Av. *B32* —4C **114**
Thornleigh. *Dud* —2H **75**
Thornleigh Trad. Est. *Dud*
—2C **94**
Thornley Clo. *B13* —4A **134**
Thornley Clo. *Wolv* —6H **17**
Thornley Gro. *Min* —1G **87**
Thornley Rd. *Wolv* —6H **17**
Thornley St. *Wolv*
—1H **43** (2C **170**)
Thorn Rd. *B30* —6A **132**
Thorns Av. *Brie H* —2A **110**
Thornsett Gro. *Shir* —1H **149**
Thorns Rd. *Brie H* —4A **110**
Thornthwaite Clo. *Redn*
—5H **143**
Thornton Clo. *Tiv* —5C **78**
Thornton Dri. *Brie H* —2A **110**
Thornton Rd. *B8* —4H **103**
Thornton Rd. *Shir* —3D **164**
Thornton Rd. *Wolv* —2D **44**
Thornwood Clo. *O'bry* —4A **98**
Thornyfield Clo. *Shir* —4A **150**
Thornyhurst La. *Hltn* —6H **11**
Thorpe Clo. *S Cold* —3A **54**
Thorpe Rd. *Wals* —4C **48**
Thorp St. *B5* —2F **117** (6D **4**)
Three Corner Clo. *Shir*
—1E **163**
Three Maypoles. —2H 163
Three Oaks Rd. *Wyt* —5C **162**
Three Shires Oak Rd. *Smeth*
—1D **114**
Three Tuns La. *Wolv* —5G **15**
Three Tuns Pde. *Wolv* —5G **15**
Threshers Dri. *W'hall* —3D **30**
Threshers Way. *W'hall* —3D **30**
Throne Clo. *Row R* —4C **96**
Throne Cres. *Row R* —4D **96**
Throne Rd. *Row R* —4C **96**
Throstles Clo. *Gt Barr* —6A **66**
Thrushel Wlk. *Wolv* —4E **29**
Thrush Rd. *O'bry* —1F **113**

Victor St.—Wanderers Av.

Victor St. *Wals* —4C **48**
Victor Tower. *B7* —4B **102**
Victory Av. *Row R* —1B **112**
Victory Av. *W'bry* —1C **62**
Victory La. *Wals* —5G **31**
Victory Ri. *W Brom* —2A **80**
View Dri. *Dud* —1G **95**
Viewfield Cres. *Dud* —6H **59**
Viewlands Dri. *Wolv* —1G **41**
Vigo. —5B 22
Vigo Clo. *Wals* —5B **22**
Vigo Pl. *Wals* —1B **34**
Vigo Rd. *Wals* —5B **22**
Vigo Ter. *Wals* —5B **22**
Viking Ri. *Row R* —5C **96**
Village Rd. *B6* —6A **84**
Village Sq. *B31* —6A **144**
Village, The. —2D 92
Village, The. *K'wfrd* —2C **92**
Village Wlk. *W'bry* —2H **63**
Village Way. *Bils* —6E **45**
Village Way. *S Cold* —5D **70**
Villa Rd. *B19* —2C **100**
Villa St. *B19* —2D **100**
(in two parts)
Villa St. *Stourb* —3E **109**
Villa Wlk. *B19* —3E **101**
Villette Gro. *B14* —3C **148**
Villiers Av. *Bils* —4F **45**
Villiers Pl. *Bils* —4F **45**
Villiers Sq. *Bils* —4F **45**
Villiers St. *Wals* —4C **48**
Villiers St. *W'hall* —1A **46**
Villiers Trad. Est. *Wolv*
—4F **43**
Vimy Rd. *B13* —5B **134**
Vimy Rd. *W'bry* —1G **63**
Vimy Ter. *W'bry* —1G **63**
Vincent Clo. *B12* —5H **117**
Vincent Dri. *B15* —2H **131**
Vincent Pde. *B12* —5H **117**
Vincent Rd. *S Cold* —4C **54**
Vincent St. *B12* —6H **117**
(in two parts)
Vincent St. *Wals* —4D **48**
Vince St. *Smeth* —6E **99**
Vinculum Way. *W'hall* —3B **46**
Vine Av. *B12* —6A **118**
Vine Cres. *W Brom* —1B **80**
Vine La. *Hale* —2B **128**
Vineries, The. *B27* —1B **136**
Vine St. *Aston* —2B **102**
Vine St. *Brie H* —4A **94**
Vine St. *Stourb* —2C **108**
Vine Ter. *Harb* —6G **115**
Vineyard Clo. *B18* —2B **100**
Vineyard Rd. *B31* —2D **144**
Vinnall Gro. *B32* —5H **129**
Vintage Clo. *B34* —4E **105**
Violet Cft. *Tip* —4C **62**
Virginia Dri. *Penn* —1D **58**
Viscount Clo. *B35* —5E **87**
Vista Grn. *B38* —6C **146**
(in three parts)
Vista, The. *Dud* —4H **59**
Vittoria St. *B1* —5E **101** (1A 4)
Vittoria St. *Smeth* —3H **99**
Vivian Clo. *B17* —6G **115**
Vivian Rd. *B17* —6G **115**
Vixen Clo. *S Cold* —6B **70**
Vulcan Ind. Est. *Wals* —3A **32**
Vulcan Rd. *Bils* —6H **45**
Vulcan Rd. *Sol* —6G **137**
Vulcan Rd. Ind. Est. *Sol*
—6G **137**
Vyrnwy Gro. *B38* —1A **160**

Vyse St. *B18 & Hock*
—4E **101** (1A 4)
Vyse St. *Aston* —1B **102**

W

Waddell Clo. *Bils* —3B **60**
Waddens Brook La. *Wolv*
—4G **29**
Waddington Av. *B43* —4A **66**
Wadesmill Lawns. *Wolv*
—3A **16**
Wadham Clo. *Row R* —3C **96**
Wadham Ho. *B37* —6E **107**
Wadhurst Rd. *B17* —1F **115**
Wadley's Rd. *Sol* —1D **150**
Waen Clo. *Tip* —5B **62**
Waggoners La. *Hints* —2H **39**
Waggon St. *Crad H* —1H **111**
Waggon Wlk. *B38* —1G **159**
(in two parts)
Wagoners Clo. *B8* —3F **103**
Wagon La. *Sol & B26*
—1D **136**
Wagstaff Clo. *Bils* —5F **61**
Waine Ho. *Bwnhls* —1C **22**
Wainwright Clo. *K'wfrd*
—2G **91**
Wainwright St. *B6 & Aston*
—2A **102**
Waite Rd. *W'hall* —3G **45**
Wakefield Clo. *S Cold* —3G **69**
Wakefield Ct. *B13* —3B **134**
Wakefield Gro. *Wat O* —4D **88**
Wakeford Rd. *B31* —6G **145**
Wake Green. —3A 134
Wake Grn. Pk. *B13* —3B **134**
Wake Grn. Rd. *B13* —2H **133**
Wake Grn. Rd. *Tip* —4A **62**
Wakelam Gdns. *B43* —4H **65**
Wakelams Fold. *Dud* —4G **75**
Wakeley Hill. *Wolv* —1D **58**
Wakelin Rd. *Shir* —2H **163**
Wakeman Gro. *B33* —4H **121**
Wakes Clo. *W'hall* —2B **46**
Wakes Rd. *W'bry* —3G **63**
Walcot Clo. *S Cold* —6H **37**
Walcot Dri. *B43* —1B **82**
Walcot Gdns. *Bils* —1D **60**
Walcot Grn. *Dorr* —6H **167**
Waldale Clo. *Ess* —6C **18**
Walden Gdns. *Wolv* —5C **42**
Walden Rd. *B11* —2G **135**
Waldeve Gro. *Sol* —5B **138**
Waldley Gro. *B24* —4A **86**
Waldon Wlk. *B36* —1B **106**
Waldron Av. *Brie H* —1F **109**
Waldron Clo. *W'bry* —5F **47**
Waldrons Moor. *B14* —2E **147**
Walford Av. *Wolv* —3D **42**
Walford Dri. *Sol* —2H **137**
Walford Grn. *B32* —6H **129**
Walford Rd. *B11* —5B **118**
Walford St. *Tiv* —5A **78**
Walhouse Clo. *Wals* —1D **48**
Walhouse Rd. *Wals* —1D **48**
(in two parts)
Walker Av. *Brie H* —4H **109**
Walker Av. *Stourb* —2H **125**
Walker Av. *Tiv* —2C **96**
Walker Av. *Wolv* —1A **28**
Walker Dri. *B24* —1E **103**
Walker Grange. *Tip* —6H **61**
Walker Pl. *Wals* —1C **32**
Walker Rd. *Wals* —1B **32**
Walkers Fold. *W'hall* —3D **30**
Walker's Heath. —5C 146

Walkers Heath Rd. *B38*
—6D **146**
Walker St. *Dud* —5E **95**
Walker St. *Tip* —6B **62**
Walk La. *Wom* —6G **57**
Walkmill Bridge. —1C 6
Walkmill La. *Cann* —1D **6**
Walk, The. *Dud* —4H **59**
Wallace Clo. *Cann* —1D **8**
Wallace Clo. *O'bry* —3D **96**
Wallace Ho. *O'bry* —4D **96**
Wallace Ri. *Crad H* —4G **111**
Wallace Rd. *B29* —3D **132**
Wallace Rd. *Bils* —2A **62**
Wallace Rd. *O'bry* —3D **96**
Wallace Rd. *Wals* —5A **10**
Wall Av. *Col* —4H **107**
Wallbank Rd. *B8* —3G **103**
Wallbrook. —5F 61
Wallbrook St. *Bils* —5F **61**
Wall Cft. *Wals* —2D **34**
Wall Dri. *S Cold* —5F **37**
Wall End Clo. *Wals* —2G **31**
Wallface. *W Brom* —6G **63**
Wall Heath. —1H 91
Wallheath Cres. *Wals* —2G **23**
Wall Heath La. *Wals* —2H **23**
Walling Cft. *Bils* —2D **60**
Wallington Clo. *Wals* —5H **19**
Wallington Heath. —5G 19
Wallington Heath. *Wals*
—5H **19**
Wallows Cres. *Wals* —5A **48**
Wallows Ind. Est., The. *Brie H*
—4H **93**
Wallows La. *Wals* —5A **48**
(WS1, in two parts)
Wallows La. *Wals* —5A **48**
(WS2)
Wallows Pl. *Brie H* —4G **93**
Wallows Rd. *Brie H* —5G **93**
Wallows Wood. *Dud* —3E **75**
Wall St. *Wolv* —1D **44**
Wall Well. *Hale* —2H **127**
Wall Well La. *Hale* —2H **127**
Walmead Cft. *B17* —4D **114**
Walmer Gro. *B23* —2B **84**
Walmer Mdw. *Wals* —2D **34**
Walmers, The. *Wals* —2D **34**
Walmers Wlk., The. *B31*
—6B **144**
Walmer Way. *B37* —6E **107**
Walmley. —5D 70
Walmley Ash. —2D 86
Walmley Ash La. *Min* —1F **87**
Walmley Ash Rd. *S Cold &*
Min —6D **70**
Walmley Clo. *Hale* —4D **110**
Walmley Rd. *S Cold* —1C **70**
Walnut Av. *Cod* —4G **13**
Walnut Clo. *B37* —2D **122**
Walnut Clo. *Stourb* —4F **125**
Walnut Dri. *Smeth* —4F **99**
Walnut Dri. *Wolv* —2B **42**
Walnut Ho. *B20* —4B **82**
Walnut La. *W'bry* —3G **63**
Walnut Rd. *Wals* —1E **65**
Walnut Way. *B31* —1D **158**
Walpole St. *Wolv* —6E **27**
Walpole Wlk. *W Brom* —6B **80**
Walsal End La. *H Ard* —4H **153**
Walsall. —2C 48
Walsall Arboretum. —1E 49
Walsall Leather Mus. —1C 48
Walsall Mus. & Art Gallery.
(Central Library) —1D 48

Walsall New Firms Cen., The.
Wals —3B **48**
Walsall Retail Pk. *Wals*
—5H **31**
Walsall Rd. *A'rdge* —6A **34**
Walsall Rd. *Cann* —2D **8**
Walsall Rd. *Four O* —1F **53**
Walsall Rd. *Gt Barr & P Barr*
—4B **66**
Walsall Rd. *Gt Wyr* —1F **7**
Walsall Rd. *Lit A & S Cold*
—3C **36**
Walsall Rd. *Pels* —5E **21**
Walsall Rd. *Spring* —6F **61**
Walsall Rd. *Wals* —6H **21**
(WS4)
Walsall Rd. *Wals* —1D **64**
(WS5)
Walsall Rd. *W'bry* —5D **46**
Walsall Rd. *W Brom* —6B **64**
Walsall Rd. *W'hall* —1B **46**
Walsall St. *Bils* —5F **45**
Walsall St. *W'bry* —4D **46**
(Foster St.)
Walsall St. *W'bry* —2F **63**
(Up. High St.)
Walsall St. *W Brom* —4B **80**
Walsall St. *W'hall* —2B **46**
Walsall St. *Wolv* —2A **44**
Walsall Wood. —3B 22
Walsall Wood Rd. *Wals*
—5C **22**
Walsgrave Clo. *Sol* —1H **151**
Walsgrave Dri. *Sol* —6H **137**
Walsham Cft. *B34* —4G **105**
Walsh Dri. *S Cold* —1D **70**
Walsh Gro. *B23* —5D **68**
Walsingham St. *Wals* —2E **49**
Walstead Clo. *Wals* —6G **49**
Walstead Rd. *Wals* —6D **48**
Walstead Rd. W. *Wals* —6C **48**
Walt Dene Clo. *B43* —3A **66**
Walter Burden Ho. *Smeth*
—6G **99**
Walter Cobb Dri. *S Cold*
—4G **69**
Walter Rd. *Bils* —2G **61**
Walter Rd. *Smeth* —3C **98**
Walters Clo. *B31* —3D **158**
Walters Rd. *O'bry* —4G **113**
Walters Row. *Dud* —6C **76**
Walter St. *B7* —3B **102**
Walter St. *Wals* —6E **21**
Walter St. *W Brom* —5C **80**
Waltham Gro. *B44* —3B **68**
Waltham Ho. *W Brom* —4B **80**
Walthamstow Ct. *Brie H*
—2H **109**
Walton Av. *Row R* —3B **112**
Walton Clo. *Hale* —3H **127**
Walton Clo. *Row R* —5A **96**
Walton Ct. *Hale* —2H **127**
Walton Cres. *Wolv* —6A **44**
Walton Cft. *Sol* —6F **151**
Walton Dri. *Stourb* —6G **109**
Walton Gdns. *Cod* —3F **13**
Walton Gro. *B30* —5D **146**
Walton Heath. *Wals* —4F **19**
Walton Ho. *B16* —1D **116**
Walton Rd. *O'bry* —1H **113**
Walton Rd. *Stourb* —5E **109**
Walton Rd. *Wals* —6C **22**
Walton Rd. *W'bry* —3A **64**
Walton Rd. *Wolv* —6A **44**
Walton St. *Tip* —2H **77**
Wanderers Av. *Wolv* —5G **43**

Wesson Rd. *W'bry* —4C **46**
Westacre. *W'hall* —2H **45**
Westacre Cres. *Wolv* —3H **41**
W. Acre Dri. *Brie H* —3B **110**
Westacre Gdns. *B33* —6B **104**
West Av. *Cas B* —1H **105**
West Av. *Hand* —3C **82**
West Av. *Tiv* —2B **96**
West Av. *Wolv* —3E **29**
West Boulevd. *B32* —5C **114**
Westbourne Av. *B34* —3C **104**
Westbourne Av. *Wals* —1E **7**
Westbourne Ct. Wals —6E 33
(off Lichfield Rd.)
Westbourne Cres. *Edg*
—3C **116**
Westbourne Gdns. *B15*
—4C **116**
Westbourne Gro. *Hand*
—2B **100**
Westbourne Rd. *Edg* —4B **116**
Westbourne Rd. *Hale* —5E **113**
Westbourne Rd. *Hand* —6H **81**
Westbourne Rd. *Sol* —5D **136**
Westbourne Rd. *Wals* —5D **32**
Westbourne Rd. *W'bry*
—4F **47**
Westbourne Rd. *W Brom*
—5H **79**
Westbourne Rd. *Wolv* —6E **43**
Westbourne St. *Wals* —6D **32**
West Bromwich. —5B 80
W. Bromwich Parkway.
W Brom —4H **79**
(Dartmouth St.)
W. Bromwich Parkway.
W Brom —6C **80**
(Trinity Way)
W. Bromwich Ringway.
W Brom —4A **80**
W. Bromwich Rd. *Wals*
(in two parts) —5C **48**
W. Bromwich St. *O'bry* —6F **79**
W. Bromwich St. *Wals* —3C **48**
Westbrook Av. *Wals* —4A **34**
Westbrook Way. *Wom* —2F **73**
Westbury Av. *W'bry* —5F **47**
Westbury Ct. Brie H —1H 109
(off Hill St.)
Westbury Rd. *B17* —6F **99**
Westbury Rd. *W'bry* —5F **47**
Westbury St. *Wolv*
—1H **43** (2C **170**)
Westcliffe Pl. *B31* —3D **144**
Westcombe Gro. *B32*
—4G **129**
W. Coppice Rd. *Wals* —5G **9**
Westcote Av. *B31* —5A **144**
Westcote Clo. *Sol* —3E **137**
Westcott Clo. *K'wfrd* —6D **92**
Westcott Rd. *B26* —3E **121**
Westcroft Av. *Wolv* —6C **16**
Westcroft Gro. *B38* —4G **145**
Westcroft Rd. *Dud* —3F **59**
Westcroft Rd. *Wolv* —3F **25**
Westcroft Way. *B14* —6B **148**
W. Dean Clo. *Hale* —1C **128**
West Dri. *B5* —6E **117**
West Dri. *Hand* —1D **100**
W. End Av. *Smeth* —2B **98**
Westerdale Clo. *Dud* —6C **60**
Westerham Clo. *Know*
—3B **166**
Westeria Clo. *B36* —1G **105**
Westering Parkway. *Wolv*
—3A **16**

Westerings. *B20* —5E **83**
Western Av. *B19* —2E **101**
Western Av. *Brie H* —1F **109**
Western Av. *Dud* —5F **59**
Western Av. *Hale* —1E **129**
Western Av. *Wals* —6D **30**
Western Bus. Pk. *Hale*
—4B **112**
Western Clo. *Wals* —6D **30**
Western Rd. *B18 & Hock*
—5B **100**
Western Rd. *Crad H* —3G **111**
Western Rd. *Erd* —4G **85**
Western Rd. *O'bry* —4H **97**
Western Rd. *Stourb* —1D **124**
Western Rd. *S Cold* —4G **69**
Western Way. *W'bry* —1C **62**
Westfield Av. *B14* —6B **148**
Westfield Clo. *Dorr* —6F **167**
Westfield Dri. *Wom* —6F **57**
Westfield Gro. *Wolv* —3A **42**
Westfield Ho. *B36* —2C **106**
Westfield Mnr. *S Cold* —5G **37**
Westfield Rd. *B15 & Edg*
—3H **115**
Westfield Rd. *A Grn* —2H **135**
Westfield Rd. *Bils* —4D **44**
Westfield Rd. *Brie H* —3B **110**
Westfield Rd. *Dud* —2F **95**
Westfield Rd. *Hale* —2E **113**
Westfield Rd. *K Hth* —5F **133**
Westfield Rd. *Sed* —4H **59**
Westfield Rd. *Smeth* —5D **98**
Westfield Rd. *W'hall* —3G **45**
Westford Gro. *B28* —4E **149**
West Ga. *B16* —6A **100**
Westgate. *A'rdge* —2H **33**
Westgate. *O'bry* —5E **97**
Westgate Clo. *Sed* —6A **60**
Westgate Trad. Est. *A'rdge*
—3A **34**
West Grn. *Wolv* —6A **42**
West Grn. Clo. *B15* —3D **108**
W. Grove Av. *Shir* —3D **164**
Westham Ho. *B37* —5D **106**
Westhaven Dri. *B31* —6C **130**
Westhaven Rd. *S Cold* —5A **54**
Westhay Rd. *B28* —6H **135**
West Heath. —6G 145
W. Heath Rd. *N'fld* —5F **145**
W. Heath Rd. *Win G* —5H **99**
Westhill. *Wolv* —1A **42**
Westhill Clo. *Sol* —5C **136**
Westhill Rd. *B38* —4B **146**
West Holme. *B9* —1C **118**
Westholme Cft. *B30* —5A **132**
Westhorpe Gro. *B19* —4E **101**
Westhouse Gro. *B14* —3F **147**
Westland Av. *Wolv* —1D **42**
Westland Clo. *B23* —2F **85**
Westland Gdns. *Stourb*
—4D **108**
Westland Gdns. *Wolv* —1E **43**
Westland Rd. *Wolv* —1D **42**
Westlands Est. *Stourb*
—2C **108**
Westlands Rd. *B13* —4A **134**
Westlands Rd. *S Cold* —1D **86**
Westland Wlk. *B35* —5D **86**
Westleigh Rd. *Wom* —2F **73**
Westley Brook Clo. *B26*
—6F **121**
Westley Clo. *B28* —1H **149**
Westley Rd. *B27* —2H **135**
Westley St. *B9* —1A **118**
Westley St. *Dud* —1D **94**

Westmead Cres. *B24* —3A **86**
W. Mead Dri. *B14* —1G **147**
Westmead Dri. *O'bry* —5H **97**
West M. *B44* —3F **67**
W. Mill Cft. *B38* —2A **160**
Westminster Av. *Wolv* —6F **43**
Westminster Clo. *Dud* —5C **76**
Westminster Ct. *B37* —4B **106**
Westminster Ct. *Hand* —5E **83**
Westminster Dri. *B14*
—1G **147**
Westminster Ind. Est. *Dud*
—1F **111**
Westminster Rd. *B20 & Hand*
—5E **83**
Westminster Rd. *S Oak*
—4C **132**
Westminster Rd. *Stourb*
—1A **108**
Westminster Rd. *Wals* —2F **33**
Westminster Rd. *W Brom*
—4B **64**
Westmore Way. *W'bry* —6A **48**
Westmorland Ct. *W Brom*
—6B **64**
Westmorland Rd. *W Brom*
—6B **64**
Weston Av. *B11* —5C **118**
Weston Av. *Tiv* —6B **78**
Weston Clo. *Dorr* —6H **167**
Weston Clo. *Wals* —5C **48**
Weston Ct. Wolv —5G 27
(off Boscobel Cres.)
Weston Cres. *Wals* —4D **34**
Weston Dri. *Bils* —1D **60**
Weston Dri. *Tip* —3C **62**
Weston Dri. *Wals* —5E **7**
Weston Ho. *B19* —3G **101**
Weston Ind. Est. *B11* —1E **135**
Weston La. *B11* —1E **135**
Weston Rd. *B19* —2D **100**
Weston Rd. *Smeth* —1D **114**
Weston St. *Wals* —5C **48**
Westover Rd. *B20* —3A **82**
W. Park Av. *B31* —5C **144**
W. Park Rd. *Smeth* —2B **98**
West Pathway. *B17* —5G **115**
Westport Cres. *Wolv* —4H **29**
Westray Clo. *Redn* —6E **143**
Westridge. *Dud* —5G **59**
Westridge Rd. *B13* —6C **134**
West Ri. *S Cold* —5A **54**
West Rd. *B24* —6A **86**
West Rd. *B43* —6A **66**
West Rd. *Hale* —5D **110**
West Rd. *Tip* —5B **62**
West Rd. *Witt* —5G **83**
West Rd. S. *Hale* —5D **110**
Westside Dri. *B32* —4B **130**
West Smethwick. —2B 98
West St. *Brie H* —3B **110**
West St. *Dud* —5D **76**
(DY1)
West St. *Dud* —4H **75**
(DY3)
West St. *Row R* —2C **112**
West St. *Stourb* —6D **108**
West St. *Wals* —2A **32**
West St. *Wolv* —4G **27**
West Vw. *B8* —5A **104**
W. View Dri. *K'wfrd* —4C **92**
W. View Rd. *S Cold* —5C **54**
Westville Rd. *Wals* —6G **31**
Westward Clo. *B44* —5H **67**
West Way. *B31* —2F **159**
West Way. *Wals* —5F **21**

Westwick Clo. *Wals* —3G **23**
Westwood Av. *B11* —1D **134**
Westwood Av. *Stourb*
—2A **124**
Westwood Gro. *Sol* —5D **150**
Westwood Rd. *B6* —6A **84**
Westwood Rd. *S Cold* —1A **68**
Westwood St. *Brie H* —2E **109**
Westwood Vw. *B24* —4A **86**
Wetherby Clo. *B36* —1B **104**
Wetherby Clo. *Wolv* —3H **15**
Wetherby Rd. *B27* —3A **136**
Wetherby Rd. *Wals* —3G **19**
Wetherfield Rd. *B11* —2G **135**
Wexford Clo. *Dud* —5B **76**
Weybourne Rd. *B44* —3G **67**
Weycroft Rd. *B44 & B23*
—6B **68**
Weyhill Clo. *Wolv* —5D **14**
Weymoor Rd. *B17* —2E **131**
Weymouth Dri. *S Cold* —5F **37**
Wharf App. *A'rdge* —2B **34**
Wharfdale Rd. *B11* —6G **119**
Wharfedale Clo. *K'wfrd*
—2H **91**
Wharfedale St. *W'bry* —3G **63**
Wharf La. *B18* —3C **100**
Wharf La. *Sol* —1H **151**
Wharf La. *Wals & Burn*
—2B **10**
Wharf Rd. *K Nor* —5C **146**
Wharf Rd. *Tys* —6H **119**
Wharfside. *O'bry* —2F **97**
Wharf St. *Hock* —3C **100**
Wharf St. *Wolv* —2A **44**
Wharf, The. *B1*
—1E **117** (5B **4**)
Whar Hall Rd. *Sol* —5A **138**
Wharton Av. *Sol* —6A **138**
Wharton Rd. *Smeth* —2G **99**
Wharton St. *B7* —1D **102**
Wharwell La. *Gt Wyr* —4G **7**
Whatcote Grn. *Sol* —5H **137**
Whatcroft, The. *B17* —5F **115**
Whateley Av. *Wals* —3D **32**
Whateley Cres. *B36* —1H **105**
Whateley Grn. *B36* —1G **105**
Whateley Grn. *S Cold* —3G **53**
Whateley Hall Clo. *Know*
—2E **167**
Whateley Hall Rd. *Know*
—2E **167**
Whateley Lodge Dri. *B36*
—1G **105**
Whateley Pl. *Wals* —3D **32**
Whateley Rd. *B21* —1A **100**
Whateley Rd. *Wals* —3D **32**
Wheatcroft Clo. *Hale* —3F **113**
Wheatcroft Dri. *B37* —2E **123**
Wheatcroft Gro. *Dud* —6H **77**
Wheatcroft Rd. *B33* —1D **120**
Wheaten Clo. *B37* —6F **107**
Wheatfield Clo. *B36* —2C **106**
Wheatfield Vw. *B31* —1B **144**
Wheat Hill. *Wals* —3A **50**
Wheathill Clo. *Wolv* —2C **58**
Wheatlands Cft. *B33* —6A **106**
Wheatlands, The. *Pert* —6D **24**
Wheatley Clo. *O'bry* —3B **114**
Wheatley Clo. *Sol* —5A **138**
Wheatley Clo. *S Cold* —6A **38**
Wheatley Grange. *Col*
—3H **107**
Wheatley Rd. *O'bry* —3B **114**
Wheatley St. *W Brom* —4G **79**
Wheatley St. *Wolv* —5A **44**

Winster Rd.—Wood Green

Winster Rd. *Wolv* —2D **44**
Winston Dri. *B20* —6D **82**
Winston Dri. *Rom* —3A **142**
Winston Rd. *Swind* —5E **73**
Winterbourne Cft. *B14*
　—6E **147**
Winterbourne Rd. *Sol*
　—3D **150**
Winterdene. *Bal C* —2H **169**
Winterley Gdns. *Sed* —1A **76**
Winterley La. *Wals* —2G **33**
Winterton Rd. *B44* —2A **68**
Winthorpe Dri. *Sol* —1G **165**
Witney Clo. *B17* —4E **115**
Winton Gro. *Min* —1E **87**
Winwood Rd. *Row R* —6E **97**
Winwoods Gro. *B32* —5G **129**
Wiremill Clo. *B44* —1G **83**
Wirral Rd. *B31* —1D **144**
Wiseacre Cft. *Shir* —5E **149**
Wiseman Gro. *B23* —4D **68**
Wisemore. *Wals* —1C **48**
　(in two parts)
Wishaw Dri. *Shir* —5E **149**
Wishaw Gro. *B37* —4B **106**
Wishaw La. *Curd* —1D **88**
Wishaw La. *Min* —1H **87**
Wisley Way. *B32* —6D **114**
Wistaria Clo. *B31* —1E **145**
Wisteria Gro. *B44* —3G **67**
Wistmans Clo. *Dud* —5A **76**
Wistwood Hayes. *Wolv*
　—3B **16**
Witham Clo. *S Cold* —4E **71**
Witham Cft. *Sol* —6G **151**
Withdean Clo. *B11* —6D **118**
Witherford Clo. *B29* —5G **131**
Witherford Cft. *Sol* —5B **150**
Witherford Way. *B29* —5G **131**
Withern Way. *Dud* —4G **75**
Withers Rd. *Cod* —4H **13**
Withers Way. *W Brom* —3B **80**
Withington Covert. *B14*
　—5F **147**
Withington Gro. *Dorr* —5A **166**
Withybrook Rd. *Shir* —1H **163**
Withy Gro. *B37* —4B **106**
Withy Hill Rd. *S Cold* —4D **54**
Withymere La. *Wom* —5A **58**
Withymoor Rd. *Dud* —5G **95**
Withymoor Rd. *Stourb*
　—4E **109**
Withymoor Village. —2H 109
Withy Rd. *Bils* —2E **61**
Withywood Clo. *W'hall*
　—6C **18**
Witley Av. *Hale* —1G **127**
Witley Av. *Sol* —5G **151**
Witley Cres. *O'bry* —4E **97**
Witley Farm Clo. *Sol* —5G **151**
Witley Rd. *B31* —5H **145**
Witney Dri. *B37* —1B **122**
Witney Gro. *Wolv* —4F **15**
Wittersham Ct. *W'hall* —1B **46**
　(off Birmingham St.)
Witton. —4H 83
Witton Bank. *Hale* —4F **113**
Witton La. *B6* —6H **83**
Witton La. *W Brom* —5G **63**
Witton Lodge Rd. *B23*
　—6B **68**
Witton Rd. *B6* —1G **101**
Witton Rd. *Wolv* —5E **43**
Witton St. *B9* —1A **118**
Witton St. *Stourb* —1C **124**
Wixford Cft. *B34* —2E **105**

Wixford Gro. *Shir* —5B **150**
Wobaston Rd. *Wolv & F'hses*
　—4B **14**
Woburn Av. *W'hall* —3B **30**
Woburn Cres. *B43* —4H **65**
Woburn Dri. *Brie H* —4F **109**
Woburn Dri. *Hale* —4B **112**
Woburn Gro. *B27* —4A **136**
Wodehouse Clo. *Wom* —2E **73**
Wodehouse La. *Wom & Dud*
　—5A **58**
Woden Av. *Wolv* —3E **29**
Woden Clo. *Wom* —6F **57**
Woden Cres. *Wolv* —3E **29**
Woden Pas. *W'bry* —3F **63**
Woden Rd. *Wolv* —5A **28**
Woden Rd. E. *W'bry* —1H **63**
Woden Rd. N. *W'bry* —6E **47**
Woden Rd. S. *W'bry* —4F **63**
Woden Rd. W. *W'bry* —1D **62**
Woden Way. *Wolv* —3E **29**
Wolcot Gro. *B6* —2H **83**
Wold Wlk. *B13* —1B **148**
Wolfsbane Dri. *Wals* —2E **65**
Wollaston. —6B 108
Wollaston Ct. *Stourb* —5A **108**
Wollaston Ct. *Wals* —1D **48**
　(off Lwr. Rushall St.)
Wollaston Cres. *Wolv* —3F **29**
Wollaston Rd. *Stourb*
　(DY7)　—4A **108**
Wollaston Rd. *Stourb*
　(DY8)　—3D **108**
Wollerton Gro. *S Cold* —5D **54**
Wollescote. —6C 110
Wollescote Dri. *Sol* —6F **151**
Wollescote Rd. *Stourb*
　—2G **125**
Wolmer Rd. *Wolv* —5H **17**
Wolseley Av. *B27* —1B **136**
Wolseley Bank. *Wolv* —2B **28**
Wolseley Clo. *B36* —6C **88**
Wolseley Clo. *Wolv* —2B **28**
Wolseley Dri. *B8* —2H **103**
Wolseley Ga. *Wolv* —2B **28**
Wolseley Rd. *Bils* —4D **44**
Wolseley Rd. *W Brom* —1E **79**
Wolseley St. *Bord* —1B **118**
　(in two parts)
Wolston Clo. *Shir* —3H **149**
Wolverhampton.
　—1H **43** (3D **170**)
Wolverhampton Art Gallery.
　—1G **43**
Wolverhampton Rd. *Blox*
　—6H **19**
Wolverhampton Rd. *C Hay*
　—4B **6**
Wolverhampton Rd. *Cod*
　(in two parts)　—3F **13**
Wolverhampton Rd. *Dud*
　—4H **59**
Wolverhampton Rd. *Ess*
　—4H **17**
Wolverhampton Rd. *Hth T*
　—6B **28**
Wolverhampton Rd. *K'wfrd*
　—6A **74**
Wolverhampton Rd. *O'bry*
　—2D **96**
Wolverhampton Rd. *Patt*
　—6A **24**
Wolverhampton Rd. *Pels*
　—4C **20**
Wolverhampton Rd. *Share*
　—3A **6**

Wolverhampton Rd. *Wals*
　(in three parts)　—1G **47**
Wolverhampton Rd. E. *Wolv*
　—6H **43**
Wolverhampton Rd. S. *B32*
　—4C **114**
Wolverhampton Rd. W.
　W'hall & Wals —1C **46**
Wolverhampton Science Pk.
　Wolv —3G **27**
Wolverhampton St. *Bils*
　—5E **45**
Wolverhampton St. *Dud*
　—6D **76**
Wolverhampton St. *Wals*
　—1B **48**
Wolverhampton St. *W'bry*
　—4B **46**
Wolverhampton St. *W'hall*
　—2H **45**
Wolverhampton Tourist Info.
　*Cen. —1G **43**
Wolverley Av. *Stourb* —5A **108**
Wolverley Av. *Wolv* —6B **42**
Wolverley Cres. *O'bry* —4D **96**
Wolverley Rd. *B32* —5H **129**
Wolverley Rd. *Hale* —3H **127**
Wolverley Rd. *Sol* —3H **137**
Wolverson Clo. *W'hall* —5C **30**
Wolverson Rd. *Wals* —3C **22**
Wolverton Rd. *Dud* —6G **77**
Wolverton Rd. *Mars G*
　—4D **122**
Wolverton Rd. *Redn* —3A **158**
Wombourne. —1H 73
Wombourne Clo. *Dud* —5G **59**
Wombourne Pk. *Wom* —2F **73**
Wombourne Rd. *Swind*
　—5E **73**
Wombrook Dale. *Wom*
　—1D **72**
Woodacre Rd. *Erd* —3A **86**
Woodall Rd. *B6* —6H **83**
Woodall St. *Crad H* —2E **111**
Woodall St. *Wals* —6A **20**
Woodard Rd. *Tip* —6C **62**
Wood Av. *Dud* —3G **75**
Wood Av. *Wolv* —3F **29**
Wood Bank. *B26* —4C **120**
Woodbank Rd. *Dud* —6G **59**
Wood Bank Rd. *Wolv* —3G **41**
Woodberry Dri. *S Cold* —3E **71**
Woodberry Wlk. *B27* —2B **136**
Woodbine Av. *B10* —3D **118**
Woodbine Cft. *B26* —5E **121**
Woodbine Wlk. *B37* —1F **123**
Woodbourne. *B15 & Edg*
　—3H **115**
Woodbourne Rd. *Harb & Edg*
　—3G **115**
Woodbourne Rd. *Smeth*
　—1C **114**
Woodbridge Clo. *Blox* —4G **19**
Woodbridge Clo. *Rus* —6H **21**
Woodbridge Rd. *B13* —2H **133**
Woodbrooke Rd. *B30*
　—6H **131**
Woodbrook Ho. *B37* —1D **122**
Woodburn Rd. *Smeth* —2H **99**
Woodbury Clo. *Brie H*
　—1A **110**
Woodbury Clo. *Hale* —3F **113**
Woodbury Gro. *Sol* —6F **151**
Woodbury Rd. *Hale* —3F **113**
Woodchester Rd. *Dorr*
　—6F **167**

Wood Clo. *Col* —2H **107**
Woodclose Rd. *B37* —6B **106**
Woodcock Clo. *B31* —6H **143**
Woodcock Hill. —6B 130
Woodcock La. *A Grn* —2B **136**
　(in two parts)
Woodcock La. *N'fld* —6C **130**
Woodcock La. N. *B27 & B26*
　—1B **136**
Woodcock St. *B7*
　—5H **101** (1G **5**)
Woodcombe Clo. *Brie H*
　—4F **109**
Wood Comn. Grange. *Wals*
　—3D **20**
Woodcote Dri. *B8* —4F **103**
Woodcote Dri. *Dorr* —6H **167**
Woodcote Pl. *B19* —2E **101**
Woodcote Rd. *B24* —2B **86**
Woodcote Rd. *Wolv* —5A **26**
Woodcote Way. *B18* —4C **100**
Woodcote Way. *S Cold*
　—5H **51**
Woodcroft. *H'wd* —3B **162**
Woodcroft Av. *B20* —4A **82**
Woodcroft Av. *Tip* —2E **77**
Woodcroft Clo. *Crad H*
　—3H **111**
Woodcross. —3B 60
Woodcross La. *Bils* —3C **60**
Woodcross St. *Bils* —3B **60**
Wood End. —2E 29
Woodend. *B20* —1A **82**
Wood End La. *B23 & B24*
　—4F **85**
Woodend Pl. *Wolv* —5H **25**
Wood End Rd. *B24* —4F **85**
Wood End Rd. *Wals* —3H **49**
Wood End Rd. *Wolv* —2F **29**
Woodend Way. *Wals* —6D **23**
Woodfall Av. *B30* —2B **146**
Woodfield Av. *Brie H* —2F **93**
Woodfield Av. *Crad H* —3F **111**
Woodfield Av. *O'bry* —5G **97**
Woodfield Av. *Stourb* —3B **126**
Woodfield Av. *Wolv* —5D **42**
Woodfield Clo. *S Cold* —3H **53**
Woodfield Clo. *Wals* —6A **50**
Woodfield Cres. *S'brk*
　—5A **118**
Woodfield Heights. *Wolv*
　—5B **26**
Woodfield Rd. *Bal H* —5A **118**
Woodfield Rd. *Dud* —3G **75**
Woodfield Rd. *K Hth* —5H **133**
Woodfield Rd. *Sol* —1F **151**
Woodfold Cft. *Wals* —2D **34**
Woodford Av. *B36* —1F **105**
Woodford Clo. *Wolv* —5D **14**
Woodford Grn. Rd. *B28*
　—5G **135**
Woodford La. *Try* —5C **56**
Woodford Way. *Wom* —1D **73**
Woodfort Rd. *B43* —6A **66**
Woodgate. —4H 129
Woodgate Bus. Pk. *B32*
　—3H **129**
Woodgate Dri. *B32* —4G **129**
Woodgate Gdns. *B32* —3G **129**
Woodgate La. *B32* —3G **129**
Woodgate Valley Country
　Pk. —2A 130
Woodgate Valley Country
　Pk. Vis. Cen. —3H 129
Woodglade Cft. *B38* —5A **146**
Wood Green. —6G 47

268 *A-Z Birmingham*

Wood Grn. *C Hay* —1E **7**
Woodgreen Cft. *O'bry*
—4A **114**
Wood Grn. Rd. *B18* —5H **99**
Woodgreen Rd. *O'bry*
—4A **114**
Wood Grn. Rd. *W'bry* —1G **63**
Woodhall Clo. *Tip* —5A **62**
Woodhall Cft. *Sol* —2D **136**
Woodhall Ho. Wals —1A *32*
(off Woodhall St.)
Woodhall Rd. *Wolv* —1C **58**
Woodham Clo. *Redn* —6E **143**
Woodhaven. *Wals* —6H **21**
Wood Hayes. —6E 17
Wood Hayes Rd. *Wolv* —5D **16**
Woodhill Clo. *Wom* —1F **73**
Wood Hill Dri. *Wom* —2F **73**
Wood Ho. *Wals* —4D **48**
Woodhouse Fold. *Wolv*
—4F **29**
Woodhouse Rd. *B32* —5C **114**
Woodhouse Rd. *Wolv* —5H **25**
Woodhouse Rd. N. *Wolv*
—5H **25**
Woodhouse Way. *Crad H*
—2E **111**
Woodhurst Rd. *B13* —1A **134**
Wooding Cres. *Tip* —4B **62**
Woodington Rd. *S Cold*
—6E **55**
Woodland Av. *Brie H* —2C **110**
Woodland Av. *Dud* —4E **77**
Woodland Av. *Wolv* —6H **25**
Woodland Clo. *Stourb*
—3H **125**
Woodland Clo. *W'hall* —3D **30**
Woodland Ct. *Shen W* —2G **37**
Woodland Cres. *Wolv* —4B **42**
Woodland Dri. *Smeth* —2C **98**
Woodland Dri. *Wals* —1E **7**
Woodland Gro. *B43* —2A **66**
Woodland Gro. *Dud* —5F **75**
Woodland Ri. *Crad H* —3H **111**
Woodland Ri. *S Cold* —1H **69**
Woodland Rd. *Hale* —3D **112**
Woodland Rd. *Hand* —1G **99**
Woodland Rd. *N'fld* —4F **145**
Woodland Rd. *Wolv* —4A **42**
Woodlands Av. *Wals* —6A **50**
Woodlands Av. *Wat O* —5D **88**
Woodlands Cotts. *Wolv*
—1C **58**
Woodlands Cres. *Wals* —2D **20**
Woodlands Farm Rd. *B24*
—3D **86**
Woodlands La. *Shir* —1H **163**
Woodlands Pk. Rd. *B30*
—1G **145**
Woodlands Rd. *Redn* —2D **156**
Woodlands Rd. *Salt* —5F **103**
Woodlands Rd. *S'hll* —2B **134**
Woodlands Rd. *Wom* —2G **73**
Woodlands St. *Smeth* —4G **99**
Woodlands, The. *Cod* —5G **13**
Woodlands, The. *Crad H*
—4A **112**
Woodlands, The. *Stourb*
—3E **125**
Woodlands Wlk. *Wolv* —6C **42**
Woodlands Way. *B37* —6F **107**
Wood La. *A'rdge & Lich*
—6H **23**
Wood La. *Bars* —6G **153**
Wood La. *Erd* —6H **85**
Wood La. *Hand* —5C **82**

Wood La. *Harb* —5E **115**
Wood La. *Mars G* —3C **122**
Wood La. *Pels* —2D **20**
Wood La. *S Cold* —2G **51**
Wood La. *W Brom* —4G **79**
Wood La. *W'hall* —2E **31**
Wood La. *Wolv* —6H **15**
Wood La. *W'gte* —4G **129**
(in two parts)
Wood La. Clo. *W'hall* —2E **31**
Woodlawn Gro. *K'wfrd*
—4B **92**
Woodlea Dri. *B24* —5F **85**
Woodlea Dri. *Sol* —2C **150**
Wood Leasow. *B32* —3B **130**
Wood Leaves. *H'wd* —1H **161**
Woodleigh Av. *B17* —1H **131**
Woodleigh Clo. *Hale* —5A **112**
Woodleigh Rd. *S Cold* —4A **70**
Woodleys, The. *B14* —3B **148**
Woodloes Rd. *Shir* —1H **163**
Woodman Clo. *Hale* —2C **128**
Woodman Clo. *W'bry* —1H **63**
Woodman La. *Wals* —1E **7**
Woodman Rd. *B14* —6A **148**
Woodman Rd. *Hale* —2C **128**
Woodman Wlk. *B23* —2A **84**
Woodmeadow Rd. *B30*
—4D **146**
Woodnorton Dri. *B13*
—3G **133**
Woodnorton Rd. *Row R*
—1F **113**
Woodpecker Gro. *B36*
—2C **106**
Woodperry Av. *Sol* —6G **151**
Woodridge. *B6* —6G **83**
Woodridge Av. *B32* —6H **113**
Woodridge Rd. *Hale* —6A **112**
Wood Rd. *Cod* —2D **12**
Wood Rd. *Dud* —4G **75**
Wood Rd. *Smeth* —2A **98**
Wood Rd. *Wolv & Tett W*
—6H **25**
Wood Rd. *Wom* —5H **57**
Woodrough Dri. *B13* —3H **133**
Woodrow Cres. *Know*
—4C **166**
Woodrow La. *Cats* —6B **156**
Woodruff Way. *Wals* —1D **64**
Woodrush Dri. *H'wd* —4A **162**
Woods Bank. —6D 46
Woods Bank Ter. *W'bry*
—6C **46**
Woods Bank Trad. Est. *W'bry*
—1D **62**
Woods Cres. *Brie H* —2C **110**
Woodsetton. —1A 76
Woodsetton Clo. *Dud* —1D **76**
Woodshires Rd. *Sol* —6C **136**
Woodside. —3B 94
Woodside. *B37* —4A **106**
Woodside. *S Cold* —1E **53**
Wood Side. *Wolv* —1A **30**
Woodside Clo. *Wals* —6H **49**
Woodside Cres. *Know*
—5D **166**
Woodside Dri. *S Cold* —4C **36**
Woodside Gro. *Cod* —4H **13**
Woodside Rd. *B29* —4C **132**
(in two parts)
Woodside Rd. *Dud* —2B **94**
Woodside Rd. *Wals* —5H **49**
Woodside Way. *Sol* —2C **150**
Woodside Way. *Wals* —4D **34**
Woodside Way. *W'hall* —2E **31**

Woodside Way. *W'gte*
—5G **129**
Woods La. *Brie H* —3H **109**
Woods La. *Crad H* —3E **111**
Woodsome Gro. *B23* —6C **68**
Woodsorrel Rd. *Dud* —3B **76**
Woods, The. —2B 64
Woods, The. *B14* —4H **133**
Woodstile Clo. *S Cold* —6B **38**
Woodstile Way. *B34* —3F **105**
Woodstock Clo. *Dud* —1C **94**
Woodstock Clo. *Stourb*
—2A **108**
Woodstock Clo. *Wals* —2E **65**
Woodstock Cres. *Dorr*
—6B **166**
Woodstock Dri. *Stourb*
—2A **108**
Woodstock Dri. *S Cold*
—5D **36**
Woodstock Rd. *Hand* —1B **100**
Woodstock Rd. *Mose*
—1A **134**
Woodstock Rd. *Wolv* —2D **44**
Woodston Gro. *Sol* —1G **165**
Wood St. *B16* —1C **116**
Wood St. *Bils* —6F **45**
Wood St. *Dud* —3B **94**
Wood St. *Lane* —2C **60**
Wood St. *Lye* —6B **110**
Wood St. *Park V* —4B **28**
Wood St. *Tip* —1G **77**
Wood St. *W'bry* —5F **47**
Wood St. *W'hall* —1A **46**
Wood St. *Woll* —4B **108**
Woodthorne Clo. *Dud* —5H **75**
Woodthorne Rd. *Wolv* —3G **25**
Woodthorne Rd. S. *Wolv*
—5G **25**
Woodthorne Wlk. *K'wfrd*
—1C **92**
Woodthorpe Dri. *Stourb*
—2H **125**
Woodthorpe Gdns. *B14*
—2G **147**
Woodthorpe Rd. *B14* —2F **147**
Woodvale Dri. *B28* —3E **149**
Woodvale Rd. *Hall G* —3E **149**
Woodvale Rd. *W'gte* —4G **129**
Wood Vw. Dri. *B15* —4E **117**
Woodville Gdns. *Dud* —4B **60**
Woodville Rd. *Harb* —5E **115**
Woodville Rd. *K Hth* —5H **133**
Woodward Pl. *Stourb*
—1G **125**
Woodwards Clo. *Wals* —3H **47**
Woodwards Pl. *Wals* —3H **47**
Woodwards Rd. *Wals* —3H **47**
Woodward St. *W Brom*
—3C **80**
Woodway. *B24* —2H **85**
Woodwells Rd. *B8* —4G **103**
Woolacombe Lodge Rd. *B29*
—3G **131**
Woolmore Rd. *B23* —3C **84**
Woolpack Clo. *Row R* —5A **96**
Woolpack St. *Wolv*
—1G **43** (3B **170**)
Wooton Gro. *B44* —5C **68**
Wootton Av. *Wolv* —2F **29**
Wootton Clo. *Brie H* —3F **109**
Wootton Green. —6F 155
Wootton Grn. La. *Bal C*
—6G **155**
Wootton La. *Bal C* —6E **155**
Wootton Rd. *B31* —2E **159**

Wootton Rd. *Wolv* —4B **42**
Woottons Sq. *Bils* —3G **61**
Worcester Clo. *S Cold* —6B **38**
Worcester Ct. *Wolv* —5E **43**
Worcester Grn. *W Brom*
—6A **64**
Worcester Gro. *Pert* —5D **24**
Worcester Ho. *B36* —1C **106**
Worcester La. *Stourb & Hag*
—4F **125**
Worcester La. *S Cold* —6B **38**
Worcester Ri. *B29* —4D **132**
Worcester Rd. *Dud* —6G **95**
Worcester Rd. *Hag* —6F **125**
Worcester Rd. *O'bry* —3G **113**
Worcester Rd. *W'hall* —1D **46**
Worcester Rd. *Witt* —5H **83**
Worcester St. *Stourb* —1D **124**
Worcester St. *Wolv*
—2G **43** (5A **170**)
Worcester Wlk. *B2*
—1G **117** (5E **5**)
Worcester Wlk. *B37* —3B **122**
Word Hill. *B17* —4D **114**
Wordsley. —1B 108
Wordsley Ct. *Stourb* —6B **92**
Wordsley Grn. *Stourb*
(in two parts) —1B **108**
Wordsley Grn. Shop. Cen.
Stourb —1B **108**
Wordsworth Av. *Pert* —5E **25**
Wordsworth Av. *Wolv* —1A **60**
Wordsworth Clo. *Tip* —5A **62**
Wordsworth Ho. *O'bry* —5A **98**
Wordsworth Rd. *B10* —4D **118**
Wordsworth Rd. *Dud* —2F **75**
Wordsworth Rd. *Wals* —1C **32**
Wordsworth Rd. *W'hall*
—2E **31**
Wordsworth Rd. *Wolv* —1C **28**
Wordsworth St. *W Brom*
—2A **80**
Worfield Clo. *Wals* —5E **33**
Worfield Gdns. *Wolv* —5D **42**
Works Rd. *Birm A* —2B **138**
Worlds End. —1E 151
Worlds End Av. *B32* —5B **114**
Worlds End La. *B32* —5B **114**
Worlds End Rd. *B20* —4C **82**
Worleys Wharf Av. *W'bry*
—3C **64**
Worsey Dri. *Tip* —1D **78**
Worthen Gro. *B31* —1E **159**
Worthings, The. *B30* —1D **146**
Worthy Down. *Wolv* —4H **29**
Worthy Down Wlk. *B35*
—4F **87**
Wortley Av. *Wolv* —3A **28**
Worton Rd. *Stourb* —3A **126**
Wragby Clo. *Wolv* —4F **15**
Wrekin Clo. *Hale* —4E **127**
Wrekin Dri. *B'mre* —3C **42**
Wrekin Dri. *Stourb* —1H **125**
Wrekin Dri. *Wergs* —4G **25**
Wrekin Gro. *W'hall* —6B **18**
Wrekin La. *Wolv* —4G **25**
Wrekin Rd. *B44* —1H **83**
Wrekin Rd. *S Cold* —4G **69**
Wrekin Vw. *Wals* —2C **22**
Wrekin Vw. *Wolv*
—6G **27** (2A **170**)
Wrekin Vw. Rd. *Dud* —5G **59**
Wren Av. *Wolv* —6D **24**
Wrens Av. *K'wfrd* —5E **93**
Wrens Av. *Tip* —2E **77**
Wrens Hill Rd. *Dud* —2D **76**

Wren's Nest—Zouche Clo.

3 8002 00984 4616

HOSPITALS and HOSPICES
covered by this atlas
with their map square reference

N.B. Where Hospitals and Hospices are not named on the map, the reference
given is for the road in which they are situated.

Acorns Childrens Hospice —5A **132**
103 Oak Tree La., Selly Oak,
BIRMINGHAM
B29 6HZ
Tel: 0121 2484850

Acorns Walsall Childrens Hospice
—6D **48**
Walstead Rd.,
WALSALL
WS5 4NL
Tel: 01922 422 500

ALL SAINTS HOSPITAL (BIRMINGHAM)
—4B **100**
Lodge Rd., Hockley,
BIRMINGHAM
B18 5SD
Tel: 0121 6856220

BIRMINGHAM CHILDREN'S HOSPITAL
(DIANA PRINCESS OF WALES
HOSPITAL) —6G **101** (2F **5**)
Steelhouse La.,
BIRMINGHAM
B4 6NH
Tel: 0121 3339999

BIRMINGHAM DENTAL HOSPITAL
—6G **101** (2E **5**)
St Chad's Queensway,
BIRMINGHAM
B4 6NN
Tel: 0121 2368611

BIRMINGHAM HEARTLANDS HOSPITAL
—1H **119**
Bordesley Green E.,
BIRMINGHAM
B9 5SS
Tel: 0121 7666611

BIRMINGHAM NUFFIELD HOSPITAL,THE
—6B **116**
22 Somerset Rd., Edgbaston,
BIRMINGHAM
B15 2QQ
Tel: 0121 4562000

BIRMINGHAM WOMENS HOSPITAL
—1H **131**
Metchley Park Rd.,
BIRMINGHAM
B15 2TG
Tel: 0121 4721377

BLOXWICH HOSPITAL—1H **31**
Reeves St., WALSALL
WS3 2JJ
Tel: 01922 858600

BUSHEY FIELDS HOSPITAL—2A **94**
Bushey Fields Rd., DUDLEY,
West Midlands
DY1 2LZ
Tel: 01384 457373

CITY HOSPITAL BIRMINGHAM —5B **100**
Dudley Rd.,
BIRMINGHAM
B18 7QH
Tel: 0121 5543801

Compton Hospice —1A **42**
Compton Rd. W.,
WOLVERHAMPTON
WV3 9DH
Tel: 01902 758151

CORBETT HOSPITAL —4E **109**
Vicarage Rd.,
STOURBRIDGE
West Midlands
DY8 4JB
Tel: 01384 456111

DOROTHY PATTISON HOSPITAL
—2H **47**
Alumwell Clo.,
WALSALL
WS2 9XH
Tel: 01922 858000

EDWARD STREET HOSPITAL —4A **80**
Edward St.,
WEST BROMWICH
West Midlands
B70 8NL
Tel: 0121 553 7676

GOOD HOPE HOSPITAL —5B **54**
Rectory Rd.,
SUTTON COLDFIELD
West Midlands
B75 7RR
Tel: 0121 3782211

GOSCOTE HOSPITAL —1D **32**
Goscote La.,
WALSALL
WS3 1SJ
Tel: 01922 710710

GUEST HOSPITAL —4G **77**
Tipton Rd.,
DUDLEY
West Midlands
DY1 4SE
Tel: 01384 456111

HALLAM DAY HOSPITAL —2B **80**
Lewisham St.,
WEST BROMWICH
West Midlands
B71 4HJ
Tel: 0121 553 1831

HAMMERWICH HOSPITAL —1D **10**
Hospital Rd.,
BURNTWOOD
Staffordshire
WS7 0EH
Tel: 01543 675754

HEATH LANE HOSPITAL —6B **64**
Heath La.,
WEST BROMWICH
West Midlands
B71 2BQ
Tel: 0121 553 1831

HIGHCROFT HOSPITAL —4D **84**
Fentham Rd.,
Erdington,
BIRMINGHAM
B23 6AL
Tel: 0121 6235500

John Taylor Hospice —2A **86**
76 Grange Rd.,
Erdington,
BIRMINGHAM
B24 0DF
Tel: 0121 3735526

KINGS HILL DAY HOSPITAL —6E **47**
School St.,
WEDNESBURY
West Midlands
WS10 9JB
Tel: 0121 5264405

LITTLE ASTON BUPA HOSPITAL —4B **36**
Little Aston Hall Dri.,
Little Aston,
SUTTON COLDFIELD
West Midlands
B74 3UP
Tel: 0121 3532444

Little Bloxwich Day Hospice —4B **20**
Stoney La.,
WALSALL
WS3 3DW
Tel: 01922 858736

MANOR HOSPITAL (WALSALL) —2A **48**
Moat Rd.,
WALSALL
WS2 9PS
Tel: 01922 721172

Mary Stevens Hospice —3F **125**
221 Hagley Rd.,
STOURBRIDGE
West Midlands
DY8 2JR
Tel: 01384 443010

MOSELEY HALL HOSPITAL —2G **133**
Alcester Rd.,
BIRMINGHAM
B13 8JL
Tel: 0121 4424321

MOSSLEY DAY HOSPITAL —6F **19**
Sneyd La.,
WALSALL
WS3 2LW
Tel: 01922 858680

Hospitals & Hospices

NEW CROSS HOSPITAL
(WOLVERHAMPTON) —4D **28**
Wolverhampton Rd.,
Heath Town,
WOLVERHAMPTON
WV10 0QP
Tel: 01902 307999

NORTHCROFT HOSPITAL —3D **84**
Reservoir Rd.,
Erdington,
BIRMINGHAM
B23 6DW
Tel: 0121 3782211

PARKWAY BUPA HOSPITAL —2A **152**
1 Damson Parkway,
SOLIHULL
West Midlands
B91 2PP
Tel: 0121 7041451

PENN HOSPITAL —1C **58**
Penn Rd.,
WOLVERHAMPTON
WV4 5HN
Tel: 01902 444141

PRIORY HOSPITAL, THE —6D **116**
Priory Rd.,
Edgbaston,
BIRMINGHAM
B5 7UG
Tel: 0121 4402323

QUEEN ELIZABETH HOSPITAL —1A **132**
Edgbaston,
BIRMINGHAM
B15 2TH
Tel: 0121 6271627

QUEEN ELIZABETH PSYCHIATRIC
HOSPITAL—1A **132**
Mindelsohn Way,
Edgbaston,
BIRMINGHAM
B15 2QZ
Tel: 0121 6272999

RIDGE HILL HOSPITAL —6C **92**
Brierly Hill Rd.,
STOURBRIDGE
West Midlands
DY8 5ST
Tel: 01384 456111

ROWLEY REGIS HOSPITAL —1B **112**
Moor La.,
ROWLEY REGIS
West Midlands
B65 8DA
Tel: 0121 607 3465

ROYAL ORTHOPAEDIC HOSPITAL
—2F **145**
Bristol Rd. S., Northfield,
BIRMINGHAM
B31 2AP
Tel: 0121 685 4000

RUSSELLS HALL HOSPITAL —2H **93**
Pensnett Rd.,
DUDLEY
West Midlands
DY1 2HQ
Tel: 01384 456111

ST DAVID'S HOUSE (DAY HOSPITAL)
—6G **57**
Planks La., Wombourne,
WOLVERHAMPTON
WV5 8DU
Tel: 01902 326001

St Mary's Hospice —4C **132**
176 Raddlebarn Rd.,
BIRMINGHAM
B29 7DA
Tel: 0121 4721191

SANDWELL DISTRICT GENERAL
HOSPITAL —2B **80**
Lyndon,
WEST BROMWICH
West Midlands
B71 4HJ
Tel: 0121 553 1831

SELLY OAK HOSPITAL —4B **132**
Raddlebarn Rd.,
BIRMINGHAM
B29 6JD
Tel: 0121 6721627

Sister Dora Hospice
(Due Open Late 2000) —1D **32**
Goscote La.,
WALSALL
WS3 1SJ
Tel: 01922 858736

SOLIHULL HOSPITAL —3G **151**
Lode La.,
SOLIHULL
West Midlands
B91 2JL
Tel: 0121 7114455

SUTTON COLDFIELD COTTAGE
HOSPITAL —1H **69**
Birmingham Rd.,
SUTTON COLDFIELD
West Midlands
B72 1QH
Tel: 0121 3556031

Warren Pearl Marie Curie Hospice
—3A **152**
911-913 Warwick Rd.,
SOLIHULL
West Midlands
B91 3ER
Tel: 0121 7054607

WEST HEATH HOSPITAL —1G **159**
Rednal Rd.,
BIRMINGHAM
B38 8HR
Tel: 0121 6271627

WEST MIDLANDS HOSPITAL —6F **111**
Colman Hill,
HALESOWEN
West Midlands
B63 2AH
Tel: 01384 560123

WEST PARK HOSPITAL —1E **43**
Park Rd. W.,
WOLVERHAMPTON
WV1 4PW
Tel: 01902 444000

WOLVERHAMPTON EYE INFIRMARY
—1E **43**
Compton Rd.,
WOLVERHAMPTON
WV3 9QR
Tel: 01902 307999

WOLVERHAMPTON NUFFIELD
HOSPITAL—5A **26**
Wood Rd.,
WOLVERHAMPTON
WV6 8LE
Tel: 01902 754177

WOODBOURNE PRIORY HOSPITAL
—3G **115**
23 Woodbourne Rd.,
Harborne
BIRMINGHAM
B17 8BY
Tel: 0121 4344343

WORDSLEY HOSPITAL —6C **92**
Stream Rd.,
STOURBRIDGE
West Midlands
DY8 5QX
Tel: 01384 456111

YARDLEY GREEN HOSPITAL —2G **119**
Yardley Green Rd.,
BIRMINGHAM
B9 5PX
Tel: 0121 7666611